संत न बाँधे गाँठड़ी

(उपन्यास)

मिथिलेश्वर

जन्म - 31 दिसम्बर 1950 बिहार के भोजपुर जिले के बैसाडीह नामक गाँव में।

शिक्षा - एम.ए., पी-एच.डी., हिन्दी साहित्य।

साहित्य सेवा- ***कहानी संग्रह*** - बन्द रास्तों के बीच, दूसरा महाभारत, मेघना का निर्णय, तिरिया जनम, हरिहर काका, एक में अनेक, एक थे प्रो.बी.लाल, भोर होने से पहले, चल खुसरो घर आपने, जमुनी तथा रैन भई चहुं देस, मिथिलेश्वर की सम्पूर्ण कहानियाँ तीन खण्डों में। ***उपन्यास*** - झुनिया, युद्धस्थल, प्रेम न बाड़ी ऊपजै, यह अन्त नहीं, सुरंग में सुबह, माटी कहे कुम्हार से, तेरा संगी कोई नहीं तथा संत न बाँधै गाँठड़ी। ***आत्मकथा*** - पानी बीच मीन पियासी, कहाँ तक कहें युगों की बात, जाग चेत कुछ करौ उपाई। ***लोक साहित्य*** - भोजपुरी लोककथा,भोजपुरी की 51 लोककथाओं की पुनर्रचना। ***विचार साहित्य*** - साहित्य की सामाजिकता, साहित्य, चिन्तन और सृजन। ***नवसाक्षर एवं बाल साहित्य*** - उस रात की बात, गाँव के लोग, एक था पंकज। ***सम्पादन*** - 'मित्र' अनियतकालीन साहित्यक पत्रिका।

पुरस्कार - अखिल भारतीय मुक्तिबोध पुरस्कार, सोवियत लैण्ड नेहरु पुरस्कार, यशपाल पुरस्कार, अमृत पुरस्कार, अखिल भारतीय वीर सिंह देव पुरस्कार, तथा श्रीलाल शुक्ल स्मृति इफको सम्मान।

सम्प्रति - सेवानिवृत्त प्रोफेसर, हिन्दी विभाग, वीर कुंवर सिंह विश्वविद्यालय, आरा

सम्पर्क - महाराजा हाता, आरा - 802301, (बिहार)

मिथिलेश्वर

संत न बाँधे गाँठड़ी

लोकभारती पेपरबैक्स

प्रथम पेपरबैक संस्करण : 2020

लोकभारती पेपरबैक्स : उत्कृष्ट साहित्य के लोकप्रिय संस्करण

लोकभारती प्रकाशन
पहली मंजिल, दरबारी बिल्डिंग, महात्मा गाँधी मार्ग,
प्रयागराज-211001

वेबसाइट : www.lokbhartiprakashan.com
ईमेल : info@lokbhartiprakashan.com

शाखाएँ : 1-बी, नेताजी सुभाष मार्ग, दरियागंज, नई दिल्ली-110 002
अशोक राजपथ, साइंस कॉलेज के सामने, पटना-800 006 (बिहार)
36-ए, शेक्सपियर सरणी, कोलकाता-700 017 (प. बंगाल)

आस्था पेपर कन्वर्टर
प्रयागराज द्वारा मुद्रित

मूल्य : ₹ 300

SANT NA BANDHE GANTHARI
by Mithileshwar

ISBN : 978-93-89742-43-5

प्रकाशन जगत के प्रति
समर्पित
श्री रमेश ग्रोवर
के नाम

1

मंच की ओर आते उस स्वामी की चाल लोकचन्द को बिल्कुल जानी-पहचानी लग रही थी। रास्ते के दोनों किनारों पर खड़े उनके भक्त, शिष्य और प्रशंसक झुक-झुककर उनका चरण स्पर्श करते जा रहे थे। बीच-बीच में कुछ लोग उन्हें साष्टांग दण्डवत् भी कर रहे थे। गंगा किनारे की जिस पुलिया पर लोकचन्द बैठे थे वहाँ से होकर ही मंच पर जाने का रास्ता था। पुलिया के निकट ही भव्य मंच तैयार किया गया था। लोकचन्द को प्राप्त जानकारी के अनुसार हर वर्ष सावन की दूसरी सोमारी को वे स्वामी यहाँ आते तथा प्रवचन करते थे। अब वे पुलिया से होकर गुजरने ही वाले थे कि उनकी अगवानी में तेजी से आगे चल रहे दो युवा साधु, जो उनके शिष्य, भक्त या अनुयायी कुछ भी हो सकते थे, लोकचन्द के पास आ धमके। अपने स्वामी की तरह ही वे गेरुए परिधान में थे तथा उनका मार्ग प्रशस्त करते जा रहे थे। उनकी नजर पुलिया के एक किनारे बैठे लोकचन्द पर पड़ी। बस, उनके समक्ष वे रू-ब-रू हो उठे – ''खड़े हो जाइये, श्रीमान्। स्वामी जी पधार रहे हैं...!'' जवाब में लोकचन्द के मुँह से बरबस निकल गया – ''क्यों खड़ा हो जाऊँ? क्या बात है?'' यह सुन वे चौंकते हुए बोल उठे – ''आप कैसे आदमी हैं श्रीमान्? स्वामी जी को नहीं जानते। स्वामी मुक्तानन्द मुक्त जी जैसे इतने बड़े संत इस रास्ते से गुजरेंगे और आप बैठे रहेंगे?''

लोकचन्द के मन में आया कि कह दें – ''तो क्या करें? कोई इस रास्ते से गुजरे, उससे मुझे क्या? पुलिया के इस किनारे बैठा मैं किसी का मार्ग तो नहीं रोक रहा। इस पुलिया पर सबका अधिकार है, किसी एक का नहीं...।''

अपने मन की इस स्वतः स्फूर्त प्रतिक्रिया के तहत उनकी बात सुनकर भी लोकचन्द चुपचाप बैठे रहे। इस पर उन गेरुआधारियों ने पुनः कहा – ''आपने सुना नहीं श्रीमान्?''

लोकचन्द ने महसूस किया, अगर उनका अपना शहर होता तो वे साफ कह देते – ''सुना है। नहीं उठूँगा। पुलिया का यह रास्ता किसी के बाप का नहीं है। यह आम रास्ता है...।''

लेकिन इस नयी जगह, उनकी औचक और आक्रामक उपस्थिति तथा पीछे से आ रही उनके लोगों की बड़ी संख्या देख लोकचन्द न चाहते हुए भी चुपचाप खड़े

हो गये। इस नये स्थान में अकारण और अनावश्यक विवाद में उलझना उन्हें उचित प्रतीत नहीं हुआ।

उत्तराखण्ड के इस रमणीक स्थल पर लोकचन्द एक विशेष उद्देश्य से पहुँचे थे। उत्तराखण्ड के पर्यटन स्थलों और मनोरम शहरों में घूमते तथा यहाँ के स्टार होटलों में विहार करते सैलानियों की चकाचौंध से दूर यहाँ के पहाड़ों की तलहटी में बसे अभावग्रस्त ग्रामवासियों के जीवन और उनकी समस्याओं पर लिखने के उद्देश्य से लोकचन्द का खोजी रचनाकार मन उन्हें यहाँ खींच लाया था। जमीन धँसने, पहाड़ गिरने और बादल फटने पर पहाड़ों की तलहटी के ग्रामवासी फिर-फिर विस्थापित होते तथा अपनी जान-माल का नुकसान सहते-झेलते लोकचन्द के रचनाकार मन को व्यथित करते रहे थे। प्राकृतिक आपदा के तहत ऐसे लोगों द्वारा अपने परिवार के सदस्यों तथा माल-मवेशियों के खोने और विस्थापित होकर जीने की सूचनाएँ अक्सर लोकचन्द के मन को आहत करती थीं। इस सम्बन्ध में उन्हें लगता कि इस पीड़ा के जो संवाहक हैं उनकी व्यथा की कोई सीमा नहीं हो सकती। वैसे लोगों के जीवन को निकट से परखने और उनकी समस्याओं को जानने-समझने के लिए उन्हें उनके बीच जाने और आवश्यकतानुसार उनके साथ रहने की भी जरूरत थी। इसी उद्देश्य के तहत अपना ठहराव उन्होंने उत्तराखण्ड के इस मशहूर स्थल हरिद्वार को बनाया था। अभी आज ही सुबह वे यहाँ पहुँचे थे। अपने ठहराव स्थल पर अपने को व्यवस्थित कर अब सन्ध्या भ्रमण के लिए इधर आ गये थे। अगले दिन से पहाड़ की तलहटी में बसे गाँवों में जाने की उनकी योजना थी।

जब स्वामी मुक्तानन्द मुक्त उनके निकट से गुजरने लगे तो लोकचन्द को लगा, जैसे उनका कोई चिर-परिचित गुजर रहा हो। लेकिन वे समझ नहीं पा रहे थे कि उनके परिचितों में ऐसा कौन आदमी हो सकता है। करीने से सजे बाल-दाढ़ी, आकर्षक गेरुआ परिधान। माथे पर चन्दन का गोल टीका। गले में रुद्राक्ष की माला। साधु-संतों का बाना। अगर यह परिधान और ऐसा बाना नहीं होता तो शायद लोकचन्द उन्हें पहचानने की कोशिश भी करते। अब उम्र के इस पड़ाव पर उनकी स्मरण शक्ति भी तो पहले जैसी नहीं रह गयी थी।

अब तक स्वामी मुक्तानन्द मुक्त जी मंच पर विराजमान हो गये थे। उनके भक्तों और शिष्यों ने जयकारी प्रारम्भ कर दी थी – ''जय गुरुदेव।''

''जय गुरुदेव।''

इसके बाद मंच संचालक ने गुरु-वन्दना के लिए स्वामी जी की दो शिष्याओं को आमन्त्रित किया। वे स्वामी जी के साथ ही आयी थीं और गेरुए परिधान में थीं। शायद स्वामी जी के आश्रम में ही रहती हों।

अब उद्घोषणा के अनुसार वे तत्क्षण प्रस्तुत हो गयीं –

"बंदउँ गुरु पद पदुम परागा।
सुरुचि सुबास सरस अनुरागा।।
अमिअ मूरिमय चूरन चारू।
समन सकल भव रुज परिवारू।।"

इस गुरु-वन्दना के समाप्त होते ही पूरा वातावरण तालियों से गूँज उठा। सचमुच उनकी उन शिष्याओं का स्वर भी अपने रंग-रूप के अनुसार ही मधुर और मोहक था। इस अवसर पर काफी संख्या में भक्त और श्रोता उपस्थित थे। सामने गंगा का लहराता जल। अत्यन्त मनोहारी दृश्य!

लोकचन्द जहाँ बैठे थे, वहाँ से मंच की आवाज़ स्पष्ट आ रही थी। गुरु-वन्दना के बाद अब मंच संचालक ने गुरु महाराज का संकेत प्राप्तकर तत्क्षण उद्घोषणा की – "आज गुरुदेव को लेकर कार्यक्रमों की भरमार है, इसलिए किसी और को आमन्त्रित न कर अब मैं सीधे अपने परमपूज्य गुरु महाराज की भगवत् वाणी से आपका साक्षात्कार कराना चाहता हूँ...।"

और ऐसा कहते हुए उस उद्घोषक ने माईक को वहाँ पहुँचा दिया जहाँ सिंहासननुमा कुर्सी पर गुरु महाराज विराजमान थे। लोकचन्द जानते थे, ऐसे स्वामी और गुरु खड़े होकर नहीं, आराम से बैठकर ही प्रवचन करते हैं। अब उस स्वामी ने भी बोलना प्रारम्भ कर दिया –

"वर्णानामर्थसंघानां रसानां छन्दसामपि।
मङ्गलानां च कर्त्तारौ वन्दे वाणीविनायकौ।"

उस स्वामी की यह आवाज़ भी अब लोकचन्द को बिल्कुल परिचित जान पड़ने लगी। लोकचन्द की जिज्ञासा अब और तेज हो गयी। पुलिया पर उनके निकट से वह स्वामी गुजर रहे थे तो उन्हें किसी पूर्व परिचित के होने का एहसास हुआ था। उनकी चाल उन्हें जानी-पहचानी लगी थी। अब उनकी यह आवाज़ भी एकदम परिचित जान पड़ रही थी।

पुलिया से उतरकर अब लोकचन्द मंच की ओर चल पड़े। इस दौरान उस स्वामी को जानने के लिए अपनी स्मृति पर जोर देते जा रहे थे। आखिर उनके परिचितों के बीच यह कौन आदमी हो सकता है? मंच के निकट जहाँ तक पहुँचने की गुंजाइश थी, वे पहुँच गये तथा गौर से उस स्वामी को देखने लगे। साधु के बाने के तहत उसके रंग-रूप और कलेवर की जो जानकारी उन्हें मिल रही थी, वह जानकारी भी किसी परिचित का ही एहसास करा रही थी। अचानक इसी क्षण उनके मानस में सुकेश रंजन

की स्मृति कौंध उठी। तो क्या यह सुकेश रंजन है? क्या वही यह स्वामी बन गया है? लेकिन सबकी जानकारी के तहत तो सुकेश रंजन वर्षों पहले दिवंगत हो चुका था। प्रारम्भ में काफी समय तक वह लापता रहा। फिर सूचना आयी कि गुजर गया। बाद में उसको लेकर फिर कोई और खबर आयी भी नहीं। लोकचन्द भी उसे मरा जान विस्मृत कर बैठे। तो क्या वह मरा नहीं था?

लोकचन्द की जिज्ञासा अब चरम पर पहुँचती जा रही थी। स्वामी मुक्तानन्द मुक्त के परिधान और बाह्य आवरण के पीछे की आकृति अब उन्हें निरन्तर सुकेश रंजन की ही प्रतीति करा रही थी...। इस प्रतीति ने अब उनके मन को हैरत और विस्मय में डाल दिया। सब-कुछ जानने की उत्कण्ठा के तहत अब वे बेचैन हो उठे। लेकिन वे समझ नहीं पा रहे थे कि जानें तो कैसे? मंच उद्घोषक की घोषणा के अनुसार स्वामी मुक्तानन्द मुक्त इस प्रवचन के बाद यहाँ रुकनेवाले भी नहीं थे। इस स्थिति में उनके आश्रम तक पहुँच कर ही लोकचन्द कुछ जान सकते थे। अब उस भीड़ में शामिल एक गेरुएधारी के समीप वे बढ़ चले। सम्भव है, उस स्वामी का वह शिष्य, भक्त या अनुयायी हो। आम श्रोता होता तो इस तरह गेरुए परिधान में नहीं रहता। अब लोकचन्द ने उससे विनीत स्वर में पूछा – ''साधु जी! आपके स्वामी जी का आश्रम कहाँ है?''

जवाब में क्षण-भर के लिए उसने लोकचन्द का मुआयना किया। फिर उन्हें भक्त या अनुयायी बनने का आकांक्षी समझ कहा – ''आप हमारे गुरु महाराज के 'मुक्त लोक' आश्रम को नहीं जानते...? लगता है, आप बाहर के आदमी हैं। यहाँ का ऐसा कोई नहीं जो हमारे आश्रम 'मुक्त लोक' को न जानता हो। यहाँ से लगभग पचास-साठ किलोमीटर की दूरी पर है। आप जिस मार्ग से आना चाहें, सभी दिशाओं के वाहन वहाँ पहुँचते हैं। गुरु महाराज से दीक्षित होने का उद्देश्य हो तो मंगलवार को आइयेगा। हर मंगलवार को बड़ी संख्या में नये अनुयायी दीक्षित होते हैं...।''

उस गेरुएधारी के इस जवाब के बाद अब और कुछ भी पूछना लोकचन्द को वाजिब प्रतीत नहीं हुआ। उनके लिए इतनी जानकारी पर्याप्त थी। इस दौरान अब शाम हो रही थी। अँधेरा घिरने से पहले ही लोकचन्द को अपने ठहराव स्थल पहुँच जाना था। इस नयी जगह में भटकना उन्हें उचित नहीं जान पड़ा। बस, तत्क्षण वे वहाँ से वापस चल पड़े। लेकिन जो प्रबल जिज्ञासा लेकर यहाँ से जा रहे थे उसने उन्हें ठहराव स्थल पर भी शान्त रहने नहीं दिया। अतीत की विस्मृत यादें उनके मानस में ताज़ा हो गयीं।

लगभग 45 वर्ष पहले। बचपन का समय। तब वे अपने परिवार के साथ अपने गाँव हनुमानपुर में रहते थे। वहाँ सुकेश रंजन उनका जिगरी ग्रामीण दोस्त था। बचपन

की उनकी वह दोस्ती इतनी गहरी थी कि सिर्फ रात में सोते वक्त ही वे एक-दूसरे से अलग हो पाते। इसके अतिरिक्त पूरे समय तक एक-दूसरे के साथ ही बने रहते।

सुकेश रंजन के पिता देवदत्त पाण्डेय लोकचन्द के गाँव के मूल निवासी नहीं थे। एक बाढ़ग्रस्त क्षेत्र से विस्थापित होकर अपनी अस्वस्थ पत्नी और एकमात्र पुत्र सुकेश रंजन के साथ लोकचन्द के गाँव पहुँचे थे। तब लोगों से कहते थे – "हमारा कुछ भी नहीं बचा। सब-कुछ बह गया। हमारे लिये विपत्ति बनकर वह बाढ़ आयी। उस आफत ने हमारा सब-कुछ बर्बाद कर दिया।"

लोकचन्द के गाँव हनुमानपुर में ऐसे विस्थापित आते-जाते और माँगते-खाते रहे थे। लेकिन देवदत्त पाण्डेय वैसे बनजारे आगन्तुकों में नहीं थे। वे उस गाँव से जाने के लिए नहीं आये थे। शायद उस गाँव को अपनी अपेक्षाओं के अनुकूल उन्होंने पाया था। बस, वहीं के होकर रह गये। इस सम्बन्ध में वे कहते – "इस गाँव ने मुझे आश्रय दे दिया, बसा लिया। अब यह गाँव मेरी जन्मभूमि से भी बढ़कर है। वे मानस की यह पंक्ति भी अक्सर दुहराते थे –

"जहाँ बसै तहँ सुन्दर देसू, जो प्रतिपालय सोई नरेसू...।"

उस गाँव में आते ही देवदत्त पाण्डेय ने अपनी धार्मिक प्रवृत्ति के अनुसार अपने परिवार के साथ शिव-मन्दिर पर डेरा जमाया। शिव-मन्दिर, हनुमानपुर का अत्यन्त प्राचीन मन्दिर था। मुख्य शिव-मन्दिर से सटे ही अन्य देवी-देवताओं के भी छोटे-छोटे मन्दिर थे। उस मन्दिर के पुजारी पण्डित सहदेव मिश्र काफी वृद्ध हो गये थे। मन्दिर का कार्य अब उनसे सम्भव नहीं हो पाता था। दोनों समय मन्दिर धोना, पोंछना, देवी-देवताओं को भोग लगाना, उनकी आरती करना, मन्दिर की तुलसी वाटिका तथा फूल-पौधों को सींचना। ऐसे में अपने समानधर्मा व्यक्ति देवदत्त पाण्डेय को पाकर उन्होंने सहज ही उन्हें अपना सहयोगी बना लिया। कहा – "भगवान् के दरबार में नेत-धर्म से रहोगे और पूजा-पाठ करोगे तो यहाँ किसी भी चीज़ की तुम्हें कमी नहीं होगी...।" देवदत्त पाण्डेय तो यही चाहते थे। बस, सहयोग की अपनी तत्परता और सक्रियता से पण्डित सहदेव मिश्र का दिल जीत लिया। फिर तो पण्डित सहदेव मिश्र उनके लिए एक मजबूत ठौर बन गये। इसके कुछ ही समय बाद पण्डित सहदेव मिश्र गुजर भी गये। वे काफी अस्वस्थ रह रहे थे। गाँव के लोगों के अनुसार पूजा-पाठ के बल पर ही अब तक जीवित थे। लेकिन उनके निधन के बाद मन्दिर की पूजा में कोई व्यवधान नहीं आया। देवदत्त पाण्डेय ने उसे बखूबी सम्हाल लिया। फिर तो पूरा मन्दिर परिसर पण्डित देवदत्त पाण्डेय के जिम्मे हो गया। एक पुजारी के रूप में अपनी भूमिका से उन्होंने गाँव का विश्वास भी हासिल कर लिया। वे अपने परिवार के साथ मन्दिर परिसर में ही रहते थे। गाँव में कथा-वार्त्ता एवं व्रत-त्योहार पर उनकी उपस्थिति

कायम रहने लगी। लोगों के मुँह से अब यह बात स्वतः निकल जाती – "जाते-जाते पण्डित जी मन्दिर के लिए एक कुशल पुजारी भी देते गये। वे पुण्यात्मा थे...। शायद उनके प्राण अपने योग्य उत्तराधिकारी की प्रतीक्षा में ही अटके थे...।"

लोकचन्द का घर मन्दिर के सबसे निकट था, इसलिए मन्दिर की गतिविधियों से लोकचन्द का परिवार अवगत रहता था। उस समय लोकचन्द की अवस्था आठ-दस वर्ष की थी। सुकेश रंजन की उम्र भी लगभग यही थी। अब उनके बीच सहज ही दोस्ती हो गयी। फिर तो उन्हें जैसे ही समय मिलता, या तो मन्दिर के चबूतरे पर या मन्दिर की वाटिका में या मन्दिर के पास के बगीचे में खेलने लगते। आसपास के उनके हमउम्र और लड़के भी आ जाते। अगर वे नहीं भी आते तब भी सुकेश रंजन के साथ लोकचन्द का खेल-कूद कायम रहता। इस खेल-कूद के साथ ही गाँव की पाठशाला में भी वे दोनों साथ-साथ जाते। उनकी इस दोस्ती ने उनकी माताओं को भी एक-दूसरे के घनिष्ठ बना दिया। ऐसे में जब दोनों दोस्त स्कूल से घर आते तो अपनी माताओं को भी साथ-साथ देखते। तब सुकेश रंजन की माँ अक्सर लोकचन्द के यहाँ ही होती। तब या तो वह किसी कार्य में लोकचन्द की माँ का सहयोग कर रही होती या उनसे बातचीत करती रहती। उन्हें अभावग्रस्त समझ लोकचन्द की माँ उनके हल्के सहयोग पर भी उन्हें कुछ-न-कुछ अवश्य देतीं – चाहे रुपये हों या अनाज। इस दिनचर्या के बाद अब सुकेश रंजन भी लोकचन्द के साथ सीधे उसके ही घर आता। फिर अपनी माता के साथ मन्दिर परिसर जाता। लेकिन लोकचन्द की माँ उस वक्त भी उन्हें खाली हाथ नहीं जाने देती – "अपने लोक के लिए आज खीर बनायी थी। इसमें से सुकेश के लिए भी लेते जाइये पण्डिताइन जी...।" – और एक कटोरी खीर उनके हाथ में पकड़ा देती। इस तरह कभी खीर, तो कभी सेवई, तो कभी भुर्ते, तो कभी कोई अन्य विशिष्ट व्यंजन। इस पर एक-दो बार पण्डिताइन जी ने आभार प्रकट करते हुए कहा भी – "आप ऐसे ही बहुत कुछ देती रहती हैं लोक की माँ। अब रोज लोक के हिस्से में से मत दीजिये...। लोक को कम पड़ जाता होगा...।"

जवाब में लोकचन्द की माँ ने उन्हें आश्वस्त कर दिया था – "अरे नहीं पण्डिताइन जी...। आप ऐसा न सोचें। मैं सिर्फ लोक के लिए ही नहीं, सुकेश के लिए भी बनाती हूँ। पूरे गाँव में यही तो लोक का एक सच्चा दोस्त है...। इसके साथ लोक रहता है तो मैं निश्चिन्त रहती हूँ। आप तो देख ही रही हैं, गाँव के लड़के दोस्ती में कब क्या कर दें, कोई ठीक नहीं...। आप अपने बेटे में अच्छे संस्कार दे रही हैं पण्डिताइन जी! मैंने इसे कभी किसी लड़के से लड़ते-झगड़ते नहीं देखा। कितना शान्त, सीधा, भोला और निश्छल लगता है सुकेश। देखियेगा, यह एक दिन कोई बड़ा आदमी बनेगा...।"

यह सुन सुकेश की माँ बिफर उठतीं – "कुछ नहीं बनेगा लोक की माँ। स्कूल से आते ही बस्ता कोने में फेंक देता है। इसके पिता जानते हैं, स्कूली पढ़ाई से यह कुछ करनेवाला नहीं, इसलिए पूजा-पाठ के काम सिखाते हैं। धार्मिक कथाओं का वाचन तथा संस्कृत में मन्त्रोच्चार करना बताते हैं...। कहते हैं, यदि कुछ नहीं बनेगा तब भी पुरोहिताई करके जी जायेगा। पुत्र को पिता के काम में ही बरक्कत मिलती है...। उसी में उसे रहना भी चाहिए...।"

इस पर शिक्षित-विकसित लोकचन्द की माँ उन्हें समझाती – "यह तो पण्डित जी पुत्र-मोह में सुकेश के साथ अच्छा नहीं कर रहे हैं पण्डिताइन जी। वे नहीं चाहते हैं कि पढ़-लिखकर सुकेश किसी नौकरी में बाहर जाय। इसे अपने ही पास बनाये रखने के लिए अपने पेशे से जोड़ रहे हैं। आप उन्हें समझाइये पण्डिताइन जी! बच्चे तो हरे बाँस की टहनियों की तरह होते हैं। उन्हें हम जिस दिशा में मोड़ना चाहें, मोड़ सकते हैं। इस अवस्था में वे स्वयं निर्णय लेने लायक तो होते नहीं। मेरा लोक भी कहाँ पढ़ना चाहता है। लेकिन मैं जबरन उसका ध्यान पढ़ाई की तरफ आकृष्ट करती रहती हूँ...।"

लोकचन्द की माँ के इस कथन पर पण्डिताइन जी चुप होकर रह जातीं। दरअसल, घर में वर्चस्व पण्डित जी का ही था, उनका नहीं। सुकेश के साथ रहते हुए इस यथार्थ से बालक लोकचन्द भी अवगत था। गाँव के लोगों के लिए मधुरभाषी पण्डित जी, अपनी पत्नी के लिए कटुभाषी थे। उनकी हर बात और हर काम में मीन-मेख निकालते रहते। अपने मन की सारी व्यथा-पीड़ा और खटास पत्नी पर ही व्यक्त करते। तब बचपन में लोकचन्द इसका विश्लेषण नहीं कर पाते थे कि वे सही कर रहे हैं या गलत, क्योंकि अपने गाँव के अधिकांश घरों में यही देखते थे। पुरुष वर्चस्व में ही घर का संचालन होता। महिलाओं का कार्य तो बच्चे पालना, खाना पकाना और घर को साफ-सुथरा रखना था। लेकिन उस अवस्था में लोकचन्द तो सुकेश जैसे मित्र को पाकर खुश था। सुकेश जैसा प्यारा दोस्त उसे मिल गया था, उसे अब और कुछ नहीं चाहिए था। उसके साथ रहते हुए लोकचन्द को अपने घर की याद भी नहीं आती। या तो सुकेश अपने साथ किसी खेल में उसे रमाये रहता या फिर अपने पिता द्वारा बतायी धार्मिक कथाओं में उसे तन्मय बना देता। शायद कथा-कहानी से लोकचन्द का जन्मजात लगाव था, इसलिए अपनी माँ की लोककथाओं की ही भाँति सुकेश की धार्मिक कथाओं में भी वह डूब-डूब जाता था।

अपने गाँव हनुमानपुर की पाठशाला के बाद कस्बे के हाईस्कूल में भी लोकचन्द और सुकेश का नाम साथ-साथ लिखाया गया। वैसे पण्डित जी सुकेश रंजन को अब आगे पढ़ाने के पक्ष में नहीं थे। लेकिन लोकचन्द के माँ-पिता जी के आर्थिक सहयोग

और नैतिक दबाव तथा अपने दोस्त के लिए लोकचन्द के अनुरोध को पण्डित जी टाल नहीं सके। फिर तो मैट्रिक तक पहुँचते-पहुँचते जहाँ एक ओर वे दोनों दोस्त बड़े होते गये, वहीं दूसरी ओर उनकी दोस्ती परवान भी चढ़ती गयी। स्कूल में साथ-साथ जाने, एक-दूसरे के पास-पास बैठने तथा एक-दूसरे के लिए जीने-मरने की भावना से वे समर्पित बने रहते। तब उन्हें लगता कि एक-दूसरे के सहयोग से वे कुछ भीकर सकते हैं। उनके लिए कुछ भी असम्भव नहीं होगा।

जब वे मैट्रिक के परीक्षार्थी बने, तब युवावस्था की दहलीज पर खड़े थे। फिर उसी समय अनहोनी की तरह वह घटना भी घट गयी जिसने सुकेश रंजन को न सिर्फ लोकचन्द से बल्कि उसके घर-परिवार और मेरे गाँव से भी अलगकर दिया तथा उसके जीवन को गहरे संकटों में डाल दिया। उस घटना की याद से आज भी लोकचन्द का मन आहत और पीड़ित हो उठता है...।

सुकेश रंजन का रंग-रूप, शील स्वभाव और बोलचाल ऐसा था कि स्कूल से लेकर गाँव तक की अधिकांश लड़कियाँ उस पर मरती थीं। यह देख उसके हमउम्र मित्र उसे छेड़ने से बाज भी नहीं आते – "तुम्हारी तो एकदम चाँदी है सुकेश। तुम्हारी दसों अँगुलियाँ घी में हैं। खूब मस्ती काट रहे हो यार! लेकिन अकेले-अकेले ठीक नहीं। कुछ हम दोस्तों को भी दिया करो...।"

इस पर अपने स्वभाव के अनुसार वह कह उठता – "अब जिसके मन में जो आये, कह दे! किसी का मुँह तो मैं बन्द नहीं कर सकता...।"

सुकेश रंजन का यही शील स्वभाव और रंग-रूप उसके गले की फाँस बन जायेगा, इसका आभास न तो उसे स्वयं था और न उसके दोस्त लोकचन्द को ही, पर ऐसा ही हुआ। उस गाँव की लड़की सुगन्धा ही वह फाँस बनकर आ गयी। सुगन्धा! उस गाँव की सबसे सुन्दर लड़की थी। अपनी तरुणाई में रूप और यौवन की जो सम्पदा उसने पायी थी उससे उसे देखनेवाले देखते ही रह जाते। जैसे नैसर्गिक सौन्दर्य सबका ध्यान आकृष्टकर लेता है, सुगन्धा के रूप का सम्मोहन भी कुछ वैसा ही था। अपने नाम के अनुरूप उसका रूप और यौवन एक अज्ञात और अव्यक्त सुगन्ध भी छोड़ता था जिसे महसूस करनेवाले दिवाने बने फिरते थे। वह सुगन्धा भी सुकेश रंजन पर मरती थी। इस मामले में वह समर्थ साबित हुई कि उसने राकेश रंजन को अपना निकटस्थ बना लिया। इसके लिए उसने अपने पिता से अनुरोध किया था – "संस्कृत की पढ़ाई में मैं पिछड़ती जा रही हूँ पिता जी। संस्कृत मुझे कम आती है। सुकेश रंजन का संस्कृत पूरे वर्ग में सबसे अच्छा है। संस्कृत में वह लगातार अव्वल आता है। संस्कृत का शुद्ध उच्चारण और शुद्ध लेखन वही बता सकता है। अगर वह कुछ महीने भी मुझे संस्कृत पढ़ा दे तो मेरी संस्कृत ठीक हो जायेगी...। संस्कृत के

हमारे शिक्षक दूसरे गाँव से आते हैं। लेकिन पण्डित जी का यह लड़का तो हमारे ही गाँव में रहता है...।''

सुगन्धा का पिता भेखा सिंह अपनी लाड़ली के इस अनुरोध पर तत्काल मन्दिर जा पहुँचा। उस वक्त सुकेश रंजन भी वहीं था। लड़कियों के मामले में संकोची सुकेश ने इस प्रस्ताव पर एकान्त में अपने पिता को समझाने की कोशिश की – ''मेरे पास समय नहीं है पिता जी। मैट्रिक की परीक्षा सर पर है। संस्कृत की सभी पुस्तकों के नोट्स बाजार में आ गये हैं। सुगन्धा का काम उसी से चल जायेगा।''

लेकिन पण्डित जी जानते थे, भेखा सिंह का प्रस्ताव नकार कर वे हनुमानपुर में नहीं रह सकते थे। जैसे जल में रहकर मगर से वैर नहीं किया जा सकता, वैसे ही भेखा सिंह को नाखुश कर इस गाँव में नहीं रहा जा सकता। हनुमानपुर का सबसे दबंग और कुख्यात व्यक्ति था भेखा सिंह। दबंग और कुख्यात के साथ-साथ गाँव का सबसे बड़ा खेतीहर भी। सवांगियों (अपने परिवार के पुरुष सदस्यों) की दृष्टि से भी भरा-पूरा था। स्वयं चार भाई और सभी भाइयों के लड़के। उसके भाइयों और भतीजों के बीच सुगन्धा अकेली लड़की थी। पूरे घर में लड़कों की ही भरमार थी। इस दृष्टि से सुगन्धा सबकी दुलारी थी। सभी उसे मानते और उस पर जान छिड़कते थे।

भेखा सिंह अपने भाइयों में न सिर्फ बड़ा था, बल्कि घर का मुखिया भी था। खेत में पानी चढ़ाने तथा खेत की मेंड़ को काटने के मामले में अपने पड़ोसी किसान से भेखा सिंह का ऐसा तीव्र और उग्र संघर्ष हुआ कि शरीर से तगड़ा और स्वभाव से क्रोधी भेखा सिंह ने अपने फरसे से उस किसान की गर्दन काट दी। इस हत्या में वह कुछ समय तक जेल भी रहा। लेकिन चश्मदीद गवाह और साक्ष्य के अभाव में छूट गया।

जेल से आने के बाद भेखा सिंह और अधिक खूँखार हो गया। जेल में अनेक कुख्यात, क्रूर और नृशंस कैदियों से उसकी दोस्ती हो गयी थी। फिर तो जेल से उसके बाहर आते ही अनेक गिरोहों के सदस्य उसके शागिर्द बन गये। इस स्थिति में भेखा सिंह के नाम से ही लोग दहशत खाने लगे। ऐसे भेखा सिंह के प्रस्ताव पर पण्डित जी ने शीघ्र ही अपनी सहमति प्रदान कर दी – ''हाँ, हाँ, यजमान! सुकेश जाकर पढ़ा दिया करेगा। विद्या के दान से तो विद्या और बढ़ती है। शास्त्र और शस्त्र फेरते रहने के लिए ही होते हैं। इससे सुकेश को भी फायदा होगा। संस्कृत की उसकी अपनी पढ़ाई भी ताजा हो जायेगी...।''

उन्होंने सुकेश को भी समझा दिया – ''याचक का जीवन स्वतन्त्र और स्वाभिमान-युक्त होकर नहीं रह पाता पुत्र। यहाँ हमारा अपना कुछ भी नहीं। इस गाँव के रहमो-करम पर ही यहाँ हमारा वजूद कायम है।''

बस, सुकेश, सुगन्धा को पढ़ाने लगा। उसके यहाँ नियमित आने-जाने का उसका क्रम शुरू हो गया। अपनी दोस्ती के तहत सुकेश से न तो लोकचन्द कुछ छिपाता था और न सुकेश ही कुछ गोपनीय रखता था। इस सम्बन्ध में कुछ ही समय बाद एक दिन सुकेश ने लोकचन्द को बता दिया – "सुगन्धा मुझसे प्रेम करने लगी है लोक।"

जवाब में हँसते हुए लोकचन्द ने चुटकी ली – "और यह क्यों नहीं कहते हो कि तुम्हें भी अब उससे प्यार हो गया है...।"

इस पर सुकेश ने कहा – "अब तुम चाहे मानो या न मानो लोक, शुरुआत सुगन्धा ने ही की है। मेरी तो स्थिति ऐसी हो गयी है, जैसे किसी नदी की तेज धार में कोई मुझे अपने साथ बहाकर ले जा रहा हो।"

जवाब में उस समय की अपनी अवस्था की समझ के अनुसार चुहल करते हुए लोकचन्द ने कहा – "तुम भाग्यशाली हो सुकेश! ऐसा अवसर सब को नहीं मिलता।"

तब लोकचन्द को पता नहीं था कि इसकी परिणति इतनी त्रासद, क्रूर और भयावह रूप ले लेगी जो सुकेश के जीवन-मरण का प्रश्न बन जायेगी! और यह स्थिति कुछ ही समय बाद आ गयी। सुगन्धा से सुकेश के सम्पर्क के चन्द महीने बीतते-बीतते वह इतनी शीघ्रता से गर्भवती हो गयी कि प्रारम्भ में न तो इसकी भनक सुकेश को लगी और न सुगन्धा को ही। फिर लड़की होने के चलते सुगन्धा को जल्द ही इसका एहसास हो गया। इससे पहले कि इस अनपेक्षित समस्या से मुक्त होने की वह कोशिश करती उसकी तबीयत में अस्वाभाविक बदलाव देख घर की महिलाओं ने भी लख लिया। अब यह बात चाहते हुए भी सुगन्धा छिपा न सकी। उसके घर की महिलाएँ सुनकर सन्न रह गयीं। इस स्थिति में इस बात को वे गोपनीय नहीं रख सकीं। भेखा सिंह तक यह बात पहुँच ही गयी।

हनुमानपुर गाँव की यह अलग खासियत थी कि अपने परिवार से सम्बन्धित आपत्तिजनक, गोपनीय और गलत बातों को छिपाने की लोग भरसक कोशिश करते, लेकिन किसी-न-किसी माध्यम से वे बातें लोगों तक पहुँच ही जातीं। भेखा सिंह के घर की वह बात भी लोकचन्द तक पहुँच गयी। सबल, सक्षम और क्रोधी भेखा सिंह सूचना के दिन ही सुगन्धा की हत्या के लिए उद्यत हो गया – 'न रहेगा बाँस और न बजेगी बाँसुरी।' लेकिन उसकी पत्नी, छोटे भाई और भवहों ने घर में अकेली लाड़ली होने के नाम पर आरजू-मिन्नत कर उसे रोक दिया तथा शहर में ले जाकर गोपनीय रूप से गर्भपात करा देने की सलाह दी। लेकिन इस मामले के दूसरे अभियुक्त सुकेश रंजन को उसी दिन खत्मकर देने के उसके निर्णय को रोकने की हिम्मत किसी में

नहीं थी, क्योंकि उसके परिजन जानते थे, सुगन्धा को तो उन्होंने बचा लिया, लेकिन सुकेश को बचाना सम्भव नहीं। इस सम्बन्ध में सुकेश को सच्चे मन से प्यार करनेवाली सुगन्धा ही ढाल बन गयी। उसने अपनी एक अन्तरंग और विश्वस्त सहेली के माध्यम से तत्क्षण यह खबर सुकेश को भिजवा दी कि वह तत्काल गाँव छोड़कर भाग जाय, अन्यथा क्रोध में पागल उसके पिता आज रात निश्चय ही उसकी हत्या कर देंगे...।

सुकेश को जब यह सूचना मिली, दोपहर ढल रही थी। इस भयंकर सूचना से सुकेश ने तत्काल अपने माँ-बाप को अवगत कर दिया। यह खबर पाते ही वे भी दहल उठे। वे जानते थे, हनुमानपुर में भेखा सिंह से उन्हें कोई बचा नहीं सकता। लोकचन्द के परिवार को अपना सच्चा शुभचिन्तक, मददगार और आड़े वक्त में उपयोगी समझ सुकेश के माँ-बाप उसे लेकर लोकचन्द के यहाँ आ पहुँचे। इस बीच इस विषय से अवगत लोकचन्द ने पहले ही निर्णय कर लिया था कि अपने मित्र सुकेश को उसे किसी भी तरह बचा लेना है। उस निर्णय के अनुसार लोकचन्द ने सुकेश से कहा – "तुम्हें अभी यह गाँव छोड़कर भाग जाना है...। भेखा रात में ही कुछ करेगा...। दिन में सरेआम ऐसा नहीं कर पायेगा...।"

इस पर पण्डित जी ने अपनी शंका जाहिर की – "भागकर कहाँ जा सकता है, जहाँ भेखा सिंह की पहुँच न हो...।"

लेकिन पण्डिताइन जी ने उसी क्षण इसका समाधान भी निकाल दिया – "गंगा उस पार डुमरी गाँव में मेरी एक बड़ी बहन रहती है...। वह मुझे बहुत मानती है। सुकेश को अपने बेटे की तरह रखेगी। इस गाँव में किसी को हमारे इस सम्बन्ध की जानकारी भी नहीं है...। भेखा सिंह वहाँ नहीं पहुँच सकेगा। वह बहुत मजबूत गाँव है। वहाँ बाहरी आदमी कुछ नहीं कर सकता...।"

सचमुच पण्डित जी के सम्बन्धों की जानकारी हनुमानपुर गाँव में किसी को नहीं थी। इस सम्बन्ध में न तो कभी किसी ने जानने की कोशिश की थी और न पण्डित जी ने ही इसे बताना आवश्यक समझा था। गाँव की नजर में तो वे एक बाढ़ग्रस्त क्षेत्र से विस्थापित दुःखी और अभावग्रस्त प्राणी थे। ऐसे आदमी का सम्बन्ध क्या जानना! अच्छे सम्बन्धोंवाला आदमी रहता तो शरणार्थी बनकर हनुमानपुर क्यों आता? ऐसे आदमी को तो पूजा-पाठ के नाम पर आर्थिक सहयोग प्रदान कर देना ही लोग पर्याप्त समझते थे...।

अब पण्डित जी का वह सम्बन्ध सुकेश के जीवन पर मँड़राते संकट के वक्त एक मजबूत ठौर बन गया। बस, सुकेश को वहाँ छिपाने का निर्णय ले लिया गया। अब उस निर्णय के अनुसार दिन की समाप्ति तक सुकेश, लोकचन्द के यहाँ ही छिपा

रहेगा। फिर जैसे ही शाम का अँधेरा घिरना शुरू होगा, वह दबे पाँव लोकचन्द के साथ यहाँ से भाग चलेगा। संकट के इस क्षण में अपने उस घनिष्ठ मित्र को लोकचन्द अकेला नहीं छोड़ सकता था, इसलिए उसके गन्तव्य स्थल तक पहुँचाकर ही वापस आना उसने तय कर लिया था। हालाँकि इस सम्बन्ध में पण्डित जी ने लोकचन्द को रोकने की पूरी कोशिश की। लोकचन्द की माँ से कहा भी – "लोक को रोकिये यजमानिन। सुकेश के साथ क्यों परेशानी मोल ले रहा है...? सुकेश अकेले भाग जायेगा। जब तक इस गाँव में था, लोक का पूरा संग-साथ उसे मिला...। लोक ने दोस्ती निबाही...। अब जब यहाँ से जा रहा है तो साथ-साथ क्या जाना?"

जवाब में लोकचन्द की माँ ने कहा – "लोक ठीक कर रहा है पण्डित जी। अपने जिगरी दोस्त को इस तरह बीच मँझधार में अकेले छोड़ कर नहीं हट सकता। उसे नये ठौर तक पहुँचाकर ही आयेगा...।"

लोकचन्द की माँ की यह बात सुन पण्डित जी दोनों पति-पत्नी अभिभूत रह गये। फिर लोकचन्द की माँ के संकेत पर समय से मन्दिर के अपने आवास पर चले गये ताकि सुकेश के बारे में पूछताछ करनेवालों को बता सकें कि अपनी एक जरूरी पाठ्यपुस्तक खरीदने वह रघुपुर बाजार गया है। रघुपुर बाजार उस इलाके के ग्रामीण क्षेत्र का प्रसिद्ध बाजार था। इलाके के विभिन्न गाँवों के लोग अपने उपयोग की चीजें वहीं से खरीदते थे। हनुमानपुर गाँव से रघुपुर की दूरी मात्र पाँच किलोमीटर थी। हनुमानपुर के लोगों का वहाँ आना-जाना होता रहता था। वहाँ जाने की बात को सब विश्वसनीय मान लेंगे, यह सोचकर ही ऐसा कहना पण्डित जी ने तयकर लिया था। इसके मूल में यह उद्देश्य भी था कि रघुपुर का रास्ता हनुमानपुर के पश्चिमी छोर से होकर जाता था, जबकि पुरूबारी छोर से सुकेश के भागने की योजना थी। सुकेश के खोजी और कातिल जब तक पश्चिमी छोर पर उसकी टोह लेते रहेंगे, तब तक पुरूबारी छोर से वह हनुमानपुर से गायब हो जायेगा।

यहाँ लोकचन्द को लेकर भी यह समस्या खड़ी हुई कि उसे सुकेश का पक्का दोस्त समझ भेखा सिंह उसकी जानकारी लेने भी पहुँचेगा। तब लोकचन्द को अपने घर पर न पा उसे भी सन्देह के दायरे में ले लेगा। इस सन्देह के दायरे से लोकचन्द को निकालने के लिए यह तय किया गया कि किसी के भी पूछने पर यह बताना है कि लोकचन्द अपने बीमार पिता जी को ले आने आरा शहर गया है। हनुमानपुर के लोग जानते थे कि शहर में नौकरी कर रहे लोकचन्द के पिता इधर कुछ समय से बीमार रह रहे थे। अपनी पुश्तैनी खेती-गृहस्थी की निगरानी के लिए ही उन्होंने परिवार गाँव पर रखा था। छुट्टी मिलते ही वे स्वयं भी गाँव आ जाते थे। इस सम्बन्ध में यह भी तय किया गया कि लोकचन्द, सुकेश को उसकी मौसी के घर पहुँचा उधर

से ही अपने पिता के पास शहर चला जायेगा। फिर अपने पिता को लेकर ही गाँव वापस आयेगा। इस तरह भेखा सिंह के सन्देह के दायरे से वह भी बच जायेगा।

शाम का अँधेरा पसरते ही अब लोकचन्द और सुकेश दबे पाँव घर से निकल चले। शाम की इस वेला का चुनाव लोकचन्द और सुकेश के परिवार ने इसलिए किया था कि हत्यारे गहराती रात में ही अपने शिकार को अंजाम तक पहुँचाना मुफीद समझते हैं। दिन में और शाम के धुँधलके में वे ऐसा करना निरापद नहीं समझते।

लोकचन्द का घर गाँव के पुरूबारी छोर पर जहाँ था वहाँ से एक पतली गली पूरब दिशा के खेतों की ओर निकलती थी। उस गली से लोग आते-जाते नहीं थे। लुका-छिपी का खेल खेलनेवाले बच्चे ही उस गली में प्रवेश करते। उसके दो मकानों के बाद ही चौड़ी गली थी, जिससे उधर रहनेवाले ग्रामवासियों का आना-जाना होता था। लेकिन सुकेश के छिपकर भागने की सतर्कता के तहत दोनों मित्र उसी पतली गली में घुस गये। ऊबड़-खाबड़ और अनगढ़ वह गली असुविधाओं से भरी थी। अपने मकान के पीछे जगह न छोड़ने की जिद के चलते उस टोले के ग्रामवासियों ने वह अनपेक्षित पतली गली कायम हो जाने दी थी। उस सँकरी गली से गुजरते हुए सुकेश और लोकचन्द ने कष्ट और परेशानियों का भी अनुभव किया। लेकिन छिपकर गाँव से बाहर निकलने की प्रबल आकांक्षा ने उन्हें गली के मुहाने पर पहुँचा दिया। अब यहीं से हनुमानपुर गाँव की पूरब दिशा के खेत शुरू हो जाते थे। उन खेतों के रास्ते ही अपने गाँव से बाहर निकलना उन दोनों को निरापद जान पड़ा। गाँव से बाहर जानेवाली सड़कों या मोटी पगडण्डियों पर आते-जाते लोग उन्हें देख सकते थे। सम्भव है, उनमें भेखा सिंह का ही कोई आदमी हो, इसलिए उन प्रचलित मार्गों का निषेधकर उन्होंने पांक-पानी से भरे खेतों के बीच का मार्ग अपनाया।

वह सावन का महीना था। लगभग सभी खेत रोपे जा चुके थे। पांक-पानी और धान के रोपों से खेत भरे थे। उन खेतों में चाहते हुए भी वे तेजी से नहीं चल सकते थे। कादो और पांक में जगह-जगह पैरों को फँसते ही जाना था...। इस स्थिति में खेतों के किनारे की आरियों पर, जो कांट-कूश और घास-पात से ढँकी थीं, वे दोनों मित्र बढ़ चले। अब इस रास्ते से आगे बढ़ते हुए उनके मन आश्वस्त हो गये कि आसन्न संकट टल गया। सर पर मँडरानेवाला खतरा दूर हो गया। पांक-पानी से भरे इन खेतों में रात होने के बाद अब कोई भूला-भटका भी इधर आनेवाला नहीं। यह कहीं आने-जाने का मार्ग है भी नहीं। इस रास्ते कोई आ-जा ही नहीं सकता...। सुकेश की जान पर अगर त्वरित और गम्भीर खतरा उपस्थित नहीं होता तो शायद वे भी इस रास्ते पर चलने का साहस नहीं करते। इस दौरान सुकेश ने लोकचन्द को वापस भेजने

की कोशिश भी की – "तुम अब लौट जाओ लोक। अब कोई समस्या नहीं। यहाँ तक तुमने साथ दिया, यह बहुत है। अब मैं भागते हुए निकल जाऊँगा। भेखा सिंह को भनक तक नहीं लगने पायेगी...।"

जवाब में लोकचन्द ने कहा – "क्यों लौट जाऊँ? लौट जाने के लिए ही यहाँ तक तुम्हारे साथ आया।"

इस पर अपने मन की बात सुकेश ने लोकचन्द के समक्ष व्यक्त कर दी – "बरसात के इस मौसम और रात के अँधेरे में खेतों के इस आर–पगार से होकर चलते हुए तुम्हें बहुत कठिनाई हो रही होगी लोक। घास-पात के बीच काँटों के पौधे लगे होते हैं। वे पाँवों में धँस जाते हैं। साँप-बिच्छू भी इन मेंड़ों पर छिपे रहते हैं। वे पाँवों से दबते ही काट उठते हैं। बारिश से भीगी इन मेंड़ों पर जगह-जगह पाँव फिसलने का भी डर बना रहता है। ऐसी राहों पर चलने की तुम्हें आदत नहीं। मैं तो बचपन से ही ऐसे रास्तों पर चलता रहा हूँ। इस रास्ते को भी पार कर सकता हूँ...।"

जवाब में लोकचन्द ने भी उसे आश्वस्त कर दिया था – "शरीर के अनुभव और अभ्यास की अपेक्षा मन का निर्णय अधिक सक्षम और समर्थ होता है सुकेश। पर्वत की चढ़ाई करनेवाले शरीर के अनुभव और अभ्यास पर नहीं मन के बल पर ही वह ऊँचाई तय करते हैं...। तुम मेरी चिन्ता मत करो सुकेश। तुम जितना तेज चलना चाहो, चलकर दिखाओ। मैं पीछे नहीं रहूँगा...। लेकिन इस तरह बीच रास्ते में तुझे नहीं छोड़ सकता...।"

इस पर सुकेश ने लोकचन्द को पुनः समझाने की कोशिश की – "अब मैं बीच मँझधार में नहीं हूँ लोक! तुमने मुझे संकटों से बाहर निकाल दिया है। अब अकारण अपने को और अधिक तकलीफ और कष्ट में न डालो...। मौसी के यहाँ पहुँचने में अब मुझे कोई बाधा नहीं। इन राहों पर तुम्हारे कष्ट से मेरा मन और आहत हो रहा है। अब लौट जाओ मेरे भाई, मेरे प्यारे लोक!"

सुकेश के इस आत्मीय अनुरोध पर अब लोकचन्द ने पूछा – "अच्छा, यह बताओ, अगर मैं इस स्थिति में रहता तो क्या तुम इस तरह मुझे छोड़कर जा सकते थे?"

सुकेश के मुँह से स्वतः स्फूर्त जवाब निकल गया – "नहीं, क्योंकि तुम्हारा जीवन असुविधाओं के बीच नहीं रहा है...जबकि मुझे असुविधाओं में जीने का अभ्यास है...।"

यह सुन लोकचन्द ने भी अपना निश्चय उसे दृढ़ शब्दों में बता दिया – "तो जान लो, मैं भी असुविधाओं से नहीं घबराता। तुम्हें तुम्हारी मौसी के यहाँ पहुँचाये बगैर बीच में नहीं छोड़ सकता...।"

यह सुन सुकेश के मुँह से अब स्वतः निकल गया – "इस पर अब मैं क्या कहूँ लोक! मैंने तो सपने में भी नहीं सोचा था कि मेरे लिये कभी तुम्हें इतना परेशान भी होना पड़ेगा...!"

जवाब में लोकचन्द ने कहा – "मुझे कोई परेशानी नहीं सुकेश!"

इस पर हथियार डालते हुए सुकेश ने कहा – "ठीक है लोक! नहीं लौटोगे तो चलो...। खेत की इन आरियों, मेंड़ों पर ऐसे समय में दौड़कर चलना ही ठीक रहता है। दौड़ते हुए काँट-कूस और साँप-बिच्छू के डंक से भी बचा जा सकता है। हमारे पाँव जब पूरी तरह कहीं नहीं जमेंगे तो बाहरी प्रहार और आक्रमण से बचे रहेंगे। मेरे पाँवों के पीछे-पीछे तुम्हें भागते हुए ही आना है। मैं जानता हूँ, ऐसी राहों पर कैसे चला जाता है...।"

अब सुकेश खेत की उन गीली और पतली पगडण्डियों पर दौड़ चला। लोकचन्द भी उसके पीछे लग गया। अपनी तुलना में सुकेश, लोकचन्द को सम्पन्न घर का लड़का समझ जानता था कि वह ऐसे असुविधाजनक और कष्टकर मार्गों पर नहीं चल सकता। लेकिन यह उसकी भूल थी। लोकचन्द के पिता शहर में नौकरी जरूर करते थे और गाँव पर उन्हें कुछ खेत भी थे। लेकिन इससे लोकचन्द के जीवन-स्तर में कोई बदलाव नहीं आया था। जब लोकचन्द के खेतों में "बिया कबरिया" – बीज उखाड़नेवाले लगते और रोपनी होती तब बालसुलभ जिज्ञासावश या किसी आवश्यकता के तहत पाँक-पानी से भरे उन खेतों की मेंड़ों पर लोकचन्द को अक्सर इधर-से-उधर आना-जाना पड़ता था। गाँव के लड़कों के साथ मछली पकड़ने के लिए भी खेत की गीली मेंड़ों पर वह चलता रहता। नदी के कटाववाले खेतों में नदी की मछलियाँ आ जाती थीं, जिन्हें उन मेंड़ों पर चलते हुए ही लोकचन्द और उसके दोस्त तलाशते और पकड़ते। इस तरह गँवई समाज, परिवेश और माहौल में जीते हुए लोकचन्द का जीवन भी गाँव के आम लड़कों की तरह ही था। खेतिहर और भूमिहीन लगभग एक जैसे ही खाते-पीते और ओढ़ते–पहनते थे। फर्क होता तो सिर्फ उनकी आवासीय व्यवस्था और मानसिकता में। खेतिहर अपनी सामर्थ्य के अनुसार पक्के ईंटों का मकान बनाकर रहते जबकि भूमिहीन कच्ची मिट्टी तथा फूस की झोंपड़ियों जैसे घरों में। खेतिहर तमाम परेशानियों और असुविधाओं के बीच स्वयं को खेत मालिक समझते हुए अपने मन को आश्वस्त करते रहते, इसके विपरीत भूमिहीन अपने श्रम से खाते-कमाते हुए अपने को आधारहीन समझते रहते, जबकि दोनों के जीवन-स्तर में कोई खास अन्तर नहीं होता...। गाँव के माहौल में अन्तर बनाकर जीने की गुंजाइश होती भी नहीं। इसलिए सुकेश के पीछे भागते हुए लोकचन्द को कोई परेशानी नहीं हुई। इस तरह खेतों की सीमा पारकर वे सड़क के किनारे आ पहुँचे।

सुकेश को पता था, यह सड़क ही गंगा किनारे जाती थी। बस, एक सवारी के माध्यम से वे कुछ ही समय में गंगा-तट पहुँच गये। लोकचन्द को लगा था कि गंगा पार करने के लिए उन्हें नाव का सहारा लेना पड़ेगा। लेकिन वहाँ तो पुल बना था। उस पुल पर आती-जाती सवारियों से वे डुमरी पहुँच गये। सुकेश वहाँ कई बार आ-जा चुका था, इसलिए वह रास्ता उसके लिए जाना-पहचाना था। अपनी उस वृद्ध मौसी के बारे में सुकेश ने लोकचन्द को बता दिया था। उसकी वह मौसी डुमरी में अकेले ही रहती थी। उसके मौसा अनुकम्पा की नौकरी के तहत बैंक में चपरासी थे जो कुछ वर्ष पहले ही गुजर चुके थे। मौसी को सिर्फ दो बेटियाँ थीं। उन दोनों की शादियाँ मौसा ने अपने जीवन-काल में ही कर दी थी। मौसी कभी-कभी अपनी बेटियों के यहाँ भी जाती थी। लेकिन बेटी-दामाद के यहाँ रहना उन्हें अच्छा प्रतीत नहीं होता। अन्ततः अपने पति के इस घर में ही लौट आतीं। यहाँ उनके मन को इत्मीनान और सुकून का अनुभव होता। पति की नौकरी की जो पेन्शन उन्हें मिलती थी, वह उनके अकेले जीवन के लिए पर्याप्त थी।

जिस गहराती रात में लोकचन्द और सुकेश उसकी मौसी के यहाँ पहुँचे, वे उन्हें देखकर जहाँ एक ओर चौंक उठीं वहीं दूसरी ओर खुश भी हुईं। इस पर सुकेश ने अब तत्क्षण मौसी की जिज्ञासा का समाधान करते हुए उन्हें सारी बात बता दी। इस पर क्षण-भर के लिए दुःख प्रकट करते हुए मौसी ने कहा – ''यह तो तुम्हारे साथ अनर्थ हो गया...सुकेश! ऐसा नहीं होना चाहिए था... ।''

फिर सुकेश को मजबूत सम्बल का एहसास कराते हुए उन्होंने कहा – ''खैर, जो हुआ सो हुआ। अब यहाँ किसी की हिम्मत नहीं कि तुम तक पहुँच सके। यहाँ बाहरी आक्रमण पर एक आवाज में समूचा 'डुमरी गाँव' आ जुटता है। हमारे डुमरी से आस-पास का कोई भी गाँव टकराना नहीं चाहता। डुमरी का लोहा सब मानते हैं। अच्छा हुआ कि तुम सीधे यहाँ आ गया... ।''

अब मौसी के यहाँ जैसे ही वे इत्मीनान हुए, मौसी ने अपनी आन्तरिक खुशी भी जाहिर कर दी – ''अब तुम्हारा आना चाहे जैसे हुआ सुकेश, मेरे लिये तो बिल्ली के भाग से यह सिकहर का टूटना हो गया। अब मुझे अकेलापन नहीं सालेगा... । माँ और मौसी में कोई अन्तर नहीं होता है बेटा! तुम्हें अपने कलेजे के टुकड़े की तरह रखूँगी। यहाँ तुम्हें किसी बात की कमी नहीं होने दूँगी... ।''

सुकेश की मौसी ने अब अपने मन की वह आखिरी इच्छा भी व्यक्त कर दी – ''तुम्हारे मौसा जब जीवित थे तभी चारों धाम की यात्रा की तैयारी हमने की थी। लेकिन इसी बीच वे स्वर्ग सिधार गये। डुमरी के कई लोग चारों धाम की यात्रा कर लौट आये। मुझे तो लगा था कि अब चारों धाम की यात्रा की बात अपने मन में लिये

ही गुजर जाऊँगी...। लेकिन तुम अब आ गये सुकेश। अब मेरी वह इच्छा भी पूरी हो जायेगी...!''

अपनी योजना के अनुसार सुबह एकदम तड़के सुकेश से विदा होने के लिए लोकचन्द तत्पर हो गया। सुकेश के लिए अपनी संचित रकम वह साथ लेते आया था। पर्व-त्योहारों पर या रिश्ते-नाते के बड़े-बुजुर्गों से आशीर्वाद और उपहार-स्वरूप जो रुपये लोकचन्द को मिलते थे उन्हें वह सँजोकर रखता था। इस क्षण अपनी वह रकम सुकेश को सौंपते हुए उसने कहा – ''इसे रख लो सुकेश, अब आड़े वक्त ये तुम्हारे काम आयेंगे...।''

इस पर लोकचन्द को बाँहों में भर सुकेश फूट-फूटकर रो उठा। लोकचन्द भी अब अपने को रोक नहीं सका। दोनों दोस्त एक-दूसरे के गले से लगकर रोते रहे। सुकेश की मौसी की आँखें भी नम हो गयीं। अब लोकचन्द ने सुकेश को आश्वस्त किया – ''मैं आऊँगा सुकेश। तुमसे मिलने आता रहूँगा। मैं तुम्हें इस तरह अकेले नहीं छोड़ सकता।''

इस पर उसकी मौसी भी बोल उठी – ''समय एक जैसा नहीं रहता सुकेश। समय बदलता रहता है। तुम फिर हनुमानपुर जाओगे और वहाँ रहोगे। वह भेखा सिंह कोई अमृत पीकर तो आया है नहीं। वैसे आततायियों की मृत्यु औचक होती है। हमारे चाहने से जो काम नहीं होता, समय के चक्र में उसे भी होना पड़ता है। समय की मार अचूक होती है सुकेश। तुम्हारे दिन फिर लौटेंगे। एक जैसे दिन कभी किसी के नहीं रहते...।''

सुकेश से लोकचन्द की वह आखिरी मुलाकात थी। उससे विदा हो वह आरा शहर होते हुए गाँव पहुँचा। अपनी माँ के अनुसार बीमार पिता जी को भी साथ लेते आया। खेती के इस मौसम में उन्हें आना भी था...। घर पहुँचते ही माँ ने उसे बताया – ''भेखा सिंह हमारे यहाँ दो-दो बार सुकेश को खोजने आया था। तुम्हारे बारे में भी पूछ रहा था। अच्छा हुआ, तुम पिता जी को लेकर आ गये। पण्डित जी के नाकों में तो उसने दम कर रखा है। अपने गुण्डों के साथ मन्दिर पहुँचता रहा है। पण्डिताइन जी खूब रो रही हैं। कह रही हैं कि भेखा सिंह उन्हें धमका गया है कि गाँव छोड़कर भागना नहीं है। कहीं भी भागने पर वह पकड़ लेगा। उसने यह सख्त हिदायत दी है कि सुकेश को आते ही उसके हवाले कर देना है। उसे कहीं भी भगाना, छिपाना और बचाना नहीं है। ऐसा करने पर वह उनके पूरे परिवार को ऐसी सजा देगा कि उनकी रूह काँप उठेगी...।''

लेकिन बीतते समय के अनुसार भेखा सिंह ने वैसा कुछ भी नहीं किया जिसने सुकेश के माँ-बाप के साथ लोकचन्द को भी भयभीत कर दिया था। शायद वह समझ

गया कि सुकेश ने उसके भय से सदा के लिए यह गाँव छोड़ दिया। सम्भव है इस बात ने ही उसके गुस्से को कम किया हो। जब दुश्मन सामने हो ही नहीं तो दुश्मनी की आग ठण्डी पड़नी ही थी। गोपनीय सूचना के अनुसार इस बीच उसके परिवार ने शहर ले जाकर सुगन्धा की समस्या से भी उसे निजात दिला दिया था। इस सम्बन्ध में सुकेश की मौसी का यह कहा लोकचन्द को सच प्रतीत हुआ कि समय से बड़ा नियामक और कुछ नहीं होता। जिस तूफान को वे लोग घातक और अनिष्टकारक समझते थे, समय की शिला पर उसका आवेग स्वतः कम होते-होते समाप्त हो गया।

इस बीच सुकेश के बारे में पण्डित जी से लोकचन्द को जानकारी मिलती रही। अपने इकलौते बेटे का हाल-समाचार जानने के लिए पण्डित जी चुपके-चुपके डुमरी जाते रहे। कुछ समय तक तो उसका समाचार ठीक-ठीक आता रहा। लेकिन एक बार पण्डित जी ने ही बताया कि सुकेश अपनी मौसी को लेकर चारों धाम की यात्रा पर निकला है। लोकचन्द को पता था, अपनी मौसी की इच्छा के अनुसार यह यात्रा उसे करनी थी। यह सूचना भी लोकचन्द के लिए सहज-सामान्य थी। लेकिन इसके बाद की जो दुखद सूचना लेकर व्यथित-पीड़ित और हैरान-परेशान पण्डित जी आये उससे लोकचन्द के मन को भी गहरा आघात लगा। उसका अन्तर भी हाहाकार कर उठा। अचानक यह क्या हो गया उसे मित्र के साथ।

उस सूचना के अनुसार पहाड़ की दुर्गम चढ़ाई पार करते हुए सुकेश अपनी मौसी के साथ जिस सवारी पर बैठा था, वह सवारी उस पतले पहाड़ी मार्ग का बेरियर तोड़ बगल के खड्ड में जा गिरी। उस भीषण दुर्घटना में उस सवारी के सारे तीर्थयात्री अकाल मृत्यु को प्राप्त हो गये। वह सवारी पहाड़ी के किनारे के ऐसे गहरे खड्ड में गिरी थी कि उसमें किसी का भी बचना मुश्किल था। उस सवारी के पीछे जो एक और सवारी थी, जिसमें डुमरी के कुछ और तीर्थयात्री थे, वही यह खबर ले आये थे।

इस दुर्घटना को लेकर अपने मित्र सुकेश के लिए लोकचन्द का मन काफी समय तक व्यथित – पीड़ित रहा। किसी भी काम में उसका मन नहीं लगता। निरन्तर सुकेश की आकृति उसकी आँखों के समक्ष कौंधती रहती। अब सुकेश से फिर वह कभी मिल नहीं सकता, यह बात उसके मन को सालती रहती।

उसके साथ लोकचन्द की दोस्ती की गाँठ ऐसी कसकर बँधी थी कि उसके बिछुड़ने की पीड़ा से उसका मन व्यग्र-बेचैन रहने लगा था। लोकचन्द की माँ उसकी यह स्थिति समझ रही थी। अन्ततः माँ के समझाने पर ही उसका मन शान्त-सहज हो सका। उसकी माँ ने उसे बताया कि यहाँ किसी को नहीं रहना है लोक। यहाँ का सब-कुछ पूर्व निर्धारित है। तुम जिसे दुर्घटना समझ रहे हो वह कोई दुर्घटना नहीं,

उसके साथ वैसा होना ही था, इसलिए आगे-पीछे की सवारियों के साथ वैसा न होकर उसकी सवारी के साथ ही हुआ।

यहाँ सिर्फ कर्म पर ही हमारा अधिकार है, भविष्य की घटनाओं पर नहीं। किसके साथ कब क्या हो जायेगा कोई नहीं जानता, इसलिए तुम्हें भी सुकेश के साथ के अपने अतीत को भूलकर अपने कर्त्तव्य पथ पर कायम रहना है। अभी तो तुम्हारा सारा जीवन बाकी है। अभी तो तुमने जीवन की शुरुआत भर की है। अभी कहाँ-कहाँ और किन-किन से तुम्हारी दोस्तियाँ बनेंगी, कितना समाज जुटेगा और छूटेगा, यह किसी को पता नहीं। इसे जानना तुम्हारे-हमारे वश में भी नहीं। इस दृष्टि से अपने लिये निर्धारित कर्म को ही तुम्हें करते जाना है। वही तुम्हारा मार्ग और मंजिल दोनों है।

माँ के इस सुझाव का लोकचन्द पर असर हुआ और धीरे-धीरे वह अपनी नयी दुनिया के कार्य-व्यापार तथा सम्बन्ध-सरोकार के बीच प्रवेश करता चला गया। इस बीच पुत्र वियोग की पीड़ा को पण्डिताइन जी देर तक बर्दाश्त न कर सकीं। जल्द ही गुजर गयीं। वैसे वे पहले से भी अस्वस्थ चल रही थीं। कृषकाय पण्डित जी भी पुत्र और पत्नी के अभाव में अधिक समय तक अपने को कायम नहीं रख सके। उनकी जगह एक और पुजारी का मन्दिर में आगमन हो गया। इस दौरान गाँव की खेती को ठीका-बटाई पर दे लोकचन्द के परिवार को भी समय के अनुसार शहर आ जाना पड़ा। फिर तो धीरे-धीरे शहरी समाज के वे अंग बनते चले गये। गुजरते समय के अनुसार लोकचन्द को अपनी माँ का यह कथन सत्य प्रतीत हुआ कि अपने जीवन की जिस घटना, कार्य और क्षण को वह अविस्मरणीय समझता था, उसे समय की रेत में गुम हो जाना पड़ा। बदलते समय के बीच रहना और जीना उसकी अनिवार्यता बन गयी। जीवन के नये अनुभव, नये सम्पर्क और नयी सम्बद्धताओं से मन, मस्तिष्क और स्मृति पटल आच्छादित होता चला गया।

इस क्रम में उच्च शिक्षा हासिल कर लोकचन्द ने शिक्षक का अपना इच्छित पद भी प्राप्त कर लिया। ऐसे ही समय में आन्तरिक प्रेरणा के तहत उन्होंने लेखन-कार्य भी शुरू कर दिया। फिर शादी-ब्याह और बढ़ता परिवार। इस सब के बीच जारी लोकचन्द का लेखन-कार्य समय के अनुसार विस्तार पाता चला गया। ऐसे में सचमुच सुकेश रंजन को वे भूल गये थे। अतीत का वह समय उन्हें विस्मृत था। लेकिन अचानक लगभग 45 वर्षों बाद सुकेश रंजन के जीवित होने की घटना लोकचन्द के लिए सातवें आश्चर्य से कम नहीं थी। तो क्या सुकेश रंजन का अन्त उस दुर्घटना में नहीं हुआ था? क्या वह जीवित बच गया था? वह सुकेश रंजन ऐसा पहुँचा हुआ स्वामी कैसे बन गया? लोकचन्द की जिज्ञासा अब चरम का अतिक्रमण कर रही थी।

ऐसी तीव्र और उद्दाम जिज्ञासा के तहत चाहते हुए भी वे सो नहीं सके। सारी रात जागते रहे...।

2

लोकचन्द सुबह तैयार होते ही सीधे 'मुक्त लोक' के लिए चल पड़े। वैसे उनकी योजना उत्तराखण्ड के सुदूर पहाड़ी क्षेत्र में भू-स्खलन से प्रभावित लोगों के बीच पहुँचने और उनकी व्यथा-पीड़ा जानने-समझने की थी, ताकि अपने नये उपन्यास के माध्यम से विस्थापन से उपजे उनके दर्द और दंश को समझ सकें जिससे हाशिये पर पड़े वैसे विवश, लाचार और उपेक्षित जन प्रकाश में आ जायँ। लेकिन उनका घनिष्ठ बाल-सखा सुकेश रंजन, जो लगभग 45 वर्ष पूर्व अपनी मौसी के साथ यात्रा की एक भयंकर दुर्घटना में गुजर चुका था, अचानक उसके जीवित होने की सूचना ने उन्हें सुखद विस्मय और बड़े हैरत में डाल दिया था। अब बगैर उससे मिले और वस्तुस्थिति जाने उन्हें चैन नहीं। भू-स्खलनवाले क्षेत्रों में वे फिर किसी दिन चले जायेंगे। वहाँ सिर्फ एक-दो दिन के लिए ही नहीं, लगातार उन्हें आना-जाना था। उनका कार्य पत्रकारिता की तरह नहीं था कि जल्द न पहुँचने पर वह खबर पुरानी पड़ जाय। उन्हें तो उस यथार्थ को अपने रचना मानस में पचाना, खपाना और तपाना था ताकि उसे रचनात्मक शक्ल दे सकें। इस दृष्टि से उन्हें जल्दीबाजी नहीं करनी थी। जिस गेस्ट हाउस में वे ठहरे थे, वहाँ से कुछ ही दूर आगे जाने पर उन्हें 'मुक्त लोक' के लिए बस मिल गयी। वहाँ प्राप्त जानकारी के अनुसार कई दिशाओं से 'मुक्त लोक' पहुँचा जा सकता था। इस सम्बन्ध में उस गेरुएधारी की बात उन्हें सच प्रतीत हुई। वे जिस रास्ते से जा रहे थे, वह दुर्गम पहाड़ी रास्ता था। हालाँकि ऐसा नहीं था कि एक ओर पहाड़ी और दूसरी ओर खाई हो। दोनों ओर पहाड़ियाँ ही थीं। इस दृष्टि से मार्ग सुरक्षित था। पहाड़ों के बीच से होकर गुजरनेवाला ही वह मार्ग था।

उनकी बस जब 'मुक्त लोक' पहुँची तो यह देखकर उन्हें अच्छा लगा कि पहाड़ों के बीच वह अत्यन्त रमणीक जगह थी। चारों ओर ऊँची-नीची पहाड़ियाँ और उनके मध्य वह विस्तृत खूबसूरत स्थल। उस बस पड़ाव के पास खड़े बोर्ड पर अब उनकी नजर स्वतः चली गयी। वहाँ बड़े-बड़े शब्दों में अंकित था – 'जार्ज पीटरगंज।' तो क्या इस स्थल का नाम 'जार्ज पीटरगंज' है। लेकिन बसवाले ने तो उन्हें 'मुक्त लोक आश्रम' के नाम पर ही यहाँ उतारा। जार्ज पीटरगंज का नाम तो उसने एक बार भी नहीं लिया। उन्हें और यहाँ के अन्य यात्रियों को उतारकर वह बस सीधे आगे चली

गयी। अपने साथ उतरे इस क्षेत्र के एक यात्री से अब उन्होंने पूछा – "यह बस और आगे कहाँ तक जायेगी?"

जवाब में उसने एक नजर उन्हें देखा। फिर कोई पर्यटक या बाहरी आदमी समझ बता दिया – "कुसुम नगर तक...। कुसुम नगर इस क्षेत्र का मशहूर पर्यटन स्थल है। वह एक अच्छा शहर और बड़ा बाजार भी है। इस मार्ग के बसों का मुख्य ठहराव वहीं है...।"

अब उनकी दूसरी जिज्ञासा जार्ज पीटरगंज को लेकर थी। इस सम्बन्ध में उनकी नजर उस बस पड़ाव पर फल खरीद रहे एक भद्र से दिखनेवाले सज्जन पर पड़ी। वह लगभग उनके हमउम्र थे। बस वे उनके पास चले गये – "भाई साहब! मैं बाहर से आया हूँ। 'मुक्त लोक आश्रम' के नाम पर ही यहाँ पहुँचा। लेकिन यह 'जार्ज पीटरगंज' का नाम देख रहा हूँ?"

इस पर मुस्कराते हुए उन्होंने कहा – "इस क्षेत्र का वास्तविक और पुराना नाम 'जार्ज पीटरगंज' ही है। अंग्रेज ी राज में जार्ज पीटर इस क्षेत्र का कुशल प्रशासक था। उसके निधन के बाद अंग्रेज ी हुकूमत ने ही इस क्षेत्र का नाम उसके नाम पर रख दिया। लेकिन जब से स्वामी मुक्तानन्द मुक्त जी इस क्षेत्र में आये और 'मुक्त लोक आश्रम' का निर्माण किया तब से उनकी व्यापक प्रसिद्धि और चर्चा के तहत यह क्षेत्र 'मुक्त लोक' बन गया। अब लोग इसे 'मुक्त लोक' के नाम से ही जानते हैं। यहाँ देश के कोने-कोने से प्रतिदिन बड़ी संख्या में श्रद्धालु और भक्त पहुँचते हैं। वे 'मुक्त लोक' के नाम पर ही यहाँ आते हैं, जार्ज पीटरगंज के नाम पर नहीं...।"

अगर कोई नयी उम्र का व्यक्ति होता तो उन्हें इस तरह तफसील से नहीं बताता। सम्भवतः यह सोचकर ही अपने हमउम्र दिखनेवाले व्यक्ति से लोकचन्द ने पूछा था। अब उनसे ही उन्होंने पुनः पूछा – "मुक्त लोक आश्रम यहाँ से कितनी दूर है?"

जवाब में पुनः मुस्कराते हुए उन्होंने पूरब दिशा की ओर हाथ का संकेत करते हुए कहा – "सामने की वह जो बड़ी इमारत दिख रही है, वही 'मुक्त लोक' है।"

इस पर कृतज्ञता ज्ञापित करते हुए लोकचन्द ने कहा – "बहुत-बहुत धन्यवाद!"

और उस दिशा की ओर चल पड़े, जहाँ मुक्त लोक आश्रम की इमारत दिख रही थी। हालाँकि बस से उतरते हुए अट्टालिका जैसी वह भव्य और विशाल इमारत लोकचन्द को पहले ही दिखी थी। तब उन्हें लगा था कि कोई फाइव स्टार जैसा होटल होगा। विशिष्ट पर्यटन स्थलों पर ऐसे बड़े होटल भी होते हैं। धार्मिक आश्रम तो खुला और सहज-सामान्य होगा। लेकिन यहाँ प्राप्त जानकारी के अनुसार उन्हें अपनी धारणा गलत जान पड़ी...।

'मुक्त लोक आश्रम' के मुख्य द्वार पर जब वे पहुँचे तो उसकी भव्यता देख अभिभूत रह गये। आकाश को छूती उसकी ऊँचाई अपनी विशिष्टता का इजहार कर रही थी। उस मुख्य फाटक के ऊपर किसी दिव्य मन्दिर की शक्ल में जिस चमकीले धातु से 'मुक्त लोक' अंकित था, वह सोने की तरह दमक रहा था। ऐसा लग रहा था, जैसे उस नाम के भीतर से प्रकाश की किरणें चारों दिशाओं की ओर फूट रही हों। उस फाटक के दोनों ओर की चहारदीवारी का भी उन्होंने मुआयना किया। लेकिन वह उनकी दृष्टि के पार थी। उसकी असीमित लम्बाई तक उनकी दृष्टि नहीं जा पा रही थी। वे समझ नहीं पा रहे थे कि इस विशाल और विस्तृत आश्रम के दायरे में कितनी एकड़ जमीन होगी? कोई आश्रम इतना बड़ा भी हो सकता है, इसकी जानकारी लोकचन्द को नहीं थी, इसलिए वे अचम्भित भी थे।

अब लोकचन्द मुख्य फाटक के सामने आ गये। प्रवेश के लिए दो द्वार थे – एक महिला द्वार, दूसरा पुरुष द्वार। उन द्वारों पर दो युवा गेरुआधारी मौजूद थे जो देखने में बलिष्ठ लगते थे। शायद आगन्तुकों की भीड़ के वक्त व्यवस्था बनाने के लिए ही वे वहाँ उपस्थित थे। लेकिन व्यवस्था बहाल रखने के साथ-साथ हर आगन्तुक का वे अभिवादन भी करते जाते थे–"जय गुरुदेव!"

वे जिस तरह अभिवादन करते थे, उससे आगन्तुकों को भी उस अभिवादन का जवाब सूझ जाता था और उनके मुँह से भी स्वतः निकल जाता था–"जय गुरुदेव!"

अब उस प्रवेश-द्वार से अन्दर पहुँचते ही पुरुष आगन्तुकों के लिए अलग तथा महिला आगन्तुकों के लिए अलग दो गेरुआधारी अपनी-अपनी कुर्सियाँ जमाये एक – एक रजिस्टर लेकर बैठे थे। उनके वे रजिस्टर काफी भारी-भरकम थे। वे दोनों गेरुएधारी भी उस लम्बे प्रवेश-द्वार के दायरे में ही थे। वे भी 'जय गुरुदेव' कहकर पहले हर आगन्तुक का अभिवादन करते। फिर उनका नाम, पता और उद्देश्य दर्ज करते। उद्देश्य में दीक्षित होना, प्रवचन सुनना, सत्संग में भाग लेना, उत्सव में शामिल होना तथा जीवन दानी बनकर आना होता था। अपना यह उद्देश्य अंकित कराकर ही लोग उस आश्रम में प्रवेश करते। इस सम्बन्ध में जब लोकचन्द ने अपना उद्देश्य स्वामी मुक्तानन्द मुक्त जी से मिलना बताया तो क्षण-भर के लिए उस गेरुएधारी ने आश्चर्य से उन्हें देखा। फिर उन्हें समझाते हुए कहा –

"यहाँ स्वामी जी किसी से मिलते-जुलते नहीं। आश्रम में मिलने का उनका कोई कार्यक्रम नहीं होता...।"

इस पर लोकचन्द ने कहा – "लेकिन मुझे तो उनसे मिलना है। उनसे मिलने के लिए ही मैं बहुत दूर से आया हूँ। बगैर मिले नहीं जा सकता...।"

उनकी यह बात सुन उसने कुछ असमंजस का अनुभव किया। क्षण-भर की उसकी चुप्पी से उसके असमंजस को लोकचन्द ने ताड़ लिया। कोई दूसरी जगह होती तो वहाँ का द्वारपाल अब उन्हें बेरुखी से हटा देता – "जब एक बार कह दिया कि साहब यहाँ नहीं मिलते, तो नहीं मिलते...। अब और मेरा समय बर्बाद मत कीजिये और हटिये यहाँ से...। मुझे दूसरे लोगों को भी देखना है...।"

लेकिन लोकचन्द जानते थे, धार्मिक स्थलों और आश्रमों के द्वारपाल वैसा नहीं कर सकते। उन्हें हिदायत रहती है कि आगन्तुकों से मधुर व्यवहार करना है, ताकि आश्रम में उनका आना-जाना बना रहे और आश्रम की व्यवस्था से वे जुड़ते जायें। वहाँ की इस परम्परा के आलोक में अब उस द्वारपाल ने लोकचन्द के लिए भी मार्ग सुझा दिया – "हमारे स्वामी जी प्रवचन के बाद अपने भक्तों और अनुयायियों को आशीर्वाद देते हैं। प्रवचन के बाद वे कुछ समय तक अपने आसन पर वहीं विराजमान रहते हैं। इस दौरान उनके भक्त और अनुयायी एक-एक कर उनके आसन से होकर ही प्रस्थान करते हैं, जिन्हें वे आशीर्वाद देते जाते हैं। इस रूप में उनसे आपका मिलना भी हो जायेगा...।"

लोकचन्द को लगा कि इस द्वारपाल से अब और कुछ कहना-सुनना उचित नहीं, इसलिए अपना नाम पता दर्ज कराते हुए अपना उद्देश्य प्रवचन में शामिल होना लिखा दिया। प्रवचन के बाद आशीर्वाद के तहत जब सुकेश रंजन से वे रू-ब-रू होंगे तो फिर किसी से कुछ कहने की जरूरत नहीं रह जायेगी। वह स्वयं आगे बढ़कर उन्हें गले लगा लेगा। उससे मिलने के लिए जो बेताबी लेकर वे जा रहे हैं, अपने सामने उन्हें पाकर उसी बेताबी से वह भी उन्हें अपनायेगा। बचपन की वैसी जिगरी दोस्ती वह भूल नहीं सकता।

उस द्वारपाल के बाद आश्रम के प्रांगण में प्रवेश करने के लिए लोकचन्द और अन्य आगन्तुकों को एक सुसज्जित हॉल से गुजरना था। अपनी ओर से लोकचन्द वहाँ अकेले पहुँचे थे। उनकी योजना सुकेश रंजन के पास अकेले जाने और अकेले मिलने की ही थी। लेकिन विभिन्न दिशाओं से पहुँचे भक्तों और अनुयायियों के बीच अब वहाँ वे भी उस भीड़ के एक अंग थे।

उस सुसज्जित हॉल में कतारबद्ध होकर उन्हें प्रवेश करना था। वे अनुभव कर रहे थे, ताजे फूलों की अनुपम सजावट से जहाँ एक ओर वह हॉल गम-गम कर रहा था वहीं दूसरी ओर उसकी छटा दमक रही थी। उस हॉल के दरवाजे पर एक गेरुआधारी महिला, जो उम्रदराज तथा भद्र जान पड़ रही थी, अपने दोनों हाथ जोड़कर हर आगन्तुक का स्वागत 'जय गुरुदेव' कह कर करती जाती थी।

उस लम्बे से हॉल में प्रवेश कर वहाँ का दृश्य देख लोकचन्द अभिभूत रह गये। वह पूरा हॉल इस छोर से उस छोर तक न सिर्फ मुक्तानन्दमय था, बल्कि मुक्तानन्द मुक्त की दिव्यता से मण्डित भी था। उस हॉल में मुक्तानन्द मुक्त की बड़ी-बड़ी भव्य, आकर्षक और कलात्मक तस्वीरें करीने से सजायी गयी थीं जिसमें हर तस्वीर ही वहाँ आगन्तुक भक्तों और अनुयायियों को प्रभावित करने के लिए पर्याप्त थी। प्रायः सभी तस्वीरों में ईश्वरीय कृपा की तरह आशीर्वाद देता उनका हाथ इस रूप में उठा नजर आता था, जो हर आगन्तुक को अपने मनोनुकूल आशीर्वाद पाने का एहसास करा जाता था।

उनकी वे तस्वीरें विभिन्न मुद्राओं, भंगिमाओं और अवसरों की थीं। किसी तस्वीर में वे प्रवचन दे रहे होते थे, तो किसी तस्वीर में साधनारत अपने दिव्य स्वरूप का दर्शन कराते हुए, तो कहीं भक्तों की भीड़ के बीच विराजमान उनके भगवान् की तरह। तो कहीं राम और कृष्ण के नये अवतार की प्रतीति कराते हुए, तो कहीं ज्योति पुंज बन कर भक्तों की भीड़ को आलोकित करते हुए, तो कहीं नंगे पाँव और नंगे बदन कमर में सिर्फ एक धोती लपेटे हुए संन्यासी और ब्रह्मचारी के रूप में आगे कदम बढ़ाते हुए। तो कहीं विशालकाय रूप में अपनी दिव्यता से आसमान को छूते हुए, तो कहीं लघु रूप में हीरे-मोती की तरह दमकते हुए, तो कहीं मुकुट पहन कर आसन पर विराजमान अपने भव्य रूप में किसी देवमूर्ति की प्रतीति कराते हुए। तस्वीरों के अनेक रंग, अनेक रूप, उनसे बिखरती अनेक छटाएँ। वे सारी तस्वीरें सुनहरे और मजबूत फ्रेमों में जड़ी थीं, ताकि पुरानी न होकर यथावत् बनी रहें...।

लोकचन्द देख रहे थे, उस हाल में प्रवेश करनेवाला हर श्रद्धालु, हर तस्वीर को प्रेममग्न होकर उसे निहारता, फिर वहाँ शीश झुकाता, इसमें अधिकांश श्रद्धालु तस्वीर के फ्रेम से अपना मत्था अवश्य टिकाते। फिर तस्वीर को छू-छूकर बार-बार प्रणाम करते हुए आगे बढ़ते जाते। जैसे जिस उद्देश्य से वे यहाँ आये हों उसके पूरे होने की शुरुआत अब हो गयी हो! इस क्षण उनके चेहरे से लगता, जैसे अपने परम गुरु के इस चित्र-दर्शन से ही वे धन्य-धन्य हो गये। अब इसी रास्ते अपने गुरुदेव के पास साक्षात् पहुँच भी जायेंगे...। यहाँ लोकचन्द को यह बात समझते देर नहीं लगी कि सम्भवतः श्रद्धालु आगन्तुकों की इस भक्ति को ध्यान में रखकर ही स्वामी मुक्तानन्द मुक्त की तस्वीरों को मजबूत फ्रेम में बँधवाया गया था ताकि लोगों के मत्था टेकने और छूते जाने से वे खराब न हों...।

लोकचन्द अनुभवकर रहे थे, उस हॉल में आगे बढ़ने की रफ्तार एकदम धीमी थी क्योंकि श्रद्धालु एवं भक्तों को हर तस्वीर के पास अपनी श्रद्धा निवेदित करनी

थी। उनके बीच में फँसे लोकचन्द बेचैन थे। उस लम्बे हॉल के उस छोर पर वे जल्द से जल्द पहुँच जाना चाहते थे, क्योंकि उस छोर से ही मुक्त लोक के प्रांगण में प्रवेश सम्भव था। इस स्थिति में श्रद्धालुओं की कतार और भीड़ को चीरते और धकियाते हुए भी वे आगे नहीं बढ़ सकते थे। कोई और स्थल या अवसर होता तो ऐसा सम्भव भी था। लेकिन यह स्थल और यहाँ का अवसर ऐसा करने की इजाज त उन्हें नहीं दे रहा था।

यह देख कर क्षण-भर के लिए लोकचन्द विचलित हो गये कि उनके पीछे आ रही भीड़ में कुछ आँखें उन्हें आश्चर्य से घूर रही थीं। यहाँ अपने प्रत्युत्पन्नमतित्व से उन्हें यह समझते देर नहीं लगी कि किसी भी तस्वीर के समक्ष उनके द्वारा सर न झुकाने की यह प्रतिक्रिया थी। ऐसे लोग शायद उनके बारे में यह सोच रहे थे कि यह कैसा भक्त, श्रद्धालु और अनुयायी है, जो कहीं भी गुरु महाराज की तस्वीर के समक्ष नतमस्तक नहीं हो रहा?

इस स्थिति में उन्हें लगा, उनके प्रति साथ चल रही भीड़ की यह बढ़ती शंका उचित नहीं। वे जिस उद्देश्य से यहाँ आये हैं उसकी पूर्ति के लिए सामान्य श्रद्धालु एवं भक्त के रूप में ही उन्हें आगे बढ़ना चाहिए। बस, उन्होंने भी अब माथा झुकाना शुरू कर दिया।

उस हॉल के उस छोर पर पहुँच कर लोकचन्द ने राहत की साँस ली। हालाँकि वे अनुभव कर रहे थे, इस दौरान उनके साथ आ रहे लोगों की भक्ति अब तक गुरु महाराज के प्रति पराकाष्ठा पर पहुँच चुकी थी। गुरु भक्ति में वे लगभग चार्ज हो चुके थे, इसका स्पष्ट इजहार उनकी भाव-भंगिमाओं से होने लगा था। लेकिन उनसे अलग लोकचन्द द्रष्टा के रूप में आगन्तुकों की भीड़ का अवलोकन कर रहे थे। इस तरह अब वे उस हॉल के उस छोर से बाहर निकल आये थे। अब उनके कदम मुक्त लोक के विशाल प्रांगण में थे।

यहाँ पहुँच कर लोकचन्द पा रहे थे, प्रांगण के एक ओर भव्य और विस्तृत अतिथिशाला थी। धूप और पानी से बचाव के लिए उसके ऊपर अच्छी-खासी छत थी, लेकिन चारों ओर से वह खुली थी। अतिथिशाला में लगभग सारी कुर्सियाँ आरामदायक थीं। उनकी संख्या हजारों में थीं। अतिथिशाला के चारों किनारे जगह-जगह शुद्ध एवं शीतल पेय जल की व्यवस्था थी। कुछ गेरुएधारी सेवादार अतिथिशाला में प्रवेश करनेवाले अतिथियों के स्वागत-सत्कार में सक्रिय जान पड़ते थे।

उस अतिथिशाला के सामने एक विशाल मनोरम और दिव्य पण्डाल नजर आ रहा था। उस पण्डाल का निर्माण स्थायी जान पड़ रहा था। पण्डाल में एक ओर सिंहासननुमा मंच बना था। मंच के सामने विस्तृत भू-भाग पर खूबसूरत आसन बिछे

थे। उन आसनों पर एक साथ कई हजार की संख्या में लोग बैठ सकते थे। लोकचन्द को यह समझते देर नहीं लगी कि 'मुक्त लोक आश्रम' का यही प्रवचन स्थल है।

प्रवचन स्थल के बाद फूलों की वाटिकाएँ तथा उन वाटिकाओं में नक्काशीदार बँगले...। वाटिकाओं के बीच-बीच बने बँगलों की संख्या भी पर्याप्त थी। प्रवेश-द्वार के पास जहाँ लोकचन्द खड़े थे वहाँ से वे बँगले अत्यन्त मनोरम जान पड़ रहे थे। शायद मुक्तानन्द मुक्त और उनके निकटतम शिष्य उन बँगलों में रहते हों।

मुक्त लोक के उस प्रांगण के दूसरी ओर कतारबद्ध आवासीय भवन थे। दोनों ओर खड़े उन भवनों के बीच से कंकरीट की एक साफ-सुथरी सड़क गुजरती थी। उन आवासीय भवनों की संख्या काफी थी। प्रवेश-द्वार से लोकचन्द की नजरें चाहते हुए भी उन भवनों की सीमा तक नहीं पहुँच पा रही थीं। उन्हें लगा, शायद आम भक्तों, श्रद्धालुओं और अनुयायियों के ठहरने के लिए ये आवासीय भवन बने हों। इस दृश्य ने अब सहज ही लोकचन्द को इस बात का भान करा दिया कि इस आश्रम के अन्दर तो एक पूरी दुनिया बसी है, बाहर की दुनिया से अलग, शान्त, स्थिर और सुव्यवस्थित।

इस परिदृश्य ने इस पक्ष से भी लोकचन्द को अवगत कर दिया कि मुक्तानन्द मुक्त के पहुँचे हुए संत होने और मुक्त लोक की प्रसिद्धि का राज क्या है? इस क्षेत्र के लिए लोकचन्द अनभिज्ञ थे, इसलिए समझ नहीं पा रहे थे कि किसी धार्मिक आश्रम के अन्दर इस तरह का साम्राज्य कैसे विकसित हो सकता है? लेकिन अब साक्षात् अपनी आँखों से उसे देख किसी आश्रम के ऐसे विस्तार की कल्पना उन्होंने नहीं की थी। अब इस विस्तार को देखकर वे स्वयं अचम्भित थे। इस स्थिति में अब वे अपने को किसी विचित्र और रहस्य-भरे लोक में पा रहे थे।

इस क्षण एक गेरुआधारी सेवादार ने आकर उनसे निवेदन किया – "श्रीमान् जी, मैं कुछ क्षणों से आपको खड़े-खड़े देख रहा हूँ। चलिये आराम से अतिथिशाला में बैठिये। आपको जो जरूरत हो कहिये...। यहाँ मुक्त लोक में आपको कोई असुविधा नहीं होगी। यहाँ किसी बात का अभाव आपको महसूस नहीं होगा। गुरु महाराज की कृपा से यहाँ आपकी सारी मनोकामनाएँ पूर्ण हो जायेंगी। यहाँ जो आता है उसे फिर किसी चीज की कमी नहीं रह जाती...।" लोकचन्द जानते थे, यहाँ के सेवादार इसी तरह आगन्तुकों को समझायेंगे। इस स्थिति में उस सेवादार से उलझना उचित न समझ उसके साथ वे अतिथिशाला की ओर चल पड़े। अतिथिशाला की एक आराम-कुर्सी पर उन्हें बैठा कर वह सेवादार पुनः प्रवेश-द्वार के पास चला गया। शायद उसकी ड्यूटी प्रवेश-द्वार के पास ही आगन्तुकों को सुविधा सहयोग पहुँचाने की थी।

लोकचन्द देख रहे थे, अतिथिशाला के बायीं ओर का हिस्सा महिलाओं के लिए था तथा दाहिनी ओर का पुरुषों के लिए । लेकिन इस निर्धारण के बावजूद संयुक्त बैठने पर भी कोई आपत्ति, कोई रोक-टोक नहीं। इस व्यवस्था से जहाँ एक ओर मुक्त लोक की उदारता का पता चलता था, वहीं दूसरी ओर परम्पराओं को साथ लेकर चलने की उसकी भूमिका भी परिलक्षित होती थी। हालाँकि इस सबसे ऊपर वहाँ स्वतन्त्र और मुक्त सह जीवन की बात ही दिख रही थी। स्त्री और पुरुष के निर्धारणों में बैठनेवाले स्त्री-पुरुषों की अपेक्षा साथ-साथ बैठनेवालों की संख्या ही अधिक थी।

लोकचन्द जहाँ बैठे थे वहाँ उनके आस-पास अनेक स्त्री-पुरुष विराजमान थे। उनकी बगल में एक वयोवृद्ध और भद्र जान पड़ने वाली महिला बैठी थी। वह सेवादार जब से लोकचन्द को वहाँ बैठा गया था, वह महिला बार-बार उनकी ओर देखे जा रही थी। शायद कुछ कहना चाह रही थी। लोकचन्द जानते थे, उम्रदराज लोग बिना बात किये नहीं रह पाते। बढ़ती उम्र के साथ बोलते जाने की क्रिया उनके स्वभाव का अंग बन जाती है। इस स्थिति में जैसे ही लोकचन्द उनकी ओर मुखातिब हुए, उनके अनुमान के अनुसार वह शुरू हो गयीं – "आप कहाँ से आये हैं?"

"माता जी, मैं बिहार से आया हूँ।"

लोकचन्द ने अनुभव किया, उनके द्वारा माता जी के सम्बोधन से वह महिला प्रसन्न हो गयी। अब उसने भी सम्बोधन के साथ ही पूछा – "यहाँ बराबर आते हो बेटा?"

मेरी अवस्था युवा नहीं थी, लेकिन माता जी की अवस्था के समक्ष मैं उनका पुत्रवत् ही था। अब जवाब देते हुए बोल उठा – "नहीं माता जी, मैं पहली बार आया हूँ।"

"लेकिन देखना, अब यहाँ तुम बराबर आओगे। एक बार जो यहाँ आ जाता है फिर वह 'मुक्त लोक' के बिना रह नहीं पाता!"

माता जी की इस बात पर क्षण-भर के लिए लोकचन्द समझ नहीं सके कि अब क्या कहें? बस मौन रह गये। लेकिन माता जी ने उनके मौन की परवाह किये बगैर अपना कथन जारी रखा – "मैं तो यहाँ बराबर आती हूँ। यह आश्रम तो मेरे लिये अब अपने घर से भी बढ़कर है...।"

माता जी से इस जानकारी के बाद लोकचन्द की जिज्ञासा बढ़ गयी। माता जी यहाँ से गहरे में जुड़ी हैं। इनके माध्यम से लोकचन्द इस रहस्य से अवगत हो सकते हैं कि उनके मित्र सुकेश रंजन ने कैसे यह मायावी संसार निर्मित कर रखा है? अब वे पूछ उठे – "तब तो आप यहाँ की स्थायी सदस्य हैं माता जी! फिर यहाँ अतिथिशाला में क्यों बैठी हैं?"

"अभी तत्काल बाहर से आयी हूँ बेटा, इसलिए यहाँ बैठ गयी। अब जल्द ही मुक्त लोक की साध्वी देवियाँ आयेंगी और मुझे स्थान ग्रहण करायेंगी...।"

"तो क्या यहाँ आवासीय व्यवस्था भी है?"

"तुम पहली बार आये हो बेटा, इसलिए नहीं जानते। यहाँ बहुत अच्छी आवासीय व्यवस्था है। बहुत लोग यहाँ रहते हैं। हमारे घर से अधिक यहाँ के सेवादार हमारा ख्याल रखते हैं...। कहने के लिए अपना घर-परिवार है, लेकिन यहाँ जो शान्ति और सुकून का अनुभव होता है, वह घर पर कहाँ?"

उस महिला की बात से लोकचन्द समझ गये कि मुक्त लोक के आकर्षण की वजह क्या है? साथ ही इस बात की जानकारी भी उन्हें हो गयी कि उस महिला को घर की उपेक्षा ने ही मुक्त लोक से जोड़ रखा है। सम्भव है, मुक्त लोक के इस साम्राज्य के पीछे ऐसे लोगों की भूमिका महत्त्वपूर्ण हो, क्योंकि अपने परिधान एवं रंग-रूप से वह महिला किसी सम्पन्न घराने की जान पड़ रही थी। अब लोकचन्द रुचि के साथ पूछ उठे – "आप कहाँ से आयी हैं माता जी?"

"दिल्ली से...।"

"वहाँ आपका अपना घर है?"

"बड़ा-सा अपना घर है। सब-कुछ भरा हुआ है। किसी चीज की कमी नहीं।"

"तो फिर माता जी, आप अन्यथा मत लीजियेगा, मैं यह जानना चाहता हूँ कि जब आपका घर भरा है, किसी चीज की कमी नहीं तब फिर आप यहाँ क्यों रहती हैं? घूमकर चली जातीं।"

"अब तुम्हें कैसे बताऊँ बेटा? तुम समझोगे कि मैं झूठ बोल रही। लेकिन अपने मन की सच्ची बात कह रही हूँ...। अब तो मुझे इस बात का अफसोस होता है कि जीवन के इस अन्तिम समय में ही यहाँ से क्यों जुड़ी? प्रारम्भ में ही क्यों नहीं जुड़ गयी...?"

"आखिर इस जगह में ऐसा क्या है माता जी, जरा मैं भी तो सुनूँ?"

"तुम्हारी तरह पहले मैं भी यही जानती थी कि सुख-शान्ति कहीं और नहीं, अपने घर पर ही हम पा सकते हैं। लेकिन पति की मृत्यु के बाद जब मेरा मन उखड़ा-उखड़ा रहने लगा तब मेरी एक बहन मुझे यहाँ लेकर आयी। वह यहाँ काफी समय से आती रहती थी। यहाँ आने के बाद गुरु महाराज के पहले प्रवचन ने ही मेरे हताश, परेशान मन को शान्त कर दिया। यहाँ आने से पहले मैं नहीं जानती थी कि यह शरीर, इसमें निवास करनेवाली आत्मा और परमात्मा क्या है? लोक और परलोक क्या है? लेकिन यहाँ आने के बाद सब-कुछ जान गयी। हमारे अन्दर जो

आत्मा है वह अजर-अमर है। वह कभी मरती नहीं। हम जिसे मरा हुआ देखते हैं, वह मरा नहीं है। यह उसका शरीर बदलना है जैसे हम पुराने कपड़े बदलते हैं। इसलिए मरे व्यक्ति के नाम पर शोक करना हमारा अज्ञान है...। यहाँ के लोग जितनी आत्मीयता और प्रेम बरतते हैं, वैसा अपने घर-परिवार पर मिल ही नहीं सकता, क्योंकि परिवार के सम्बन्ध स्वार्थ पर आधारित होते हैं। वहाँ का जीवन हमें भटकाता है। माया के संसार में भरमाता है। लेकिन यहाँ हमें सच्चा ज्ञान मिलता है। इस जीवन में हमें क्या करना चाहिए जिससे हमारा यह शेष जीवन और आगे का जीवन अच्छा बना रह सके...।''

माता जी को इस तरह बोलते देख लोकचन्द को लग गया कि यहाँ के प्रभाव में वह प्रवचन देने लगी। बस, बात बदलते हुए लोकचन्द ने कहा – ''आप पर तो यहाँ का काफी प्रभाव पड़ा है माता जी। आपके परिवार के बारे में जानने की मेरी जिज्ञासा बढ़ गयी है। दिल्ली के आपके परिवार में और कौन-कौन लोग हैं?''

''मेरा बड़ा परिवार है। पाँच बेटे और तीन बेटियाँ हैं। लेकिन शादी के बाद तीनों बेटियाँ अपने-अपने ससुराल में हैं।''

''तब तो माता जी आपके बेटे विभिन्न नौकरियों में अलग-अलग रहते होंगे?''

''नहीं, नहीं बेटा, ऐसा नहीं है। हमारा अपना व्यवसाय है। बड़ा कारोबार है। सब उसी में लगे रहते हैं...।''

''इस स्थिति में तो आपका परिवार काफी सम्पन्न होगा माता जी?''

''हाँ, गुरु महाराज की कृपा से कोई कमी नहीं है।''

''आपके बेटे भी यहाँ आते हैं?''

''हाँ, यहाँ के उत्सवों में भाग लेने आते हैं।''

''एक बात और पूछता हूँ माता जी, यहाँ रहने के लिए कुछ देना भी पड़ता है...।''

''अरे, नहीं...नहीं बेटा, यहाँ कोई किसी से कुछ नहीं माँगता। यहाँ किसी को कुछ देना नहीं है। जिसे जो कुछ देना होता है, दानस्वरूप स्वेच्छा से देता है। दान की पेटियाँ हैं। दानदाताओं के लिए भण्डार कक्ष और मुक्त लोक का सचिव कक्ष है। अब दान का महत्त्व ही ऐसा है कि यहाँ आनेवाला कुछ-न-कुछ देता ही है। रुपये-पैसे और अन्न-वस्त्र के अतिरिक्त जीवनदानी बनकर भी कुछ लोग यहाँ आते हैं। वे इस आश्रम के लिए अपना जीवन समर्पितकर देते हैं।

माता जी जब यह बात कह रही थी तो लोकचन्द देख रहे थे, अतिथिशाला में जगह-जगह खूबसूरत बोर्ड लगे थे जिनमें दान का महत्त्व और गुरु-महिमा का बखान

था। दान और गुरु-महिमा के महत्त्व पर प्रसिद्ध संतों के वचन भी अंकित थे, जो आगन्तुकों को प्रभावित और प्रेरित करते जान पड़ रहे थे।

अब प्रसंगवश माता जी से उन्होंने पूछ लिया – "दिल्ली से यहाँ तक आप अकेले आ गयीं?"

"नहीं बेटा, अब अवस्था अकेले आने-जाने की नहीं रही। हमारे व्यवसाय के एक कारिन्दे को बड़े बेटे ने साथ लगा दिया था। वही मुझे यहाँ छोड़ गया। फिर जाने की इच्छा होगी तो फोन करूँगी। वह आकर ले जायेगा...।"

इससे पहले कि माता जी से लोकचन्द कुछ और जानकारी हासिल करते, उनके कहे अनुसार सचमुच गेरुए परिधान में तीन युवा साध्वियाँ वहाँ आ पहुँचीं। वे अतिथिशाला में घूम-घूम कर आगत अतिथियों को उनके उद्देश्य के तहत सुविधा-सहयोग पहुँचा रही थीं। इस कार्य में गेरुए परिधान के कुछ सेवादार भी सक्रिय थे। चूँकि लोकचन्द और माता जी अतिथिशाला के इस छोर पर थे इसलिए उन तक पहुँचने में साध्वियों को तनिक समय लगा।

माता जी पर नजर पड़ते ही वे साध्वियाँ उन्हें पहचान गयीं। फिर विहँसते हुए चेहरे के साथ उनके हाथ अभिवादन में जुड़ गये – "जय गुरुदेव!"

जवाब में माता जी ने भी कहा – "जय गुरुदेव!"

अब उनमें से एक ने माता जी से पूछा – "कैसी हैं, माँ?"

"ठीक हूँ, बेटी।"

फिर दूसरी ने पूछा – "रास्ते में कोई कठिनाई तो नहीं हुई?"

"नहीं पुत्री! हमारा आदमी साथ था...।"

अब तीसरी ने पूछा – "दिल्ली में आप ठीक से थीं, न? परिवार के लोग ठीक हैं, न?"

माता जी ने संक्षिप्त जवाब दिया – "हाँ बेटी, गुरु महाराज की कृपा से सब ठीक है...।"

उनमें से अब एक ने माता जी का सामान उठा लिया और दूसरी माता जी के साथ हो गयी। हालाँकि माता जी स्वयं चलने में सक्षम थीं, फिर भी दूसरी साध्वी प्रेम से उनकी बाँह थामे उनके साथ चलने लगी। इस क्षण अपने स्थान को जाती हुई माता जी औपचारिकतावश मेरी ओर मुखातिब हो गयीं – "ठीक है बेटा, अब मैं चलती हूँ। यहाँ पर आते रहोगे तो फिर मुलाकात होगी। जय गुरुदेव!"

इस अवसर पर मुक्त लोक की परम्परा के अनुसार लोकचन्द को भी कहना पड़ गया – "जय गुरुदेव...!"

इस क्षण लोकचन्द ने लक्ष्य किया, साध्वियों के इस आत्मीय आतिथ्य से यात्रा में कुम्हलाये माता जी के चेहरे पर अब आश्वस्ति के भाव उभर आये थे।

माता जी के जाते ही उन तीन साध्वियों में से जो एक साध्वी वहाँ थी, वह अब लोकचन्द की सहायता के लिए तत्पर हो गयी – "जय गुरुदेव, श्रीमान् जी!"

जवाब में लोकचन्द को भी कहना पड़ा – "जय गुरुदेव...!"

"आप माता जी के परिचित हैं? उनके साथ ही आये हैं?"

"नहीं। इस अतिथिशाला में ही उनसे परिचय हुआ।"

"माता जी बहुत अच्छी महिला हैं और किसी से भी जल्द ही घुलमिल जाती हैं...।"

"हाँ, उनकी यह मिलनसारिता मुझे भी अच्छी लगी...।"

"आप कहाँ से आये हैं?"

"बिहार के आरा शहर से।"

"लगता है, आप पहली बार आये हैं?"

"हाँ, लेकिन आप यह कैसे जान गयीं?"

"बराबर आनेवाले लोग हमें पहचान जाते हैं या फिर हम ही उन्हें पहचान लेते हैं। अच्छा, तो आपकी क्या सेवा की जाय श्रीमान्? मैं आपकी क्या सहायता कर सकती हूँ? यहाँ रहकर सत्संग में भाग लेना हो तो आपके आवास की व्यवस्था अभी कर दूँगी...।"

"नहीं देवी! मैं यहाँ रहने नहीं आया। प्रवचन में भाग लेकर चला जाऊँगा। फिलहाल हरिद्वार के एक गेस्ट हाउस में ठहरा हूँ...।"

"वहाँ क्यों ठहर गये? मुक्त लोक में बाहर से आनेवाले लोग यहीं ठहरते हैं...। यहाँ आपको कोई असुविधा नहीं होगी...।"

"ठीक है देवी! अगली बार से आऊँगा तो यहीं ठहरूँगा।"

इस पर उसने कहा – "गुरु महाराज का प्रवचन सुनने के बाद फिर-फिर आपको यहाँ आना पड़ेगा। लेकिन फिलहाल प्रवचन का समय तो सन्ध्या 5 बजे से है। तब तक आप विश्राम करना चाहें तो इस अतिथिशाला के ही उस किनारे आरामदायक बेड लगे हैं, वहाँ जाकर आप आराम कर सकते हैं। इस बीच आपको कोई आवश्यकता महसूस हो तो आश्रम के सेवादार आपको सहयोग के लिए तत्पर मिलेंगे। वे आपकी हर तरह की सहायता करेंगे। दोपहर में यहाँ सामूहिक भोज 'भगवत भोग' की व्यवस्था रहती है। समय पर उसे अवश्य ग्रहण कर लीजियेगा। वह भोजन नहीं मुक्त लोक का पवित्र प्रसाद होता है। वह प्रसाद देशी अन्न और शुद्ध घी से बनता है।"

"ठीक है। मैं ठीक हूँ। सहयोग के लिए आपको धन्यवाद देवी!"

इस क्षण लोकचन्द ने देखा, माता जी को उनके आवास तक छोड़ वे साध्वियाँ भी पुनः इधर आ गयी थीं। अब लोकचन्द के समीप खड़ी वह साध्वी भी उनके साथ हो गयी।

लोकचन्द अब इत्मीनान का अनुभव करने लगे। इस अवसर पर उनके मस्तिष्क में माता जी को लेकर विचार-विमर्श शुरू हो गया था। यहाँ आने के बाद से ही जो प्रश्न उनका पीछा कर रहा था कि मुक्त लोक की ऐसी समृद्धि और वैभवशाली स्थापना के स्रोत क्या हो सकते हैं, उसका रहस्य अब उनके समक्ष धीरे-धीरे खुलने लगा था। माता जी जैसी स्थिति और अवस्था के स्त्री-पुरुषों पर उनकी जानकारी यहीं तक सीमित थी कि तेजी से बदलते समय में ऐसे विवश-लाचार वृद्ध अपने परिजनों की उपेक्षा के शिकार हो जाते हैं। परिवार जन उन्हें उनके हाल पर छोड़ देते हैं। लेकिन माता जी को जानने के बाद अब लोकचन्द उनके एक और पक्ष से अवगत हुए। समृद्ध और धार्मिक भावनाओं में विश्वास करनेवाले लोग अब यह मार्ग भी अख्तियार करने लगे हैं। अपने वृद्ध परिजनों को धार्मिक आश्रमों के हवाले कर देते हैं। परलोक सुधारने के नाम पर अपने परिजनों के साथ ऐसा करना उन्हें पुण्य का कार्य भी जान पड़ता है। वे स्वयं भी अपनी सुख-समृद्धि को ऐसे आश्रमों और गुरुओं की कृपा पर निर्भर मानते हैं। ऐसे लोग चन्दे के रूप में क्या कुछ नहीं देते। ऐसे धार्मिक संस्थानों के फलने-फूलने और निरन्तर विकसित होते जाने के पीछे ऐसे दानदाताओं की ही भूमिका होती है। इनसे अलग सामान्य लोग भी ऐसे धार्मिक आश्रमों में आने के बाद अपनी सामर्थ्य के अनुसार बिना कुछ दिये यहाँ से नहीं जाते।

लोकचन्द को लगा, अब आराम से बैठकर उन्हें समय व्यतीत करना है। इस बीच एक गेरुआधारी व्यक्ति माता जी की जगह पर आ बैठा था। प्रारम्भ में उस व्यक्ति पर नजर पड़ते हुए लोकचन्द को लगा, यह भी मुक्त लोक का कोई सेवादार होगा। फिर यह प्रश्न उनके मन में उभर आया कि अगर सेवादार ही होता तो इस तरह अतिथिशाला में आकर क्यों बैठता? यहाँ के कार्यकर्त्ताओं के बैठने, आराम करने और रहने की निश्चय ही अलग व्यवस्था होगी। इस पर उन्हें लगा कि यह बाहर से आया कोई श्रद्धालु भी हो सकता है। मुक्त लोक के प्रभाव में गेरुआधारी बन गया होगा। इससे परिचय करने की इच्छा अब लोकचन्द के मन में पैदा होने लगी। सम्भव है, इससे मुक्त लोक और सुकेश रंजन के बारे में उन्हें कुछ और जानकारी हासिल हो सके।

इस क्षण लोकचन्द ने प्यास का अनुभव किया। बस, अपने बैग से पानी का बोतल निकालते हुए उन्होंने निर्णय किया, पानी पीकर इस व्यक्ति से इतमीनान से

बात करेंगे। लेकिन उनके हाथ में पानी का बोतल देखते ही उस व्यक्ति ने आत्मीयता से अनुरोध किया – "यहाँ आकर आप बोतल का पानी न पियें श्रीमान्। मुक्त लोक से अच्छा पानी किसी दूसरी जगह का हो ही नहीं सकता। उच्च गुणवत्ता के फिल्टरों से छनकर यहाँ का पानी आता है। वैज्ञानिकों द्वारा जाँचा-परखा जा चुका है। मैं अभी आपको यहाँ का ताजा पानी देता हूँ...।" और वह व्यक्ति फुर्ती से उठकर सामने के नल के पास जा पहुँचा। अतिथिशाला के सामने जगह-जगह 'शीतल पेय जल' की तख्ती लगे नल कायम थे और हर नल के पास नये गिलासों के सेट मौजूद थे। उसने एक नये गिलास में ताजा पानी लाकर लोकचन्द को थमा दिया। उस अपरिचित गेरुएधारी के इस आतिथ्य को ठुकराना लोकचन्द को उचित नहीं जान पड़ा। उनके मुँह से अब स्वतः निकल गया – "धन्यवाद!"

पानी पीते हुए लोकचन्द ने अनुभव किया, सचमुच पानी अच्छा है, ताजगी और स्वाद दोनों स्तरों पर। अब वे पूछ उठे – "आप कहाँ से आये हैं? यहाँ की जानकारी और वेशभूषा से तो यहीं के साधु-संन्यासी जान पड़ते हैं। लेकिन अतिथिशाला में आपको बैठे देखकर पूछना पड़ रहा है...।"

"आपका अनुमान सही है, श्रीमान्। मैं यहीं का सेवादार हूँ। लेकिन फिलहाल कुछ वर्षों से 'त्रिशूलपुरम्' में कायम मुक्त लोक की नयी शाखा में रहता हूँ। अभी सीधे वहीं से आया, इसलिए अतिथिशाला में बैठ गया...।"

"तो क्या अब फिर इस आश्रम में आ गये?"

"नहीं, श्रीमान्। अभी मुझे वहीं रहना है। यहाँ अपनी भतीजी से मिलने आ गया। वह यहाँ साध्वी है...।"

"तब तो आप यहाँ के स्थायी सदस्य हैं। यहाँ आपके परिवार के और कौन-कौन रहते हैं?"

"यहाँ स्थायी और अस्थायी सदस्य नहीं होते श्रीमान् जी! आम और जीवनदानी होते हैं। मैं यहाँ का जीवनदानी सदस्य हूँ। मेरे साथ यहाँ मेरी भतीजी रहती है। मेरे परिवार में और कोई नहीं...। अपनी भतीजी को सूचना भिजवा दी है। वह आती ही होगी।"

उस व्यक्ति की बात सुनकर लोकचन्द की जिज्ञासा उसको लेकर कायम हो गयी। आश्रमों में जीवनदानी व्यक्तियों को लेकर लोकचन्द के मन में यह प्रश्न प्रारम्भ से ही कायम रहा है कि कोई अपना घर-परिवार, गाँव-समाज और संग-साथ छोड़कर जीवनदानी कैसे हो जाता है? लेकिन अब साक्षात् अपने सामने बैठे एक जीवनदानी को वे देख रहे थे। पचास-पचपन की अवस्था का वह व्यक्ति था। लेकिन चेहरे पर कोई शिकन और थकान नहीं, बल्कि शान्ति और सुकून की ताजगी थी। यहाँ

लोकचन्द को यह समझते देर नहीं लगी कि जो सब-कुछ छोड़ कर संन्यासी हो गया उसके चेहरे पर निश्चिन्तता और शान्ति तो होनी ही है। लेकिन कोई कैसे अपने जीवन-स्थल, अपने परिवार-समाज और अपने सम्बन्धों के दायरों से मुक्त किसी आश्रम में जीवनदानी हो जाता है, इस सम्बन्ध में लोकचन्द का जिज्ञासु मन उस व्यक्ति के बारे में विस्तार से अब जानना चाह रहा था। लेकिन लोकचन्द की क्षण-भर की इस चुप्पी के तहत अब वह व्यक्ति स्वयं पूछ उठा – "आप कहाँ से आये हैं श्रीमान्। जब मैं यहाँ था तब तो आपको नहीं देखा था। लगता है, यहाँ से मेरे जाने के बाद आपका आना-जाना शुरू हुआ है...।"

"आपका अनुमान सही है, साधु जी। लेकिन मैं यहाँ पहली बार आया हूँ। इससे पहले नहीं आया था...।"

अपने प्रति उस व्यक्ति के लगातार श्रीमान् सम्बोधन को ध्यान में रखकर अब लोकचन्द ने भी उसे साधु जी कहकर सम्बोधित करना ही उचित समझा। इस पर उस साधु ने उस माता जी की तरह ही कहा – "लेकिन देखियेगा, श्रीमान्। अब आगे यहाँ बराबर आप आना चाहेंगे...। यहाँ जो एक बार आ जाता है, वह गुरु महाराज और इस आश्रम के प्रभाव में ऐसा बँध जाता है कि यहाँ के बिना रह ही नहीं पाता। यह इस आश्रम का अलौकिक प्रभाव है...।"

इस बात का कुछ भी जवाब देना लोकचन्द को उचित नहीं जान पड़ा। इस पर उस व्यक्ति ने अपनी पहली बात पुनः दुहरा दी – "हाँ, तो श्रीमान् आप कहाँ से आये हैं?"

"बिहार से।"

"बिहार में, कहाँ से?"

"आरा से।"

यह सुन वह व्यक्ति उत्साहित हो उठा – "तब तो आप मेरे जिला-जवार के हैं श्रीमान्। मैं बक्सर के पास के एक गाँव से आया हूँ।"

इस सूचना ने लोकचन्द को भी उस व्यक्ति के प्रति और जिज्ञासु बना दिया – "अच्छा...! पहले आरा और बक्सर एक ही जिले थे। बाद में अलग हुए। तब तो आप हमारे निकट के ही हैं। आपके परिवार के और लोग तो वहाँ रहते होंगे?"

इससे पहले कि वह साधु, लोकचन्द की इस बात का जवाब दे, उसकी भतीजी आ पहुँची। साँवली-सलोनी उसकी भतीजी अपने रूप और यौवन की जैसी आभा बिखेरती वहाँ आ उपस्थित हुई कि उसे देखने के बाद लोकचन्द देखते ही रह गये। ऐसा नहीं कि इससे पहले किसी ऐसी सुन्दर युवती को लोकचन्द ने नहीं देखा था।

लेकिन इस तरुणी के रंग-रूप में कुछ ऐसा था जो उसके असाधारण रूपसी होने की प्रतीति करा रहा था। जब उसने 'जय गुरुदेव' कहकर अपने चाचा का चरण-स्पर्श किया तो वहाँ आस-पास के माहौल में जैसे स्निग्धता बिखर गयी। उसके रूप-लावण्य की तरह ही उसकी आवाज भी मधुर तथा झुकने की अदा भी प्यारी थी। अब उसके चाचा ने भी 'जय गुरुदेव' कहते हुए आशीर्वाद के तहत अपना दायाँ हाथ उसके माथे पर रख दिया। इससे पहले कि उस कन्या से उस व्यक्ति के कुशल-समाचारों का आदान-प्रदान हो, उसने लोकचन्द की ओर उसे मुखातिब कर दिया – "कान्ति! ये श्रीमान् जी, हमारे जिला-जवार से आये हैं, ये भी तुम्हारे चाचा ही हैं।"

प्रतिक्रिया में उस लड़की ने 'जय गुरुदेव' कहकर लोकचन्द का भी चरण-स्पर्श किया। जवाब में लोकचन्द के मुँह से भी स्वतः निकल गया – 'जय गुरुदेव'। हालाँकि उसके चाचा की तरह लोकचन्द अपना हाथ उसके माथे पर नहीं रख सके। लेकिन इस क्षण उसके सम्मोहक व्यक्तित्व की विलक्षणता का एहसास उन्होंने किया।

अब वह लड़की अपने चाचा को लेकर वहाँ से तत्क्षण चल पड़ी। इस अवसर पर उसके साथ जाते हुए उसके चाचा ने जोर देकर लोकचन्द से कहा – "श्रीमान् जी, मैं जल्द ही आ जाऊँगा। आप यहीं रहियेगा। अभी आपसे पूरी बात भी नहीं की है।"

"ठीक है, साधु जी।" – यह कहते हुए लोकचन्द अब उस व्यक्ति को अपनी भतीजी के साथ जाते हुए देखते रहे। वह उस आदमी को फूलों की वाटिकाओं में बने बँगलों की ओर ले जा रही थी। शायद उस कन्या का आवास उन्हीं बँगलों की ओर था।

यहाँ लोकचन्द को अपना अनुमान सही जान पड़ा। लोकचन्द यहाँ जब से आये थे, यहाँ की पूरी दुनिया उन्हें रहस्यमय जान पड़ रही थी। यहाँ उस जीवनदानी साधु से मिलने और उसकी साध्वी भतीजी को देखने के बाद लोकचन्द का रहस्य और बढ़ता ही जा रहा था। अब वे बेसब्री से उस जीवनदानी साधु की प्रतीक्षा करने लगे थे जो उनके मन की असंख्य जिज्ञासाओं में से शायद कुछ का समाधान कर सके। शायद कुछ रहस्यों का भेदन हो सके...। इस बीच अतिथिशाला में आगन्तुकों के बीच घूम रहा एक युवा सेवादार लोकचन्द के पास आ पहुँचा। वह भी गेरुए परिधान में ही था। तीस पैंतीस वर्ष के उस सेवादार ने लोकचन्द से विनयपूर्वक अनुरोध किया – "श्रीमान् जी, आप देर से बैठे हैं। फिलहाल मैं आपकी क्या सेवाकर सकता हूँ...?"

जवाब में लोकचन्द ने कहा – "मैं ठीक हूँ...।"

इस पर उस युवा सेवादार ने पुनः कहा – "फिर भी जो जरूरत हो कहियेगा। मैं यहीं आसपास रहूँगा...।"

लोकचन्द समझ गये, इस युवा सेवादार की तैनाती इस अतिथिशाला में ही आगन्तुकों को सुविधा-सहयोग पहुँचाने की है। लोकचन्द से यह कहते हुए वह सेवादार अब आगे बढ़ गया – "भोग लगने का समय होने जा रहा है। प्रसाद अवश्य ग्रहण कर लीजियेगा। आश्रम का प्रसाद दिव्य होता है।"

लोकचन्द देख रहे थे, वह सेवादार उनके बाद दूसरे अतिथि, फिर तीसरे अतिथि की ओर बढ़ते हुए प्रायः सभी से यही बात दुहराता जा रहा था। उस सेवादार के जाने के कुछ ही समय बाद आश्रम में जगह-जगह लगे माइकों से उद्घोषणाएँ शुरू हो गयीं – "भगवत् भोग का समय हो गया है। आश्रम में उपस्थित सभी श्रद्धालुओं, भक्तों और आश्रमवासियों से निवेदन है कि प्रसाद-कक्ष में उपस्थित होकर भगवत् भोग ग्रहण कर लें।"

इस उद्घोषणा के बाद अतिथिशाला तथा आस-पास के माहौल में लोकचन्द को सक्रियता जान पड़ने लगी। वे देख रहे थे, आवासीय भवन और बँगलों की कतारों से अलग बीच के रास्ते से लोग आगे बढ़ने लगे थे। शायद बीच के रास्ते से ही 'प्रसाद-कक्ष' तक जाया जा सकता था। लेकिन लोकचन्द तो उस साधु की प्रतीक्षा में बैठे थे। यहाँ से उठकर भीड़ में शामिल होने के बाद शायद उस साधु से फिर मुलाकात न हो सके। यहाँ की दुनिया को जानने के लिए लोकचन्द को वह एक महत्त्वपूर्ण जरिया जान पड़ा है। वह कहकर गया है कि शीघ्र आयेगा। कहीं ऐसा नहीं कि प्रसाद की उद्घोषणा पर उधर से ही प्रसाद-कक्ष की ओर चल पड़े। लेकिन ऐसा नहीं हो सकता। वैसा जीवनदानी साधु आश्रम में आये किसी आगन्तुक से झूठ नहीं बोल सकता। इस सम्बन्ध में लोकचन्द को अपना अनुमान सही जान पड़ा। वह साधु बँगलों की ओर से आते हुए उन्हें दिख गया। लोकचन्द के पास पहुँचते ही उसने कहा – "चलिये, श्रीमान्, पहले 'भगवत् भोग ग्रहणकर लिया जाय, फिर बातचीत की जायेगी...।"

इसके बाद उस साधु ने उस सेवादार की तरह ही कहा – "आश्रम का प्रसाद दिव्य होता है श्रीमान्। यहाँ के आगन्तुकों एवं आश्रमवासियों के जीवन और स्वास्थ्य के लिए प्राकृतिक औषधियों की तरह हितकर होता है।"

उस साधु के साथ लोकचन्द अब बीच के रास्ते से 'प्रसाद-कक्ष' की ओर चल पड़े...। इस बीच के रास्ते से प्रसाद-कक्ष तक पहुँचने के बाद उनका आश्चर्य और बढ़ गया। अतिथिशाला से आश्रम के जिस विस्तार और वैभव को वे देख रहे थे, यहाँ

पहुँचने के बाद वह परिदृश्य उन्हें और अधिक विस्तृत होता जान पड़ रहा था। इतना बड़ा प्रसाद-कक्ष इससे पहले उन्होंने नहीं देखा था। उस प्रसाद-कक्ष के पास उतनी ही बड़ी पाकशाला तथा पाकशाला से सटे उतना ही बड़ा भण्डार घर।

प्रसाद-कक्ष में प्रवेशकर उस साधु के साथ लोकचन्द वहाँ फर्श पर ही पालथी मारकर बैठ गये। संगमरमर का वह चमकता हुआ फर्श बिल्कुल साफ-सुथरा था। वहाँ प्रसाद ग्रहण करनेवाले सभी फर्श पर ही पालथी मारकर बैठते जा रहे थे। बायीं ओर महिलाएँ तथा दायीं ओर पुरुष। बीच में संगमरमर की ही एक चौड़ी सफेद विभाजक रेखा। अनुभवी सेवादारों द्वारा आश्रम के 'भगवत् भोग' का परिचालन शुरू हो गया था। अच्छे बासमती चावल का गमकता भात। गाढ़ा मीठा दाल। दाल के ऊपर शुद्ध घी, दो तरह की सब्जी – एक गीली, दूसरी सूखी, लेकिन हरी, पत्तेदार। सलाद और अचार। साथ में एक-एक कटोरी दही।

यह प्रसाद लोकचन्द को सुरुचिकर लगा। वे जानते थे, ऐसा स्वादिष्ट प्रसाद सुपाच्य होने के साथ – साथ स्वास्थ्यवर्द्धक भी होता है। फिर भी अपनी जिज्ञासा के तहत उस साधु से वे पूछ उठे – "और सब तो ठीक है, साधु जी। लेकिन खाने में घी को चिकित्सक क्लोरोस्टोल बढ़ानेवाला बताते हैं।"

जवाब में उस साधु ने कहा – "नहीं, श्रीमान्। ऐसा नहीं है। हमारे आश्रम में आयुर्वेदिक दवाएँ भी बनती हैं। यहाँ कई अच्छे वैद्य हैं। उनका स्पष्ट मानना है कि गाय के शुद्ध घी से क्लोरोस्टोल नहीं बनता...। आधुनिक चिकित्साविज्ञान भी अब इस बात को मानने लगा है...। हमारे आश्रम की गायों का ही शुद्ध घी और दही प्रसाद में सबको दिया जाता है...।"

"तो क्या आश्रम में गायें भी हैं?"

"हाँ, श्रीमान्। अच्छी नस्ल की अच्छी गायें हैं।"

इस पर उस साधु की ओर आश्चर्य से लोकचन्द ने देखा। उनका आशय समझ उस साधु ने कहा – "हमारे आश्रम में क्या नहीं है, श्रीमान्। इसीलिए यहाँ के भक्त और श्रद्धालुओं को किसी चीज के लिए कहीं और जाने की आवश्यकता नहीं होती...।"

इस पर लोकचन्द ने अब उस साधु के समक्ष 'भगवत् भोग' से सम्बन्धित अपने मन की दूसरी जिज्ञासा व्यक्त की –

"तो क्या दोनों समय यहाँ चावल-दाल का ही भोग लगता है?"

"नहीं, श्रीमान्। रात में रोटी, सब्जी, खीर, पूड़ी, हलवा आदि रहता है...। आप अपनी रुचि के अनुसार उसमें से जो खाना चाहें, ले सकते हैं।"

इस सम्बन्ध में अब और कुछ भी पूछना लोकचन्द के पास शेष नहीं था। वे देख रहे थे, भगवत् भोग ग्रहण करने वाले लोग अपना जूठा पत्तल स्वयं उठाकर बाहर के दरवाजे से ले जा रहे थे। प्रसाद-कक्ष में प्रवेश के द्वार से अलग बाहर निकलने का द्वार था। उस साधु के साथ लोकचन्द भी उस बाहर के द्वार से निकले। बाहर डस्टबीन में अपने जूठे पत्तल फेंक सामने लगे नल पर उन्होंने हाथ-मुँह धोये। शीतल और शुद्ध पेयजल की व्यवस्था प्रसाद-कक्ष के अन्दर और बाहर दोनों जगह थी।

लोकचन्द अनुभवकर रहे थे, इस आश्रम में आनेवाले आगन्तुकों तथा यहाँ रहनेवाले भक्तों और श्रद्धालुओं की बड़ी संख्या के बावजूद यहाँ की व्यवस्था चुस्त-दुरुस्त, शान्त-सहज तथा शालीन बनी हुई थी। वे जानते थे, ऐसी व्यवस्था सिर्फ बाहरी अनुशासन से नहीं, आन्तरिक और नैतिक अनुशासन से ही कायम होती है। निश्चय ही यह मुक्त लोक के धार्मिक और आध्यात्मिक माहौल तथा उसकी चेतना का प्रभाव है।

वह साधु अब लोकचन्द को लेकर अतिथिशाला के पीछे बने विश्राम-कक्ष में आ गया। उस बड़े और खुले विश्राम-कक्ष में दोनों ओर चौकियाँ लगी थीं। जहाँ कुछ चौकियों पर कम्बल डाले गये थे, वहीं कुछ पर गद्दे भी थे। इस सम्बन्ध में उस साधु ने जब लोकचन्द से जानना चाहा – "कहाँ आराम किया जायेगा श्रीमान्?"

जवाब में लोकचन्द कम्बलवाली एक चौकी पर जा बैठे। बस, उसके साथ की चौकी पर विराजते हुए उस साधु ने कहा – "कम्बलवाली यह चौकी मुझे भी प्रिय है, श्रीमान्। गद्देवाली चौकी पर तो मैं सो ही नहीं पाता। सारी रात जगा रह जाता हूँ...।"

इस पर लोकचन्द ने कहा – "यह अच्छी बात है, साधु जी! एक अनुशासित दिनचर्या में जीने की वजह से मैंने भी कभी गद्देदार बिस्तरा पसन्द नहीं किया।"

अब उस साधु के निकट आराम से लेटते हुए लोकचन्द ने अपनी वह जिज्ञासा व्यक्त कर दी जिसके लिए अब तक अनुकूल अवसर की प्रतीक्षा में थे – "हाँ, तो साधु जी! आप हमारे क्षेत्र से आये हैं। यहाँ आकर जीवनदानी बन गये। अपनी भतीजी को भी इस आश्रम में रख दिया...। आखिर इस आश्रम में ऐसा क्या है? वहाँ गाँव पर आपके परिवार के और कौन-कौन लोग रहते हैं? मैं किसी की व्यक्तिगत जिन्दगी में झाँकना नहीं चाहता साधु जी। लेकिन चूँकि आप मेरे क्षेत्र के हैं तथा चन्द समय में ही आपसे ऐसी आत्मीयता कायम हो गयी है कि अब आपके बारे में जानने के लिए मेरा मन जिज्ञासु है।"

लोकचन्द की इस बात पर क्षण-भर मौन रहने के बाद उस व्यक्ति ने कहा – "किसी साधु का पिछला जीवन क्या रहा है, यह कोई अर्थ नहीं रखता श्रीमान्। साधु

होने के बाद से उसका नया जीवन शुरू हो जाता है। इसे आप उसका पुनर्जन्म भी मान सकते हैं। कहते हैं न, जब जागे तब हुआ सवेरा...।"

"लेकिन आपने मेरे बारे में तो पूछा था?"

"चूँकि आप अभी स्थान से बँधे हैं, इसके चलते स्थान के रूप में आपको जानना चाहा...।"

"फिर यह जानकर कि मैं बिहार का हूँ आपने भी स्वयं अपना उत्स बताया...।"

"आश्रम से आपको जोड़ने और सन्मार्ग पर आपका विश्वास दृढ़ करने के लिए । गुरु महाराज कहते हैं कि जिसके कदम सत्य पथ पर बढ़ने के लिए निकले हों उसकी सहायता करनी चाहिए...। इसी उद्देश्य से आपको अपने जिला-जवार का बताया...।"

"लेकिन जब आपने बताया तब फिर पूरी जानकारी से मुझे वंचित क्यों रख रहे हैं?"

लोकचन्द की इस बात पर क्षण-भर मौन रहकर विचार करने के बाद उस साधु ने कहा – "आपका कहना सही है, श्रीमान्। जब मैंने जिज्ञासा पैदा की तो उसका शमन भी मुझे ही करना है...। तो बस संक्षेप में यही जान लीजिये श्रीमान् कि वहाँ गाँव पर मेरे अपने निजी परिवार में कोई नहीं, जाति-बिरादरी और पास-पड़ोस के लोग हैं। हम सिर्फ दो भाई ही थे श्रीमान्। बड़े भैया की शादी के बाद लक्ष्मी के रूप में ऐसी भाभी आयी कि हमें किसी चीज की कमी ही नहीं रही। अपनी छोटी-सी गृहस्थी में हम सुखी थे। इस स्थिति में मैंने शादी की ही नहीं। इसकी जरूरत ही कभी महसूस नहीं हुई। मुझे तो भगवत् मार्ग पर आना था, इसलिए परिस्थिति ही दूसरे ढंग की निर्मित हो गयी। इलाहाबाद कुम्भ स्नान में भैया और भाभी दोनों डूब गये। वहाँ बारी-बारी से नहाने की हमारी योजना थी। पहले भाभी नहाने उतरीं। लेकिन किनारे लगे सिकड़ उनके हाथ से छूट गये। बस, डूबने लगीं। उनको बचाने के लिए भैया कूद पड़े। अब वे भी डूबने लगे। यह देख उनकी सहायता में मैं भी पीछे नहीं रहा। इस पर आस-पास के गोताखोरों ने मुझे तो बचा लिया। लेकिन भैया और भाभी तेज धारा में फँसकर नहीं बच सके। अब अकेली भतीजी को लेकर मैं गाँव लौटा। लेकिन हमारी दुनिया उजड़ चुकी थी। हमारा सब-कुछ लुट गया था। शान्ति की खोज में अपनी छोटी भतीजी को लेकर मैं तीर्थों की ओर निकल गया। फिर उसी रास्ते इस आश्रम में पहुँचा जिसने मुझे और मेरी भतीजी को नया जीवन प्रदान कर दिया। हमारा अतीत यही रहा है श्रीमान्। लेकिन अब हम उस अतीत की ओर मुड़कर भी देखना नहीं चाहते। इसकी आवश्यकता ही हमें महसूस नहीं होती।

लोकचन्द समझ गये, उनका मन रखने के लिए ही उस साधु ने संक्षेप में अपना अतीत बयान कर दिया। लेकिन उसके संक्षिप्त बयान से ही उसके जीवन के विस्तृत यथार्थ का बोध लोकचन्द को हो गया। अपने गाँव के दो-तीन परिवारों में उन्होंने देखा था, जहाँ एक भाई की शादी के बाद दूसरे भाई की शादी हुई ही नहीं, या उस भाई ने शादी की ही नहीं। संयुक्त कृषि व्यवस्थावाले वैसे परिवार में क्वाँरे भाइयों का भाभियों के साथ आन्तरिक सम्बन्ध पति-पत्नी जैसा ही बना रहा। लेकिन उसके भाई और गाँव-घर की दृष्टि में ऐसे सम्बन्धों को इसलिए अनैतिक नहीं माना गया कि किसी और के साथ नहीं, उसके अपने सगे भाई के साथ ही सम्बन्ध रहा कि यह सम्बन्ध अपने परिवार और अपने घर की परिधि में मर्यादित बना रहा। वैसे क्वाँरे भाई अपनी भाभी के पतियों की अपेक्षा भाभी के प्रति अधिक समर्पित व वफादार बने रहते, क्योंकि अघोषित सम्बन्ध के तहत पति-पत्नी के रूप में जीते हुए एक-दूसरे के लिए प्रेमी-प्रेमिका भी बने रहते। ऐसे सम्बन्ध की वजह से उस परिवार की संयुक्त व्यवस्था न सिर्फ मजबूत बनी रहती, बल्कि भाई-भाई एक-दूसरे पर जान भी छिड़कते रहते। निश्चय ही यह क्वाँरा साधु वैसा ही भाई रहा होगा। सम्भव है, भतीजी का अघोषित पिता भी यही हो।

लोकचन्द को सहज ही रामचरितमानस की वे पंक्तियाँ स्मरण आ गयीं –

'नारि मुई गृह सम्पति नासी।
मूँड़ मुँड़ाइ होहिं संन्यासी।।''

लेकिन उस साधु को लेकर अपने मन में उठे इन स्वतः स्फूर्त विचारों को लोकचन्द ने तत्क्षण जज्ब कर लिया। इस साधु से अभी उन्हें बहुत कुछ जानना शेष था।

''अच्छा लगा, साधु जी, आपने संक्षेप में ही सब-कुछ बता दिया...। अब अपना नाम भी बता दीजिये, ताकि भविष्य में आपसे मेरा व्यक्तिगत सम्बन्ध बना रहे...। सम्भव है, आप भी मेरे बारे में जानना चाह रहे हों तो मेरा नाम लोकचन्द है। मेरा कार्य-क्षेत्र शिक्षण और लेखन रहा है...।''

अपना परिचय जान-बूझकर लोकचन्द ने संक्षेप में दिया ताकि वह साधु उनके बारे में जानने के लिए कुछ और पूछ सके। लेकिन उस साधु ने कुछ भी नहीं पूछा। शायद वह अपने बारे में भी अब कुछ और बताना न चाह रहा हो, इसलिए क्षण-भर मौन रहा। लेकिन यह सोचकर कि लोकचन्द बगैर उसका हुलिया जाने माननेवाले नहीं, उसने बताना शुरू कर दिया – ''मेरा नाम रत्न कुमार पाण्डेय था। लेकिन यहाँ गुरु महाराज ने मेरा नया नाम दे दिया – स्वामी रत्न सागर।''

''तो क्या, सबको यहाँ नया नाम दिया जाता है...?''

"नहीं, श्रीमान्, यहाँ आने-जानेवाले भक्तों और श्रद्धालुओं के नाम नहीं बदलते। इस आश्रम के स्थायी और जीवनदानी सदस्यों के नाम ही परिवर्तित होते हैं, क्योंकि वे अपने पिछले जीवन से अलग आश्रम का एक नया जीवन ग्रहण करते हैं।"

"लेकिन आपके नाम के मुख्य अक्षर तो रह ही गये...।"

"यहाँ सभी के नाम इसी रूप में परिवर्तित होते हैं, जैसे स्वामी दीप सागर, स्वामी नन्द सागर, स्वामी रघू सागर, स्वामी चन्द्र सागर...।"

"समझ गया। प्रारम्भ में स्वामी और अन्त में सागर। लेकिन बीच में पहचान के लिए उस व्यक्ति का वास्तविक नाम ताकि उसकी अलग पहचान भी बनी रहे। इस सम्बन्ध में आश्रम की जीवनदानी साध्वियों के नाम किस रूप में दिये जाते हैं...?"

"उनके नाम भी स्वामियों की तरह कुछ परिवर्तन के साथ बदल जाते हैं...। जैसे देवी रेखा गंगा, देवी किरण गंगा, देवी पूजा गंगा, देवी आरती गंगा आदि। प्रारम्भ में देवी और अन्त में गंगा। बीच में उनकी पहचान का मूल नाम।"

इस पर मेरे अन्दर से अब स्वतः यह प्रश्न निकल आया – "स्वामी और 'देवी' का सम्बोधन तो मैं समझ रहा हूँ साधु जी। लेकिन पुरुष स्वामियों के नाम के अन्त में 'सागर' तथा महिला साध्वियों के नाम के अन्त में 'गंगा' की उपाधियों का तात्पर्य समझ नहीं पा रहा हूँ।"

मेरी इस बात पर वह साधु उत्साहित हो उठा, जैसे मेरा यह प्रश्न उसके मन के अनुकूल हो। अब प्रवचन की शैली में उसने जवाब देना प्रारम्भ कर दिया – "आपने अच्छा प्रश्न किया श्रीमान्। अच्छी जिज्ञासा प्रकट की। यहाँ आश्रम के स्वामियों को सागर की तरह ही धीर, गम्भीर और शान्त बने रहना होता है। जैसे सागर अपनी उपस्थिति से संसार का सन्तुलन कायम रखता है, वैसे ही यहाँ के स्वामी हैं। वे आश्रम के लिए ही जीते-मरते हैं। वे किसी लाभ-लालच और राग-द्वेष के वश में नहीं होते। अपने लिये उन्हें कोई कामना नहीं रहती। उनके जीवन का लक्ष्य मानवमात्र का कल्याण होता है। यहाँ मुक्त लोक के जीवन में उन्हें कभी किसी चीज का अभाव महसूस नहीं होता। वे अपनी आत्मा में ही रमण करते रहते हैं। निरन्तर इस विश्वास में जीते हैं कि वे शरीर नहीं, आत्मा हैं...। आश्रम में आनेवाले श्रद्धालुओं और भक्तों को भौतिक सुविधा-सहयोग पहुँचाने के साथ-साथ आध्यात्मिक रास्ते पर भी उनका मार्ग प्रशस्त करते हैं। सम्भव है, यहाँ आप जानना चाहें कि आश्रम के जीवनदानी स्वयं कामनाओं से रहित क्यों हो जाते हैं, तो श्रीमान् यहाँ आश्रम में जीवनदानी संन्यासियों की कामनापूर्ति के सारे साधन सहज, सुगम और सुलभ रूप में उपलब्ध होते हैं। यहाँ आश्रम में उन पर वर्जना जैसा कोई अनुशासन नहीं होता। लेकिन उनके अन्दर ब्रह्म ज्ञान की जल चुकी ज्योति कामनाओं को अपने पास फटकने ही नहीं

देती। वे जान चुके होते हैं कि इस शरीर का उद्देश्य भोग की पूर्ति नहीं, इस शरीर से ही परमपद तक पहुँचा जा सकता है। इस सम्बन्ध में सदैव गुरु महाराज का मार्गदर्शन उन्हें सम्बल प्रदान करता रहता है। उन पर उनकी अहैतुकी कृपा बरसती रहती है...।''

लोकचन्द को लगा, इस साधु पर अपने गुरु महाराज के प्रवचन का विशेष असर है। अगर इसे बीच में नहीं रोका तो उनके अन्दर की मूल जिज्ञासाएँ बनी रहेंगी और यह साधु प्रवचन देता चला जायेगा। बस वे बीच में ही बोल पड़े – ''यह सब मैं जानता हूँ साधु जी। किसी आश्रम के जीवनदानी सदस्य ही वहाँ के स्वामी, सखा और सेवक होते हैं। गुरु महाराज जिसे सब दृष्टि से उपयुक्त पाते हैं, उसे ही जीवनदानी के रूप में स्वीकार करते हैं। आश्रम की आन्तरिक व्यवस्था, आश्रम का कोष, आश्रम का सुचारु संचालन और प्रबन्धन जीवनदानी संन्यासियों पर ही होता है। गुरु महाराज के सच्चे विश्वासपात्र वही होते हैं...।''

''आप बिल्कुल ठीक कह रहे हैं, श्रीमान्। आप तो सब-कुछ जानते हैं...।''

''लेकिन साधु जी, जो नहीं जानता उसी की जानकारी मुझे चाहिए...। सम्भव है, अज्ञान की वजह से मैं कोई वैसा प्रश्न भी कर दूँ जो यहाँ की दृष्टि से उपयुक्त न हो। लेकिन आप लोग तो सागर की तरह धीर, गम्भीर संन्यासी हैं। मेरी बात का अन्यथा न लेकर मुझे उचित परामर्श दीजियेगा...।''

''ठीक है, श्रीमान्। आपको जो जानना हो, जो पूछना हो, निःसंकोच पूछें। अपनी जानकारी के तहत आपकी जिज्ञासाओं का समाधान करने की कोशिश करूँगा...।''

''ठीक है, साधु जी! आपके बताये अनुसार 'सागर' उपाधि का महत्त्व तो समझ गया, अब महिला साध्वियों की गंगा उपाधि का रहस्य जानना चाहता हूँ?''

यह प्रश्न भी उस साधु की रुचि के अनुकूल था – ''बहुत अच्छा श्रीमान्। आप मुझे विषय पर ले आये। मैं किंचित् विस्तार में चला गया था।''

''गंगा को तो आप जानते ही हैं। अत्यन्त पवित्र नदी। अपने सम्पर्क से सबका उद्धार करनेवाली। इस आश्रम की साध्वियाँ, उसी रूप में हैं श्रीमान्। अत्यन्त पवित्र कन्याएँ। अपनी उपस्थिति से आश्रम को रमणीक बनाती। आश्रम की व्यवस्था को दया, करुणा, स्नेह, शील और सौहार्द प्रदान करती। आश्रम को प्राकृतिक सुषमा की सम्पदा से आपूरित रखती...। आश्रम में आये भक्तों और श्रद्धालुओं को अपने सम्पर्क से पवित्र बनाती। सेवा भाव से समर्पित आश्रम की साध्वियों में आप दैवी विभूतियों को पा सकते हैं...।''

यहाँ लोकचन्द ने पुनः उस साधु को रोकते हुए उसके समक्ष अपने मन का यह स्वतः स्फूर्त प्रश्न खड़ा किया – "ठीक है, साधु जी। सागर और गंगा की महिमा तो मैं समझ गया। इस रूप में गुरु महाराज ने अच्छी उपाधियाँ प्रदान की हैं। लेकिन जब से आपकी भतीजी को मैंने देखा है, अपने रंग-रूप और शील-स्वभाव से वह मुझे विलक्षण कन्या जान पड़ी है। वैसी कन्या की अनुकूल शादी कर उसका घर आपको बसाना चाहिए था। आप तो जानते ही हैं, मातृत्व में ही नारीत्व की सार्थकता होती है।"

लोकचन्द की इस बात पर वह साधु गम्भीर हो गया – "आप मेरी भतीजी देवी कान्ति गंगा को लेकर उसके जीवन के जिस पक्ष पर जानना चाह रहे हैं श्रीमान्, वह जीवन का एकहरा पक्ष है। जैसे गार्हस्थ्य जीवन से संन्यास जीवन अलग होता है, वैसे ही गृहस्थ पत्नियों और माताओं से आश्रम की साध्वियों का जीवन पृथक् होता है। आपने यह जिज्ञासा मुझको लेकर प्रकट नहीं की। मैं भी जब आश्रम में आया था, मेरी अवस्था अधिक नहीं थी। कहीं शादी कर मैं भी अपना घर बसा सकता था। लेकिन आश्रम में आने और गुरु महाराज का सान्निध्य प्राप्त करने के बाद जीवनदानी बनकर आश्रमवासी होने का निर्णय मैंने स्वयं किया। यह मेरा अपना निर्णय था। इसी तरह देवी कान्ति गंगा ने भी अपना निर्णय स्वयं लिया है। आप यह कदापि न समझें कि भतीजी होने के चलते मेरे निर्णय से वह बँधी है...।"

"मैं आपकी बात समझ नहीं सका साधु जी! अपने बताये अनुसार अपनी भतीजी के रूप में जिस छोटी बच्ची को लेकर आप आश्रम आये थे, उस बच्ची में इस तरह के निर्णय की क्षमता कहाँ? उसकी स्थिति भी ऐसी नहीं रही होगी...।"

"आपका कहना सही है, श्रीमान्। मैंने संक्षेप में आपको बता दिया इसलिए मेरी बात आप समझ नहीं सके। जब मैं बच्ची कान्ति को लेकर यहाँ आया था, वह बालिका थी। तब उसमें निर्णय की क्षमता कहाँ? तब उसका रंग-रूप भी ऐसा नहीं था जैसा तरुणी के रूप में आपने देखा है। लेकिन इस आश्रम की अनुशासित, मर्यादित और आध्यात्मिक दिनचर्या तथा यहाँ के रहन-सहन, खान-पान, बोल-चाल और आचार-विचार का ऐसा प्रभाव रहा जिसने न सिर्फ कान्ति को बल्कि मुझे भी पूरी तरह बदल दिया। इस स्थिति में यहाँ जीवनदानी बनने के अपने निर्णय से पहले ही मैंने कान्ति से कहा था – "तुम अब सयानी हो गयी हो, कान्ति। तुम्हारे जीवन के लिए उचित यही है कि अब अपने क्षेत्र में चलकर किसी योग्य लड़के से तुम्हारी शादी कर दूँ, ताकि तुम्हारा अपना घर-परिवार कायम हो सके। एक स्त्री के रूप में तुम्हारी अवस्था अब अपना घर-परिवार बसाने की ही है। तुम्हारी शादी के बाद मैं मुक्त हो जाऊँगा। फिर आश्रम में आकर जीवनदानी बन जाऊँगा...।"

इस पर कान्ति ने भी अपनी स्पष्ट राय जाहिर कर दी थी – "अब इस आश्रम को छोड़कर मैं कहीं नहीं जाऊँगी चाचा जी। यह आश्रम ही अब मेरा अपना सच्चा घर है। मेरे मन ने तयकर लिया है, शादी न कर यहाँ अन्य साध्वियों की तरह संन्यासिनी बनकर रहूँगी। संन्यासिनी के रूप में जो आत्मिक, मानसिक और भौतिक सुख-शान्ति है, वह कहीं जाकर घर बसाने में नहीं है।"

"हाँ, तो श्रीमान्, कान्ति की इस बात पर मैंने पुनः-पुनः उसकी राय बदलने की कोशिश की। भैया-भाभी की अनुपस्थिति में सयानी हो चली भतीजी को एक ठौर तक पहुँचा देना चाहा। लेकिन अपने निर्णय पर वह अड़ी रही। इस आश्रम को ही अपना मजबूत ठौर मानती रही। अन्ततः बात गुरु महाराज तक पहुँची। गुरु महाराज ने भी कान्ति के जीवन का निर्णय कान्ति पर ही छोड़ दिया तथा आत्म मन्थन और आत्म विचार के लिए एक सप्ताह का समय दिया। फिर तो कान्ति आश्रम की होकर ही रह गयी। इसलिए आप यह कदापि न समझें कि मैंने अपनी तरह उसको यहाँ जीवनदानी बनाया है। इस आश्रम से प्राप्त ज्ञान की वजह से मैं ऐसा कर भी नहीं सकता था, क्योंकि किसी पर भी अपना निर्णय थोपना उचित नहीं होता, चाहे वह व्यक्ति अपना सगा ही क्यों न हो...।"

"ठीक है, साधु जी! मेरे कहने का तात्पर्य आप पर आरोप लगाना नहीं, जानकारी हासिल करना रहा है...। मेरी बात का आप तनिक भी अन्यथा नहीं लेंगे...।"

"मैं अन्यथा नहीं लूँगा, श्रीमान्! यहाँ आश्रम का जीवन ग्रहण करने के बाद हम किसी की भी बात का अन्यथा नहीं लेते। आप मुझसे चाहे प्रेम से बात करें या क्रोध से या नफरत से उससे हमें विचलित नहीं होना। अगर हम विचलित ही हो गये तो फिर यहाँ जीवनदानी होकर क्या किये?"

"बहुत अच्छा, साधु जी! बहुत खूब...।"

"हाँ तो श्रीमान्, अब और क्या जानना चाहते हैं?"

"जानना तो मैं बहुत कुछ चाहता हूँ साधु जी। इस आश्रम में आने के बाद इस आश्रम को लेकर मेरी जिज्ञासाएँ बढ़ गयी हैं...।"

"ऐसा यहाँ पहली बार आनेवाले सभी आगन्तुकों के साथ होता है श्रीमान्। गुरु महाराज ने अपनी अलौकिक शक्ति से इस आश्रम को बसाया है। यहाँ क्या नहीं है? सब-कुछ है। यहाँ आप जो चाहेंगे, पायेंगे। बस, यहाँ आते-जाते रहिये और गुरु महाराज में अपनी श्रद्धा बनाये रखिये...। वह आपकी अन्तर्दृष्टि जाग्रतकर देंगे। उस तथ्य ज्ञान तक आपको पहुँचा देंगे जहाँ तक बिना गुरु कृपा के कोई पहुँच ही नहीं सकता...। हमारे गुरु महाराज अवतारी पुरुष हैं। जब आप उनका प्रवचन सुनेंगे,

उनके साथ सत्संग में भाग लेंगे तथा उनका आशीर्वाद पायेंगे तब आप स्वयं सब-कुछ महसूस करने लगेंगे...।''

उस साधु की इस बात के बाद अब उससे कुछ भी पूछना लोकचन्द को उचित नहीं जान पड़ा – ''ठीक है, साधु जी, अब कुछ भी नहीं पूछना। जो जानना था, जान गया..। अब कुछ देर विश्राम कर लिया जाय। दोपहर के खाने के बाद कुछ आराम करना भी चाहिए।''

''हाँ, हाँ, श्रीमान्...।''

अब लोकचन्द उस तख्त पर लेट गये जिस पर वे बैठे थे। वह साधु भी उनके पास के तख्त पर जम गया। लोकचन्द देख रहे थे, वज्रासन पर बैठकर वह साधु 'ॐ गुरवे नमः' का जाप करने लगा था। लेकिन लोकचन्द देर तक उसका अवलोकन नहीं कर सके। उनकी आँख कब लग गयी, उन्हें पता तक नहीं चला...। यात्रा की थकान, दोपहर का स्वादिष्ट भोजन और आरामदायक स्थल, इन सबके प्रभाव ने उनकी नींद को सहज ही गहरा दिया।

''उठिये, श्रीमान्! प्रवचन का समय हो गया है। अब प्रवचन में चलना है।'' – लोकचन्द के पैर का स्पर्श करते हुए जब उस साधु ने कहा, तब उनकी आँख खुल गयी। उन्हें जगे देख उस साधु ने पुनः अपनी बात दुहरायी। इस दौरान माइक पर भी किसी स्त्री के मधुर कण्ठ से उद्घोषणा शुरू हो गयी थी – ''आश्रमवासियों तथा बाहर से आये भक्तो और श्रद्धालुओं से निवेदन है कि अब प्रवचन का समय हो चला है। 'देववाणी मण्डप' में गुरु महाराज के विराजमान होने से पहले पहुँच कर अपना स्थान ग्रहण कर लें...।''

आँख खुलने के बाद लोकचन्द को सचेत अवस्था में देख उस साधु ने अब कहा – ''वहाँ सामने नल पर हाथ-मुँह धो लीजिये श्रीमान्! जल ग्रहण कर लीजिये। देववाणी मण्डप में समय से पहुँच जाना होता है...।''

बस, लोकचन्द सक्रिय हो गये – ''हाँ, हाँ साधु जी। मैं जल्द ही तैयार हो जाता हूँ। बस अभी गया और आया...।''

3

लोकचन्द आश्रम में उपस्थित अन्य श्रद्धालुओं, भक्तों एवं अनुयायियों के साथ समय से देववाणी मण्डप में पहुँच गये। उनकी इच्छा अगली पंक्ति में बैठने की थी ताकि अपने मित्र सुकेश रंजन से वे सीधे रू-ब-रू हो सकें। लेकिन उनसे पहले ही आगे की पंक्तियों में श्रद्धालु जम चुके थे। इस स्थिति में पीछे की एक अच्छी जगह

पर वे आसीन हो गये। उनके साथ ही उस साधु ने भी अपना स्थान ग्रहण कर लिया, जिसके साथ वे आये थे।

गुरु महाराज अभी विराजमान नहीं हुए थे। इस क्षण लोकचन्द की निगाहें अब बरबस उस देववाणी मण्डप का मुआयना करने लगी थीं। जैसे किसी बड़े यज्ञ का मण्डप हो या किसी राजघराने की कन्या की शादी का मण्डप, ऐसे मण्डपों से भी अधिक भव्य, विस्तृत और मनोरम वह देववाणी मण्डप था। सामने मंच पर गुरु महाराज का सिंहासननुमा व्यास पीठ अपनी विशिष्टता से सबका ध्यान आकर्षित कर रहा था। भक्तों और श्रद्धालुओं के बैठने की जगह भी आरामदायक और सुविधाजनक थी। लोकचन्द को लगा कि उस विस्तृत देववाणी मण्डप में कई हजार प्रवचन श्रोता एक साथ बैठ सकते थे। उस मण्डप के दोनों किनारों की पुष्प वाटिकाओं से मधुर सुगन्ध आ रही थी। इससे पहले साधु, संतों और स्वामियों के जो प्रवचन-स्थल उन्होंने देखे थे, उनमें से किसी को ऐसा नहीं पाया था। दरअसल, इससे पहले किसी बड़े आश्रम के अन्दर का मण्डप उन्होंने देखा भी नहीं था। नगरों, महानगरों में विभिन्न आयोजनों के अवसर पर खुले और अस्थायी पण्डाल देखे थे। उन पण्डालों की तुलना में इस आश्रम के वैभव और शक्ति-स्रोत के एहसास से जुड़े इस मण्डप ने फिर उन्हें विस्मित कर दिया...।

उस देववाणी मण्डप के बाद लोकचन्द की निगाहें अब बरबस श्रद्धालुओं की ओर चली गयीं। जब वे यहाँ आये थे, इतनी संख्या नहीं थी। लेकिन प्रवचन के अवसर पर ऐसी बड़ी संख्या। यहाँ माता जी और उस साधु की बातें उन्हें स्मरण आ गयीं। सचमुच इस बड़े आश्रम में रहनेवाले लोगों की संख्या बड़ी है। विभिन्न अवस्था एवं विभिन्न वेश-भूषा में उपस्थित श्रोता उन्हें विभिन्न प्रदेशों से आये जान पड़ रहे थे।

वे जानते थे, धर्मप्रधान इस देश में धर्म और अध्यात्म के नाम पर लोगों का आकर्षण स्वाभाविक है। लेकिन आकर्षण ऐसा गहरा कि अपना घर-परिवार, संग-साथ और समाज छोड़कर किसी आश्रम में आकर रहने लग जाना, यह रहस्य लोकचन्द समझ नहीं पा रहे थे। सम्भव है इसमें एक कारण माता जी जैसे लोगों का हो और दूसरा कारण उस साधु जैसे जीवनदानी और उसकी भतीजी जैसी तरुणियों का। लेकिन अन्य सारे लोग इन्हीं कारणों से प्रेरित नहीं हो सकते...।

अचानक अब लोकचन्द को मधुर ध्वनि सुनायी पड़ने लगी – "जय गुरुदेव! जय गुरुदेव!"

उन्होंने देखा, उनके मित्र सुकेश रंजन जो यहाँ सबके गुरु महाराज थे कुछ युवा स्वामियों एवं साध्वियों के बीच सामने के मार्ग से मंच की ओर चले आ रहे थे। उनकी बायीं ओर चार की संख्या में युवा साध्वियाँ थीं और दायीं ओर चार की संख्या में युवा

स्वामी। बीच में सुकेश रंजन। उनके साथ के वे स्वामी और साध्वियाँ ही उन्हें मंच पर लाते हुए 'जय गुरुदेव' का उद्घोष कर रहे थे। वे जिस मार्ग से आ रहे थे उसके दोनों ओर फूलों और तुलसी के पौधों की वाटिकाएँ थीं। उस मार्ग पर एक सुन्दर कालीन बिछी थी जिस पर ताजे फूलों की पंखुड़ियाँ बिखरी थीं। उसी कालीन और पंखुड़ियों पर सुकेश रंजन के कदम आगे बढ़ रहे थे। लोकचन्द जानते थे, श्रद्धालुओं के लिए उनके गुरु ब्रह्मस्वरूप होते हैं, शायद इसीलिए गुरु महाराज के आगमन पर ऐसी व्यवस्था थी...।

जब गुरु महाराज उस मण्डप के निकट आ गये तो मण्डप में उपस्थित प्रायः सभी भक्त, श्रद्धालु, शिष्य और अनुयायी खड़े होकर जयघोष करने लगे – "गुरु महाराज की जै! गुरु महाराज की जै!"

इस स्थिति में अकेले लोकचन्द बैठे नहीं रह सके। समूह के शिष्टाचारवश खड़े हो गये। इस दौरान जब गुरु महाराज ने मंच पर विराजमान होकर अपने दोनों हाथ उठा भक्त श्रोताओं का अभिवादन स्वीकार किया तथा अपने हाथ हिलाकर उन्हें अपना आशीष प्रदान किया, तब भक्त श्रोता शान्त हुए और अपनी-अपनी जगह पर बैठ गये...। गुरु महाराज भी अपने सिंहासन पर आसीन हो गये तथा मंच पर ही उनके सिंहासन के दोनों किनारे साथ आये स्वामियों एवं साध्वियों ने भी अपना स्थान ग्रहण कर लिया। वे गुरु महाराज को घेरकर ऐसे बैठ गये जैसे उभरी पंखुड़ियों के बीच गुरुदेव खिले हुए कमल हों।

मंच दुधिया रोशनी से आलोकित था, इस स्थिति में मंच पर उपस्थित गुरु महाराज के साथ वे स्वामी और साध्वियाँ स्पष्ट दिख रहे थे। वे अत्यन्त सुन्दर और सुडौल थे, जैसे साँचे में ढले हों। उनकी अवस्था और सुन्दरता ऐसी थी, जिसकी वजह से मंच का आकर्षण बढ़ गया था। उनके बीच विराजमान गुरु महाराज के साथ उनकी समवेत उपस्थिति से श्रोताओं को एक अलौकिक आभा और सुषमा प्रदान होती जान पड़ रही थी। इससे मंच का दृश्य मनोरम हो गया था। लोकचन्द ने सुना था कि ऐसे बड़े आश्रमों के बड़े संतों की सेवा में साध्वी सुन्दरियाँ रहती हैं, अब वे इसे प्रत्यक्ष देख भी रहे थे। यहाँ सुकेश रंजन की इस चतुरता से भी लोकचन्द अवगत हुए कि मंच पर सिर्फ युवा साध्वियों को न रख युवा संन्यासियों को भी रखा था ताकि भक्त श्रोताओं के मन में उनको लेकर गलत ख्याल पैदा न हों। इसके बावजूद लोकचन्द के मन में सुकेश रंजन को लेकर सन्देह उत्पन्न हो ही गया। ऐसी रूपवती युवा साध्वियों को अपने सान्निध्य में रखना भोग के मार्ग पर होना नहीं तो और क्या है? लोकचन्द इस तथ्य से अवगत थे कि चरम भौतिक उपलब्धि का अन्तिम पायदान भोग ही है। निश्चय ही उनका मित्र सुकेश रंजन सारी

इच्छाओं की तृप्ति के बाद भोग सुख के अन्तिम पायदान पर है, क्योंकि भोग की इच्छा कभी तृप्त नहीं होती...।

उस मण्डप एवं परिदृश्य के अवलोकन के बाद लोकचन्द की निगाहें अपने मित्र सुकेश रंजन पर जा टिकीं। हरिद्वार में गंगा किनारे की जिस पुलिया से संत के रूप में गुजरते इस व्यक्ति को देखा था। फिर वहाँ मंच पर विराजमान इस व्यक्ति का निकट से अवलोकन किया था, वह आकृति, वह रंग-रूप, यहाँ अब और साफ दिख रहा था। गेरुआ परिधान। ललाट पर चन्दन का गोल टीका। गले में रुद्राक्ष की माला। करीने से सजे बाल-दाढ़ी। यहाँ पुनः-पुनः इस बात को लेकर उनका हैरत और विस्मय बढ़ता गया कि उनके सीधे-सच्चे मित्र ने संत और गुरु के कलेवर में यह कितना बड़ा साम्राज्य कायम कर लिया है...।

लोकचन्द देख रहे थे, गुरु महाराज के व्यास-पीठ के समक्ष ही माइक झुकाकर उसे इस तरह व्यवस्थित रूप दिया गया था कि वे व्यास-पीठ पर बैठे-बैठे आराम से प्रवचन कर सकें। लोकचन्द ने इससे पहले भी देखा था, बड़े संत या नेता-मन्त्री अपने व्यास-पीठ से ही अपना वक्तव्य देते रहे हैं।

अपने आसन पर विराजमान गुरु महाराज अब क्षण-भर के लिए मौन हो गये। यह देख पण्डाल में बैठे श्रोताओं ने भी चुप्पी साध ली। शायद गुरु महाराज का अनुसरण करने लगे। लेकिन यह स्थिति देर तक कायम नहीं रह सकी। कुछ ही समय बाद मन्त्रोच्चारण से प्रारम्भ गुरु महाराज की वाणी गूँजने लगी – *"वर्णानामर्थसंघानां रसानां छन्दसामपि... ।"*

यहाँ लोकचन्द को सहसा हरिद्वार में गंगा किनारे की उस पुलिया के पास का प्रवचन याद आ गया। वहाँ भी उनके मित्र सुकेश रंजन ने रामचरितमानस की इन प्रारम्भिक पंक्तियों से ही अपनी शुरुआत की थी। बस, वे समझ गये, उनके मित्र सुकेश रंजन ने अन्य संतों और प्रसिद्ध वक्ताओं की तरह अपनी एक अलग शैली कायम कर ली है। उस शैली का प्रारम्भ 'रामचरितमानस' के इस व्यापक मन्त्र से किया है। इस सम्बन्ध में अपने प्रत्युत्पन्नमतित्व से वे सहज ही समझ गये कि भक्तों, श्रद्धालुओं और अनुयायियों को भक्ति और श्रद्धा की परम्परा में बाँधने के लिए भी यह मन्त्र पर्याप्त उपयोगी है...।

इस क्षण और दो बातें उन्हें स्मरण आ गयीं। वहाँ गंगा किनारे की पुलिया के पास के आयोजन में एक मंच संचालक भी था। व्यस्त कार्यक्रम की वजह से मंच संचालक ने उद्घोषणा का कार्य संक्षेप में ही किया था। फिर भी उसकी उद्घोषणा के बाद ही सुकेश रंजन का प्रवचन प्रारम्भ हुआ था। दूसरी बात, गुरु-वन्दना को लेकर थी। वहाँ कार्यक्रम की शुरुआत गुरु-वन्दना से की गयी थी। गुरु-वन्दना के लिए

आश्रम की प्रशिक्षित युवा साध्वियाँ साथ गयी थीं। लेकिन यहाँ न कोई उद्घोषक और न गुरु-वन्दना, सीधे गुरु महाराज का प्रवचन। लेकिन यह परिवर्तन भी लोकचन्द समझ गये। स्थान-भेद और मंच-भेद का यह परिवर्तन था। वहाँ बाहरी समाज के बीच सुकेश रंजन पहुँचे थे, जहाँ उद्घोषक की भूमिका अनिवार्य थी। गुरु-वन्दना भी वैसे बाहरी समाज के बीच आवश्यक थी, क्योंकि उनसे अपरिचित और उनकी ख्याति से अनभिज्ञ लोग उनकी वेश-भूषा देखकर उन्हें मात्र साधु और संन्यासी न समझें, उनके एक विख्यात गुरु होने की जानकारी भी हासिल कर लें...। लेकिन यहाँ इन दोनों बातों की आवश्यकता नहीं थी। चूँकि यहाँ के वे सर्वेसर्वा थे, इस स्थिति में उद्घोषक का होना उनके अपने इस निजी परिसर के साम्राज्य में हस्तक्षेप जैसा ही था। बाहरी समाज की भाँति यहाँ उनकी गुरु-वन्दना की भी कोई भूमिका नहीं थी, क्योंकि यहाँ आश्रमवासियों और आगन्तुकों के लिए वे मान्य और सर्वज्ञात गुरु-महाराज ही थे।

मन्त्रोच्चार से प्रारम्भ गुरु महाराज ने अब आज के प्रवचन के लिए अपना विषय स्वयं उद्घाटित कर दिया – "जीवन में दया, क्षमा, त्याग, दान, सहयोग, सन्तोष, श्रद्धा, विश्वास और मर्यादा पर अलग-अलग प्रवचनों में हम विचार कर चुके हैं। जीवन-में उनकी उपयोगिता, सार्थकता और महत्त्व को समझ चुके हैं। ये ऐसे जीवन-मूल्य हैं जो न सिर्फ आदर्श लौकिक जीवन की सफलता के घटक हैं, बल्कि पारलौकिक जीवन की बेहतरी के उत्तम मार्ग भी हैं। इस क्रम में आज अभिवादन, नमस्कार या प्रणाम पर हम विचार करेंगे। यह मूल्य भी हमारे जीवन में व्यापक महत्त्व रखता है। किसी के समक्ष हाथ जोड़कर उसका अभिवादन करना, किसी के समक्ष माथा झुका लेना, किसी का चरण-स्पर्श करना, किसी के मिलते ही हाथ उठाकर प्रणाम या नमस्कार शब्द उच्चरित कर उसका सम्मान करना...मात्र लोकाचार, शिष्टाचार या व्यावहारिक आदर्श नहीं, जीवन जीने की समझ से सम्पन्न तथा जीवनी शक्ति के स्रोत से जुड़े होना होता है। जो लोग अभिवादन के इस आन्तरिक सत्य और तथ्य से अवगत नहीं होते वे अपने जीवन में अभिवादन को वैसा महत्त्व भी नहीं देते। ऐसे लोग अभिवादन की शक्ति से वंचित रह जाते हैं...। इसलिए अभिवादन के व्यापक और बहुआयामी महत्त्व को समझना आवश्यक है...।

लोकचन्द अनुभव कर रहे थे, सुकेश रंजन की आवाज़ में एक सम्मोहन था, एक कौतूहल, एक जिज्ञासा जिसके तहत श्रोता उनकी पूरी बात जानने के लिए अब एकाग्र हो गये थे। सुकेश रंजन की वाणी के इस पक्ष से लोकचन्द अवगत थे। किशोरावस्था के दौरान उनके गाँव के शिव-मन्दिर के किसी कोने में अपने पिता से प्राप्त संस्कृत ज्ञान के तहत सुकेश रंजन उन्हें रामायण, महाभारत, उपनिषद् और

पुराणों की कथाएँ सुनाता था, तब वे उसकी आवाज में ऐसा ही सम्मोहन महसूस करते थे। वे अनुभव कर रहे थे, उसकी आवाज का वही सम्मोहन अब निरन्तर के अभ्यास से अपनी पराकाष्ठा पर था।

सुकेश रंजन द्वारा पिछले दिनों दिये गये प्रवचन के विषयों के उद्घाटन से लोकचन्द उसके इस पक्ष से भी अवगत हुए कि अपने प्रवचन में एकरसता, एकरूपता और पुनरावृत्ति से बचने के लिए वह जीवन-मूल्यों से सम्बन्धित नये-नये विषय प्रस्तुत करता रहा है। ऐसे प्रवचनकर्त्ता की लोकप्रियता कभी बाधित नहीं होती, बल्कि निरन्तर बढ़ती ही जाती है। इस सम्बन्ध में लोकचन्द इस बात से भी अवगत थे कि भारतीय वाङ्मय में जीवन और जगत् से सम्बन्धित किसी विषय की कमी तो है नहीं। सारे विषय अपनी विस्तृत व्याख्याओं के साथ मौजूद हैं। जरूरत उनके जागरूक उपयोगकर्त्ताओं की है जो उनका संग्रह कर अपनी नयी प्रस्तुतियों के तहत उन्हें अपना बना सकें। अधिकांश श्रोताओं का अध्ययन वैसा गहरा और व्यापक नहीं होता कि वे इस पक्ष से अवगत हो सकें। वे तो अपने गुरु महाराज के प्रवचन को उनके द्वारा आविष्कृत ही मानते हैं। साहित्य के अध्यापक होने के चलते यहाँ लोकचन्द को आचार्य रामचन्द्र शुक्ल के निबन्ध-संकलन 'चिन्तामणि' की याद बरबस आ गयी। उस संकलन में श्रद्धा, प्रेम, लोभ, क्रोध आदि अनेक जीवन-मूल्यों का विशद विवेचन किया गया है। लोकचन्द की वह प्रिय पुस्तक रही है।

अपने प्रवचन के विषय को स्पष्ट करने के बाद गुरु महाराज कथावाचक की शैली में अब उसके भीतर उतर चुके थे – "अभिवादन को तब तक आप सही अर्थों में नहीं समझ सकते जब तक जीवन और जगत् में उसके परिणाम से आप अवगत न हो जायेंगे, जब तक यथार्थ के धरातल पर उसके घटित होने को न जान लेंगे। कथन का यथार्थ में परिवर्तन से ही कथन की विश्वसनीयता कायम हो पाती है। इसलिए अभिवादन के महत्त्व को बताने के लिए उससे सम्बन्धित दो कथाएँ मैं प्रस्तुत कर रहा हूँ। पहली कथा महाभारत-युद्ध के समय की है। कौरवों और पाण्डवों के बीच भीषण संग्राम छिड़ा था। संख्या में कौरवों के अधिक होने के बावजूद पाण्डव उन पर भारी पड़ रहे थे क्योंकि भगवान् श्रीकृष्ण का संरक्षण उन्हें प्राप्त था। इस स्थिति में अपनी ओर से लड़ रहे अपराजेय योद्धा भीष्म पितामह को अपनी कटूक्तियों से दुर्योधन ने विचलित कर दिया। परिणामतः पाँचों पाण्डवों के वध का उन्होंने निर्णय ले लिया। उनके इस निर्णय से पाण्डवों के बीच दहशत कायम हो गयी। क्योंकि पितामह भीष्म की शक्ति एवं सामर्थ्य से वे परिचित थे। इस स्थिति में पितामह भीष्म के उस निर्णायक युद्ध से पहले ही भगवान् श्रीकृष्ण के परामर्श पर द्रौपदी रात्रि के समय पितामह के शिविर में पहुँची और उनके चरणों में झुक कर उसने सादर प्रणाम

किया। बस, तत्क्षण उसके प्रणाम की प्रतिक्रिया में पितामह के मुँह से स्वाभाविक उद्‌गार फूट पड़े – "सौभाग्यवती भव।"

लेकिन इस आशीष के बाद दूसरे ही क्षण उन्हें स्मरण आ गया कि उन्होंने तो पाण्डवों के वध का निर्णय किया था। लेकिन अब तो उस निर्णय के खिलाफ उन्होंने उनके सकुशल रहने का वचन दे दिया। द्रौपदी का सौभाग्य तभी बरकरार रह सकता है जब उसके पाँचों पति जीवित रहें। इस पर उन्होंने पूछा – "इस रात में मेरे अभिवादन के लिए किसके साथ आयी हो...।"

उसने जवाब दिया – "बाहर सखा कृष्ण खड़े हैं...।"

पितामह अब सब समझ गये। इस प्रकार द्रौपदी के मात्र एक अभिवादन से पाँचों पाण्डव बच गये...।

लोकचन्द सुन रहे थे, इस कथा को गुरु महाराज इतने सरस, रोचक और प्रेरणादायक रूप में प्रस्तुत कर रहे थे कि उसके प्रवाह में न सिर्फ वह स्वयं बह उठे थे बल्कि उसका असर भी अपने ऊपर महसूस कर रहे थे। सुकेश रंजन की इस किस्सागोई से वे परिचित थे। किशोरावस्था में सुकेश रंजन से वे खूब कथाएँ सुन चुके थे। उसकी कुछ कथाएँ उन्हें आज तक याद थीं। उसकी वही कला अब परवान पर थी।

अभिवादन से सम्बन्धित इस पहली कथा का गुरु महाराज ने रुचि ले-लेकर किंचित् विस्तार के साथ इस रूप में प्रस्तुत किया जैसे श्रोता सिर्फ उसे सुन ही नहीं घटना के रूप में देख भी रहे हों...। उस कथा को आत्मसात् कर चुकने के भाव श्रोताओं के चेहरे से परिलक्षित हो रहे थे। लोकचन्द को लगा कि गुरु महाराज अब दूसरी कथा प्रस्तुत करेंगे। लेकिन उन्होंने ऐसा नहीं किया। इस कथा के बाद भजन प्रारम्भ करा दिया। लोकचन्द ने कई साधु-संतों के प्रवचनों में ऐसा देखा था। सिर्फ भाषण और वक्तव्य से कार्यक्रम शुष्क न हो इसलिए बीच-बीच में वे भजन के तहत सरस संगीत का समावेश भी कर देते थे। इससे श्रोता ऊबते नहीं और प्रवचन का समय भी अच्छी तरह व्यतीत हो जाता था। हालाँकि यहाँ लोकचन्द को यह भी लगा कि शायद गुरु महाराज ने यह सोच कर ऐसा किया होगा कि श्रोताओं के मन में पहली कथा का भाव जम जाय तब दूसरी कथा की प्रस्तुति हो। इस बीच के समय को पाटने के लिए सरस भक्ति संगीत उन्हें उपयुक्त जान पड़ा हो...।

जो हो, अब क्षण-भर में ही मधुर भक्ति संगीत से पण्डाल गूँजने लगा – "हर हर महादेव शम्भू, काशी विश्वनाथ गंगे, माता पारबती संगे, काशी विश्वनाथ गंगे...।"

गुरु महाराज संगीत की पहली कड़ी स्वयं गा रहे थे। फिर इस अवसर के लिए वहाँ मंच की अगली पंक्ति में बैठी कुशल गायिकाएँ तथा आधुनिक वाद्य-यन्त्रों के

साथ उपस्थित पारंगत संगीतज्ञ भजन के सुर को संगीत के सुर में इस तरह ढाल रहे थे कि लोग झूम उठे थे। ऐसे में श्रोताओं के बीच से कई स्त्री और पुरुष अपनी जगह पर खड़े होकर उस मनोरम भक्ति संगीत में नृत्य भी करने लगे थे। भक्ति में भावविभोर हो भक्त कैसे नाचने लगते हैं, लोकचन्द अब इसे भी प्रत्यक्ष देख रहे थे।

भगवान् शिव से सम्बन्धित उस भजन ने लोकचन्द को अपने गाँव के शिव-मन्दिर की याद ताजा कर दी। सुकेश रंजन का परिवार उस शिव-मन्दिर पर ही रहता था। इस दृष्टि से वे शिवभक्त थे। शायद इसीलिए शिव से सम्बन्धित भजन ही उन्होंने प्रस्तुत किया। सम्भव है, अपने अन्य प्रवचनों में भी शिव-भजन ही वे प्रस्तुत करते हों, क्योंकि हर देव पर अनेक भजन होते हैं...। फिर महादेव शिव को लेकर तो भजनों की कोई संख्या ही नहीं...।

उस भजन संगीत के बाद 'ॐ नमः शिवाय' मन्त्र के उद्घोष के साथ गुरु महाराज अब पुनः प्रवचन देने के लिए मुखातिब हो गये – "भारतीय वाङ्मय से अभिवादन के महत्त्व की एक मिसाल हमने प्रस्तुत की। अब दूसरी मिसाल भारतीय वाङ्मय से ही प्रस्तुत कर रहा हूँ। हमारे भारतीय वाङ्मय में क्या नहीं है? वह ज्ञान का अक्षय भण्डार है। जरूरत उसे समझने और उस पर अमल करने की है...।"

गुरु महाराज के इस स्पष्टीकरण से लोकचन्द समझ गये कि अपने कथन की विश्वसनीयता के लिए उन्होंने भारतीय वाङ्मय का उल्लेख कर दिया। अनेक साधु-संत ऐसा नहीं करते। वे अपनी उद्भावना के रूप में उसे प्रस्तुत कर देते हैं। इस तथ्य ने लोकचन्द को इस बात का एहसास करा दिया कि गुरु महाराज बने उनके मित्र सुकेश रंजन की लोकप्रियता और प्रसिद्धि के पीछे उनकी इस स्पष्टवादिता का भी हाथ है...।

इस दौरान गुरु महाराज ने भारतीय वाङ्मय से मिसाल के रूप में दूसरी कथा प्रस्तुत कर दी थी – "ऋषि पुत्र मार्कण्डेय के नाम से आप लोग अवगत होंगे। भारतीय वाङ्मय को अपने अनेक श्रेष्ठ ग्रन्थों से उन्होंने समृद्ध किया है। लेकिन उनके जीवित होने की कथा सुनकर अभिवादन और ईश्वर की कृपा से आप पुनः अभिभूत हो जायेंगे। उस ऋषि पुत्र मार्कण्डेय को अपने पूर्व जन्म के किसी अभिशाप के चलते अल्पायु प्राप्त थी। किशोर अवस्था में ही उसे गुजर जाना था। ज्योतिषियों, हस्तरेखा विशेषज्ञों तथा भविष्यद्रष्टाओं के अनुसार बालक मार्कण्डेय की मृत्यु का समय जब निकट आया तब सप्तर्षि एवं अन्य ऋषियों ने उस बालक की अवस्था, उसकी निश्चलता तथा भागवत प्रेम देख उसे परामर्श दिया कि अब प्रातः उठने से लेकर रात्रि सोने तक तुम्हें जो भी मिलें उनका सादर अभिवादन कर

आशीष प्राप्त करते रहो...। बड़ों को सम्मान देने और उनकी इच्छा शिरोधार्य करनेवाले बालक मार्कण्डेय ने ऐसा ही किया। ऐसे में उनकी मृत्यु का वह निर्धारित समय भी आ गया। लेकिन इस दौरान मृत्यु की तुलना में प्राप्त आशीर्वादों की शक्ति इतनी बड़ी हो गयी थी कि वह मृत्यु पर भारी पड़ रही थी। फिर भी अपने अटल नियम के अनुसार निर्धारित समय पर बालक मार्कण्डेय के पास मृत्यु आयी। लेकिन उनके आराध्य भगवान् शिव ने मृत्यु की तुलना में आशीर्वादों की संचित शक्ति को देख मृत्यु को दूर से ही वापस कर दिया और बालक मार्कण्डेय को अमरत्व का वरदान दिया। भारतीय आध्यात्मिक वाङ्मय में जो आठ लोग आज भी सशरीर जीवित हैं, उनमें मार्कण्डेय भी एक हैं। तो यह है अभिवादन की अमोघ और अपरिमित शक्ति।''

इस दूसरी कथा को भी अपेक्षित विस्तार और पर्याप्त सरसता के साथ गुरु महाराज ने प्रस्तुत किया, पूरी रोचकता और कौतूहल के साथ, श्रोताओं की प्रेरणा जाग्रत करते हुए। इस दूसरी कथा के बाद अभिवादन के विभिन्न अवसरों, विभिन्न स्थितियों, विभिन्न प्रकारों और विभिन्न मुद्राओं से श्रोताओं को उन्होंने भली-भाँति अवगत किया। इस दौरान गुरु महाराज के प्रवचन का निर्धारित समय अब पूरा हो चला। बस, माइक से मधुर नारी स्वर में संगीतमय शिवस्तुति पुनः शुरू हो गयी। वह स्तुति जो एक गुरु ने अपने शिष्य के शाप-मुक्ति के लिए की थी – *''नमामीशमीशान निर्वाणरूपं। विभुं व्यापकं ब्रह्म वेदस्वरूपं...जरा जन्म दुःखौघ तातप्यमानं। प्रभो पाहि आपन्नमामीश शम्भो।।''*

इस शिव स्तुति के बाद माइक से ही प्रवचन की अवधि समाप्त होने की घोषणा हुई। साथ ही गुरु महाराज के हाथों आशीषस्वरूप प्रसाद ग्रहण करने का आमन्त्रण भी। लोकचन्द इसी अवसर की प्रतीक्षा में थे। इसी अवसर के लिए प्रवचन में शामिल हुए थे। वे देख रहे थे, पण्डाल से गुरु महाराज के मंच के एक किनारे से होकर रास्ता बनाया गया था जो मंच के पीछे से आश्रम परिसर के प्रांगण में चला जाता था जहाँ से आश्रमवासी और आगन्तुक अपने-अपने स्थान पर जा सकते थे। इस रास्ते श्रोताओं को कतारबद्ध होकर ही जाना था। आश्रम के कार्यकर्त्तास्वरूप युवा स्वामी लोगों को कतारबद्ध होकर गुरु महाराज के सामने बारी-बारी से गुजरने की सुविधा मुहैया करा रहे थे। इस अवसर के लिए मंच के नीचे फलों से भरी अनेक टोकरियाँ रखी हुई थीं। वहाँ मुस्तैद दो युवा स्वामी बारी-बारी से एक-एक टोकरी गुरु महाराज के समक्ष प्रस्तुत करते जाते थे। इस आश्रम की परम्परा के अनुसार हर श्रोता गुरु महाराज के निकट दर्शन करने पर उन्हें चरण – स्पर्श करता या माथा झुकाता। जवाब में आशीषस्वरूप गुरु महाराज हर श्रद्धालु को टोकरी से निकालकर एक फल दे देते।

ऐसे में किसी को केले के रूप में आशीष मिलता, तो किसी को सेव के रूप में, तो किसी को सन्तरा के रूप में, तो किसी को अनार के रूप में। लोकचन्द देख रहे थे, गुरु महाराज के हाथों फल प्राप्त करते ही उस श्रद्धालु का चेहरा विहँस उठता। जैसे उसे अमृत फल मिल गया हो, जैसे उस फल के रूप में गुरु महाराज ने उसकी मनोकामना पूर्ति का वरदान दे दिया हो...।

पण्डाल के लोग गुरु महाराज का शीघ्र आशीष पाने हेतु कतारबद्ध होने के लिए प्रयासरत थे। अपने बालसखा सुकेश रंजन से मिलने के लिए लोकचन्द का मन भी बेचैन था। उन्हें विश्वास था, इतने वर्षों बाद उनसे मिलकर सुकेश रंजन की भी खुशी की सीमा नहीं रहेगी। क्षण-भर के लिए दोनों दोस्त अपने बचपन की उस दुनिया में लौट जायेंगे जहाँ की उनकी घनिष्ठ मित्रता उनके मानस से कभी ओझल नहीं हो सकती थी। इस स्थिति में भीड़ के बीच सुकेश रंजन के पास पहुँचना लोकचन्द को उचित प्रतीत नहीं हुआ। उन्हें तो आशीर्वादस्वरूप फल लेकर आगे बढ़ना है नहीं। बस, अन्त में जाने का निर्णय कर अपने मन की व्यग्रता को वे काबू में किये रहे। इस दौरान कतारबद्ध होकर आगे बढ़ने के लिए जिस साधु के साथ वह आये थे उस साधु रत्न सागर ने भी उनसे कहा – "चलिये श्रीमान्...गुरु महाराज का प्रसाद ग्रहण कर लिया जाय...।"

जवाब में उन्होंने कह दिया – "आप चलिये, साधु जी। मैं आ जाऊँगा। मेरी प्रतीक्षा मत कीजियेगा। आवश्यकतानुसार अतिथिशाला में मैं आपको ढूँढ लूँगा...।"

उनकी इस बात पर उस साधु रत्न सागर ने किंचित् आश्चर्य से उन्हें देखा। फिर कतार में लग गया। लोकचन्द समझ गये, उस साधु से उनका कोई पुराना सम्बन्ध तो था नहीं। प्रथम मुलाकात की बात थी। उसे लगा होगा कि इत्मीनान से प्रसाद पाने के लिए उन्होंने ऐसा किया है। इसके अतिरिक्त वह और कुछ लक्षित कर भी क्या सकता था?

जब सभी श्रोता आशीष लेकर चले गये तब अन्तिम श्रोता के रूप में लोकचन्द चल पड़े। अब तक फल की अधिकांश टोकरियाँ खाली हो गयी थीं जिन्हें वहाँ तैनात युवा स्वामियों ने एक किनारे रख दिया था। अब सम्भवतः आखिरी टोकरी गुरु महाराज के आगे थी। उसमें फल भी सीमित थे। लोकचन्द को लग गया, प्रतिदिन होनेवाले प्रवचन के तहत श्रोताओं की संख्या का अनुमान शायद गुरु महाराज और उनके कार्यकर्त्ता युवा संन्यासियों को हो गया था। इसीलिए फल की टोकरियाँ भी उन्होंने उसी अनुपात में रखी थीं...।

अब अन्तिम श्रोता के रूप में जब लोकचन्द आगे बढ़े तो गुरु महाराज के पास के युवा संन्यासी एवं साध्वियों की वह टोली मौजूद थी, जिनके साथ वे आये थे।

शायद उनके साथ ही उन्हें वापस जाना था। यहाँ क्षण-भर के लिए लोकचन्द ने असमंजस का अनुभव किया। इस अवसर पर अपने मित्र से वे अकेले में मिलकर सुखद आश्चर्य बाँटना चाहते थे।

लेकिन यह सम्भव न देख आगे बढ़ चले। अगर इस अवसर को वे खो देंगे तो फिर अपने मित्र से मिल नहीं सकेंगे। यहाँ गुरु महाराज बने उनके मित्र के क्रियाकलाप अत्यन्त गोपनीय थे, जहाँ पहुँच पाना आसान नहीं। इस स्थिति में उनके युवा सहयोगियों के बीच ही रहस्योद्घाटन का उन्होंने निर्णय कर लिया...।

लोकचन्द अब गुरु महाराज के समक्ष उपस्थित थे। प्रसादस्वरूप फल देने की परम्परा के अनुसार गुरु महाराज ने एक फल लोकचन्द की ओर भी बढ़ाया। लेकिन लोकचन्द ने फल ग्रहण नहीं किया। इस पर गुरु महाराज भी उनकी ओर मुखातिब हो गये कि यह कैसा भक्त है? अपने भक्त एवं श्रोताओं को फल देते हुए गुरु महाराज कभी किसी को निहारते नहीं थे। एक नियम एवं परम्परा के तहत श्रद्धालुओं को फल देते जाते थे। श्रद्धालु भी फल लेकर अपने को धन्य-धन्य हुआ मान आगे बढ़ जाते थे। लेकिन इस श्रद्धालु ने फल नहीं लिया और आगे प्रस्थान करने की जगह उनके समक्ष अपने को कायम रखा। बस, गुरु महाराज ने आँखें उठाकर उसे देखा। इस क्षण गुरु महाराज से रू-ब-रू होते ही अपने निर्णय के अनुसार लोकचन्द अब फट पड़े – "मैं लोकचन्द हूँ, सुकेश। तुम्हारा मित्र लोकचन्द। यह जानकर मुझे अपार खुशी हुई है और सुखद आश्चर्य भी कि तुम जीवित हो और यहाँ इतने बड़े गुरु महाराज बन बैठे हो। मैं तो एक कार्यवश हरिद्वार आया था। वहाँ पुलिया के पास गंगा किनारे तुम्हें प्रवचन करते देखा, बस पहचान गया। तभी से तुमसे मिलने के लिए बेचैन हूँ। बहुत मुश्किल से तुम्हारे पास पहुँचा हूँ।"

लोकचन्द की यह बात गुरु महाराज चुपचाप सुनते रहे। हालाँकि उनकी आँखों में क्षण-भर के लिए पूर्व परिचय की एक चमक कौंध उठी और आश्चर्य के भाव छलक आये। लेकिन गुरु महाराज ने उस पर तत्क्षण नियन्त्रण कायम कर लिया।

इस दौरान लोकचन्द की यह बात सुन गुरु महाराज के सहयोगियों के कान भी खड़े हो गये थे। लोकचन्द की बात सुनते हुए वे एकाग्र हो उठे थे। लेकिन लोकचन्द की बात जैसे ही खत्म हुई गुरु महाराज ने अपने भावों को संयत कर निर्विकार रूप में जवाब दिया – "तुम्हें भ्रम हो गया है, वत्स! मैं कोई सुकेश नहीं...। यहाँ पहुँचकर तुम यह सब क्या बोल रहे हो? अपने भ्रम पर नियन्त्रण पाने की कोशिश करो वत्स।"

प्रत्युत्तर में लोकचन्द अब अपने को रोक नहीं सके – "नहीं, सुकेश! मैं भ्रम में नहीं हूँ। मेरी अनुभवी आँखें धोखा नहीं खा सकतीं। चाहे जिन परिस्थितियों और प्रेरणाओं के तहत तुम इतने बड़े गुरु महाराज बन गये हो, लेकिन तुम्हारे साथ मेरी

मित्रता भी कच्चे धागों की नहीं बनी है। अपनी मित्रता के तहत साथ-साथ जीने-मरने की कसमें हमने खायी थीं। तुम इस तरह मुझे झुठला नहीं सकते।"

इस क्षण अपने सहयोगियों के चेहरों पर उभरते विस्मय तथा आश्रम में अपने प्रभा मण्डल का एहसास कर गुरु महाराज अब पुनः गम्भीर आवाज में बोल उठे – "मैं एक बार कह चुका हूँ कि तुम मुगालते में हो, अज्ञान में। अपने भटकन पर काबू पाने की कोशिश करो...। इस तरह कुछ-का-कुछ मत बोलो...।"

और वे मंच से प्रस्थान करने के लिए उठ खड़े हुए। लेकिन लोकचन्द आगे बढ़ कर पुनः उनके सामने हो गये – "तुम इतना बदल जाओगे सुकेश इसका अन्दाज मुझे सपने में भी नहीं था। गुरु के इस चोले के भीतर तुम्हारी आत्मा मेरी आवाज सुन रही है। मैं जानता हूँ, परिस्थितिवश मनुष्य को बदलना पड़ता है। अपनों को भी पहचानने से इन्कार करता है आदमी। लेकिन सम्बन्धों के कुछ तार ऐसे होते हैं जो कभी नहीं टूटते सुकेश। अपने इस बाह्य आवरण के भीतर अपनी अन्तरात्मा की आवाज सुनो। अपने उस मित्र को पहचानने से इनकार मत करो जिसके साथ दो जिस्म एक जान की तरह तुम्हारा बचपन व्यतीत हुआ है...।"

लोकचन्द ने अनुभव किया, उनकी इस मर्मबेधी बात का असर सुकेश पर हो गया। उसके चेहरे के परिवर्तित भाव उनसे छिप नहीं सके। इसके बावजूद गुरु महाराज बना उनका मित्र सुकेश नहीं रुका। लोकचन्द के किनारे से होकर आगे बढ़ चला। लोकचन्द को लग गया कि शायद इस बार वह जवाब दे देता तो अपने भर्राये गले या बदली आवाज से अपने सहयोगियों की पकड़ में आ जाता। इस स्थिति में मौन साधकर आगे बढ़ जाने का अपना श्रेयस्कर कार्य ही उसने किया।

इस अवसर पर उसके साथ आयी युवा साध्वियाँ अपने गुरु महाराज के साथ हो गयीं। लेकिन उनके साथ आये वे युवा संन्यासी अब लोकचन्द को घेरकर उन्हें समझाने लगे – "गुरु महाराज ठीक कह रहे हैं श्रीमान्! आपको भ्रम हो गया है। आप किसी और के धोखे में हैं। हमारे गुरु महाराज त्रिकालदर्शी हैं। वे कहाँ से और कब आये, किसी को ज्ञात नहीं। वे अवतारी पुरुष हैं। हिमालय पर लम्बी साधना के बाद धरती पर आये हैं...। अगर गुरु महाराज से दीक्षित होना हो तो अतिथिशाला में जाकर ठहरिये। लेकिन अगर वहम और अज्ञानवश आये हों तो वापस चले जायँ...।"

जवाब में आगे बढ़ते गुरु महाराज को सुनाते हुए लोकचन्द ने तेज आवाज में कहा – "मैं तुमसे मिले बगैर नहीं जा सकता, सुकेश। तुम्हें मुझे पहचानना ही होगा। इस तरह जीवन के यथार्थ को तुम नहीं झटक सकते। तुमसे मिलने के लिए मैं संकल्पित हूँ। चाहे जो हो, तुमसे मिलकर ही जाऊँगा...।"

प्रतिक्रिया में वे युवा संन्यासी उन्हें प्रतिकार की भाषा में समझाने लगे –

"आप इस तरह जिद न करें, श्रीमान्। हमारे गुरु महाराज अन्तर्यामी हैं। आप अपने घर वापस चले जायँ। आप भाग्यशाली हैं कि गुरु महाराज के इतने निकट तक पहुँच आये। अब आपके अन्तर के तमस को हमारे गुरु महाराज अपने दिव्य प्रकाश से दूर कर देंगे। तब अपने भ्रम का पता आपको स्वयं चल जायेगा। यहाँ इस तरह गुरु महाराज से कोई बात नहीं कर सकता...। फिलहाल आपका कल्याण घर वापसी में ही है। जब आपका मन निर्मल हो जाय और गुरु महाराज से दीक्षित होने की इच्छा जाग्रत हो उठे, तभी आइयेगा...।"

लेकिन लोकचन्द अड़े रहे – "बगैर मिले मैं नहीं जा सकता। आप लोग जबरन मुझे वापस नहीं भेज सकते...।"

इस सम्बन्ध में लोकचन्द अभी कुछ और कहना ही चाहते थे कि तत्क्षण एक साध्वी वहाँ आ पहुँची। शायद गुरु महाराज ने ही उसे भेजा था। शायद युवा स्वामियों से लोकचन्द की बात वे सुन रहे थे। लोकचन्द ने लक्ष्य किया था उनकी बात सुनने के लिए ही वे धीमी चाल में प्रस्थान कर रहे थे। बस, उस साध्वी ने पहुँचते ही उन युवा स्वामियों को रोक दिया – "श्रीमान् को छोड़कर आप लोग चले जायँ...। मैं इन्हें समझाकर वापस कर दूँगी...। इनकी मानसिक स्थिति ठीक नहीं...।"

उस साध्वी की उपस्थिति और उसके कथन की त्वरित प्रतिक्रिया में वे युवा स्वामी आज्ञाकारी बालकों की तरह माथा झुकाकर वहाँ से तत्क्षण चल पड़े, जैसे किसी बड़े पदाधिकारी ने अपने मातहत कर्मचारियों को आदेश दिया हो। लोकचन्द ने देखा, वह साध्वी तरुणी नहीं, उम्र दराज थी, चालीस-बयालीस की जान पड़ती थी। लेकिन उसका रूप और यौवन अभी ढला नहीं, ठहरा हुआ था। गुरु महाराज के साथ आयी युवा साध्वियों की तरह वह कोमल और फूटती कली तो नहीं थी, लेकिन रूप और यौवन की सम्पदा से भरी थी। वह लोकचन्द की ओर मुखातिब हो गयी – "आप तनिक भी परेशान न हों, श्रीमान्। इस आश्रम में आनेवाले हर श्रद्धालु, हर भक्त की इच्छा गुरु महाराज पूरी करते हैं। अगर आप उनसे एकान्त में मिलना चाहते हैं, बात करना चाहते हैं। वे आपकी इच्छा से अवगत हो गये हैं। आपकी मनोकामना पूरी करेंगे। आप शान्त हो जायँ और मेरे साथ चलें...।"

लोकचन्द को लगा, अपनी अवस्था और रंग-रूप की तरह उस साध्वी की वाणी में भी एक अपूर्व मधुरता और शीतलता थी तथा व्यवहार में नम्रता और स्निग्धता। वे समझ गये निश्चय ही यह सुकेश की विशेष विश्वासपात्रा है। सम्भव है, यह उसकी सबसे निकटस्थ निजी सहायक, सचिव, मुक्त लोक की प्रभारी हो...।

लोकचन्द अब उसके साथ चलने से पहले पूछ उठे – "क्या मैं आपका नाम जान सकता हूँ देवी?"

"हाँ, क्यों नहीं। यहाँ लोग मुझे देवी पद्मा गंगा के नाम से जानते हैं...।"

"ठीक है, देवी। अब मैं आपको देवी पद्मा के नाम से ही सम्बोधित करूँगा...। मेरा नाम लोकचन्द है।"

"बहुत अच्छा, श्रीमान्। नाम बताने के लिए धन्यवाद...।"

अब लोकचन्द उस साध्वी पद्मा के साथ चल पड़े। गुरु महाराज को युवा साध्वियाँ जिस रास्ते से लेकर गयी थीं उसी रास्ते से वह साध्वी पद्मा भी उन्हें ले जा रही थी। वह रास्ता मौलश्री के एक खूबसूरत वाटिका से होकर जाता था। उस वाटिका के उस पार पहुँचने के बाद लोकचन्द ने अनुभव किया कि वह वाटिका विभाजक द्वार की तरह थी। एक ओर आश्रम का विशाल परिसर, दूसरी ओर चार-पाँच की संख्या में छोटे बँगलों के बीच एक मनोरम और भव्य बँगला। अपने प्रत्युत्पन्नमतित्व से लोकचन्द समझ गये कि – वह भव्य बँगला गुरु महाराज का होगा तथा साथ के अन्य छोटे बँगले युवा साध्वी सेविकाओं के...। एक छोटे बँगले की खिड़की पर एक युवा साध्वी उन्हें दिख भी गयी जिसने अपने अनुमान के प्रति उन्हें आश्वस्त कर दिया...।

गुरु महाराज के उस भव्य और आलीशान बँगले से ही सटे एक सुसज्जित कक्ष के पास लोकचन्द को लेकर पद्मा पहुँच गयी। उस पर विशिष्ट अतिथि-कक्ष अंकित था। उसके साथ ही एक मनोरम छोटा कक्ष था, जिस पर 'साध्वी-कक्ष' लिखा था। लोकचन्द को यह समझते देर नहीं लगी कि विशिष्ट अतिथियों से गुरु महाराज को मिलवानेवाली साध्वी सेविकाओं का कक्ष होगा। अब पद्मा यहाँ बोल उठी – "इस विशिष्ट अतिथि-कक्ष में आप आराम से बैठिये श्रीमान्। गुरु महाराज अभी तत्काल प्रवचन से आये हैं, इसलिए कुछ देर विश्राम के बाद ही यहाँ आकर आपसे मिलेंगे। अब आप यह निश्चित मान लें कि आपकी मनोकामना पूर्ण होकर रहेगी। इस कक्ष तक कोई-कोई ही पहुँच पाता है। गुरु महाराज की कृपा आप पर हो गयी है। उनके आदेश पर ही आपको यहाँ ले आयी हूँ...।"

पद्मा अब लोकचन्द को लेकर उस कक्ष के अन्दर आ गयी। अन्दर एक साध्वी वहाँ एक किनारे बैठी मिली। पद्मा को देखते ही वह तत्क्षण खड़ी हो गयी। अब पद्मा ने लोकचन्द को उसके हवाले करते हुए कहा – "ये हमारे विशिष्ट अतिथि हैं, अमृता। गुरु महाराज की कृपा से यहाँ आये हैं। देखना, इन्हें कोई असुविधा न हो...। गुरु महाराज समय से आकर इन्हें दर्शन देंगे...।"

"ठीक है, दीदी माँ। आप श्रीमान् के प्रति निश्चिन्त रहें...।"

इसके बाद लोकचन्द से अमृता का परिचय देते हुए पद्मा बोल उठी – "यह मुक्त लोक की देवी अमृता गंगा है श्रीमान्। गुरु महाराज की विशेष स्नेह-पात्रा, इसीलिए इस कक्ष की स्वामिनी है...।"

पद्मा के इस परिचय से जहाँ एक ओर लोकचन्द आश्वस्त हो गये, वहीं दूसरी ओर इस नये दायित्व वहन पर अमृता का चेहरा भी पुलक उठा। अब लोकचन्द से विदा लेती हुई पद्मा ने कहा – "अब मैं चलती हूँ, श्रीमान् जी। गुरु महाराज को बता दूँगी कि आप विशिष्ट अतिथि-कक्ष में हैं। अब यहाँ आराम से बैठकर आप उनकी प्रतीक्षा कीजिये। अमृता यहाँ आपको कोई अभाव महसूस होने नहीं देगी...।"

इस क्षण पद्मा के व्यवहार से प्रसन्न लोकचन्द चाहते हुए भी अपने को रोक नहीं सके – "आपसे मिलकर बहुत अच्छा लगा देवी पद्मा। आप अपने नाम से ही नहीं, शीलस्वभाव से भी पद्म पराग की तरह हैं। आपको मेरा हार्दिक धन्यवाद।"

यह सुन पद्मा रुक गयी। पल भर के लिए उसने लोकचन्द को देखा। इस दौरान उसके चेहरे पर सहसा आत्मीयता के भाव उभर आये। शायद लोकचन्द ने उसके अन्दर की दिव्यता को उभार दिया था। अब वह लोकचन्द से संवादरत हो गयी – "श्रीमान्! जब तक गुरु महाराज संकेत नहीं करते, मैं किसी का व्यक्तिगत परिचय जानना नहीं चाहती। मेरा दायित्व तो गुरु महाराज के आदेश का पालन करना होता है...। लेकिन आपके व्यक्तित्व ने आपके बारे में जानने के लिए मुझे बाध्यकर दिया है...।"

"मैं एक लेखक और शिक्षक हूँ, देवी पद्मा। विश्वविद्यालय में प्रोफेसर था। लेकिन लेखन के लिए मुझे पूरा समय नहीं मिल पाता था। परिणामतः स्वैच्छिक सेवा निवृत्ति ले ली। अब साहित्य-रचना के लिए पूर्णतः स्वतन्त्र हूँ। इसी सिलसिले में यहाँ भी आना हुआ है।"

"अब मैं समझ गयी। मुझे लग रहा था कि आपके इस व्यक्तित्व के पीछे अवश्य कोई विशेष बात होगी। एक प्रोफेसर और साहित्य-सर्जक का व्यक्तित्व ही ऐसा हो सकता है श्रीमान्। अब मैं चलती हूँ। मेरा प्रणाम स्वीकार करें।" – और पद्मा ने दोनों हाथ जोड़ दिये। जवाब में लोकचन्द के हाथ भी स्वतः जुड़ गये – "आप स्वयं इसकी हकदार हैं, देवी पद्मा...।"

"इस क्षण पद्मा से रू-ब-रू होते हुए लोकचन्द को ऐसा लगा जैसे उसका व्यक्तित्व उन्हें अपनी ओर खींच रहा हो। उन्होंने मन-ही-मन तय किया कि अगर अन्त तक सुकेश उन्हें पहचानने से इन्कार करता रहा तो इस पद्मा को ही विश्वास

में लेकर उसे सारी बात बतानी होगी। सुकेश को यथार्थ पर लाने के लिए इस पद्मा को ही माध्यम बनाना होगा।''

पद्मा चली गयी। लोकचन्द अब आराम से उस कक्ष में बैठ गये। इस क्षण उस कक्ष का मुआयना करते हुए उन्हें लगा कि सचमुच वह विशेष कक्ष है। आराम और सुख के सारे साधनों से सम्पन्न वह कक्ष कलात्मक, सुरुचि सम्पन्न और आकर्षक था। साथ ही वह बैठनेवालों के लिए सुकूनदायक और आश्वस्तिपरक भी था। उस विशिष्ट कक्ष की दीवारों पर देव प्रतिमाओं के बीच जगह-जगह विभिन्न मुद्राओं में गुरु महाराज की मनोहारी तस्वीरें उस कक्ष की भव्यता के साथ उसकी दिव्यता का भी एहसास करा रही थीं।

आश्रम के उस प्रवेश-कक्ष में लगी गुरु महाराज की प्रतिमाओं से यहाँ की प्रतिमाएँ और उसकी भंगिमाएँ अलग थीं। उन्हें सर्वथा नये रूप में प्रस्तुत किया गया था। यह कक्ष ऐसा लग रहा था जैसे कोई देव-कक्ष हो। उस मनोरम कक्ष को लोकचन्द अभी पूरी तरह निहार भी नहीं सके थे कि अमृता उनसे मुखातिब हो गयी – ''अभी आपको क्या चाहिए, श्रीमान् – जल, चाय, कॉफी, लस्सी या कुछ और...?''

''कुछ नहीं देवी, अमृता। मैं ठीक हूँ। आपके गुरु महाराज से मिल लूँ, वही बहुत है... ।''

''यह सौभाग्य तो अब आपको प्राप्त होगा ही श्रीमान्। इस कक्ष तक वही पहुँच पाते हैं जिन्हें गुरु महाराज का दर्शन नसीब होता है... ।''

''अच्छा, देवी अमृता। अब मैं आपका परिचय जानना चाहता हूँ। आप इस आश्रम में कब से हैं और कहाँ से आयी हैं?''

''क्षमा कीजियेगा, श्रीमान्। यह मैं आपको नहीं बता सकती... । साध्वी होने के बाद यह आश्रम ही हमारा अब सब-कुछ है। हमारे पास अब कोई अतीत नहीं... ।''

लोकचन्द समझ गये, ऐसी तरुणी साध्वी अपना परिचय जाहिर नहीं कर सकती। निश्चय ही उसे मना किया गया होगा। ऐसी युवा साध्वियों को रखनेवाला उन्हें ऐसी छूट नहीं दे सकता। अब जो जिज्ञासा पद्मा के साथ अमृता के संवाद के तहत उनके मन में कायम हो गयी थी उसे वे व्यक्त कर उठे – ''अच्छा, देवी अमृता। आप अपना अतीत नहीं बताना चाहतीं। ठीक है। लेकिन देवी पद्मा को आपने 'दीदी माँ' कहा। दीदी और माँ दोनों एक साथ, मैं समझ नहीं सका... ।''

''वे हमारी अग्रज हैं श्रीमान्, इसलिए हमारी दीदी हैं। आश्रम के संरक्षण और संचालन में भी उनकी महती भूमिका है तो माता तुल्य हैं ही। फिर यह सम्बोधन तो गुरु महाराज ने ही उन्हें दिया है .. ।''

अमृता के इस कथन से पद्मा को लेकर कायम लोकचन्द को अपना अनुमान सही जान पड़ा। उसकी उपस्थिति के बाद उसके समक्ष युवा स्वामियों का नतमस्तक हो जाना तथा उसके एक आदेश पर वहाँ से चले जाना। फिर उन्हें साथ लाकर आश्रम के इस विशिष्ट अतिथि-कक्ष में पहुँचा देना, आश्रम के किसी सामान्य सदस्य के अधिकार-क्षेत्र में नहीं हो सकता...। इस पर अब वे पूछ उठे – "देवी पद्मा की तरह 'दीदी माँ' यहाँ और हैं कि वे अकेली हैं?"

"और हैं, श्रीमान्! लेकिन उन्हें 'दीदी माँ' कहा नहीं जाता।"

"तो क्या सिर्फ देवियों के जिम्मे ही इस आश्रम के संरक्षण और संचालन का दायित्व है...?"

"नहीं, श्रीमान्! यहाँ आश्रम में स्त्री-पुरुष को लेकर कोई भेद नहीं। गुरुदेव का आशीर्वाद सब पर समान रूप से रहता है। हमारे यहाँ सबके ऊपर हमारे गुरु महाराज ही हैं। वे यहाँ सर्वोपरि हैं। यहाँ के सर्वस्व हैं...।"

"ठीक है, देवी अमृता। इतनी जानकारी के लिए धन्यवाद। अब आप बैठ जायँ...। देर से खड़ी हैं...।"

"शुक्रिया, श्रीमान्!" – और यह कहते हुए अपनी मुस्कान से उजाला बिखेरती हुई अमृता कोने के एक आरामदायक स्टूल पर बैठ गयी।

उस सर्वाङ्ग सुन्दर युवा साध्वी द्वारा मधुर और शिष्ट भाषा का प्रयोग देख लोकचन्द अब पुनः पूछ उठे – "आपने कितनी शिक्षा हासिल की है, देवी अमृता? निश्चय ही आप उच्च शिक्षा प्राप्त हैं...?"

"नहीं, श्रीमान्! मेरी कोई खास शिक्षा नहीं हुई। लिखना-बाँचना भर जानती हूँ।"

"तब फिर ऐसी शिष्ट भाषा? यह भाषिक संस्कार?"

"यह सब आश्रम की देन है श्रीमान्! हमारे इस आश्रम में क्या नहीं है? आप यहाँ रहेंगे तो स्वतः सब समझ जायेंगे...।" – और ऐसा कहते हुए अमृता लोकचन्द के आतिथ्य में पुनः मुस्करा उठी।

लोकचन्द अनुभव कर रहे थे, वे जब से इस कक्ष में आये थे, जैसे किसी मायालोक में आ पहुँचे हों। अपनी स्वतः स्फूर्त जिज्ञासा के तहत जहाँ एक ओर वे अमृता से जानकारी प्राप्त कर रहे थे वहीं दूसरी ओर उस माया कक्ष और युवा अमृता के फूटते सौन्दर्य और उभरते यौवन को देखकर यह विचार अब स्वतः उनके मन में उठ खड़ा हुआ कि ऐसी युवा और सर्वाङ्ग सुन्दरी साध्वी को अपने विशेष कक्ष की सेविका रखनेवाला सुकेश उसके साथा भोग सुख से अपने को वंचित नहीं रख पाता होगा। इस अवसर पर सहसा लोकचन्द को अपने गाँव की सुगन्धा याद आ गयी,

उनके गाँव हनुमानपुर की सबसे सुन्दर कन्या। उस कन्या के प्रेम प्रकरण में ही सुकेश को गाँव छोड़कर भागना पड़ा था। गर्भवती सुगन्धा का खूँखार पिता भेखा सिंह सुकेश की हत्या किये बगैर माननेवाला नहीं था। लेकिन अपने सच्चे मित्र सुकेश को रातों-रात भगाकर लोकचन्द ने उसे उसकी मौसी के यहाँ गंगा पार पहुँचा दिया था। अब लोकचन्द को लगता है कि सुकेश के अवचेतन में कायम सुगन्धा का वही अतृप्त प्यार यहाँ सुन्दरी साध्वियों के भोग का नियामक रहा होगा, क्योंकि यहाँ कोई भेखा सिंह पहुँचनेवाला नहीं, अन्यथा ऐसे आश्रम में और संत हो चुके सुकेश को यहाँ रूप-यौवन से छलकती ऐसी साध्वियों की क्या जरूरत?

लोकचन्द अभी इन्हीं विचारों में खोये थे कि सहसा सुकेश रंजन जो यहाँ गुरु महाराज था, आ पहुँचा। सुकेश रंजन के उस कक्ष में प्रवेश करते ही वह साध्वी अमृता तत्क्षण उस कक्ष से बाहर हो गयी। सम्भव है, विशिष्ट अतिथि-कक्ष से सटे साध्वी-कक्ष में चली गयी हो। शायद यहाँ गुरु महाराज से एकान्त में मिलनेवालों के समक्ष उसे नहीं रहने का आदेश हो। बस, सुकेश को देखते ही लोकचन्द उत्साह से उठ खड़े हुए और उसे बाँहों में भरने के लिए हाथ फैलाये आगे बढ़े – "तुम्हें जीवित और इस रूप में देखकर मुझे अपार खुशी हुई है सुकेश...। जैसे किसी की लुटी हुई सारी सम्पत्ति मिल जाय, मुझे वैसा ही महसूस हो रहा है...।"

लेकिन सुकेश ने उन्हें रोक दिया – "अपनी जगह पर वहीं कायम रहो वत्स! इस तरह वहम में उतावला न हो जाओ। जैसा कि मैं कह चुका हूँ, मैं कोई सुकेश नहीं...। तुम मेरे लिये बिल्कुल अनभिज्ञ व्यक्ति हो। अपने अज्ञान और भ्रम पर तुम्हें इस तरह डटे देखकर ही समझाने के लिए इस कक्ष में बुलाया, इसलिए शान्त रहो...।"

लोकचन्द ने देखा, उनके मित्र सुकेश रंजन का चेहरा इस बार किंचित् गम्भीर था। शायद उन्हें न पहचानने का निर्णय करके वह आया था। प्रथम मुलाकात में परिचय की जो कौंध उसके चेहरे पर उभरी थी वह अब गायब थी। इस बीच उसने अपने को संयत कर लिया था। शायद इतने बड़े संत के रूप में ऐसा साम्राज्य कायम करने के बाद अतीत के उस दलदल में फँसना अब उसे गँवारा नहीं। उसे अपनी वर्तमान हैसियत और वर्तमान स्थिति के प्रतिकूल कुछ भी नहीं करना। लेकिन लोकचन्द भी अपनी पहचान के प्रति अडिग और संकल्पित उस पर जमे हुए थे – "तुम्हारे लाख कहने के बावजूद मेरी आँखें और मेरा मन यह मानने को तैयार नहीं कि तुम सुकेश रंजन नहीं हो। तुम्हारी विवशता मैं समझ रहा हूँ सुकेश। गुरु के जिस उच्च सिंहासन पर तुम विराजमान हो, भक्तों और अनुयायियों की जैसी विशाल संख्या तुम्हारे साथ है, मुक्त लोक जैसा विस्तृत, समृद्ध और सर्वसुखसम्पन्न आश्रम तुमने

कायम किया है, ऐसा व्यक्ति अपने पूर्व परिचय और पूर्व अतीत के नाम पर अपनी हैसियत नहीं गंवा सकता...। लेकिन तुम जान लो, जीवन और लेखन में मैं दृढ़प्रतिज्ञ हूँ। तुम्हें देखने और जानने के बाद तुम्हें पहचानने से पीछे नहीं हट सकता...।''

जवाब में गुरु महाराज बने सुकेश ने भी अपना निश्चय व्यक्त किया – ''तुम्हारी ऐसी हठधर्मिता उचित नहीं। मैं जो कह चुका, कह चुका...। अज्ञान में बच्चों की तरह ऐसी जिद मत करो वत्स। अपने भ्रम को काबू में कर वापस चले जाओ। यही समझाने के लिए तुम्हें यहाँ बुलाया। अब और कोई मुग़ालता न पालो, किसी भी भ्रम में न रहो। जहाँ से आये हो, वहाँ चले जाओ...।''

लोकचन्द देख रहे थे, उनका मित्र सुकेश खड़े-खड़े ही उन्हें फुटा देना चाहता था। लेकिन लोकचन्द का विश्वास, संकल्प और निश्चय भी इतना कमजोर नहीं था कि उन्हें अनपहचाना घोषित कर बेरुखी से उनके हौसले को तोड़ दिया जाय...। लोकचन्द ने अब तनिक धैर्य और इत्मीनान बरतते हुए कहा – ''शान्त होकर थोड़ी देर के लिए बैठ जाओ, सुकेश। अपने इस विशेष कक्ष में मुझे बुलाकर खड़े-खड़े ही फुटा देना व्यवहारसंगत नहीं। शिष्टाचार और मानवता की दृष्टि से भी यह उचित नहीं...। किसी आश्रम के संत द्वारा ऐसा व्यवहार तो कतई श्रेयस्कर नहीं कहा जा सकता...।''

लोकचन्द की इस बात का कुछ असर सुकेश पर हुआ। अब उस कक्ष में गुरु महाराज के अपने विशिष्ट आसन पर कायम होते हुए अब वह बोल उठा – ''जो कहना हो जल्दी कहो...। मेरे जिम्मे अभी बहुत कार्य है। बस इतना समझ लो कि मैं तुम्हारा कोई सुकेश नहीं...।''

लोकचन्द भी अब गम्भीर और सधी आवाज में बोल उठे – ''पहली बात तो यह कि अपने मन से यह शंका तुम निकाल दो कि तुम्हें पहचानने का रहस्योद्घाटन मैं कहीं करूँगा। अपनी इस बात के प्रति दृढ़ प्रतिज्ञा हूँ। दूसरी बात यह कि बचपन में तुम्हारे साथ जो दोस्ती कायम हुई उसमें हम दोनों एक-दूसरे पर अपने खुद से भी अधिक विश्वास करते थे तथा एक-दूसरे से अपने जीवन का कुछ भी नहीं छिपाते थे, उसके बाद लम्बा समय व्यतीत हो गया। परिचितों में दोस्त की संज्ञा के तहत कई लोग जुड़े। लेकिन आज तक तुम्हारे जैसा दोस्त फिर मैं नहीं पा सका। इसलिए पुनः तुम्हें पाने के बाद अब फिर तुम्हें खोना नहीं चाहता...।''

लोकचन्द की इस बात पर कुछ ठण्ढा पड़ते हुए सुकेश ने अपनी पिछली ही बात दुहरायी – ''लेकिन तुम्हारा वह दोस्त मैं नहीं हूँ, वत्स...। निश्चय ही तुम भ्रम के शिकार हो। अगर ऐसा होता तो मैं भी तुझे पहचान जाता। लेकिन मैं तुम्हें कतई नहीं पहचान रहा। तुम्हारा कल्याण इसी में है कि इस भ्रम को मिथ्या समझ तत्काल

यहाँ से वापस चले जाओ। आश्रम की सुरक्षा व्यवस्था में लगे लोग तुम्हारी इस हरकत को अन्यथा मानेंगे...।"

इस पर लोकचन्द ने भी अपना निर्णय सुना दिया – "तुम्हें पहचानने के बाद अब बैरंग वापस होनेवाला मैं नहीं। तुम मुझे जबरन हटाना चाहो तो मेरे इस नश्वर शरीर को हटा सकते हो, लेकिन मेरी आत्मा, मेरे मन और मेरी आवाज को अपने से दूर नहीं कर पाओगे। फिलहाल बाल-बच्चों की शादियाँ कर जिम्मेवारियों से मैं मुक्त हूँ। तुम्हें पाकर पुनः खो देने की अपेक्षा अब मर जाना मेरे लिये ज्यादा श्रेयस्कर होगा...।"

लोकचन्द के इस निर्णय ने सुकेश को और ठण्ढा कर दिया – "तो बोलो और क्या कहना चाहते हो? तुम्हारा वह दोस्त मैं नहीं हूँ, फिर भी जो कहना हो कहो...।"

"ठीक है सुकेश, तो सुनो। और अब पुनः-पुनः इस झूठ को मत दुहराओ कि मेरे दोस्त नहीं हो...। सम्भव है, अपने स्रोतों से तुमने जानकारी प्राप्त कर ली हो। लेकिन मिलने के बाद बताना मेरा फर्ज है। क्रूर भेखा सिंह से तुम्हें बचाने के लिए ताज ा रोपे गये, पांक-पानी से भरे धान के खेतों के रास्ते रात के अँधेरे में तुम्हारे साथ की मेरी वह अन्तिम यात्रा थी। मौसी के यहाँ तुम्हें छोड़कर लौटते हुए मुझे ऐसा लगा था कि तुम्हारे रूप में अपना सब-कुछ गँवा दिया हो। तुम्हारा घनिष्ठ मित्र होने के नाते तुम्हें भगाने के आरोप में भेखा सिंह मुझे भी ढूँढ़ रहा था। खून का प्यासा वह तुम्हारा अभिन्न समझ मेरी भी हत्याकर देता...। लेकिन एक पुख्ता बहाने के तहत शहर में कार्यरत अपने पिता जी के साथ मैं गाँव पहुँचा था, जिसने भेखा के कोप से मुझे बचा लिया...। बाद में अपनी मौसी के साथ तीर्थ यात्रा के दौरान बस-दुर्घटना में तुम्हारे निधन की सूचना मिली। इस खबर ने हमें तोड़ दिया, मर्माहत कर दिया। तुम्हारे माँ-बाप पर इस सूचना का असर तो किसी सदमे से भी अधिक घातक हुआ, औचक वज्रपात की तरह। उस वज्रपाती सदमे में पहले तुम्हारी माँ गुजरी, फिर तुम्हारे पिता जी। उनके निधन ने हमारे मन में तुम्हारे अभाव को और गहरा कर दिया। उनकी उपस्थिति में मुझे ऐसा लगता था कि तुम हमारे आस-पास ही हो।"

लोकचन्द ने लक्ष्य किया इस सूचना पर सुकेश के चेहरे का भाव परिवर्तित हो चुका था, जो इस बात का स्पष्ट संकेत था कि उसके अन्तर्मन ने विगत यथार्थ को स्वीकार कर लिया है। इस क्षण का फायदा उठाते हुए लोकचन्द थोड़ी देर के लिए मौन हो गये। इस अवधि में सुकेश भी मौन और किंचित् गमगीन बना रहा। कोई प्रश्न नहीं किया।

लोकचन्द के इस कथन को झटकने की कोशिश भी नहीं की। लोकचन्द तो प्रथम दृष्टि में ही सुकेश को पहचान गये थे, अब उसकी इस परिवर्तित स्थिति ने

अपनी पहचान के प्रति उन्हें और आश्वस्तकर दिया। बस, अपना कथन आगे बढ़ाते हुए उन्होंने कहा – "सम्भव है, अपने बारे में तुम बताना नहीं चाहोगे कि मौसी के साथ उस बस-दुर्घटना में जीवित बचने के बाद तुम यहाँ तक कैसे पहुँचे? लेकिन मेरे बारे में सुन लो तभी मेरी वर्तमान स्थिति से तुम परिचित हो सकोगे। पिता जी के निधन के बाद हम शहर चले गये, क्योंकि हमारे यहाँ नौकरी की परम्परा थी। हमारी जीविका पिता जी की नौकरी पर ही निर्भर थी, गाँव की छोटी पुश्तैनी खेती पर नहीं। शहर में पहुँचकर हम समय के अनुसार नौकरी से जुड़ते गये।

उच्च शिक्षा के बाद विश्वविद्यालय में प्रोफेसर की नौकरी मुझे मिली। लेकिन इसका श्रेय भी मैं तुम्हें ही मानता हूँ। अपने गाँव के शिव-मन्दिर पर एकान्त में बैठकर तुम मुझे खूब कथाएँ सुनाते थे। संस्कृत के ज्ञाता तुम्हारे पिता ने तुम्हें संस्कृत के ज्ञान के साथ-साथ भारतीय वाङ्मय की अनमोल कथाओं का भण्डार सौंप दिया था। तुम्हें याद होगा, तुम्हारी उन कथाओं के पीछे पागल बना मैं तुमसे चिपका रहता था...। बाद में उच्च शिक्षा के दौरान कथा-लेखन से मैं जुड़ गया। बचपन में मेरे अन्दर कथा के जो बीज तूने बोये थे, वही अब अंकुरित और पल्लवित हो रहे थे। विश्वविद्यालय में नियुक्ति तक कहानी और उपन्यास से सम्बन्धित मेरी चार पुस्तकें प्रकाशित हो चुकी थीं जो मेरी नौकरी में पर्याप्त सहायक बनीं। यहाँ अपना पारिवारिक वृत्तान्त विस्तार से तुम्हें बताना मुझे उचित नहीं जान पड़ रहा। बस, इतना समझ लो कि माँ-बाप के निधन और अपने बाल-बच्चों की पढ़ाई-लिखाई और शादी-ब्याह कर फिलहाल मैं अपने पारिवारिक दायित्व से मुक्त हूँ...। विश्वविद्यालय के बढ़ते कार्य के चलते अपने प्रिय लेखन पर मैं पूरा समय नहीं दे पाता था। इस बीच स्वैच्छिक सेवानिवृत्ति की योजना आ गयी। बस, मैं सेवा मुक्त हो गया। अब लेखन के लिए मेरे पास पर्याप्त समय है। उसी सिलसिले में यहाँ हरिद्वार भी आया हूँ। यहाँ पहाड़ों की तलहटी में रह रहे अभावग्रस्त जन जो निरन्तर पहाड़ खिसकने और भू-स्खलन से विस्थापित होकर दर-दर भटकते हुए अभाव और कष्ट में जीते हैं। ऐसे लोगों की बुनियादी समस्याओं को उजागर करते हुए उन्हें प्रकाश में लाना मेरा उद्देश्य है। इसके लिए बगैर उनके बीच पहुँचे और उनके साथ रहे मैं उनका वास्तविक दर्द समझ नहीं सकता। लेकिन हरिद्वार पहुँचते ही गंगा की पुलिया पर तुम्हें देख और तुम्हारा प्रवचन सुन अब सीधे तुमसे मिलने चला आया...।"

लोकचन्द देख रहे थे, सुकेश जिस धैर्य से उनकी बात सुन रहा था और जगह-जगह उसके चेहरे के भाव जिस तरह परिवर्तित हो रहे थे, वे उसके अपने परिवर्तन की सूचना भी दे रहे थे कि उस विगत यथार्थ को अब उसने स्वीकार कर

लिया है। सम्भव है, इस बीच इस बात को लेकर भी अपने मन को उसने आश्वस्तकर लिया हो कि लोकचन्द के रहस्योद्घाटन से भी उसका कुछ बिगड़ने वाला नहीं। जब तक वह इस बात को स्वयं स्वीकार नहीं करेगा, उसके भक्त और अनुयायी इस पर हर्गिज विश्वास नहीं कर सकते...।

एक क्षण की चुप्पी के बाद सुकेश अब सहज होते हुए बोल उठा – "यह बहुत अच्छा विषय है। इस पर लिखो। ऐसे विषय पर अवश्य लिखा जाना चाहिए। यह तुमने अच्छे विषय का चुनाव किया है। साहित्य-रचना को मैं समाज-सेवा ही मानता हूँ। साहित्य से अधिक सेवा भाव कहीं और हो ही नहीं सकता...।"

सुकेश द्वारा तुम का सम्बोधन और इस आत्मीय परामर्श ने जैसे लोकचन्द के मन को आश्वस्तकर दिया। पहचान के रास्ते पर आ गया सुकेश। अब वे बोल उठे – "हाँ सुकेश, मैं लिखूँगा। लेकिन तुम्हें पाने के बाद अब तुमसे जी भरकर बातें भी करनी हैं। आश्रम और साधु-संतों को लेकर भी मेरे मन में अपरिमित जिज्ञासाएँ हैं...।"

"मेरे पास उतना समय नहीं। यहाँ मेरे क्रिया-कलाप अत्यन्त व्यस्त हैं...।"

"लेकिन मेरे लिये तो तुम्हें समय निकालना ही है।"

"प्रवचन के बाद अब यही थोड़ा समय बचता है। अगर इस समय में मिलने के लिए किसी विशिष्ट व्यक्ति का आगमन न हो तो बात की जा सकती है।"

"ठीक है सुकेश। मेरे लिये यह समय भी पर्याप्त है।"

"अच्छा तो अब मैं चलता हूँ...।" – कहते हुए सुकेश उठ गया। लोकचन्द भी उससे विदा होते समय शिष्टाचारवश खड़े हो गये और अपना हाथ बढ़ाया। इस बार सुकेश ने उनका हाथ गर्मजोशी से थामते हुए पूछा – "यहाँ कहाँ ठहरे हो?"

"हरिद्वार के एक गेस्ट हाउस में।"

"तब तो वहाँ से आने-जाने में तुम्हें असुविधा होगी। चाहो तो यहाँ ठहर सकते हो। पद्मा तुम्हारे आवास की व्यवस्था कर देगी।"

जवाब में लोकचन्द ने मौन होकर अपनी सहमति जतायी। लेकिन इस दौरान दोनों की आँखें एक-दूसरे से बहुत-कुछ कहती रहीं तथा दोनों द्वारा एक-दूसरे के थामे हाथ अपनी पूर्व दोस्ती की ऊष्मा का एहसास कराते रहे...।

लोकचन्द का मन अब आश्वस्त था। वर्षों पूर्व दिवंगत अपने जिगरी मित्र सुकेश रंजन को वे पुनः पा चुके थे। हरिद्वार की पुलिया पर जब उसे संत के रूप में प्रवचन करते देखा तो उन्हें अपनी आँखों पर विश्वास नहीं हुआ। अपनी मौसी के साथ तीर्थयात्रा की भीषण बस दुर्घटना में मृत घोषित सुकेश क्या मरा नहीं था? फिर इतना

बड़ा संत कैसे बन गया? व्यग्र-बेचैन लोकचन्द यथार्थ जानने के लिए यहाँ मुक्त लोक आश्रम तक खींचे चले आये। यह वैभवशाली आश्रम उन्हें एक समृद्ध साम्राज्य की तरह जान पड़ा। इस साम्राज्य के सबसे ऊँचे आसन पर विराजमान उनके मित्र द्वारा प्रारम्भ में उन्हें न पहचानना अपने सुरक्षा कवच को ध्यान में रख कर किया था। लेकिन अन्ततः उसे पहचानना ही पड़ा। अपने बाल-सखा की उस घनिष्ठ मित्रता को उसका अन्तस् नकार नहीं सका।

सुकेश के जाने के चन्द क्षणों के अन्दर ही आतिथ्य में अपनी मुस्कान बिखेरती पद्मा आ पहुँची। लोकचन्द को यह समझते देर नहीं लगी कि निश्चय ही यह पद्मा सुकेश की सबसे निकटस्थ है, तभी उसके जाते ही आ गयी। अब पद्मा के होंठों से बोल फूट पड़े – "जै गुरुदेव, श्रीमान् जी! मैं भाग्यशाली हूँ कि गुरुदेव ने आपके आतिथ्य का दायित्व मुझे सौंपा है...।"

"मैं कोई वैसा अतिथि नहीं, देवी पद्मा। सामान्य इन्सान हूँ। आम आदमी की तरह ही रहना पसन्द करता हूँ। मुझको लेकर आप तनिक भी परेशान न हों...।"

"इसमें परेशानी कैसी, श्रीमान्?" हमें तो यही कुछ अवसर सेवा के लिए मिलते हैं। हमारे गुरु महाराज कहते हैं – "अतिथि देवो भव। यहाँ आनेवाले अतिथि चाहे जैसे हों, हमारे लिये वे देव तुल्य हैं। फिर आप जैसे विशिष्ट अतिथि तो पूज्य हैं। आप दूर से आये हैं श्रीमान्, थके होंगे। चलिये मैं आपको आपके आवास तक छोड़ देती हूँ।"

"चलिये देवी पद्मा।"- और लोकचन्द पद्मा के साथ चल पड़े। इस दौरान उस कक्ष से बाहर निकलते ही वहाँ उपस्थित अमृता उन्हें विदा करते वक्त हाथ जोड़ कर खड़ी हो गयी – "जै गुरुदेव श्रीमान् जी! जाने-अनजाने आपके आतिथ्य में कोई त्रुटि रह गयी हो तो क्षमा कीजियेगा। हम चाहेंगे कि फिर-फिर यहाँ आपका पदार्पण हो...।"

प्रत्युत्तर में लोकचन्द ने भी कह दिया – "मैं यहाँ से जाने के लिए नहीं आया, देवी अमृता। अब अक्सर यहाँ आता रहूँगा...। यहाँ आप जैसी देवियों के रहते कोई त्रुटि नहीं हो सकती...।"

"यह हमारा सौभाग्य होगा, श्रीमान् जी! जब-जब आप जैसे विशिष्ट जनों का आतिथ्य हमें मिलेगा हम अपने को धन्य समझेंगे...।"

इस क्षण पद्मा के साथ आगे बढ़ते हुए लोकचन्द ने कहा – "यहाँ की भाषा ने मुझे बहुत प्रभावित किया है, देवी पद्मा। जो शिष्ट, मर्यादित और मधुर भाषा का प्रयोग आप करती हैं, वही देवी अमृता भी करती हैं...।"

"यह सब हमारे गुरु महाराज की वाणी का प्रभाव है, श्रीमान्। वे शिष्ट और मर्यादित भाषा के पक्के हिमायती हैं। यहाँ आश्रम में अशिष्ट और अपशब्द भाषा का प्रयोग कोई कर ही नहीं सकता...। आपसे दुःखी और नाराज लोग भी मधुर और शिष्ट भाषा में ही अपनी प्रतिक्रिया व्यक्त करेंगे...।"

"यह इस आश्रम का श्वेत पक्ष है देवी पद्मा। निश्चय ही यह सराहनीय है...।"

"यहाँ आपको हर जगह श्वेत पक्ष ही दिखेगा श्रीमान्। गुरु महाराज ने अपने ज्ञान की ज्योति से इस आश्रम का कण-कण जागृत कर दिया है। यहाँ श्याम पक्ष रह ही नहीं सकता...।"

पद्मा के साथ जिस रास्ते से आगे बढ़ रहे थे लोकचन्द, उसके दोनों ओर फूलों से लदी वाटिकाएँ थीं। देशी फूलों की प्यारी और मोहक सुगन्ध। इससे पूर्व अधिकांश वाटिकाओं में उन्होंने रंग-बिरंगे विदेशी फूल ही देखे थे। सुगन्ध से रहित वे विदेशी फूल कहीं भी आसानी से लग जाते थे। इसलिए विस्तार पाते जा रहे थे। लेकिन यहाँ मन और आत्मा को ऊर्जस्वित करनेवाली देशी फूलों की सुगन्ध ने लोकचन्द को अपने बचपन की याद ताजा कर दी। उनके गाँव के शिव-मन्दिर की वाटिका में पण्डित जी सुगन्ध से परिपूर्ण देशी फूल ही लगाते थे। उन देशी फूलों की देखभाल सावधानी से करनी पड़ती थी। इस मामले में पण्डित जी अपनी पत्नी और बेटे सुकेश के साथ लगे रहते थे। इसमें कभी-कभी लोकचन्द भी उनका साथ देते थे। सम्भव है सुकेश से उसके बचपन में जुड़े देशी फूलों की ही विस्तृत और व्यापक परिणति इस आश्रम में हो। इस सम्बन्ध में वे पूछ उठे – "देवी पद्मा, यहाँ गुरु महाराज के आवास के आस-पास देशी सुगन्ध से भरी फूलों की जैसी वाटिकाएँ हैं, क्या आश्रम में अन्य स्थानों पर भी हैं...?"

"मैं आपकी जिज्ञासा समझ रही हूँ श्रीमान्। चूँकि हमारे गुरु महाराज का आवास तपोस्थल है, वहाँ वे ध्यान, साधना, स्वाध्याय और समाधि में रहते हैं इसलिए वहाँ के वातावरण को देशी फूलों से सुगन्धित होना ही है...। लेकिन आश्रम में अन्य अधिकांश स्थानों पर भी आप इन देशी फूलों को ही पायेंगे। प्रवचन पण्डाल के चारों ओर भी आपने देखा होगा, ऐसे ही फूल लगे हैं। हमारे गुरु महाराज सुगन्ध को स्वच्छता से जोड़कर देखते हैं। वे कहते हैं, जहाँ सुगन्ध और स्वच्छता हो वहीं पवित्रता निवास करती है...। सुगन्धरहित अंग्रेज ी फूल हमारे यहाँ नहीं लगाये जाते...।"

पद्मा के साथ आगे बढ़ते लोकचन्द का अन्तर्मन, इस आश्रम की भाषा और स्वच्छता के प्रति अभिभूत हो उठा था। इससे पूर्व आश्रमों में स्त्रियों के यौन शोषण, अवैध हथियारों के जखीरे तथा भ्रष्टाचार और अनाचार के हैरतअंगेज कारनामों के तहत अनेक बाबाओं की गिरफ़्तारियों के बाद ऐसे धार्मिक आश्रमों को वे सन्देह की

दृष्टि से देखने लगे थे। इस परिप्रेक्ष्य में यहाँ आने और इस आश्रम के वैभव और विस्तार से अवगत होने के बाद इस विषय पर अपने मित्र सुकेश से वे बात करनेवाले थे कि संत बनने के बाद अपने लिये यह कैसा साम्राज्य उसने कायम कर रखा है? लेकिन प्रारम्भ में ही इस आश्रम की भाषा और यहाँ की साध्वियों की व्यवहारकुशलता ने अपनी पूर्व धारणा पर उन्हें विचार के लिए बाध्य कर दिया। शायद सारे आश्रम और उनके संत ऐसे नहीं हो सकते...।

पद्मा के साथ लोकचन्द अभी कुछ ही कदम आगे बढ़े थे कि बायीं ओर से श्रमिक जैसे कुछ लोग आते दिखे। वे जब निकट पहुँचे तो उनके हाथों और कन्धों के सामान देख लोकचन्द पहचान गये, वे राजमिस्त्री, बढ़ई और लुहार थे...। पद्मा पर नजर पड़ते ही वे बोल उठे – "जै गुरुदेव दीदी माँ।"

प्रत्युत्तर में पद्मा भी कह उठी – "जै गुरुदेव!"

हमारे बगल के रास्ते से दायीं ओर वे बढ़ गये।

"ये राजमिस्त्री, बढ़ई और लुहार इस आश्रम से होकर कहाँ जा रहे देवी पद्मा?"

"ये कहीं बाहर नहीं जा रहे, श्रीमान्। इस आश्रम में ही अपने आवास की ओर लौट रहे हैं। आश्रम के ही कामगार और कारीगर हैं। आश्रम के कार्य से छूटे हैं...।"

"यहाँ अब और कहाँ काम हो रहा है देवी पद्मा?"

"यह बहुत बड़ा आश्रम है श्रीमान्। पुराने भवनों की मरम्मत और नये भवनों के निर्माण के तहत यहाँ कार्य चलते ही रहते हैं।"

"तो क्या ये आश्रम के जीवनदानी हैं या स्वैच्छिक सेवा देनेवाले हैं?"

"ऐसा कुछ नहीं है श्रीमान्। ये आश्रम के वासी हैं, गुरु महाराज के भक्त एवं अनुयायी। हालाँकि ये जो कार्य करते हैं, आश्रम की ओर से इन्हें उचित मिहनताना भी दिया जाता है। इन्हें बाहर मिलनेवाले मिहनताने से हमारा यह आश्रम कम मिहनताना नहीं देता। इनमें कुछ परिवार के साथ यहीं आश्रम में ही रहते हैं और कुछ अकेले। जो अकेले रहते हैं, वे अपनी आय अपने घर भी भेजते हैं। हालाँकि ये सभी गुरु महाराज के पक्के अनुयायी हैं। अपनी आय का एक हिस्सा आश्रम की व्यवस्था और विकास के लिए अवश्य सौंपते हैं...।"

"फिर भी बाहर की तुलना में यहाँ उनकी बचत अच्छी हो जाती होगी, क्योंकि यहाँ आवास से सम्बन्धित खर्च और 'भगवत् भोग' की व्यवस्था के तहत बचना-ही-बचना है।"

"ऐसा नहीं है, श्रीमान्। यहाँ जो लोग अपने आवास पर खाना बनाना चाहें तो उसकी भी व्यवस्था है। बहुत सारे आश्रमवासी अपनी रुचि के अनुसार अपने आवास

पर ही अपना खाना बनाते हैं। जो खाना नहीं बनाते या बाहर से आये भक्त, अनुयायी होते हैं वही 'भगवत् भोग' ग्रहण करते हैं...।"

"तब फिर यहाँ के कामगारों और कारीगरों के लिए बाहर की दुनिया और इस आश्रम में कोई फर्क नहीं। बाहर भी तो लोग इसी तरह कमाते-खाते हैं...।"

"नहीं, श्रीमान्, बाहर से यहाँ में बहुत फर्क है। पहली बात तो यह कि आश्रम में जैसा स्वच्छ वातावरण, बेहतर माहौल और अच्छा समाज उन्हें मिलता है वैसा बाहर नहीं मिल सकता। दूसरी बात यह कि बाहर के समाज में भेद-भाव बना हुआ है। मुद्दतों बाद भी समाज से गैर बराबरी और जातीय विभाजन खत्म नहीं हुआ है। लेकिन यहाँ कोई विभाजन और किसी तरह की गैर बराबरी नहीं...। यहाँ सभी गुरु महाराज के भक्त, शिष्य और अनुयायी हैं। तीसरी बात यह कि अपने बच्चों की शिक्षा और अपने परिवार की चिकित्सा के लिए न तो उन्हें अतिरिक्त खर्च करना पड़ता है और न परेशान होना। आश्रम के विद्यालय और चिकित्सालय का सहज लाभ उन्हें प्राप्त हो जाता है...।"

"तो क्या यहाँ स्कूल और अस्पताल भी हैं?"

"हाँ, श्रीमान्। आश्रम का परिष्कृत स्कूल और आधुनिक अस्पताल...। जैसा कि मैं आपको बता चुकी हूँ, हमारे इस आश्रम में क्या नहीं है? गुरु महाराज की कृपा-दृष्टि से यहाँ सब-कुछ है। गुरु महाराज की दिव्य उपस्थिति ने इस आश्रम को स्वर्ग बना दिया है...।"

लोकचन्द आश्रमों के बारे में जो जानकारी लेकर आये थे उसमें 'मुक्त लोक' की इस व्यवस्था से अवगत हो अचम्भित होते जा रहे थे...। बाहर के भेद भाव से दूर यहाँ का सौहार्दपूर्ण, समरस, स्वच्छ और सहज समाज को गलत कैसे कहा जा सकता है? सम्भव है, आश्रम की ऐसी विशेषता ही विशाल जन समूह को आकर्षित करती रही है, जो आश्रम के विकास और विस्तार का निमित्त बनी हो...।

पद्मा के साथ लोकचन्द अब फ़्लैटनुमा एक साफ-सुथरे और कलात्मक घर के समक्ष आ खड़े हुए।

"यह आपका आवास है श्रीमान्! अब इस आश्रम में जितना दिन रहना चाहें, यहाँ रह सकते हैं...।"

लोकचन्द ने देखा, उनके आवास से लगे एक साथ एक कतार में उनके आवास जैसे कुछ खूबसूरत फ़्लैट बने हुए थे।

"क्या आश्रम के सभी आवास ऐसे ही है देवी पद्मा?"

"नहीं, श्रीमान्! आश्रम में हर तरह के आवास हैं। ये विशिष्ट अतिथियों के लिए बने हैं...।"

"तब तो इस स्तर पर यहाँ भेद-भाव है ही, देवी पद्मा!"

"नहीं, श्रीमान्। यहाँ कोई भेद-भाव नहीं। यहाँ के जो भी आवास हैं, सब में आवासीय सुविधाएँ कायम हैं। विशिष्ट जनों के आवास यहाँ इसलिए अलग और विशिष्ट हैं कि वैसे लोग अल्प समय के लिए ही यहाँ आते हैं। नेता, मन्त्री, अफसर और उद्योगपति जैसे लोगों के पास इतना समय नहीं होता कि वे यहाँ काफी समय व्यतीत कर सकें...।"

इस बीच कुंजियों का गुच्छा लिये एक सेवादार तत्क्षण वहाँ आ पहुँचा – "जै गुरुदेव, दीदी माँ।"

"जै गुरुदेव, स्वामी प्रणव। ये श्रीमान् जी इस आवास में रहेंगे। देखियेगा, इन्हें कोई असुविधा न हो।"

"आप निश्चिन्त रहिये दीदी माँ। श्रीमान् जी की हर इच्छा पर हम तत्पर रहेंगे...।"

इसके बाद पद्मा लोकचन्द से विदा ले अपनी मुस्कान से उजास बिखेरती हुई वापस हो गयी। इस दौरान उस युवा सेवादार प्रणव ने उस फ़्लैट को लोकचन्द के लिए खोल दिया था। दो कमरों का वह फ़्लैट आवश्यक आवासीय सुविधाओं से युक्त था।

वहाँ किनारे के सोफे पर बैठते हुए लोकचन्द ने उस युवा सेवादार प्रणव को भी अपने निकट बैठाते हुए कहा – "आप यहाँ कब से हैं प्रणव?"

"मैं यहाँ बचपन से ही हूँ श्रीमान्। छोटी उम्र से ही।"

"मैं समझा नहीं प्रणव। आप कहाँ से आये? कैसे आये? यहाँ आपके परिवार के और लोग भी हैं क्या?"

"मैं आपकी जिज्ञासा समझ रहा हूँ श्रीमान्। यहाँ नये आनेवाले लोग जानना चाहते हैं कि इस आश्रम के स्थायी सदस्य हम कहाँ से, क्यों और कैसे आये? आपकी यह जिज्ञासा स्वाभाविक है श्रीमान्। समय के अनुसार आप सब जान जाइयेगा...।"

"क्यों प्रणव? अभी क्यों नहीं? आपके बारे में जानने के बाद आपके साथ रहना मेरे लिये और अधिक सहज, सामान्य और प्रीतिकर हो जायेगा...।"

"ठीक है श्रीमान्। यहाँ आश्रम में आये अतिथि की इच्छा का सम्मान करना हमारा दायित्व है। तो संक्षेप में जान लीजिये कि यहाँ अपनी दादी के साथ छोटी उम्र में ही मेरा आना हुआ। उस साल हमारे गाँव में भयंकर सूखा पड़ा था। हमारा परिवार वहाँ गाँव पर खेत मजदूरी का काम करता था। उस सूखे के चलते गाँव में काम का अभाव हो गया। हमारे माँ-बाप को शहर जाना पड़ा। लेकिन वे फिर वहाँ से नहीं लौटे।

और उनकी कोई सूचना भी नहीं आयी। तब मेरी दादी मुझे लेकर भीख माँगती हुई यहाँ आ पहुँची। पता चला, यहाँ आश्रम के भण्डारे में मुफ़्त भोजन मिलता है। फिर तो मेरी दादी मुझे लेकर यहीं आश्रम में रहने लगी। आश्रम में झाड़ू-बुहारू का काम भी करती। ऐसे में वृद्ध दादी एक दिन गुजर गयी। फिर तो आश्रम की साध्वी माताओं और स्वामी देवों के संरक्षण में मेरी परवरिश होने लगी। यहीं आश्रम के स्कूल में दसवीं तक शिक्षा भी मैंने हासिल की। इसके बाद खुद को लेकर जब निर्णय का वक्त आया तो मैं आश्रम के लिए जीवनदानी बन गया। मुझे लगा कि मेरे लिये इससे बेहतर निर्णय और कुछ हो ही नहीं सकता!"

"बहुत अच्छा, प्रणव। आपकी इस आपबीती ने मुझे एक अच्छी कहानी का विषय भी दे दिया। मैं एक लेखक हूँ। उसी सिलसिले में यहाँ आना भी हुआ है।"

"तब तो आप महान् व्यक्ति हैं श्रीमान्। साहित्यकार लोग महान् होते हैं। हमारे गुरु महाराज साहित्य को समाज का दर्पण और दीपक दोनों मानते हैं। आपको कोटि-कोटि प्रणाम श्रीमान् जी।"

उस युवा सेवादार प्रणव की इस बात ने लोकचन्द के मन को आर्द्र कर दिया – "आप बहुत अच्छे युवक हैं। आपके विचार उत्तम हैं। चन्द क्षणों में ही आपने मुझे अपना आत्मीय बना लिया।"

"धन्यवाद श्रीमान्। मैं यहीं सामने के आवास में रहता हूँ। जरूरत के अनुसार जब आप याद कीजियेगा, आ जाऊँगा...। वैसे मैं विशिष्ट अतिथि महानुभावों के सहयोग में सदैव तत्पर रहता हूँ। मेरे जिम्मे यही कार्य है।"

अब चलने से पूर्व स्वामी प्रणव ने पूछा – "आप अपनी रुचि के अनुसार अपना खाना अपने आवास में ही बनवाना पसन्द करेंगे या 'भगवत् भोग' का भोजन ग्रहण करेंगे?"

"तो क्या यहाँ आवास में खाना बनानेवाले भी हैं?"

"हाँ श्रीमान्। यहाँ के स्वामी सदस्य सब-कुछ करते हैं। गुरु महाराज के निर्देश के तहत सेवा भाव में ही हमारा विश्वास निहित होता है। दूसरों के लिए कुछ-न-कुछ किया जाय, इसके लिए यहाँ सब प्रयासरत होते हैं। गुरु महाराज अक्सर रामचरितमानस की उस पंक्ति को दुहराते हैं – *परहित सरिस धर्म नहीं भाई। पर पीड़ा सम नहीं अधमाई...।* मैं अभी एक साध्वी देवी किरण को बोल दूँगा। उन्हें आपके लिए कुछ करने में खुशी होगी...।"

"मेरे लिये परेशान होने की जरूरत नहीं है प्रणव। मैं स्वयं अपना खाना बना लूँगा...।"

"नहीं श्रीमान्! इसमें परेशान होना क्या है?" – और प्रणव चले गये।

अब लोकचन्द ने उस आवास का मुआयना किया। दो कमरों का वह फ़्लैट एक परिवार के लिए उन्हें उपयुक्त जान पड़ा। साफ सुथरा बाथरूम और किचेन देख उन्हें अच्छा लगा। शाम को चाय पीने की अपनी आदत के तहत वे किचेन में चले गये। चाय, चीनी और दूध पावडर की उपलब्धता ने उनके मन को आश्वस्तकर दिया। बस, अपनी रुचि के अनुसार बिना दूध की काली चाय उन्होंने तैयार कर ली। वे काली चाय ही पसन्द करते थे।

सोफे पर बैठकर अभी चाय पीना उन्होंने शुरू ही किया था कि दरवाजे पर एक वृद्ध सज्जन आ पहुँचे – "मैं आपके बगलवाले फ़्लैट में रहता हूँ महाशय! रंगधर शरण मेरा नाम है। इस फ़्लैट में आते हुए आपको देखा तो परिचय करने आ गया।"

"आइये-आइये स्वागत है। अन्दर आ जाइये। मैं अभी आपके लिए चाय तैयार कर देता हूँ...।"

"नहीं-नहीं, मैं चाय पी चुका हूँ, अधिक चाय नहीं पीता...।"

और लोकचन्द के सामने की एक आरामकुर्सी पर वे बैठ गये। उनकी उम्र लोकचन्द को 75 और 80 के बीच की जान पड़ी। गोरा रंग, लम्बी-चौड़ी कद-काठी और भूरी-भूरी आँखें। उनके बैठते ही लोकचन्द को इस आश्रम की उस माता जी की याद आ गयी जिनसे आश्रम में प्रवेश करते ही उनकी मुलाकात हो गयी थी। शायद बुजुर्ग लोग एकान्त में रहने की अपेक्षा एक-दूसरे से कहना-सुनना ही ज्यादा पसन्द करते हैं। माता जी ने भी स्वयं पहल कर उनसे संवाद कायम किया था। अब ये बुजुर्ग सज्जन भी उसी मानसिकता के तहत स्वयं आ पधारे...।

"आप कहाँ से आये हैं महाशय?"

"बिहार से।"

"मैं उत्तर प्रदेश का रहनेवाला हूँ। चलिये, बिहार और उत्तर प्रदेश दोनों एक-दूसरे से लगे हुए ही हैं...। यहाँ पहले भी आते रहे हैं क्या?"

"नहीं।"

"तो देखियेगा, अब अक्सर आप आयेंगे। यहाँ आये बगैर आप रह ही नहीं सकते।"

"ऐसा यहाँ क्या है कि मुझे अक्सर आना पड़ेगा।"

"यहाँ क्या नहीं है महाशय? गुरु महाराज की यह पावन स्थली है। उनके दर्शन और आशीर्वचन के लिए यहाँ आये भक्तों और अनुयायियों की मनोकामना पूर्ण होकर रहती है। गुरु महाराज का दिव्य और अमोघ आशीर्वाद कभी निष्फल नहीं जाता। उनके आशीर्वाद की शक्ति से मैं परिचित हूँ।"

''कैसी शक्ति महोदय? क्या हुआ आपके साथ?''

''क्या नहीं हुआ महाशय! आज हमारे पास जो भी सामर्थ्य, क्षमता और जो कुछ है वह सब गुरु महाराज की कृपा का ही प्रसाद है...।''

''मैं समझा नहीं महोदय, आपके साथ क्या हुआ? जब तक आप बतायेंगे नहीं, मैं कैसे जान सकता हूँ...।''

''आप आर. के. एन. शरण का नाम जानते हैं महाशय?''

''उन्हें कौन नहीं जानता। वे तो केन्द्रीय मन्त्रिमण्डल में एक महत्त्वपूर्ण मन्त्री हैं...।''

''मैं उनका पिता हूँ।''

''चलिये, यह तो बहुत अच्छी बात है। आप एक बड़े मन्त्री के पिता होने के नाते भाग्यशाली हैं...।''

''तो महाशय अब यह जान लीजिये कि गुरु महाराज का आशीर्वाद ही मेरे पुत्र पर फलीभूत हुआ है। इससे पहले दो-दो बार चुनाव लड़कर पराजित हो गया था। खर्च और परेशानी अलग। पराजय की पीड़ा और जग हँसाई भी। मैं यहाँ आता था। लेकिन मेरे पुत्र को ऐसे आश्रमों और आशीर्वादों पर उतना भरोसा नहीं था। लेकिन तीसरी बार मेरे कहने पर वह आया। गुरु महाराज ने उसे विजयी होने का आशीर्वाद दिया। फिर तगड़े प्रतिद्वंदियों के मुकाबले न सिर्फ वह विजयी हुआ, बल्कि केन्द्रीय मन्त्रिमण्डल में उसे महत्त्वपूर्ण पद भी मिला। अब वह अक्सर आता है महाशय! इस आश्रम और गुरु महाराज की कृपा शक्ति से वह परिचित हो गया है...।''

''लेकिन मेरी बात का अन्यथा मत लीजियेगा महोदय, यह भी तो हो सकता है कि दो बार के अनुभव ने तीसरी बार उन्हें विजयी बनाया हो...। फिर ज्यादा सम्भावना इस बात की भी हो सकती है कि दो चुनावों में सफल प्रत्याशियों का प्रदर्शन अच्छा नहीं रहा हो, प्रतिक्रिया में जनता ने इस बार आपके पुत्र को मौका दिया हो...।''

''यहाँ आकर भी आप ऐसे विचार रखते हैं महाशय! यह तो गुरु महाराज की दैवी शक्ति और क्षमता पर अविश्वास है...। ऐसे विचार रखते हुए आप इस आश्रम में कैसे आ गये?''

''मैं यहाँ घूमने के उद्देश्य से आया हूँ महोदय, किसी आशीर्वाद के लिए नहीं आया। नये और प्रसिद्धि प्राप्त स्थलों में भ्रमण का मुझे शौक रहा है...।''

लोकचन्द की इस बात ने अचानक उस वयोवृद्ध मन्त्री पिता को हतप्रभ-साकर दिया। लोकचन्द समझ गये, अब तक इन्हें यहाँ आनेवाला कोई ऐसा व्यक्ति नहीं मिला था। क्षण-भर के लिए मौन बने रहे। शायद अब उनके पास कहने के लिए कुछ नहीं बचा था। गुरु महाराज और इस आश्रम के प्रति अभिभूत वह मन्त्री पिता

शायद लोकचन्द से अपने उद्गारों को बाँटने आये थे। लेकिन लोकचन्द के जवाब ने उनके बीच कायम संवाद पर जैसे विराम-सा लगा दिया। कुछ क्षण तक मौन रहने के बाद अब वह उठ खड़े हुए – "चलता हूँ महाशय! फिर मुलाकात होगी। अभी मेरे जिम्मे भी बहुत कार्य है...।"

"ठीक है, फिर आइयेगा। इस बीच मैं भी यहाँ व्यवस्थित हो जाऊँगा...।"

लेकिन उस मन्त्री पिता ने लोकचन्द की इस अन्तिम बात का कोई जवाब नहीं दिया। लोकचन्द समझ गये, अब यह व्यक्ति दुबारा उनके पास आनेवाले नहीं...। उस माता जी के बाद इस मन्त्री पिता से परिचय ने इस आश्रम के वैभव स्रोत से लोकचन्द को परिचित करा दिया। दिल्ली की माता जी का उद्योगपति घराना तथा मन्त्री पिता का पुत्र वह केन्द्रीय मन्त्री, ऐसे विशिष्ट भक्त और अनुयायी इस आश्रम के लिए क्या कुछ नहीं करते होंगे? आम भक्तों और अनुयायियों के चढ़ावे के अतिरिक्त ऐसे सर्वसमर्थ, सम्पन्न लोगों के विशेष चढ़ावे और सहयोग की परिणति ही इस आश्रम की समृद्धि, विस्तार और विकास के रूप में वे पा रहे थे।

लोकचन्द अभी इन्हीं विचारों में खोये थे कि गेरुए परिधान में एक साध्वी उनके दरवाजे आ पहुँची। पहली नज र में वह साध्वी उन्हें कोई भद्र महिला जान पड़ी – गोरा रंग, मांसल बदन, फूले-फूले गाल, बड़ी-बड़ी मस्त आँखें, पीठ पर लहराते लम्बे खुले बाल। लेकिन कद काठी और चेहरे पर बढ़ती उम्र का असर। लोकचन्द को वह साध्वी चालीस-बयालीस के आसपास की जान पड़ी। लेकिन इस अवस्था के बावजूद यौवन की संचित सम्पदा अभी उसके पास शेष थी। लेखक होने के चलते लोकचन्द की पारखी आँखों ने जल्द ही उसका मुआयना कर लिया...।

"जै गुरुदेव श्रीमान् जी! मेरा नाम किरण गंगा है। मैं इस आश्रम की साध्वी हूँ। स्वामी प्रणव सागर से जानकारी मिली है कि इस आवास में आप हमारे विशिष्ट अतिथि आये हैं।"

"ऐसा नहीं है देवी किरण। मैं सामान्य इन्सान हूँ। चाहें तो आप मुझे आम आदमी भी समझ सकती हैं। मैं अपने को विशिष्ट नहीं मानता...।"

"यह आपकी महानता है श्रीमान् जी! हमारे लिये तो इस आवास में पधारे आप हमारे विशेष अतिथि हैं...।"

"तो कहिये देवी किरण? कैसे आपका आना हुआ?"

"हम यहाँ के सेवक हैं श्रीमान्! गुरु महाराज ने सेवा-धर्म के निर्वाह का हमें व्रत दिया है। इस आवास में मैं आपका खाना बना दिया करूँगी श्रीमान्। इससे मुझे खुशी होगी...।"

''यह दायित्व आपको किसने दिया देवी किरण?''

''किसी ने नहीं श्रीमान्। जब मुझे यह सूचना मिली कि आप इस विशिष्ट अतिथि-कक्ष में आये हैं और 'भगवत् भोग' की अपेक्षा यहीं आवास पर भोजन ग्रहण करना पसन्द करेंगे तो यह दायित्व मैंने स्वयं स्वीकार किया है। इस आश्रम में सेवा का व्रत लेनेवाली हम साध्वियाँ सेवा का अवसर तलाशती रहती हैं। गुरु महाराज के इस सेवा पक्ष को पहले मैं नहीं समझती थी। लेकिन अब मुझे स्पष्ट महसूस हो गया है, दूसरों की सेवा से जो सुख और सन्तोष मिलता है वह अपने खुद के लिए कुछ भी करने से नहीं मिल पाता...।''

''लेकिन मैं अपना खाना बनाना जानता हूँ देवी किरण। दूसरों से सेवा लेने की अपेक्षा स्वावलम्बी होकर जीना मुझे पसन्द है...।''

''आप अपने घर जाइयेगा तो वहाँ बनाइयेगा श्रीमान् जी। यहाँ जिस उद्देश्य से आये हैं उसी में अपना मन रमाये रहिये...। आपका खाना मैं बना दिया करूँगी...।''

''यहाँ और लोगों का खाना आप बनाती हैं देवी किरण?''

''फिलहाल नहीं श्रीमान् जी! आपके इस आवास में कुछ समय पहले एक परिवार के लोग आये थे तो उनका खाना बना दिया करती थी।''

''फिर अपने आवास में आप अपना भी खाना बनाती होंगी?''

''नहीं श्रीमान् जी। अपने अकेले के लिए क्या बनाना खाना। 'भगवत् भोग' का प्रसाद ग्रहणकर लेती हूँ...।''

''समझ गया देवी किरण। तो इस शर्त पर आप मेरा खाना बना सकती हैं कि अपना खाना भी मेरे साथ ही आपको बनाना होगा!''

लोकचन्द की यह बात सुन सहसा देवी किरण कुछ गम्भीर और कुछ आर्द्र हो गयी। क्षण-भर के लिए उसकी नजरें लोकचन्द पर जा टिकीं। इस क्षण लोकचन्द ने अनुभव किया, देवी किरण की आँखों में उनके प्रति एक साथ स्नेह और सम्मान के भाव उभर आये हैं। एक नारी का स्नेह और सम्मान दोनों साथ-साथ...। लोकचन्द समझ गये, शायद इससे पूर्व देवी किरण के समक्ष किसी अतिथि ने ऐसी शर्त न लगायी हो...।

''ठीक है श्रीमान् जी। जब आपकी यही शर्त है तो अपना खाना भी बना लूँगी। अपने अतिथि की इच्छा का सम्मान हमारे लिये सर्वोपरि है...।''

''अच्छा तो देवी किरण। यहाँ आप और क्या-क्या करती हैं?''

''सफाई के कार्य देखती हूँ श्रीमान् जी। बागवानी और पेयजल की व्यवस्था में भी सहयोग करती हूँ। भण्डार में अनाज चुनने और साफ करने का काम भी कर लेती हूँ।''

“तब तो आप बहुत सक्रिय रहती हैं। यहाँ आश्रम में आप कब से हैं देवी किरण?”

“पाँच-छह वर्ष से।”

“यहाँ आप कैसा महसूस करती हैं?”

“बहुत अच्छा श्रीमान् जी। यहाँ किसी चीज का अभाव नहीं। रहने, खाने-पीने और ओढ़ने-पहनने की सारी व्यवस्था है। यहाँ के वातावरण में मन भी लगता है। यहाँ लोगों के बीच कब समय व्यतीत हो जाता है, पता तक नहीं चलता।” – और एक क्षण तक मौन रहने के बाद देवी किरण अब पुनः बोल उठी – “ठीक है श्रीमान् जी, अब मैं रसोई में देखती हूँ, रात के खाने में आप क्या पसन्द करते हैं, चावल, रोटी, दाल, सब्जी या कुछ और?”

“आप जो खाती हों वही बना दीजिये देवी किरण। खाने को लेकर मेरा कोई विशेष आग्रह नहीं रहता। दाल, रोटी, चावल, सब्जी कुछ भी खा लेता हूँ...।”

यहाँ एक बार फिर देवी किरण की नजरें लोकचन्द पर आ टिकीं। पुनः नारी-सुलभ स्नेह और सम्मान के साथ। इस बार तो उस स्नेह और सम्मान में आत्मीयता का भाव भी लोकचन्द ने लक्षित किया।

“आप बहुत अच्छी हैं देवी किरण। चन्द क्षणों में ही आपके व्यक्तित्व ने मुझे बाँध लिया है। अगर आप अन्यथा न लें तो मैं जानना चाहूँगा, यहाँ आप कब आयीं और कैसे आयीं? आपके बारे में जानने की जिज्ञासा मेरे मन में पैदा हो गयी है...।”

“मेरे बारे में जानकर क्या कीजियेगा श्रीमान्। अपना वह पिछला जीवन तो मैं भूल जाना चाहती हूँ। उस दुःखी जीवन की आपबीती क्या बताऊँ?”

“ऐसा नहीं है देवी किरण। सुख और दुःख तो एक सिक्के के दो पहलू होते हैं। फिर हमारे जैसे लोग यह कैसे जान पायेंगे कि आप जैसी देवी इस आश्रम में कैसे आयीं?”

“ठीक है, श्रीमान् जी, आपका मन रखने के लिए थोड़े में बता देती हूँ। मेरे माँ-बाप बहुत गरीब थे। मेरी शादी के कुछ ही समय बाद वे गुजर गये। मेरा पति ठेला चलाता था। वह अपनी माँ के साथ रहता था। माँ-बेटे दोनों क्रूर स्वभाव के थे। मेरा पति शाम में रोज दारू पीकर आता और नशे में अकारण मारपीट करता...। कुछ वर्षों तक जब मुझे कोई बच्चा नहीं हुआ तो दोनों माँ-बेटे मुझे बाँझ समझ कर और अधिक मारते-पीटते और अपमानित करते। फिर मेरी सास ने वंश के लिए अपने बेटे की दूसरी शादी कर दी। उसके बाद तो उस घर में मेरा जीना हराम हो गया। नौकरानियों से भी बदतर स्थिति। अब मेरा पति और सास चाहते कि

उनका घर छोड़कर मैं कहीं चली जाऊँ या किसी तालाब में डूब मरूँ। उनसे तंग आकर मैं नैहर आ जाती। लेकिन वहाँ मेरे चाचा-चाची के अतिरिक्त और कोई था भी नहीं। मेरे चाचा-चाची मुझे रखना एकदम पसन्द नहीं करते। ब्याहता बेटी का मायके में रहना ठीक नहीं। पति और सास से मिल कर रहो। तुम्हारी गति और मुक्ति उसी घर में है। वहाँ मेरे मायके के पड़ोस में एक विधवा दादी रहती थी। वह मुझे मानती थी। वह इस आश्रम के उत्सवों में आती रहती थी। मेरा दुःख सुनकर वही मुझे अपने साथ यहाँ लेते आयी। फिर तो श्रीमान् जी यह आश्रम ही मेरा प्यारा घर बन गया। अपने नैहर और ससुराल के घर से लाख दर्जे बेहतर...।"

"आपकी आपबीती सुनकर मेरा मन भर आया, देवी किरण। आप जैसी इतनी अच्छी देवी का पिछला जीवन ऐसा दुःखद। लेकिन देर आयद दुरुस्त आयद की तरह अब आपको एक अनुकूल ठौर मिल गया।"

"हाँ श्रीमान् जी।" – यह कहते हुए किरण उठ खड़ी हुई।

"अब मैं किचन में देखती हूँ श्रीमान्, वहाँ क्या कुछ है? देखें, मेरा बनाया खाना आपको कैसा लगता है?"

किरण किचेन में चली गयी। लोकचन्द के मन-मस्तिष्क पर अब यह देवी किरण ही छायी रही। यह महिला कितनी अच्छी है, लेकिन इसका पिछला जीवन कितना दुःखद रहा है। लोकचन्द ने अब अपनी डायरी निकाल ली। आज की अपनी दिनचर्या भी उन्हें लिखनी थी। प्रथम दिवस के यहाँ के अपने अनुभवों में इस महिला का उन्हें विशेष उल्लेख करना था...। गुरु महाराज की निकटस्थ अमृता ने उन्हें कुछ नहीं बताया। लेकिन खुले दिल और स्वभाव की इस महिला ने सब-कुछ बता दिया। कुछ भी नहीं छिपाया। इस सन्दर्भ में अपनी दिनचर्या अंकित करते हुए लोकचन्द अब किचेन से आनेवाली खाने की मनपसन्द ख़ुशबू का एहसास भी करने लगे थे। विभिन्न व्यंजनों की सम्मिलित ख़ुशबू। कुछ समय बाद किरण अब किचेन से बाहर आ गयी – "रसोई में जो चीजें थीं श्रीमान् जी, उसी से खाना बना दिया है। कल भण्डार से आवश्यक खाद्य सामग्री लाकर रख दूँगी। जब इच्छा हो खा लीजियेगा। बाद में आकर मैं खा लूँगी।"

"नहीं देवी किरण। आप जब भी आयेंगी तभी मैं खाऊँगा। अकेले मैं नहीं खा सकता...।"

लोकचन्द की इस बात से अब फिर देवी किरण की आँखें लोकचन्द की ओर उन्मुख हो गयीं। यहाँ लोकचन्द अनुभव कर रहे थे, अब हर बार किरण की आँखों में उनके प्रति आत्मीयता का भाव बढ़ता जा रहा था। साथ खाने में किरण के

असमंजस को दूर करते हुए लोकचन्द ने कहा – "हमारे घर पर भी हम सब लोग साथ-साथ ही खाते हैं देवी किरण। अकेले-अकेले खाना तो मुझे फीका-फीका-सा लगता है?"

लोकचन्द की इस बात पर किरण भी जिज्ञासु हो गयी – "आपके परिवार में और कौन-कौन लोग हैं श्रीमान् जी? आप कहाँ से आये हैं?"

जवाब में लोकचन्द ने अपने बारे में भी किरण को बता दिया...। साथ ही रात्रि में खाने का समय भी निर्धारित कर दिया – "आप 'भगवत् भोग' में भोजन ग्रहण करती हैं देवी किरण, तो रात्रि में उसका समय क्या होता है?"

"नौ बजे के आस-पास श्रीमान् जी।"

"तो उसी वक्त हम भी यहाँ भोजन ग्रहण कर लेंगे देवी किरण। 'भगवत् भोग' की उद्घोषणा होते ही आ जाइयेगा। मैं आपकी प्रतीक्षा करूँगा।"

प्रत्युत्तर में किरण ने मुँह से तो कुछ नहीं कहा। लेकिन अपनी आँखों से लोकचन्द को सहमति प्रदान कर दी। लोकचन्द किरण की स्थिति समझ रहे थे। 'भगवत् भोग' में महिलाओं की पाँति अलग और पुरुषों की पाँति अलग होती है। महिला और पुरुष पारिवारिक जीवन में ही साथ-साथ खा पाते हैं। लेकिन इस सुखद अनुभव से वह वंचित थी, इसीलिए उसका व्यक्तित्व कुछ रोमांचित-सा हो गया था, कुछ असहज-सा।

किरण चली गयी। लेकिन अपने निश्छल व्यक्तित्व, सेवा भाव और मधुर वाणी का असर लोकचन्द पर छोड़ गयी। इस सम्बन्ध में लोकचन्द समझ नहीं पा रहे थे कि उनकी डायरी में देवी कान्ति, देवी अमृता और देवी पद्मा की तुलना में देवी किरण का क्या स्थान हो सकता है?

इस क्षण दिन भर की थकान अब लोकचन्द पर हावी होने लगी थी। बस, पास के बिस्तरे पर वे लेट गये। डायरी-लेखन का काम फिर बाद में पूरा कर लेंगे...।

"श्रीमान् जी...श्रीमान् जी" – की मधुर ध्वनि से लोकचन्द की आँख खुल गयी। डायरी-लेखन के दौरान ही कब उनकी आँख लग गयी, उन्हें पता तक नहीं चला...। अब सामने खड़ी किरण को देखकर झेंपते हुए वे उठ बैठे – "माफ कीजियेगा देवी किरण। आँख लग गयी थी...।"

"अच्छा हुआ श्रीमान् जी, कुछ देर आराम कर लिये। बाहर से थक कर आने पर आँख लग ही जाती है। बस, तैयार हो जाइये, खाना परोस देती हूँ। खाकर इत्मीनान से सो रहियेगा...।"

इसके बाद किरण किचेन में जाकर खाना गर्म करने लगी। इधर लोकचन्द बाथरूम से हाथ-मुँह धोकर आ गये। अब खाने की मेज पर किरण उनका खाना लेकर आ पहुँची – "भोजन ग्रहण कर लीजिये श्रीमान् जी। फिर मैं खा लूँगी...।"

"अरे नहीं देवी किरण। पूरा खाना यहीं मेज पर लेते आइये। हम साथ-साथ खायेंगे। अकेले ही खाना होता तो कभी खा चुका रहता...।"

इस बार किरण की आँखें क्षण-भर के लिए लोकचन्द पर जा टिकीं। यहाँ खाना परोसने में लोकचन्द ने भी उसका साथ दिया – "मैं कटोरियों में दाल निकालता हूँ देवी किरण। आप रोटी सब्जी निकालते जाइये...।"

लोकचन्द की इस सहभागिता पर जहाँ एक ओर किरण को किंचित् संकोच हो रहा था वहीं दूसरी ओर उसके चेहरे पर खुशी और आत्मीयता के भाव भी उभर रहे थे। अब लोकचन्द के संकेत पर किरण साथ-साथ बैठकर खाने लगी।

"बहुत ही अच्छा और स्वादिष्ट भोजन आपने तैयार किया है देवी किरण। आप कुशल गृहिणी हैं, अन्नपूर्णा हैं। पाक्शास्त्र में निपुण हैं...।"

"यह पाकशास्त्र क्या है श्रीमान् जी?"

"स्वादिष्ट भोजन तैयार करने की कला में माहिर होने को पाक्शास्त्र में निपुण कहा जाता है।"

"अरे, यह तो कुछ भी नहीं है श्रीमान् जी। किचेन में खाद्य सामग्री सीमित थी। उसी में बना दी। कल ले आऊँगी...।"

"मैं अधिक व्यंजन पसन्द नहीं करता देवी किरण। चावल, दाल, रोटी पर एक अच्छी सब्जी मिल जाय तो बहुत है...।"

"लेकिन यहाँ आनेवाले विशिष्ट लोग तो आदेश दे-देकर अनेक व्यंजन बनवाते हैं...।"

"मैं उन लोगों में नहीं हूँ देवी किरण। मेरा विश्वास खाने के लिए जीने में नहीं, जीने के लिए खाने में है...।"

लोकचन्द की इस बात पर क्षण-भर के लिए किरण ने गौर किया। फिर यह बात उसकी समझ में आ गयी – "आप महान् आदमी हैं श्रीमान् जी। ऐसे विचार रखते हैं और उस पर जीते भी हैं। हमारे गुरु महाराज भी बराबर कहते हैं, अच्छे विचार सिर्फ कहने, सुनने और याद करने के लिए ही नहीं होते जीवन में उतारने के लिए भी होते हैं...।"

"अच्छा देवी किरण, आप महिला साध्वी हैं। इस विशिष्ट अतिथि आवास में आकर खाना बनाती हैं। इन विशिष्ट अतिथि आवासों में तो तरह-तरह के लोग

आते-जाते होंगे। फिर महिला साध्वियों की सुरक्षा की दृष्टि से यहाँ उनका खाना बनाना अच्छा नहीं कहा जा सकता...।"

"आपका विचार उत्तम है श्रीमान् जी, इसलिए यहाँ सिर्फ साधु स्वामी ही खाना बनाते हैं। यहाँ रसोई के कार्य में वे ही पारंगत हैं। गुरु महाराज के विशेष आदेश पर मेरे साथ मेरी उम्र को ही और दो साध्वियाँ हैं जो अत्यन्त विशिष्ट अतिथियों के आगमन पर ही आती हैं। दीदी माँ देवी पद्मा ने स्वामी प्रणव को बताया है कि गुरु महाराज के आप खासम-खास अतिथि हैं। इस सूचना पर मुझे आना ही था। और यहाँ आकर मैं अनुभव भी कर रही हूँ, सचमुच आप विशिष्ट अतिथि हैं श्रीमान् जी।"

खाना खाकर लोकचन्द अब अपने बिस्तर की ओर चल पड़े। इस बीच शीघ्र ही किरण ने किचेन का कार्य समाप्त कर लिया। दो आदमी के खाने में सीमित बर्तन ही उपयुक्त हुए थे...। किरण अब विदा होते हुए लोकचन्द के सम्मुख आ गयी – "चलती हूँ श्रीमान् जी। कल मैं समय पर आ जाऊँगी।"

"आपको अधिक परेशान नहीं होना है देवी किरण। इत्मीनान होकर ही आइयेगा। यहाँ आपसे मिलकर मुझे बहुत अच्छा लगा। आप अपने व्यवहार से, कार्य से, गुण से, वाणी से सभी दृष्टियों से अच्छी हैं। बहुत अच्छी!"

लोकचन्द की इस बात से किरण का चेहरा खिल उठा। अब वह भी अपने को रोक नहीं सकी – "आप भी बहुत अच्छे हैं श्रीमान् जी। बहुत अच्छे...।"

यहाँ लोकचन्द ने लक्ष्य किया उनको निहारती किरण की आँखें बहुत-कुछ कह रही थीं। अपनी आँखों की उसी मुस्कुराहट के साथ किरण विदा हो गयी।

डायरी लिखते हुए क्षण-भर के लिए लोकचन्द की आँखें लग गयी थीं। लेकिन अब इत्मीनान होने के बाद चाहते हुए भी वे सो नहीं पा रहे थे। अक्सर नये स्थान पर वे जब भी पहुँचते थे वहाँ का नया अनुभव एकान्त मिलते ही उन्हें अपनी गिरफ्त में ले लेता था। हालाँकि उन स्थानों से यह स्थान उनके लिए न सिर्फ विशेष नया था, बल्कि किसी रहस्यलोक से कम नहीं था। इस दृष्टि से यहाँ के सारे विलक्षण अनुभव अब लोकचन्द को बेचैन कर रहे थे।

इससे पूर्व अपने आश्रमों की साध्वियों के यौन-शोषण तथा आश्रम में अन्य गलत कारनामे को लेकर कई बाबाओं के जेल जाने की सूचना से लोकचन्द अवगत थे। वैसे आश्रमों की अन्तः कथाएँ भी समाचार-पत्रों तथा न्यूज चैनलों से प्रसारित-प्रचारित होती रही थीं। लेकिन यहाँ पहुँचने के बाद उसमें न सिर्फ वह इजाफा पा रहे थे, बल्कि विस्मित और जिज्ञासु भी हो उठे थे। इस देश की धार्मिक जनता के विश्वास का दोहन कर इन बाबाओं ने इतनी अकूत सम्पत्ति अर्जित कर रखी है उसकी परिणति के रूप

में ही वे आश्रम के वैभव, विकास और विस्तार को पा रहे थे। काश लोग यह समझ पाते कि कोई बाबा भगवान् नहीं होता। आशीर्वाद देकर किसी का जीवन नहीं बदल सकता। किसी का दुःख, सन्ताप और कष्ट नहीं हर सकता। किसी की बिगड़ी नहीं बना सकता। लेकिन जन्म से लेकर मृत्यु तक धार्मिक विश्वासों में जीनेवाले लोग जल्द इस सच्चाई को समझने वाले नहीं, इसलिए बाबाओं की गिरफ़्तारियों और उनके आश्रमों की जब्ती के बावजूद नये-नये बाबाओं द्वारा नये-नये आश्रमों का निर्माण जारी रहता है। यह 'मुक्त लोक' भी ऐसे ही नये आश्रमों में से एक है।

अपने जिस मित्र से मिलने के लिए जिस तीव्रता से लोकचन्द यहाँ पहुँचे थे उस मित्र से मिलना इतना जटिल और टेढ़ा हो सकता है, उन्हें पता नहीं था...।

अन्ततः हरिद्वार से यहाँ पहुँचने और पूरा दिन व्यतीत करने के बाद वह सुकेश से मिल सके। इस स्थिति में भी उनके साथ अधिक समय देने को वह तैयार नहीं हुआ। पूरे दिन व्यस्त रहने का बहाना जड़ दिया। आखिर अपने राजमहल में उनका मित्र पूरे दिन क्या करता होगा? कितनी पूजा करेगा? कितना ध्यान लगायेगा? कितना आराम करेगा? युवा साध्वियों से कितना भोग करेगा? निश्चय ही अपना राज छिपाने के लिए वह ऐसा कह रहा है। लेकिन उसकी गोपनीयता का राज भी वे जानकर ही रहेंगे।

रात सरकती जा रही थी। लोकचन्द नये स्थान के नये अनुभवों के बीच इसी तरह खोये थे कि अचानक अपनी खिड़की के पास किसी छाया का आभास उन्हें हुआ। क्षण-भर तक मौन बने रहकर वे उस छाया का आकलन करते रहे। लेकिन रात के अँधेरे में उस आकृति को वे देख नहीं पा रहे थे। सम्भव है, आश्रम का कोई पहरेदार हो जो इन विशिष्ट अतिथि आवासों की निगरानी में निकला हो। लेकिन जब वह छाया आगे बढ़ने की बजाय उनकी खिड़की के पास ही कायम रही, तब वे सजग हो उठे। पहरेदार तो घूम-घूमकर निगरानी करते हैं, किसी एक जगह खड़े होकर नहीं। अब उनका मन कुछ आशंकित हो उठा। सुकेश का राज वे जानते हैं। सम्भव है, सुख-समृद्धि, प्रभाव-प्रतिष्ठा और ऐश्वर्य भोग के जिस उच्चतम सिंहासन पर वह विराजमान है, उसमें उस राज के रहस्योद्घाटन से खलल की आशंका लक्षित कर अपने मार्ग से वह उन्हें सदा के लिए हटा देना चाहता हो। यहाँ उनके सिवाय कोई और उसका राज जानने वाला भी तो नहीं। इस आशंका के बाद लोकचन्द को अब वह छाया किसी कातिल की जान पड़ने लगी, उनकी हत्या के लिए अवसर और घात की प्रतीक्षा में पहुँचे कातिल की।

लोकचन्द अब उठ कर बैठ गये। इस बीच उनकी पूरी चेतना जाग्रत हो गयी थी। उन्होंने खिड़की के पास का बल्ब जलाया। अरे, यह तो किरण है। क्षण-भर पूर्व कायम मन की सारी आशंका अब समाप्त हो गयी तथा उसके स्थान पर नयी आशंका आ गयी – कहीं किरण मुसीबत में तो नहीं? बगैर किसी परेशानी के इतनी रात गये वह खिड़की पर क्यों आयी है?

"देवी किरण, आप?"

"हाँ श्रीमान् जी!" – मधुर नारी स्वर। लेकिन धीमी आवाज ।

लोकचन्द ने अब बाहर का दरवाजा खोल दिया – "अन्दर आ जाइये देवी किरण।"

बस, किरण अन्दर आ गयी। लेकिन उसे देखते ही लोकचन्द दंग रह गये। यह वह किरण नहीं थी जो शाम को खाना बनाने आयी थी। इस बार वह दूसरे रूप में थी। विशेष सजी-सँवरी। अब उसका रूप ज्यादा निखर आया था। साथ ही उसके बदन की फूटती गोराई बाहर आती हुई प्रतीत हो रही थी। उसका चेहरा भी खिला हुआ था तथा आँखें मुस्कराती हुईं। इस दौरान बढ़ती उम्र का उसका बचा यौवन भी अपने उभार पर आ गया था।

"इतनी रात गये आप क्यों आयीं देवी किरण?"

जवाब में बाँकी मुस्कान बिखेरती उसकी मधुर आवाज – "मेरा अन्दाज सही निकला श्रीमान् जी! आप भी अभी तक सोये नहीं। मुझे भी नींद नहीं आ रही थी। आप बहुत अच्छे हैं श्रीमान् जी...। इन विशिष्ट अतिथि आवासों में आप जैसा कोई कभी नहीं आया। यह सोचकर कि आप जगे होंगे तो आपका साथ दे दूँगी चली आयी...।"

किरण की यह बात सुन लोकचन्द का पूरा व्यक्तित्व झनझना उठा। अचानक वे सकते में आ गये – "यह क्या बोल रही है किरण? ऐसा उद्देश्य लेकर अचानक वह उनके पास कैसे चली आयी? शाम को जब वह आयी थी तो अपनी ओर से ऐसी कोई हरकत उन्होंने नहीं की थी जो उसको आमन्त्रित करती हो। इस सम्बन्ध में किरण को लेकर अगर उनकी भी कुछ मानसिकता बनी होती तो बात दूसरी थी। लेकिन वे तो भौंचक थे, हतप्रभ...!"

"शान्त हो जाइये देवी किरण। इस बढ़ती अवस्था में हमें अब अपने मन पर नियन्त्रण रखना चाहिए। जो कार्य हमें ऊपर उठाने की बजाय और नीचे गर्त में गिराते जायें उससे हमें बचना चाहिए। नयी उम्रवालों के पास सम्हालने का समय नहीं होता है। लेकिन हमारे पास अब वैसा समय नहीं देवी किरण...।"

लोकचन्द की यह बात सुन और उनके गम्भीर व्यक्तित्व को भाँप क्षण-भर में ही किरण के ऊपर कायम उन्माद का वह भूत जैसे काफूर हो गया। वह अपने पूर्व

रूप में वापस आ गयी। लोकचन्द समझ गये, यह गिरती उम्र का असर था। इस अवस्था में ऐसा उन्माद देर तक ठहर भी नहीं सकता...।

"आप सचमुच महान् आदमी हैं श्रीमान् जी, मुझे माफ कर दीजिये...। मुझसे बड़ी भूल हो गयी। जाने कैसे मैं यहाँ तक आ गयी...।" और किरण ने झुककर उनके दोनों पाँव छू लिये। फिर उसके कदम वापस मुड़ गये।

"चलिये मैं आपको आपके आवास तक छोड़ देता हूँ देवी किरण। इस रात में आपका अकेले जाना ठीक नहीं...।"

"यहाँ आश्रम में किसी बात का डर-भय नहीं श्रीमान् जी। यहाँ वैसा कुछ भी नहीं होता...। आप निश्चिन्त रहें श्रीमान् जी। जाकर सो रहें...। मेरी वजह से आप जग गये। मैं शर्मिन्दा हूँ...।"

किरण चली गयी। लेकिन लोकचन्द की अनिद्रा और मानसिक उथल-पुथल और बढ़ाकर गयी। उनके पास इस रूप में किरण कैसे आ गयी? उसके आने की वजह क्या हो सकती है? लोकचन्द अब इस उधेड़बुन में पड़ गये। उनके आवास में वह जब खाना बनाने आयी थी तो अपने आचरण, बातचीत और स्वभाव में वह ऐसी हर्गिज प्रतीत नहीं हुई थी। इस सम्बन्ध में अपने स्वतः स्फूर्त विवेक से उन्हें तीन सम्भावनाएँ परिलक्षित हुईं – पहली, उसके चरित्र का कमजोर होना। सम्भव है, वह ऐसे चरित्र की ही रही हो। दूसरी, इस आश्रम के माहौल का असर। सम्भव है, यहाँ ऐसा माहौल रहा हो। यहाँ के माहौल का यह प्रभाव हो और तीसरी, उनके व्यवहार की परिणति। सम्भव है, उनके आत्मीय व्यवहार और मिलनसार स्वभाव को उसने दूसरे रूप में ले लिया हो...।

अब जब बारी-बारी से इन तीनों सम्भावनाओं पर लोकचन्द विचार करने लगे तो पहली सम्भावना उन्हें निराधार जान पड़ी। अगर उसका चरित्र ऐसा होता तो अपने पति से वह मार नहीं खाती और उसका पति उसे घर से निकालकर दूसरी शादी नहीं कर पाता। तब अपने यारों से मिलकर अपने पति को वह ठिकाने लगा चुकी रहती। वैसे चरित्र की महिलाएँ अपने पतियों से पीड़ित और प्रताड़ित नहीं होतीं। स्वयं अपना वर्चस्व बनाकर पति को अपने अधीनस्थ रखती हैं।

दूसरी सम्भावना भी उन्हें कारगर नहीं जान पड़ी। आश्रम का माहौल ऐसा रहा हो जिसके प्रभाव में उसके कदम बहक हों, यह बात भी उन्हें नहीं जँच रही थी। उनका पूरा दिन आश्रम में ही व्यतीत हुआ। बाहरी आगन्तुकों के बीच जगह-जगह उन्हें आश्रम की साध्वियाँ और साधु नजर आये थे। लेकिन उनकी भूमिका सेवकों की ही थी। आगत अतिथियों को सुविधा और सहयोग पहुँचाने के दौरान वे एक-दूसरे के

निकट भी पहुँचते थे। लेकिन एक-दूसरे से उनके संवाद, उनकी हरकत और उनके संकेत उस तरह के कहीं नजर नहीं आये। फिर उन्हें लगा, वे ऐसे नासमझ, बावले और मूर्ख नहीं कि सार्वजनिक स्थलों पर इस रूप में दिखें। जिन स्थानों, आश्रमों और संस्थाओं में स्त्री-पुरुष एक साथ रहते हों, वहाँ ऐसे सम्बन्धों की गुंजाइश से इनकार नहीं किया जा सकता। फिर जिस आश्रम का स्वामी गुरु महाराज स्वयं अपनी सेवा में युवा सुन्दरियों को साध्वी बनाकर रखता हो, वहाँ के माहौल पर इसका असर पड़ना स्वाभाविक है। लेकिन ऐसे माहौल में साथ रहने वालों के बीच ही स्त्री-पुरुष अपने गोपनीय सम्बन्ध का निर्धारण कर लेते हैं। वे इधर-उधर मुँह नहीं मारते...। ऐसे स्त्री-पुरुष नये अतिथियों की ओर भागकर अपनी मिट्टी पलीद नहीं करना चाहते। आश्रम में अपनी बनी-बनायी प्रतिष्ठा नहीं खो सकते। इस दृष्टि से यहाँ के माहौल के असर पर भी किरण अपने गोपनीय सम्बन्ध के पास ही जाती, उन जैसे नये अतिथि के पास नहीं।

इसके बाद लोकचन्द अब जब तीसरी सम्भावना के तहत अपने व्यवहार की आत्मीयता और अपने स्वभाव की मिलनसारिता पर विचार करने लगे तो उक्त घटना के लिए उन्हें यही कारण जिम्मेवार और जवाबदेह जान पड़ा। किसी दुखिया स्त्री की दास्तान सहानुभूति से सुनना, उसके ज ख़्मों पर मलहम लगाना। उसे वह हक देना जिससे वह वंचित रही हो। उसे पूरी आत्मीयता से स्नेह-सम्मान प्रदान करना। ऐसे व्यवहार पर उस स्त्री का उमड़ आना, समर्पण के लिए तैयार हो जाना स्वाभाविक ही है, क्योंकि पुरुष की इच्छा के अनुकूल प्रतिदान में देने के लिए उसके पास इससे बड़ी सम्पदा और कुछ होती भी नहीं...।

इस निर्णय पर पहुँचकर लोकचन्द अब अपने को ही जिम्मेवार मानने लगे। कोई साधु सेवक होता तो बात दूसरी थी। साध्वी सेविका के साथ विशिष्ट अतिथि की ऐसी आत्मीयता उचित नहीं। उन्होंने अपने मन को समझाया, अब आगे यहाँ अपने व्यवहार और स्वभाव पर उन्हें नियन्त्रण रखना है, ख़ासकर यहाँ की साध्वी सेविकाओं को लेकर। अपने घर-परिवार के बीच रहती कोई स्त्री ऐसी आत्मीयता, ऐसी मिलनसारिता से विचलित नहीं होती। लेकिन बाहर के खुले समाज में वह अपने को रोक नहीं पाती है।

आश्रम के नये अनुभवों के बीच किरण के इस प्रसंग को लेकर लोकचन्द इसी तरह विचारमग्न बने रहे कि कब उनकी आँख लग गयी, उन्हें पता तक नहीं चला...। अब चेतन-जगत् के क्रियाकलाप और चिन्तन-मनन की अपेक्षा अवचेतन जगत् की निष्क्रियता और जड़ता के बीच वह पहुँच चुके थे...।

4

गायत्री मन्त्र की मधुर ध्वनि से लोकचन्द की आँख खुल गयी। देखा, खिड़की से भोर का उजास आना शुरू हो गया था। शायद अब सुबह होनेवाली थी। लोकचन्द समझ गये, आश्रमवासियों को जगाने के लिए ही यह मन्त्रोच्चार हो रहा। अब अँगड़ाई लेते हुए वे बिस्तर पर बैठ गये।

कुछ देर तक गायत्री मन्त्र के बाद मधुर ध्वनि में अब शिव स्तुति प्रारम्भ हो गयी। नारी कण्ठ की मीठी और सुरीली आवाज । तो क्या आश्रम में साध्वियाँ यहाँ इतना सवेरे भजन और स्तुति प्रारम्भ कर देती हैं...। फिर उस ध्वनि से ही उन्हें लग गया कि यह टेप की आवाज है। साध्वियों के मधुर कण्ठ से देव मन्त्रों और स्तुतियों के तैयार टेप बजाये जा रहे हैं।

लोकचन्द स्वयं सवेरे उठने के आदी थे। रात देर तक जगे रहने के चलते ही उनकी आँख लग गयी थी, अन्यथा वे अब तक स्वयं उठ गये होते। अब उठने के बाद अपनी दिनचर्या में लग गये। फिर जल्द ही तैयार होकर अपने आवास से बाहर आ गये। उनके लिए आश्रम की यह पहली सुबह थी। आश्रम की यह सुबह उन्हें बहुत अच्छी लगी। वेद मन्त्रों और स्तुतियों की मधुर ध्वनि के साथ-साथ आश्रम की हवा में फूलों की सुगन्ध। रातरानी और मौलश्री के सुगन्ध की पराकाष्ठा।

सुबह सैर की आदत लोकचन्द के लिए अब अनिवार्यता बन गयी थी। बिना सैर के अब वे रह ही नहीं सकते थे। लेकिन जैसे ही अपने आवास से बाहर निकले, सामने के चबूतरे पर प्रणव दो युवा सेवादारों के साथ बैठा नजर आ गया। लोकचन्द को लग गया, ये युवा सेवादार प्रणव के सहयोगी होंगे। यहाँ के विशिष्ट अतिथियों की सुविधा-सहयोग को ध्यान में रखकर ही यहाँ सुबह-सवेरे उपस्थित हैं। इस सम्बन्ध में लोकचन्द को अपना अनुमान सही जान पड़ा। उन पर नजर पड़ते ही प्रणव ने एक युवा सेवादार को उनके पास भेज दिया।

"क्या है श्रीमान् जी? किस चीज की जरूरत है? आपकी सेवा के लिए ही हम यहाँ उपस्थित हैं...। यहाँ लोग मुझे स्वामी नन्द सागर के नाम से जानते हैं...।"

"फिलहाल मुझे कुछ नहीं चाहिए, मैं सुबह की सैर के लिए निकला हूँ...।"

"ठीक है श्रीमान् जी, चलिये मैं आपको सैर के रास्ते तक छोड़ देता हूँ...।"

"मैं स्वयं चला जाऊँगा नन्द। मुझे कई दिशाओं में आश्रम का विस्तार दिख रहा है, किसी ओर भी निकल जाऊँगा...।"

"नहीं श्रीमान् जी, आप यहाँ के लिए नये हैं। सभी दिशाओं में सैर करने लायक स्थान और मार्ग नहीं...। जो विस्तार यहाँ से दिख रहा है उनमें कहीं अस्पताल हैं, तो कहीं स्कूल, तो कहीं गोशालाएँ...।"

लोकचन्द अब नन्द के साथ चल पड़े। संत के नाम पर कुख्यात साबित हुए कुछ बड़े बाबाओं की गिरफ़्तारियों और उनके आश्रमों के खुलासों के बाद लोकचन्द इस सत्य से अवगत हुए थे कि बड़े आश्रमों में लोगों को आकर्षित करने तथा उन्हें स्थायी सदस्य बनाने के लिए वहाँ शिक्षा, चिकित्सा के साथ-साथ अन्य महत्त्वपूर्ण सुविधाएँ कायम रहती हैं...।

"इस आश्रम में अस्पताल, स्कूल और गोशालाएँ भी हैं नन्द?"

"हाँ श्रीमान् जी। हमारे गुरु महाराज द्वारा बसाये इस आश्रम में क्या नहीं है? यह उनकी तपोभूमि है। यहाँ उनका तेज सर्वत्र विराजमान है। हम आश्रमवासियों के लिए तो इस धरती पर यह स्वर्ग से कम नहीं...।"

लोकचन्द समझ गये, यह अपने गुरु महाराज का अनन्य भक्त और कट्टर अनुयायी है। इससे अब और कुछ भी पूछना उचित नहीं जान पड़ा। उसके साथ आगे बढ़ते हुए वे देख रहे थे, आश्रम के विस्तार की ओर आने-जाने के जो मार्ग थे उन सबके प्रवेश-द्वार पर दो-दो सेवादार उपस्थित थे। कहीं पास की कुर्सी पर बैठे तो कहीं खड़े, तो कहीं पास के चबूतरे पर लेटे हुए। हर प्रवेश-द्वार के पास संगमरमर के चबूतरे भी बने थे। लोकचन्द समझ गये, सम्भव है ये रास्ते अस्पताल, स्कूल, गोशालाओं और आश्रम के अन्य निर्माणों की ओर ले जाते हों। लेकिन कट्टर अनुयायी स्वामी नन्द से अब उन्होंने कुछ भी नहीं पूछा...। इस दौरान नन्द के साथ अब वे एक ऐसे ही प्रवेश-द्वार के पास पहुँच गये। उस द्वार पर भी एक सेवादार मौजूद था...।

"स्वामी राघव, श्रीमान् जी हमारे विशिष्ट अतिथि हैं। अब ये प्रतिदिन सुबह सैर के लिए यहाँ आया-जाया करेंगे...।"

"बहुत अच्छा स्वामी नन्द। हम श्रीमान् जी की सुविधा का पूरा ख्याल रखेंगे...।"

और स्वामी राघव अब हाथ जोड़कर लोकचन्द की ओर मुखातिब हो गया – "जै गुरुदेव श्रीमान् जी। इस आश्रम में सैर के लिए सबसे उपयुक्त और माकूल स्थल यही है...। आप इस रास्ते से जितनी देर तक यहाँ सैर करना चाहें, इस मार्ग पर आपका स्वागत है...।"

यहाँ फिर एक बार आश्रम की भाषा ने लोकचन्द को प्रभावित किया। भाषा के स्तर पर इस आश्रम ने अपने को संस्कारित कर लिया है। वे समझ गये, सुकेश के संस्कृत ज्ञान की ही यह भाषिक परिणति है...। तभी हर जगह यहाँ के संवादों को वे शिष्ट और मर्यादित भाषा में पा रहे थे।

लोकचन्द अब सैर के मार्ग पर आगे बढ़ चले। उन्हें यहाँ तक पहुँचाकर नन्द वापस हो गया तथा राघव प्रवेश-द्वार पर पूर्ववत् कायम रहा...। लोकचन्द देख रहे थे, यहाँ रास्ते के एक किनारे एक कतार में लगे अशोक के वृक्ष काफी खूबसूरत और सुहाने प्रतीत हो रहे थे। उन वृक्षों के नीचे कुछ-कुछ दूर पर आरामदायक बेंचें लगी थीं। लोकचन्द समझ गये, सैर के दौरान आराम से बैठने के लिए ये बेंचें हैं। लेकिन रास्ते के दूसरे किनारे खेतों का विस्तृत हिस्सा। वे खेत भी तरह-तरह के पौधों से भरे हुए थे। विभिन्न रंगों, विभिन्न आकृतियों और विभिन्न कलेवरों के उन पौधों को लोकचन्द प्रयास के बाद भी पहचान नहीं पा रहे थे। इस सम्बन्ध में इस बात के प्रति वे आश्वस्त थे कि वे पौधे जंगली घास नहीं। अगर जंगली घास होते तो इस तरह क्यारियों में पंक्तिबद्ध तरीक ` से उगाये नहीं गये होते।

हरियाली से भरा वह मार्ग सैर के लिए सचमुच लोकचन्द को बहुत उपयुक्त जान पड़ रहा था। इतने अच्छे मार्ग पर वह पहली बार टहल रहे थे। इससे पहले अपने शहर के ऊबड़-खाबड़ और धूल भरे रास्तों पर ही उनका टहलना हो पाता था, जहाँ एक ओर आने-जानेवाली सवारियों से आँख में धूल के झोंके आते रहते, वहीं दूसरी ओर पैरों में ठोकर लग कर आगे गिरने या गड्ढे में पैर पड़कर टूटने का अन्देशा बना रहता।

ऐसे में सरकस के खिलाड़ियों की तरह बच-बचकर आगे बढ़ना होता। ऐसे रास्ते से आजि ज आकर कभी-कभी वे शहर के अपने एकमात्र छोटे पार्क में जाते, जहाँ शहर की बढ़ती आबादी के तहत सुबह से ही वहाँ मेले का दृश्य होता जहाँ चाहते हुए भी कोई अच्छी तरह टहल नहीं सकता...। इसके अतिरिक्त शहर के सबसे बड़े कॉलेज का एक मैदान भी था। लेकिन भोर होते ही सैकड़ों की संख्या में पुलिस भर्ती के अभ्यर्थी वहाँ इस तरह दौड़ मचाये रहते कि उनके बीच टहलना किसी बड़ी दुर्घटना का शिकार बनना था...। लेकिन यहाँ इतना अच्छा मार्ग कि लगता वे चल नहीं, उड़ रहे हों। किनारे के खेतों में लगे पौधों के फूटते अंकुरों में गजब की मीठी सुगन्ध। उस सुगन्ध पर मँडराती रंग-बिरंगी तितलियाँ तथा भौंरे। रास्ते के दूसरे किनारे लगे अशोक वृक्षों पर कलरव करते पक्षियों की चहचहाहट की प्यारी आवाज।

सचमुच संतों ने अपने आश्रमों को सुख-सुविधा और ऐश्वर्य-आनन्द का केन्द्र बनाकर रखा है तभी तो भक्त ऐसे आश्रमों के पीछे भागते, उसके लिए जीते-मरते और अपना सर्वस्व समर्पित करते रहते हैं।

आगे बढ़ते लोकचन्द को अशोक वृक्षों के नीचे लगे बेंचों पर अब इक्के-दुक्के लोग उन्हें बैठे नजर आने लगे। शायद उनसे पहले सैर के लिए निकलें हों और अब सैर के बाद विश्रामकर रहे हों...। लोकचन्द आगे बढ़ते चले गये। उन्हें लग रहा था,

मार्ग, माहौल और मौसम की अनुकूलता के तहत सैर से उनका मन भर ही नहीं रहा। इस स्थिति में बीतते समय का अन्दाजकर अपनी सैर को विराम देते हुए किनारे की एक बेंच पर बैठ गये। कुछ समय विश्राम कर अब यहीं से वापस होने का उन्होंने निश्चय कर लिया।

लोकचन्द आराम की मुद्रा में अभी पसरकर बैठे ही थे कि एक वयोवृद्ध और गौरांग व्यक्ति टहलते हुए वहाँ तक पहुँच आये। अब वे भी विश्राम के लिए लोकचन्द के आगे की बेंच की ओर उन्मुख हो गये। इसी क्षण लोकचन्द ने उन्हें अपनी बेंच पर आने के लिए निमन्त्रित किया – "यहाँ आ जाइये महाशय, यह लम्बी बेंच है। आपके आ जाने से मुझे अच्छा लगेगा। यहाँ अकेले-अकेले क्या बैठना...।"

अपने रंग-रूप और पहनावे में लोकचन्द को वे भद्र और शालीन व्यक्ति जान पड़े। गोरे रंग पर सफेद वस्त्र। अधिक उम्र के बावजूद चेहरे पर तेज। ऐसे व्यक्ति से परिचय कर ही इस आश्रम के अन्य रहस्यों और गोपनीय गतिविधियों से वे अवगत हो सकते हैं।

लोकचन्द के इस आत्मीय अनुरोध पर अब वे सज्जन आकर वहाँ बैठ गये तथा लोकचन्द की ओर जिज्ञासा-भरी दृष्टि से देखने लगे...।

"मेरा नाम लोकचन्द है महाशय। मैं बिहार से अभी कल ही यहाँ आया हूँ। सुबह की सैर के लिए इधर आ गया। आप यहाँ कहाँ से आये हैं?"

"फिलहाल मैं कहीं से नहीं आया। इसी आश्रम का सदस्य हूँ...।"

"तब तो यह बहुत अच्छी बात है। यहाँ के आप पुराने सदस्य जान पड़ रहे हैं। लगता है, मेरी तरह सुबह की सैर के आप भी आदी हैं...।"

"इसे आप आदी होना न कहें महोदय, यह मेरी दिनचर्या का निर्धारित और अनिवार्य कार्यक्रम है। प्रतिदिन सुबह-सवेरे टहलने से बढ़कर कोई दूसरा व्यायाम नहीं होता...।"

"बहुत अच्छा महाशय! मेरी भी राय यही है। इस आश्रम में टहलने लायक यह स्थान बहुत ही अच्छा है। ऐसे स्थान पर टहलने का आनन्द ही कुछ और है...।"

"इस स्थल को गुरु महाराज ने ऐसा बनवाया है महोदय। उससे पहले यह जगह भी बंजर, वीरान और ऊबड़-खाबड़ थी। लेकिन गुरु महाराज की कृपा-दृष्टि पड़ते ही इसका स्वरूप बदल गया...।"

"अच्छा महाशय! आप यहाँ के जानकार हैं, इसलिए जानते होंगे। सामने के इन खेतों में जो पौधे लगे हैं, वे किस तरह के पौधे हैं? मैं एक किसान परिवार से आता हूँ। विभिन्न अनाजों के पौधों को पहचानता हूँ। लेकिन ये पौधे मुझे किसी भी अनाज के नहीं जान पड़ रहे...।"

"ये अनाज के पौधे नहीं, जड़ी-बूटियों के पौधे हैं महोदय। महत्त्वपूर्ण आयुर्वेदिक जड़ी-बूटियों के...।"

"तो क्या इस आश्रम में जड़ी-बूटियाँ भी पैदा की जाती हैं?"

"सिर्फ पैदा ही नहीं की जातीं। इनसे आयुर्वेदिक औषधियाँ भी तैयार होती हैं...।"

उस सज्जन के इस जवाब पर अब लोकचन्द की जिज्ञासा-भरी दृष्टि उन पर टिक गयी...। वह सज्जन लोकचन्द की नजरों का आशय समझ गये, इसलिए तत्क्षण बोल उठे – "मैं यहाँ का वैद्य हूँ महोदय। मेरे निर्देशन में ही जड़ी-बूटियों की यह खेती हुई है...।"

जवाब में हर्षित होते हुए लोकचन्द ने वैद्य जी के समक्ष अपने दोनों हाथ जोड़ दिये – "स्वागत है वैद्य जी।"

प्रतिक्रिया में वैद्य जी भी कह उठे – "जै गुरुदेव।"

अब वैद्य जी भी लोकचन्द की ओर मुखातिब हो गये – "आपका परिचय महोदय?"

"मेरा जीवन एक प्रोफेसर और लेखक के रूप में रहा है महाशय! प्रोफेसर से स्वैच्छिक सेवानिवृत्ति के बाद अब स्वतन्त्र लेखन करता हूँ...।"

"लेकिन इस आश्रम में पत्रकारों के लिए तो कोई जगह नहीं...। यहाँ आकर वे न सिर्फ राई को पर्वत बता देते हैं, बल्कि झूठ को सच साबित करने लगते हैं...।"

"मेरा काम पत्रकारिता की तरह खबरों की खोज और उनका प्रकाशन नहीं महाशय। ऐसी तत्कालिकता से अलग मेरा कार्य साहित्य-लेखन के रूप में समय साध्य और श्रमसाध्य रहा है...।"

"तब तो ठीक है। साहित्य तो हमारे देश और समाज के लिए अच्छा माध्यम है...।"

अब लोकचन्द अपनी जिज्ञासा के तहत पुनः पूछ उठे – "अच्छा तो वैद्य जी, इन जड़ी-बूटियों से कौन-कौन-सी दवाएँ बनती हैं?"

अपनी रुचि का यह प्रश्न सुन अब वैद्य जी की मुखरता बढ़ गयी – "कुछ महत्त्वपूर्ण दवाएँ ही हमारे यहाँ तैयार होती हैं महोदय। आयुर्वेद की सभी दवाएँ अभी हम नहीं बना पाते। उसकी तैयारी पर काम चल रहा है। भविष्य में यहाँ सभी दवाएँ तैयार होने लगेंगी। लेकिन अभी जो भी दवाएँ हमारे यहाँ बनती हैं उनकी गुणवत्ता उच्चकोटि की होती है। आयुर्वेदिक कम्पनियों की दवाएँ हमारे आश्रम की इन दवाओं का मुकाबला नहीं कर सकतीं। अपनी दवाओं में रत्ती भर भी मिलावट की कल्पना

हम नहीं कर सकते। अपनी दवाओं की शुद्धता की गारण्टी हम सौ प्रतिशत देते हैं। कम्पनी की दवाओं की तुलना में हमारी दवाओं के मूल्य अधिक हैं, क्योंकि हमारे यहाँ भरेठ चीजें तैयार नहीं होतीं, हम लागत मूल्य ही रखते हैं। फिर भी खपत के अनुपात में हम दवाएँ तैयार नहीं कर पाते। उनकी माँग निरन्तर बढ़ती रहती है...।''

इस सम्बन्ध में वैद्य जी के और तर्क जानने के लिए लोकचन्द ने सामान्य – सा हस्तक्षेप किया – ''यह भी तो हो सकता है वैद्य जी कि आश्रम के प्रति धार्मिक आस्था के चलते लोग यहाँ की दवाओं को बढ़-चढ़कर खरीद रहे हों...। आश्रम के भक्त और अनुयायी तो अधिक मूल्य की परवाह किये बगैर आश्रम की उन दवाओं को आश्रम की अनमोल विभूति समझकर ले लेते हों...।''

''ऐसा नहीं है महोदय। आपकी बात से मैं सहमत नहीं। यह तो आप पत्रकारिता की भाषा बोल रहे। लोगों पर जब दवा का असर होता है, वे उसका त्वरित प्रभाव महसूस करते हैं तभी खरीद की अग्रिम बुकिंग कराते हैं...।''

''तब तो आश्रम की आय का एक स्रोत ये दवाएँ भी हैं वैद्य जी...?''

''आप साहित्यकार होते हुए फिर पत्रकारों की तरह ही बेतुका प्रश्न करने लगे। यहाँ आय के लिए कुछ नहीं किया जाता। ब्रह्मस्वरूप गुरु महाराज के इस दरबार में सब-कुछ स्वयं बरसता रहता है। यहाँ जब आप रहने लगेंगे तो स्वयं इस आश्रम की महिमा और शक्ति से परिचित हो जायेंगे। बिना किसी से कुछ माँगे यहाँ सब-कुछ आते हुए आप स्वयं देखेंगे...।''

''माफ कीजियेगा वैद्य जी। आपके समक्ष मैं क्या-क्या बोल गया। जिज्ञासु होने के चलते ही ऐसा किया। अब यह मेरी अन्तिम जिज्ञासा है कि यहाँ के पुराने सदस्य होने के नाते इस आश्रम को लेकर आप कैसा महसूस कर रहे? मुझ जैसे जिज्ञासु अजनबी से इस आश्रम के बारे में क्या कहना चाहेंगे...?''

''यह आश्रम इस धरती का स्वर्ग है महोदय। यहाँ जो सुख-शान्ति, अमन-चमन, खुशहाली और सन्तोष है वह कहीं अन्यत्र नहीं। यहाँ जैसा आपसी बन्धुत्व, सद्भाव और समरस समाज आप पायेंगे, वैसा बाहर कहीं नहीं मिल सकता...।''

''लेकिन यहाँ मुझे माफ कीजियेगा वैद्य जी। साहित्य, सत्य के अनुसन्धान का ही एक मार्ग होता है। वह अनुसन्धान हमें बताता है किं जहाँ सुख-शान्ति होती है उसके पीछे निश्चय ही दुःख और अशान्ति छिपी रहती है। जहाँ हम अमन चैन देखते हैं उसकी नींव दमन और शोषण पर कायम होती है। खुशहाली और सन्तोष के पीछे बदहाली और असन्तोष से इनकार नहीं किया जा सकता...। आपसी बन्धुत्व, सद्भाव और समरस समाज के नीचे ईर्ष्या, द्वेष और दुश्मनी के भाव जज्ब रहते हैं। अवसर मिलते ही पुनः-पुनः उभर आते हैं...।''

लोकचन्द की इस बात ने अब वैद्य जी को कुपितकर दिया – "ऐसे विचार रखनेवाले आप इस आश्रम में कैसे चले आये? आप साहित्यकार नहीं, उन पत्रकारों की जमात के व्यक्ति हैं जिन्हें हर जगह अच्छाई के नीचे बुराई जान पड़ती है...। जो बात का बतंगड़ बना कर आग लगाना जानते हैं...। इस आश्रम का प्रशासन आपकी ऐसी बातों पर यहाँ आपको हर्गिज टिकने नहीं दे सकता...।"

वैद्य जी अभी कुछ और कहते कि लोकचन्द अब बीच में ही कूद गये – "क्षमा कीजियेगा महाशय। मैं किसी पत्रकार की बोली नहीं बोल रहा, संसार और प्रकृति के अटल नियम का स्मरण दिला रहा हूँ। यहाँ दिन के बाद रात और रात के बाद दिन के होने से कोई इनकार नहीं कर सकता। उसी तरह सुख के साथ दुःख, हर्ष के साथ विषाद, शान्ति के साथ अशान्ति, खुशहाली के साथ बदहाली, सन्तोष के साथ असन्तोष एक सिक्के के दो पहलू की तरह होते हैं...। मेरे कहने का तात्पर्य आश्रम का विरोध नहीं महाशय...।"

लोकचन्द अभी और कुछ कह कर उस वैद्य की नाराजगी दूर करने की कोशिश करते, लेकिन बीच में ही वहाँ से उठकर चलते हुए वैद्य ने कहा – "मेरे पास अब फालतू समय नहीं...। अभी बहुत कार्य हैं। ऐसे अनर्गल प्रलाप अब और नहीं सुन सकता...। ॐ शान्तिः ...शान्तिः ...शान्तिः ...।"

क्रोध और नाराजगी के साथ वह वैद्य वापस हो गये। लेकिन लोकचन्द वहाँ पूर्ववत् आराम से बैठे रहे। इस आश्रम में इस वैद्य को जो सुख-सुविधा उपलब्ध है, जिस तरह के आराम और चैन का जीवन प्राप्त है, वह अन्यत्र नहीं मिल सकता, क्योंकि बाहर की आय के साथ नाना तरह के जंजालों से भी सामना करना पड़ता।

लोकचन्द जानते थे, किसी भी तरह की व्यवस्था में उसके संचालन से जुड़े या उसके संचालन के कृपापात्र बने लोग उस व्यवस्था के सुख को तब तक निर्बाध रूप से भोगते रहते हैं, जब तक वह व्यवस्था बदल नहीं जाती। इसीलिए ऐसे लोग उस व्यवस्था के खिलाफ एक शब्द भी सुनना पसन्द नहीं करते।

लोकचन्द अब चुपचाप बैठे रहे। सैर के लिए इस उपयुक्त स्थल के सुहाने मौसम को जल्द छोड़कर यहाँ से हटने की उनकी इच्छा नहीं हो रही थी। इस बीच कई लोग सैर के लिए आते-जाते रहे। उन्हें यहाँ आराम फरमाते हुए देखते भी रहे। लेकिन इस दौरान न तो कोई और उनसे बातचीत करने आया और न उन्होंने ही अपनी ओर से प्रयास किया...। लेकिन जब सूर्य की किरणें ऊपर उठने लगीं। भोर के स्थान पर दिन के आगमन का एहसास होने लगा, तब वे वापस चल पड़े...।

अपने आवास में आकर लोकचन्द अब अपनी दिनचर्या में लग गये। फिर तैयार होकर सोफे पर आ बैठे। सामने पड़े ताज ` समाचार-पत्र ने उनके मन को आश्वस्त

कर दिया। शायद इस बीच ताजा समाचार-पत्र यहाँ कोई दे गया था। सम्भव है, विशिष्ट अतिथि आवासों में समाचार-पत्र दिये जाते हों...। वैसे कमरे में टी. वी. सेट भी कायम था जहाँ समाचारों के साथ-साथ अपनी रुचि के कार्यक्रम भी देखे जा सकते थे। लेकिन विभिन्न चैनलों और समाचारों के विभिन्न माध्यमों के बावजूद लोकचन्द का आकर्षण छपे शब्दों के प्रति ही बना हुआ था। बस, वे समाचार-पत्र खोलकर पढ़ने लगे।

कुछ क्षण बाद किरण पुनः आ पहुँची – "जै गुरुदेव श्रीमान् जी!"

लोकचन्द भी अब किरण की ओर मुखातिब हो गये – "कैसी हैं देवी किरण?"

"ठीक हूँ श्रीमान् जी।"

लोकचन्द देख रहे थे, इस बार अब वह किरण नहीं थी जो रात में आयी थी। खाना बनाने के लिए आनेवाली पहली किरण के रूप में अब तब्दील हो चुकी थी। इस बार अपने साथ भण्डार से कुछ खाद्य सामग्री भी लेकर आयी थी। समय और अवसर के अनुकूल महिलाएँ कितनी तेजी से बदल जाती हैं, किरण को देख कर इसका एहसास लोकचन्द कर रहे थे। वैसे समय के अनुसार पुरुष भी बदले हैं, लेकिन महिलाओं जैसा उनका बदलाव त्वरित और कारगर नहीं हो पाता...।

किरण किचेन में चली गयी। लोकचन्द अब समाचार-पत्र पढ़ने लगे। लेकिन अपने आवास में किरण की उपस्थिति से उनके मानस में उसको लेकर रात के प्रसंग पुनः-पुनः ताजा हो उठे। वे समझ नहीं पा रहे थे कि जो कुछ घटित हुआ वह सही था या गलत? किरण के व्यवहार की तटस्थता और उदासीनता अब उन्हें खल रही थी। कल जिस हर्ष, उल्लास, आत्मीयता और उत्साह से यह महिला लबरेज थी, वह इसकी नैसर्गिक सम्पत्ति थी। किरण को उसकी इस नैसर्गिक सम्पत्ति के साथ ही वह देखना चाहते थे। अपने प्रसंग में उसने जो किया वह स्वतः स्फूर्त उत्पन्न उसके आवेग की परिणति थी। अपनी जगह पर वे भी सही थे। फिर बीच की यह स्थिति क्यों कायम हुई? उसकी तटस्थता और उदासीनता ने उन्हें भी अपराधबोध से ग्रस्त कर दिया था। इस स्थिति में चाहते हुए भी उनका ध्यान समाचारों पर अब केन्द्रित नहीं हो पा रहा था, जबकि रोज के समाचार-पत्र वे खूब चाव से पढ़ा करते थे...।

बीतते समय के अनुसार रसोई के कार्य निपटा जाने के लिए उन्मुख हो गयी किरण। उसकी कार्यकुशलता और तत्परता से लोकचन्द अवगत हो चुके थे। इससे पहले कि वे कुछ कहते, किरण बोल उठी – "रसोई तैयार हो गयी है श्रीमान् जी। समय से भोजन ग्रहण कर लीजियेगा...।"

"और आप देवी किरण। आप भोजन कब ग्रहण करेंगी?"

''अपना भोजन मैंने टिफिन में ले लिया है। मैं अपने आवास पर ग्रहण कर लूँगी।''

लोकचन्द ने देखा, सचमुच किरण टिफिन लेकर किचेन से आयी थी।

''अच्छा देवी किरण, थोड़ी देर बैठ जाइये। इतनी जल्दी क्या है?''

''अभी मेरे जिम्मे कई कार्य हैं श्रीमान् जी...रुक नहीं सकती।'' किरण की इस बेरुखी ने लोकचन्द को आहत कर दिया...। अब वे पुनः बोल उठे –

''ठीक है देवी किरण। आप जल्द ही चले जाइयेगा। लेकिन मेरा मन रखने के लिए थोड़ी देर बैठ जाइये। मैं आपसे कुछ कहना चाहता हूँ...।''

लोकचन्द की इस बात पर किरण अब संशय-भरी दृष्टि से उन्हें देखने लगी कि वे क्या कहना चाह रहे? लोकचन्द समझ गये, रात की घटना को लेकर किरण सशंकित है कि कहीं वह प्रसंग वे फिर न छेड़ दें। लेकिन लोकचन्द ने किरण के इस संशय को देर तक कायम नहीं रहने दिया।

''देवी किरण आप स्वामी रत्न सागर को जानती हैं?''

यह प्रश्न सुनते ही किरण का संशय अब खत्म हो गया।

''इस आश्रम में उन्हें कौन नहीं जानता श्रीमान् जी। वे यहाँ के जीवनदानी स्वामी हैं...। गुरु महाराज के विशेष कृपापात्र। बहुत ही कर्मठ, सहयोगी और कुशल। उनकी योग्यता देखकर ही गुरु महाराज 'त्रिशूलपुरम्' में तैयार हो रही मुक्त लोक की नयी शाखा की निगरानी में उन्हें भेजते रहे हैं...।

''मैं उन्हें जानता हूँ देवी किरण। वे मेरे ही क्षेत्र के हैं। इस आश्रम में उनकी भतीजी देवी कान्ति गंगा रहती है। वह भी जीवनदानी साध्वी है। अभी स्वामी रत्न सागर उसी से भेंट करने यहाँ आये हैं...।''

''आप तो सब-कुछ जानते हैं श्रीमान् जी। फिर यहाँ के लिए नये कैसे हैं?''

''स्वामी रत्न सागर का जीवन भी आपसे मिलता-जुलता है देवी किरण। शादी न होने की वजह से अपने भाई और भौजाई के साथ रहते थे। लेकिन एक दुर्घटना के तहत पानी में डूबकर भाई-भौजाई के निधन के बाद अपनी मासूम भतीजी कान्ति को लेकर इस आश्रम में आ गये। जीवन में पत्नी के अभाव ने ही उन्हें संन्यासी और आश्रमवासी बना दिया...। जहाँ तक मैं समझता हूँ, उनकी उम्र भी आपकी उम्र के आस-पास ही होगी। आपके जीवन से उनके जीवन की समानता पर ही वे मुझे बरबस याद आ गये...।''

लोकचन्द ने अनुभव किया, इस संवाद के दौरान किरण के चेहरे पर अब सहजता लौट आयी थी...। उस सहजता को लक्ष्यकर लोकचन्द अब अपने मुख्य विषय पर

आ गये – "देवी किरण, अगर आपकी अनुमति होती तो स्वामी रत्न सागर से मैं आपके लिए बात करता...। आप जैसी देवी के संग-साथ से उनका जीवन भी पूर्ण हो जाता। उनके जीवन का अधूरापन मैंने लक्ष्य किया है...। आपसे शादी के लिए वे तैयार हो जायेंगे...।"

लोकचन्द की इस बात पर किरण का चेहरा अब नारीसुलभ-संकोच से कुछ रक्तिम-सा हो उठा। क्षण-भर मौन रहने के बाद किंचित् धीमी आवाज में वह बोल उठी – "अब काफी देर हो चुकी है श्रीमान् जी। स्वामी रत्न सागर भी अब तैयार नहीं होंगे...।"

"कुछ देर नहीं हुई देवी किरण। जब जागे तब हुआ सवेरा...। स्वामी रत्न सागर को तैयार करने का जिम्मा मेरा है। मैं पूरा प्रयास करूँगा। जहाँ तक मैं उन्हें समझ चुका हूँ, वे तैयार हो जायेंगे। रह गयी शादी की बात, तो क्या आश्रम में ऐसे जोड़ों की शादियों का प्रावधान है?"

इस पर सकुचाती हुई किरण ने दबी जबान में ही बताया – "हाँ, श्रीमान् जी। यहाँ ऐसे जोड़ों को गुरुदेव का आशीर्वाद भी प्राप्त हो जाता है। फिर आश्रम के शिव-मन्दिर में सहजता से उनकी शादियाँ हो जाती हैं...।"

"तो बस, आप तैयार रहियेगा देवी किरण। इस कार्य को शुभ और सफल बनाने के लिए, मेरा हर सम्भव प्रयास जारी रहेगा।"

इस पर किरण ने कुछ नहीं कहा। लेकिन उसके चेहरे की जज्ब खुशी अब वापस झलकने लगी थी।

"अब चलती हूँ श्रीमान् जी।" – यह कहते हुए किरण की आवाज की आत्मीयता और मधुरता लौट आयी थी। लोकचन्द का मन भी अब आश्वस्त हो गया था। जाती हुई किरण को देखते हुए वे महसूसकर रहे थे, अधूरे और अतृप्त दाम्पत्य सुख की कामना शायद लम्बे समय तक पीछा नहीं छोड़ती...।

अपराह्न दोपहर बाद लोकचन्द अपने आवास से बाहर निकल आये। इस दौरान समाचार-पत्र पढ़ने, दिन का खाना खाकर कुछ देर आराम करने तथा डायरी-लेखन का अपना नियमित कार्य वे पूराकर चुके थे। अपने खोये मित्र को पाने के बाद अब उनका उद्देश्य यहाँ रहना, खाना और सोना नहीं था। आश्रमों, डेरों और मठों के बारे में अब तक जो वे सुनते आ रहे थे, अब उसकी सत्यता जानने का अवसर उन्हें मिल गया था। उस सत्यता से अवगत होकर ही अपने मित्र सुकेश से वे बातचीतकर सकते थे। बगैर सच्चाई जाने सम्बन्धित विषय पर ठोस और वस्तुपरक राय वे निर्धारित नहीं कर सकते...।

अपने आवास से बाहर आये लोकचन्द अब यह विचार कर ही रहे थे कि इस बड़े आश्रम का मुआयना उन्हें किस ओर से करना चाहिए? बस, आगे जाती पद्मा उन्हें दिख गयी। लोकचन्द जिस दिशा में खड़े थे, पद्मा उससे अलग दिशा की ओर जा रही थी, इसलिए वह लोकचन्द को देख नहीं पा रही थी। लेकिन लोकचन्द उसे स्पष्ट देख रहे थे। लोकचन्द के कदम भी पद्मा की ओर चल पड़े। उनके मित्र सुकेश की निकटस्थ यह पद्मा कहाँ जा रही? इस आश्रम के बारे में अधिक-से-अधिक जानकारी यही दे सकती है। यहाँ सर्वत्र निर्बाध गति से उसी का आना-जाना सम्भव लग रहा है। इस आश्रम में रहते हुए उन्हें पद्मा के सम्पर्क में ही रहना चाहिए...।

पद्मा का पीछा करते-करते लोकचन्द जहाँ पहुँच गये वहाँ आश्रम का एक बड़ा-सा भवन था। उस भवन के ऊपर अंकित था – प्रशासनिक भवन। उस प्रशासनिक भवन के अन्तर्गत एक साथ लगे कई कमरे थे, जिनके नाम अलग-अलग अंकित थे – मुख्य कार्यालय, सहायक कार्यालय, वस्त्रालय, औषधालय, संग्रहालय और भण्डार कक्ष...।

वहाँ पद्मा सीधे मुख्य कार्यालय में प्रवेशकर गयी। लोकचन्द किनारे के एक पुष्प वृक्ष की आड़ में खड़े रहे। मुख्य कार्यालय की खुली खिड़की से उन्हें सब-कुछ दिखता रहा। मुख्य मेज के पास मुख्य कुर्सी पर बैठा उस कार्यालय का कोई बड़ा अधिकारी था तथा उसके सामने के दोनों किनारों की सामान्य मेज ों पर कार्यरत उसके सहायक और कर्मचारी। उस कक्ष में पद्मा के घुसते ही उसके अभिवादन में सब उठ खड़े हुए...। पद्मा अब मुख्य अधिकारी को कुछ निर्देश देने लगी। लोकचन्द समझ गये, निश्चय ही इस पद्मा को उनके मित्र सुकेश की ओर से विशेष अधिकार प्राप्त है, तभी मुख्य कार्यालय के लोग उसे देखते ही खड़े हो गये। तभी प्रवचन के बाद सुकेश से मिलने जाते वक्त उनको रोकते युवा स्वामी पद्मा के एक इशारे पर उन्हें छोड़ अलग हो गये।

मुख्य पदाधिकारी को सम्भवतः आवश्यक निर्देश दे पद्मा मुख्य कार्यालय से बाहर आ गयी। अब उसके कदम भण्डार-कक्ष की ओर चल पड़े...। लोकचन्द भी अब उसके पीछे हो गये। उन्हें पद्मा से छिपना क्या? वे किसी की जासूसी करने तो निकले नहीं...। इस दौरान उस कक्ष में पद्मा के प्रवेश करते ही लम्बे-लम्बे डग भरते लोकचन्द उस कक्ष के दरवाजे तक पहुँच गये। वह कक्ष प्रशासनिक भवन का सबसे बड़ा कक्ष था, किसी बड़े हॉल की तरह। उस हॉल में अनाज के बोरों के अतिरिक्त विभिन्न खाद्य सामग्री बड़ी मात्रा में उपलब्ध थी। उस हॉल के कई दरवाज े थे।

लेकिन जिस दरवाज े से पद्मा घुसी थी और जिसके पास लोकचन्द पहुँचे थे वह मुख्य दरवाजा था। मुख्य दरवाजे के पास ही मुख्य भण्डारपाल मुख्य मेज के पास

मौजूद थे तथा उनके सहयोगी और सहायक सामान्य मेज ों पर। पद्मा की उपस्थिति पर वे सब भी उठ खड़े हुए – "जै गुरुदेव, दीदी माँ।"

उनका अभिवादन स्वीकार करते हुए पद्मा भी बोल उठी – "जै गुरुदेव...।"

इसी क्षण पद्मा की निगाह लोकचन्द पर चली गयी – "जै गुरुदेव श्रीमान् जी। आप यहाँ आ गये। क्या आदेश हैं श्रीमान् जी।"

"कुछ नहीं देवी पद्मा। आपसे मिलने के लिए ही निकला था तो आपको इधर आते देख आपके पास आ गया...।"

"ठीक है श्रीमान् जी, अन्दर आ जाइये। यह हमारा भण्डार-कक्ष है।"

अब मुख्य भण्डारपाल का ध्यान लोकचन्द की ओर आकृष्ट करते हुए वह बोल उठी – "श्रीमान् जी हमारे विशिष्ट अतिथि हैं स्वामी इन्द्र सागर। गुरु महाराज के पुराने भक्त और शिष्य। इस आश्रम के पहले से ये गुरु महाराज से जुड़े हुए हैं, इस दृष्टि से हमारे लिये आदरणीय एवं पूज्य हैं।"

इस सम्बन्ध में लोकचन्द संकल्पित थे कि इस आश्रम में सुकेश से अपना पुराना सम्बन्ध किसी को नहीं बताना। अब लोकचन्द से मुख्य भण्डारपाल का परिचय कराते हुए पद्मा ने कहा – "स्वामी इन्द्र सागर न सिर्फ हमारे मुख्य भण्डारपाल हैं, बल्कि इस आश्रम के मुख्य अधिकारी भी हैं। गुरु महाराज के अनन्य भक्त और परम विश्वासपात्र। न सिर्फ भण्डार की ही निगरानी करते हैं, बल्कि पूरे आश्रम की निगरानी पर इनकी नजर रहती है...।"

इस क्षण उस बड़े भण्डार को खाद्य सामग्री से भरा देख लोकचन्द अचम्भित रह गये। इतना बड़ा और खाद्य सामग्री से पटा भण्डार वे पहली बार देख रहे थे।

"देवी पद्मा, आश्रम के लिए इतने बड़े पैमाने पर खाद्य पदार्थों की खरीद का कार्य जहाँ एक ओर अर्थसाध्य होता होगा, वहीं दूसरी ओर श्रमसाध्य और समयसाध्य भी...।"

"नहीं श्रीमान् जी। ऐसा कुछ भी नहीं होता। देश भर में फैले गुरु महाराज के भक्त और अनुयायी स्वतः इस भण्डार को भरते जाते हैं। कहीं से दो ट्रक चीनी आ जाता है, तो कहीं से दाल, तो कहीं से चावल, तो कहीं से आटा, तो कहीं से घी, तो कहीं से तेल। गुरु महाराज के कुछ भक्त हरी सब्जियाँ तो रोज ट्रक-के-ट्रक भिजवाते रहते हैं...।"

लोकचन्द जानते थे कि आश्रमों, संतों और गुरुओं के यहाँ रकम और जेवरात के रूप में ही चढ़ावे चढ़ते होंगे। लेकिन यहाँ पा रहे थे कि इस बड़े आश्रम में खाद्यान्न

की आपूर्ति भी उनके भक्त और अनुयायी ही करते रहे थे। इस सम्बन्ध में अपने प्रत्युत्पन्नमतित्व से उन्हें यह समझते देर नहीं लगी कि गुरु महाराज की कृपा को अपने कारोबार की सफलता माननेवाले कारोबारियों के लिए कुछ ट्रक खाद्यान्न भेजते रहना कोई मुश्किल कार्य भी तो नहीं। गुरु महाराज की कृपा उन पर बनी रहे तो फिर ऐसे दान कार्य के पुण्य से वे पीछे हटनेवाले नहीं...।

भण्डार की आपूर्ति सूचना पर क्षण-भर के लिए विचारमग्न लोकचन्द ने जल्द ही अपने को प्रकृतिस्थ कर लिया – ''गुरु महाराज के ऐसे-ऐसे भक्त और अनुयायी हैं देवी पद्मा, यह बड़ी बात है। अब आप जिस कार्य के उद्देश्य से यहाँ आयी हैं, उसेकर लीजिये, तब तक मैं प्रतीक्षाकर लूँगा...। मुझे कोई जल्दी नहीं है...।''

''नहीं श्रीमान् जी। यहाँ कोई वैसा कार्य नहीं। मैं ऐसे ही घूमते आ गयी थी। आप बताइये, क्या कार्य है?''

''मुझे आपसे बात करनी है देवी पद्मा।''

लोकचन्द समझ रहे थे, निरीक्षण और निगरानी के अपने कार्य की गोपनीयता पद्मा भंग करना नहीं चाहती। शायद इसी वजह से वहाँ के अपने कार्य तत्काल स्थगित कर वह लोकचन्द के साथ चल पड़ी...।

''अब बताइये श्रीमान् जी, हमारे लिये क्या कार्य है? हमारी पहली प्राथमिकता आप जैसे विशिष्ट अतिथि की इच्छाओं का सम्मान है...।''

''मेरी वैसी कोई इच्छा नहीं देवी पद्मा। चलिये आपके निवास पर बैठकर इत्मीनान से बात की जायेगी...। इसी बहाने आपका आवास भी मैं देख लूँगा।''

''क्षमा कीजियेगा श्रीमान् जी। यहाँ हम साध्वियों के निवास तक आश्रम के पुरुष सदस्य या अतिथि नहीं जा सकते...। गुरु महाराज का ऐसा सख्त निर्देश है...। चलिये मैं आपको आश्रम के शिव-मन्दिर पर ले चलती हूँ। वह शान्त-एकान्त स्थल है। वहाँ हम इत्मीनान से बात कर सकते हैं...।''

शिव-मन्दिर का नाम सुनते ही अब लोकचन्द को देवी किरण की बात याद आ गयी। यहाँ के विवाहेच्छुक जोड़ों की शादियाँ उसी शिव-मन्दिर पर होती हैं...। लोकचन्द देख रहे थे, जिस रास्ते से पद्मा उन्हें ले जा रही थी वह आश्रम के सदस्यों का आवासीय क्षेत्र था। दोनों किनारे एक कतार में बने दुमंजिले आवासीय भवन। बीच में कंकरीट का चौड़ा मार्ग। विशिष्ट आवासों की तुलना में इस क्षेत्र के आवास सामान्य थे।

''इन आवासों में आश्रम के स्थायी सदस्य रहते हैं देवी पद्मा या कुछ समय के लिए आने-जानेवाले?''

''दोनों तरह के सदस्य रहते हैं श्रीमान् जी। स्थायी सदस्य नीचे के तल्ले में रहते हैं तथा चन्द समय के लिए आने-जानेवाले ऊपर के तल्ले में।''

''ऐसा क्यों देवी पद्मा?''

''इसलिए श्रीमान् जी कि स्थायी सदस्यों के ऊपर ही उस भवन की निगरानी का दायित्व होता है। समय-समय पर भवन की कमियों और खामियों को वे ही दूर कराते हैं। भवन की आवश्यकताओं को पूरा करते रहते हैं। साथ ही चन्द समय के लिए आनेवाले सदस्यों को सुविधा और सहयोग भी पहुँचाते हैं...।''

''यह आश्रम तो अपने-आप में एक नगर है देवी पद्मा...।''

''सिर्फ नगर ही नहीं, श्रीमान् जी, उन्नत विकसित और व्यवस्थित नगर। बाहरी नगरों की लूट-खसोट, छल-कपट और ईर्ष्या-द्वेष से अलग, शान्त, सहज दिव्य और आध्यात्मिक नगर।''

''यहाँ मैं किसी आश्रम में पहली बार आया हूँ देवी पद्मा। इससे पहले लगातार कई आश्रमों के बारे में जैसी सूचनाएँ सुनता आ रहा था वे खौफ पैदा करनेवाली सूचनाएँ थीं।''

''भेड़ की खोल में भेड़िये होते हैं श्रीमान् जी, इससे इनकार नहीं किया जा सकता, लेकिन वे जल्द ही पकड़ में आ जाते हैं। ऐसे में हमारे आदर्श आश्रम का गहत्त्व और बढ़ जाता है। जैसे रेड़ों के बीच कोई विशाल वृक्ष हो, जैसे मरुभूमि में कोई शीतल सरोवर, जैसे गहराते अँधेरे में आलोकित प्रकाश पुंज, वैसे ही भ्रष्ट आश्रमों के बीच हमारा यह आश्रम।''

लोकचन्द समझ रहे थे, इस आश्रम के स्वामित्व की भागीदार पद्मा की राय इस आश्रम के बारे में ऐसी नहीं तो और कैसी हो सकती है? यथार्थ चाहे जो हो, अपनी इस राय पर उसे डटे रहना है...। लेकिन पद्मा की यह राय उनके लिए निर्णायक नहीं हो सकती। इस सम्बन्ध में पद्मा से कोई बहस या विवाद भी उन्हें उचित प्रतीत नहीं हुआ। उन्हें जो कुछ कहना है, इस आश्रम के धुरी बने सुकेश से ही कहना है, किसी और से नहीं। इस दौरान वे पद्मा के साथ शिव-मन्दिर पर आ पहुँचे। सचमुच यह स्थल शान्त और एकान्त था। यहाँ लोकचन्द को अपने गाँव हनुमानपुर के शिव-मन्दिर की याद आ गयी जहाँ सुकेश का बचपन बीता था। उन्हें यह समझते देर नहीं लगी कि बचपन की स्मृति और शिव भक्ति के अपने संस्कार की वजह से ही सुकेश ने यहाँ शिव-मन्दिर की स्थापना की है...। इस बात ने लोकचन्द के मन के उस विश्वास को और पुख्ता कर दिया कि इसी भाँति बचपन की अपनी उस गहरी दोस्ती को भी सुकेश विस्मृत नहीं कर पायेगा।

लोकचन्द देख रहे थे, जहाँ इस शिव-मन्दिर के एक ओर निकट ही गुरु महाराज और साध्वियों के बँगले थे वहीं दूसरी ओर कुछ दूरी पर आश्रम के अन्य निर्माण।

शिव-मन्दिर के खुले चबूतरे पर अब लोकचन्द के साथ बैठी पद्मा बोल उठी – "अब कहिये श्रीमान् जी, क्या कहना चाहते हैं? कौन-सी बात है?"

"ऐसी कोई खास बात नहीं देवी पद्मा...।"

"जैसी भी बात हो आप निःसंकोच कहें श्रीमान् जी। गुरु महाराज से मुझे इतनी जानकारी मिल चुकी है कि आपसे उनका सम्बन्ध हम लोगों से पहले का रहा है। निश्चय ही आप उनके प्रारम्भिक भक्तों और शिष्यों में हैं, इस दृष्टि से हमारे लिये श्रद्धेय हैं...।"

लेकिन इस शिव-मन्दिर पर आने के बाद किरण की बात स्मरण कर लोकचन्द ने इस प्रसंग को बदलते कहा – "देवी पद्मा इस शिव-मन्दिर पर आश्रम की शादियाँ भी होती हैं?"

"हाँ श्रीमान् जी। आपको सही जानकारी मिली है। इस आश्रम के जो जोड़े परिणय-सूत्र में बँधना चाहते हैं, उनकी शादियाँ इसी शिव-मन्दिर में सम्पन्न होती हैं।"

"स्वामी रत्न सागर को तो आप जानती होंगी देवी पद्मा!"

"हाँ, हाँ, इस आश्रम में उन्हें कौन नहीं जानता! वे यहाँ के जीवनदानी स्वामी हैं। गुरु महाराज के विशेष कृपापात्र। अभी आश्रम की त्रिशूलपुरम् शाखा में आते-जाते रहते हैं। हमारी उस शाखा का विस्तार मुक्त लोक की तरह ही हो रहा है। मैं भी वहाँ आती-जाती रहती हूँ। स्वामी रत्न सागर अभी कल ही वहाँ से आये थे और गुरु महाराज का आवश्यक निर्देश ले आज सुबह वापस हो गये।"

"तो इस बीच वे गुरु महाराज से कब मिले देवी पद्मा? गुरु महाराज के पास मिलने-जुलने का समय तो होता नहीं...।"

"माफ कीजियेगा श्रीमान् जी। यहाँ के लिए आप बिल्कुल नये थे। यहाँ कोई आपको पहचानता नहीं था। यहाँ किसी को भी पता होता कि आप गुरु महाराज के पुराने भक्त हैं तो कोई आपको नहीं रोकता। सब आपको सहयोग करते। गुरु महाराज के भक्त और अनुयायी तो उनसे कभी भी मिल सकते हैं, बशर्ते कि गुरु महाराज अपनी साधना में न हों। उन्हें गुरु महाराज से मिलने के स्रोत पता होते हैं। इस आश्रम में गुरु महाराज से संवाद के संवाहकों की संख्या लगभग एक दर्जन है। उनमें हम साध्वियों के साथ-साथ कुछ स्वामी सागर भी हैं...।"

पद्मा की इस सूचना पर इस बात के प्रति लोकचन्द का मन अब आश्वस्त हो गया कि अपने मित्र सुकेश से वे कभी भी मिल सकते हैं। इस सम्बन्ध में सम्भवतः उनकी सुविधा को ध्यान में रखकर ही सुकेश ने प्रवचन के बाद का समय निर्धारित किया है। दरअसल, उनका मिलना किसी निर्देश, परामर्श और आशीर्वाद प्राप्त करने के लिए तो है नहीं। उन्हें तो उससे मित्रवत् विमर्श करना है, इस स्थिति में अलग से समय का निर्धारण आवश्यक है...।

अचानक बातचीत का छूटा प्रसंग पुनः स्मरण आते ही अब लोकचन्द बोल उठे – ''मैं विषयान्तर हो गया था देवी पद्मा। अब अपनी बात पर आता हूँ। यहाँ आने के बाद मेरा पहला परिचय स्वामी रत्न सागर से ही हुआ। फिर देवी किरण गंगा से...। देवी किरण गंगा को भी तो आप जानती ही होंगी।''

''हाँ, हाँ, श्रीमान जी! किरण गंगा हमारे यहाँ साध्वी सेविका है। वह बहुत सीधी सच्ची महिला है...।''

''हाँ तो देवी पद्मा, इन दोनों व्यक्तियों से अल्पावधि में ही मेरा अच्छा परिचय हो गया है। दोनों लगभग हमउम्र ही हैं। अपने अधूरे और खण्डित दाम्पत्य-जीवन की वजह से ही वे यहाँ आश्रम में आये। शादी न होने के चलते अपने भाई-भौजाई के साथ रहते रत्न सागर उनके आकस्मिक निधन के बाद टूट गये। फिर अपनी भतीजी के साथ भटकते हुए इस आश्रम में पहुँच आये। देवी किरण गंगा की स्थिति भी लगभग ऐसी ही रही। उसका पति शराबी था और सास कर्कशा। उस पर वे अत्याचार करते थे। बच्चा न होने के कारण उसके पति ने दूसरी शादी कर उसे घर से निकाल दिया। बिलखती, भटकती किरण भी यहाँ पहुँचकर आश्रय पा सकी...। मैंने अनुभव किया है, दोनों के अन्दर अतृप्त दाम्पत्य सुख की कामना अभी शेष है। यह कामना उनके मन को कभी-कभी भरमाती, भटकाती है। लेकिन आश्रम के आदर्श और अनुशासन से वे पुनः-पुनः उस पर नियन्त्रण कायम कर लेते हैं। इस स्थिति में अगर आश्रम की ओर से उन दोनों को दाम्पत्य-सूत्र में बाँध दिया जाता तो मेरे जानते वे दोनों आश्रम के लिए और अधिक उपयोगी और समर्पित बन जाते।''

''बहुत अच्छा श्रीमान् जी। बहुत खूब। सचमुच आप बड़े लेखक हैं। इन दोनों को हम वर्षों से देखते आ रहे थे। लेकिन इस दृष्टि से इनकी ओर कभी हमारा ध्यान गया ही नहीं था। अब जब आप विश्लेषण कर रहे हैं तो इनके जीवन का यथार्थ आईने की तरह साफ-साफ झलकने लगा है...। ठीक ही कहा गया है श्रीमान् जी, कोई अनुभवी साहित्यकार ही किसी के अन्तर्मन तक पहुँच सकता है, सामान्य इन्सान नहीं। आपने बहुत अच्छा सुझाव दिया है। गुरु महाराज से परामर्श कर इन दोनों को वैवाहिक बन्धन में बाँधने का मैं पूरा प्रयास करूँगी...।''

''इस सम्बन्ध में देवी किरण से मैं बात कर चुका हूँ देवी पद्मा। उनकी आन्तरिक इच्छा भी जान ली है। अगर स्वामी रत्न सागर रहते तो उनसे भी बात कर लेता।''

''आप निश्चिन्त रहिये श्रीमान् जी। स्वामी रत्न सागर से बात कर उन्हें तैयार कराने का जिम्मा मेरा है। आप जितना बता चुके हैं, इनके वैवाहिक सम्बन्ध के लिए वह पर्याप्त है। जब देवी किरण की रजामन्दी है तो स्वामी रत्न सागर को तैयार होना ही है...।''

देवी पद्मा की इस बात से लोकचन्द का मन आश्वस्त हो गया। इस दौरान क्षण-भर की उनकी चुप्पी पर पद्मा बोल उठी – ''और क्या पूछना है श्रीमान् जी? जो कुछ पूछना हो, कह डालिये...।''

''अपने स्वयं के आकलन और निरीक्षण से मुझे सारी जानकारियाँ प्राप्त नहीं हो सकती हैं देवी पद्मा। मेरी कुछ जिज्ञासाएँ आप जैसी इस आश्रम की हस्तियों से ही पूरी हो सकती हैं? आपसे मिलने के बाद आपके बारे में भी जानने के लिए मेरा मन उत्सुक है? कल जब पहली बार मैं आपसे मिला था तब भी यह प्रश्न किया था।''

''ठीक है श्रीमान् जी। जब पहली बार आप मिले तो हमारे लिये एक नये आगन्तुक थे। यहाँ आनेवाले आगन्तुक जब तक यहाँ के सदस्य, भक्त या अनुयायी नहीं हो जाते तब तक हम उन पर विश्वास नहीं करते। अब गुरु महाराज से हमें जानकारी मिल गयी है कि आप उनके प्रारम्भिक भक्तों, परिचितों में हैं। अब आपसे कोई छिपाव नहीं...। तो श्रीमान् जी, मेरे बारे में आप क्या जानना चाहते हैं?''

''मुझे और कुछ नहीं जानना देवी पद्मा। मैं सिर्फ यह जानना चाहता हूँ कि आप जैसी तेजस्वी देवी इस आश्रम से कैसे जुड़ीं?''

''मेरी कहानी संक्षिप्त ही है श्रीमान् जी। मेरे माँ-बाप गुरु महाराज के अनन्य भक्त हैं। इसकी वजह से आश्रम के उच्चतर विद्यालय में ही हम सभी भाई-बहन पढ़े। हम भाई-बहनों की संख्या चार है। उनमें मेरा नम्बर तीसरा है। मैं प्रारम्भ से ही अपने वर्ग में अव्वल आती रही। स्कूल के वार्षिकोत्सव में गुरु महाराज का आशीष भी मुझे मिलता रहता था। इण्टर कक्षा की वाद-विवाद प्रतियोगिता में जब सर्वश्रेष्ठ प्रतियोगी के रूप में मेरा चुनाव हुआ तो गुरु महाराज ने मेरे माँ-बाप को बताया कि यह लड़की विदुषी है। एक दिन यह विख्यात साध्वी बनेगी। इसे तुम आश्रम में वैदिक अध्ययन और ज्ञान, ध्यान के लिए छोड़ दो...। गुरु महाराज की इस बात पर धर्मशास्त्रों के आध्यात्मिक अध्ययन के लिए मेरे माँ-बाप ने मुझे यहाँ छोड़ दिया। इण्टर तक के मेरे अध्ययन के दौरान वे देख चुके थे कि यहाँ मुझे किसी तरह की कोई असुविधा

नहीं थी। फिर तो मैं इस आश्रम की होकर रह गयी। अब तो काफी समय व्यतीत हो चुका है श्रीमान् जी।"

"मेरा अपना अनुमान सही साबित हुआ देवी पद्मा। आपके बारे में मुझे लग रहा था कि निःसन्देह आप उच्च शिक्षा प्राप्त देवी हैं। इण्टर तक की शिक्षा में आपके निरन्तर अव्वल आने की सूचना ने मेरे अनुमान की पुष्टि कर दी...।"

इससे पहले कि लोकचन्द कुछ और पूछते, दो युवा साध्वियाँ वहाँ आ पहुँचीं – "जै गुरुदेव दीदी माँ! जै गुरुदेव श्रीमान् जी।"

लोकचन्द देख रहे थे, वे दोनों साध्वियाँ अपने रूप और यौवन की छटा बिखेरती जान पड़ रही थीं। उनके बदन की गोराई ऐसी कि सींक से खोद दो तो खून निकल आये। उनके तीखे नाक-नक्श किसी को भी बरबस अपनी ओर आकृष्ट करने में सक्षम। उनकी कद-काठी छरहरी तथा उनके अंग कान्ति बिखेरते हुए। उन्हें देखते ही देवी पद्मा पूछ उठी – "क्या है देवी चन्दा, देवी रूपा?"

"आज गुरु महाराज के साथ प्रवचन में किन-किन को जाना है – दीदी माँ?"

"कल कौन-कौन गयी थी?"

"नन्दा, कमला, मीता और पूजा।"

"तो आज कान्ति, ऋचा, सुनीता और लीला को तैयार होने का निर्देश दे दो...।"

"जो आज्ञा दीदी माँ।"

और दोनों वापस हो गयीं – "जै गुरुदेव दीदी माँ। जै गुरुदेव श्रीमान् जी!"

लेकिन इन दोनों की उपस्थिति और पद्मा से संवाद ने लोकचन्द की नयी जिज्ञासा निर्मित कर दी – "तो क्या प्रतिदिन प्रवचन के दौरान गुरु महाराज के साथ नयी साध्वियाँ ही जाती हैं...?"

"प्रतिदिन तो सम्भव नहीं श्रीमान् जी। लेकिन रोज जानेवाली साध्वियाँ ही रहें ऐसा नहीं होता...।"

"इस आश्रम में इस तरह की युवा साध्वियों की संख्या कितनी होगी देवी पद्मा?"

"मात्र ग्यारह।"

"और देवी किरण जैसी उम्र दराज साध्वियों की संख्या?"

"वह भी लगभग एक दर्जन के आसपास।"

"यहाँ रहनेवाली साध्वियाँ अगर वापस जाना चाहें तो?"

"जा सकती हैं श्रीमान् जी। कई साध्वियाँ यहाँ से जाकर शादी-ब्याह में बँधी...। यहाँ किसी पर कोई पाबन्दी नहीं।"

"अभी जो दो साध्वियाँ आयी थीं उन्हें देखने के बाद उनके बारे में जानने की इच्छा पैदा हो रही है?"

"अच्छा श्रीमान् जी! आप चन्दा और रूपा के बारे में जानना चाहते हैं। ये दोनों भी मुसीबतों और परेशानियों की मारी रही हैं। चन्दा के माँ-बाप यहाँ आते थे। गुरु महाराज के भक्त थे। चन्दा उनकी इकलौती सन्तान थी। खेती पर ही उनकी जीविका निर्भर थी। लेकिन पुश्तैनी खेतों के बँटवारे में अपने भाइयों के साथ उनका विवाद दुश्मनी में तब्दील हो गया। उन भाइयों के बेटे भी बड़े हो चुके थे। बस, उनके हिस्से की जायदाद हड़पने के लिए रात में उनके भाइयों ने उनकी हत्याकर दी और प्रचारित कर दिया कि लूटपाट में आये डकैतों ने उन्हें मार दिया है। अब उनकी अकेली बची पुत्री चन्दा की शादी के नाम पर उसे बेचने की तैयारी करने लगे। चन्दा सब-कुछ देख-समझ रही थी। लेकिन विवश थी। चन्दा को उन्होंने अपनी निगरानी में रखा था कि वह कहीं निकल न सके। लेकिन उसी निगरानी में एक दिन की गफलत पर चन्दा वहाँ से भाग चली। अपने माँ-बाप के साथ इस आश्रम में वह आती रही थी। बस, सीधे यहाँ चली आयी। यहाँ आकर वह सुरक्षित हो गयी। फिर तो यहीं की होकर रह गयी...।

"रूपा की कथा चन्दा से थोड़ी भिन्न है श्रीमान् जी। उसके माँ-बाप और भाई-बहन सब हैं। उसका परिवार भी गुरु महाराज का अनन्य भक्त है। रूपा की शादी को लेकर वे परेशान थे। कहीं दहेज की ऊँची माँग, तो कहीं कुण्डली का मेल नहीं खाना। रूपा की शादी के लिए गुरु महाराज का आशीर्वाद लेने वे आते रहे थे। इस दौरान आश्रम के वार्षिक जलसे में यहाँ एक सप्ताह तक उन्हें रुक जाना पड़ा। फिर तो रूपा पर इस आश्रम और गुरु महाराज के प्रवचन का ऐसा असर हो गया कि इस आश्रम में साध्वी बनकर रहने का न सिर्फ उसने निर्णय ले लिया, बल्कि अपने माँ-बाप को भी राजी कर लिया। तब से रूपा भी यहीं है। उसके माँ-बाप यहाँ पूर्ववत् आते-जाते रहते हैं...।"

"लेकिन देवी पद्मा, रूपा जैसी सुन्दर लड़की की शादी क्यों नहीं हो पा रही थी, यह बात मैं समझ नहीं पा रहा हूँ। सुन्दर लड़कियों की शादियाँ तो आसानी से हो जाती हैं। चन्दा भी पर्याप्त सुन्दर है। लेकिन उसकी परिस्थिति दूसरी थी। पर रूपा को लेकर मेरे मन में यह स्वाभाविक प्रश्न उठ रहा है?"

"ऐसा है श्रीमान् जी कि जब इस आश्रम में चार-पाँच वर्ष पहले ये दोनों लड़कियाँ आयी थीं तो ऐसी हर्गिज नहीं थीं। तब आप इन्हें देखते तो पहचान ही नहीं पाते कि ये वहीं लड़कियाँ हैं। दोनों श्रीहीन। सिर्फ लड़की की काया और कद-काठी के अतिरिक्त इनमें कोई आकर्षण नहीं।"

"फिर इस रूप में ये कैसे आ गयीं, देवी पद्मा?"

"यह इस आश्रम का प्रभाव है श्रीमान् जी। यहाँ का खान-पान, रहन-सहन, आचार-विचार, तौर-तरीके, योग-साधना आदि ने इन्हें बदल दिया। माहौल और संगति का प्रभाव होता है, श्रीमान् जी। संक्षेप में बस इतना ही कहना चाहूँगी कि धूल में रहनेवाला धूल की तरह हो जाता है तथा फूलों के बीच रहनेवाला फूल की तरह... । 'रामचरितमानस' में आपने पढ़ा होगा श्रीमान् जी –

"गगन चढ़ई रज पवन प्रसंगा।
कीचहिं मिलइ नीच जल संगा।।"

"आपने बहुत अच्छा उदाहरण दिया देवी पद्मा। बहुत अच्छा।" – और लोकचन्द मुस्करा उठे।

"ठीक है श्रीमान् जी। अब मैं चलती हूँ। मुझे कुछ और कार्य देखने हैं। जै गुरुदेव, श्रीमान् जी।"

पद्मा के इस अभिवादन के उत्तर में अब न चाहते हुए भी लोकचन्द को कहना ही पड़ा – "जै गुरुदेव देवी पद्मा।"

अपने और सुकेश के सम्बन्ध को गोपनीय रखने तथा यहाँ की मान्य परम्परा के अनुसार अब ऐसा कहना उन्हें आवश्यक प्रतीत हुआ। पद्मा चली गयी। लेकिन लोकचन्द पूर्ववत् बैठे रहे। यहाँ का शान्त, एकान्त माहौल उन्हें बहुत अच्छा लगता रहा।

ऐसे स्थल उनके रचनाकार मन को खूब भाते थे। बस, वे चुपचाप बैठे यहाँ की प्राकृतिक शान्ति का आनन्द लेते रहे। ऐसे में कुछ ही समय बाद मन्दिर के रास्ते से आगे बढ़ते स्वामी इन्द्र सागर की नजर उन पर चली आयी – "जै गुरुदेव श्रीमान् जी। यहाँ मन्दिर पर आप अकेले बैठे हैं... ।"

"मुझे शान्त और एकान्त स्थल प्रिय हैं इन्द्र सागर।"

"बहुत अच्छा श्रीमान् जी। भक्तों और साधकों का मन ऐसे स्थलों पर ही रमता है... ।"

लोकचन्द के मन में आया कि कह दें, वे वैसे भक्त और साधक नहीं। लेकिन अपने उद्देश्य के तहत यह कहना उचित न समझ बात बदलते हुए पूछ उठे – "और आप इन्द्र सागर इस समय कहाँ जा रहे?"

"गुरु महाराज से मिलना है श्रीमान् जी।"

यहाँ पुनः उनके मन में यह बात उठी कि कह दें, गुरु महाराज से मिलने के लिए तो यह समय उपयुक्त नहीं। फिर पद्मा की बात याद आते ही मौन बने रहे।

गुरु महाराज के विश्वासपात्र कभी भी उनसे मिल सकते हैं। निश्चित ही यह भण्डारपाल इस आश्रम की एक हस्ती है। फिलहाल गुरु महाराज से कोई आवश्यक परामर्श लेने जा रहा है।

इन्द्र सागर को गुरु महाराज के बँगले की ओर मुड़ते देख लोकचन्द भी अब अपने आवास की ओर चल पड़े। इसी क्षण सामने से आ रही चार-पाँच युवा साध्वियाँ उन्हें दिख गयीं। रंग-रूप और यौवन से भरी। आपसी बातचीत के तहत हँसती-खिलखिलाती। अपनी उपस्थिति से वातावरण को रम्य बनाती। शायद किसी कार्यवश ये कहीं जा रही हों या भ्रमण में निकली हों। आश्रम की इन साध्वियों को लेकर लोकचन्द का मन-मस्तिष्क अब उद्वेलित हो उठा। गाँव की एक लड़की सुगन्धा के चलते सुकेश को गाँव छोड़कर भागना पड़ा था। उस घटना से सीख लेकर उसे लड़कियों से दूर ही रहना चाहिए था। लेकिन प्रसिद्धि और समृद्धि में डूबे सुकेश को अब चेत कहाँ। निश्चय ही भोग सुख में वह आकण्ठ डूबा है। अगर ऐसा नहीं होता तो रूप और यौवन से भरी ऐसी-ऐसी युवा साध्वियों को अपने निकट क्यों रखता? लोकचन्द अपने आवास पहुँच बिस्तर पर लेट गये। इस क्षण न चाहते हुए भी रास्ते में दृष्टिगत साध्वियाँ उनके मानस-पटल पर कौंधती रहीं...। फिर कुछ ही समय बाद माइक से प्रवचन के समय का प्रसारण शुरू हो गया। साथ ही आश्रमवासियों और आगन्तुकों के लिए आमन्त्रण भी...। इस अवसर की प्रतीक्षा में बैठे लोग चल पड़े। प्रवचन-मण्डप में समय से पहुँचकर उन्हें अपना स्थान ग्रहण करना था। लोकचन्द के विशिष्ट अतिथि आवास के पड़ोसी रंगधर शरण उनके आवास से होते हुए ही आगे बढ़ रहे थे। इस स्थिति में लोकचन्द को आराम फरमाते देख बोल उठे – "प्रवचन में नहीं चलना है क्या?"

"चलिये श्रीमान् जी। मैं पीछे से आ जाऊँगा...।"

लेकिन लोकचन्द ने तय कर लिया था, उन्हें प्रवचन में नहीं जाना। वे यहाँ प्रवचन सुनने नहीं आये। कल के प्रवचन में उनका भाग लेना अपने मित्र से मिलने की अनिवार्यता थी। यहाँ के लिए वे बिल्कुल नये थे, इसलिए वैसी अनिवार्यता का पालन उन्हें करना था। लेकिन अब वैसा कोई अनुशासन नहीं...।

बीतते समय के अनुसार वह समय भी अब आ गया जिसकी प्रतीक्षा अब तक लोकचन्द करते रहे थे। अब वे अपने निर्धारित समय पर सुकेश के उस विशेष कक्ष तक पहुँच गये जहाँ उससे बातचीत होनी थी। यह समय स्वयं सुकेश ने ही तय किया था। इस बार लोकचन्द यहाँ सीधे चले आये थे, कहीं कोई अवरोध नहीं। उन्हें देखते ही अमृता ने मधुर वाणी से उनका स्वागत किया – "जै गुरुदेव श्रीमान् जी। अन्दर आ जाइये और अपने आसन पर विराजमान होइये। अब हम जान चुके हैं, गुरु

महाराज के प्रारम्भिक भक्तों में आप विशेष हैं, इस दृष्टि से हमारे लिये भी वन्दनीय हैं...। मैं अभी दीदी माँ पद्मा को खबर कर देती हूँ...।''

और अमृता के जाते ही तत्क्षण पद्मा पुनः आ गयी – ''जै गुरुदेव श्रीमान् जी। गुरु महाराज आपकी प्रतीक्षा ही कर रहे थे। बैठिये, बस, वे आ ही रहे हैं।'' और पद्मा चली गयी।

लोकचन्द समझ गये, सुकेश ने उनकी घनिष्ठ मित्रता को गोपनीय रखते हुए अपने निकटस्थों को उन्हें पुराना शिष्य बता दिया है। सम्भव है, अपनी वर्तमान स्थिति के परिप्रेक्ष्य में उसे यही उपयुक्त जान पड़ा हो। खैर, इसे लेकर उन्हें कोई समस्या नहीं। उनके मित्र ने उन्हें पहचान लिया, उस घनिष्ठ मित्रता को वह भूल नहीं सका है, उनके लिए बस इतना ही पर्याप्त है। वे स्वयं नहीं चाहते कि पूरे आश्रम में सुकेश से उनकी दोस्ती प्रचारित हो...।

लोकचन्द अब उस कक्ष में आराम से बैठ गये। लेकिन इस बार उनके मित्र सुकेश का आना तत्क्षण हुआ। इस बार आते ही उसने लोकचन्द से हाथ मिलाकर उन्हें मित्रवत् अभिवादन का एहसास कराया – ''यहाँ कोई असुविधा तो नहीं हुई? रात में ठीक से रहे?''

इस पर लोकचन्द को यह समझते देर नहीं लगी कि पिछले चौबीस घण्टों के अन्तराल में ही सुकेश ने आश्रमवासियों से उनके सम्बन्ध को गोपनीय रखते हुए उनसे मित्रवत् व्यवहार करने का निर्णय ले लिया है। लोकचन्द को विश्वास था, ऐसा ही होगा। वैसी घनिष्ठ और गहरी मित्रता को उनके साथ के एकान्त में वह नकार नहीं पायेगा।

''यहाँ मुझे कोई असुविधा नहीं हुई सुकेश। यहाँ मैं बहुत अच्छी तरह रहा। यहाँ की जो चीज मुझे सबसे अधिक जँची वह यहाँ की भाषा है। इस आश्रम की भाषा को तुमने संस्कारित कर दिया है। तुम्हारा यह पक्ष सराहनीय है। यहाँ के संवादों की शालीन, मर्यादित और आदर्श भाषा ने सचमुच मन मोह लिया है।''

''तुम्हारी इस राय के लिए धन्यवाद लोक। इसके लिए हृदय से शुक्रगुजार हूँ। इस आश्रम के विरोधी तो इसे भी कृत्रिम भाषा कहते हैं...। लोगों पर आरोपित और थोपी हुई...।''

''कहनेवालों को कहने दो सुकेश। अच्छाई और बुराई स्वयं सिर चढ़ कर बोलती है...।''

''ठीक है लोक। तुमने अच्छी प्रतिक्रिया देकर मेरा उत्साह बढ़ा दिया है। तुम्हारी प्रतिक्रिया से रामचरितमानस की वह चौपाई मुझे बरबस याद आ गयी जो रूस में बारान्निकोव की इच्छा के अनुसार उसकी समाधि पर अंकित है –

भलो भलाइहि पै लहइ लहइ निचाइहि नीचु।
सुधा सराहिअ अमरताँ गरल सराहिअ मीचु।।"

"मैं जानता हूँ सुकेश, बाल्यावस्था से ही तुम्हारे पिता जी तुम्हें संस्कृत ज्ञान के साथ-साथ 'रामचरितमानस' और 'गीता' का पाठ भी कराते थे। इस दृष्टि से प्रसंग के अनुसार 'रामचरितमानस' की इस सटीक चौपाई का स्मरण तुम्हारे लिये स्वाभाविक है। लेकिन अब मैं मूल बात पर आता हूँ सुकेश। अचानक हरिद्वार की उस पुलिया के पास तुम्हें देखकर मुझे अपनी आँखों पर विश्वास नहीं हुआ। मैं तुम्हें देर तक निहारता रहा। फिर इस बात को लेकर आश्वस्त हो गया कि तुम मेरे वही घनिष्ठ मित्र सुकेश हो। बस, अगली सुबह भागते हुए सीधे इस आश्रम में आ पहुँचा। तुम्हारे साथ जो मेरी दोस्ती कायम हुई थी वैसी फिर किसी और के साथ कभी हुई ही नहीं। इसलिए तुम्हारा मिलना सुकेश मेरे लिये सिर्फ सुखद आश्चर्य भर नहीं, किसी बड़ी चमत्कारिक खुशी जैसी है...। लेकिन इस बड़े आश्रम के संस्थापक-संचालक के रूप में तुम्हें देखकर मेरा मन आशंकित हो उठा है। तुम यहाँ यह किस घनचक्कर में आ पड़े हो? यहाँ का यथार्थ विचलित करनेवाला है। उसका अन्तर्निहित सच खौफ पैदा करता है। तुम इस जंजाल से मुक्त हो जाओ सुकेश। यह मात्र जंजाल नहीं, महाजाल है। तुम्हारे अकेले जीवन के लिए कितना कुछ चाहिए। संस्कृत के अपने विशिष्ट ज्ञान के तहत स्वतन्त्र अध्ययन केन्द्र खोलकर तुम अपने जीवन का निर्वाह अच्छी तरहकर सकते हो...।"

"तुम्हारी बात मैं समझ नहीं पा रहा हूँ लोक। तुम कहना क्या चाह रहे हो?"

"तुम सब समझ रहे हो सुकेश। लेकिन सुख-समृद्धि और ऐशो-आराम की जिस भव्य दुनिया में पहुँच चुके हो वहाँ से शायद अब वापस आना नहीं चाहते।"

"मैं सीधे-सीधे सुनना चाहता हूँ लोक। यहाँ तुमने वैसा क्या देखा जिसने तुझे इस तरह विचलित और आवेशितकर दिया है...?"

"तो सुनो सुकेश, कल प्रवचन के बाद तुमसे मिलकर मेरे आगमन की सारी व्यग्रता खत्म हो गयी। तुमसे मिलने का मेरा पहला उद्देश्य पूरा हो गया। लेकिन इस आश्रम में एक दिन के अन्दर ही तुम्हें लेकर मेरा मन अशान्त और बेचैन हो उठा है। अभी पिछले दिनों लगातार ऐसे बड़े आश्रमों के गुरुओं और स्वामियों को जिन संगीन अभियोगों के तहत गिरफ़्तार किया गया और उनके आश्रमों का जो कच्चा चिट्ठा सामने आया उसने ऐसे आश्रमों और उनके स्वामियों को सन्देह के घेरे में लाकर खड़ा कर दिया है। तुम्हारे इस आश्रम में भी वैसी स्थितियों को देखकर मेरा मन विचलित और उद्वेलित है।"

"ऐसा तुमने क्या देखा है लोक? तुम साफ-साफ कहते क्यों नहीं?"

"देखा तो बहुत कुछ है। लेकिन मेरी मुख्य शंका इस आश्रम में साध्वियों को लेकर है। चाहे तुम जिस परिस्थिति में यहाँ के गुरु और स्वामी बने हो, ऐसी साध्वियों से तुम्हें दूर ही रहना चाहिए था। ऐसे आध्यात्मिक आश्रमों में रूप और यौवन से भरी ऐसी युवतियों की क्या आवश्यकता?"

"तुम्हारी बात मैं समझ गया लोक। तुम कहना यह चाहते हो कि इस धार्मिक-आध्यात्मिक आश्रम को स्त्रियों से मुझे दूर रखना चाहिए था। लेकिन यह सम्भव नहीं लोक। यह मेरे वश में नहीं। महात्मा बुद्ध से मैं बड़ा विचारक और उपदेशक नहीं हो सकता। वे भी चाहते थे कि बौद्ध भिक्षुओं में स्त्रियाँ न रहें। लेकिन आम्रपाली के तर्कों और अनुरोधों के तहत उसके आगमन को नहीं रोक सके। फिर तो बौद्ध भिक्षुओं में स्त्रियों का प्रवेश वर्जित नहीं रहा। अब तो देश और दुनिया के प्रायः हर संस्थानों में पुरुषों की तरह स्त्रियों की उपस्थिति देखी जा सकती है। मैं उन्हें क्या कहकर रोक सकता हूँ लोक। यहाँ मैंने किसी को बुलाया नहीं है। स्त्री-पुरुष जो भी आये हैं, स्वतः आये हैं!"

"तुम्हारी बात मेरे गले के नीचे नहीं उतर रही सुकेश। अनिच्छित व्यक्ति के पास आखिर लोग कैसे आ सकते हैं?"

"आ सकते हैं लोक। तुम जो नहीं जानते और जानना चाहते हो वह भी जान लो। उस दुर्घटना से बचने के बाद काफी समय तक मैं इधर-उधर भटकता रहा। फिर यहाँ आने के बाद इस स्थान ने मेरे मन को बाँध लिया। यहाँ एक वट वृक्ष था जो अभी भी आश्रम के शिव-मन्दिर के पास है। उस वट वृक्ष के नीचे पत्थर का एक शिवलिंग था। पता नहीं, किसी ने स्थापित किया था या ऐसे ही रख दिया था। बस, अपनी प्रकृति के तहत मैं यहाँ पूजा पाठ करने लगा। फिर लोग स्वतः आने लगे। अब मैं उन्हें कैसे भगाता और किस अधिकार से भगाता? वही स्थिति आज इस रूप में परिवर्तित हो गयी है। शायद आश्रम से प्रकाशित मेरी पुस्तक 'मुक्त लोक की यथार्थ कथा' तुमने नहीं पढ़ी। तुम्हारे आवास में भिजवा दूँगा। लोगों की श्रद्धा और विश्वास के समक्ष हम कुछ नहीं कर सकते। हमारा प्रतिकार कायम रह ही नहीं सकता...।"

"तुम यह अजीब बात कह रहे हो सुकेश। लोग हमें जबरन गुरु और स्वामी कैसे बना सकते हैं? तुम अपने को निर्दोष साबित करने के लिए अपनी तटस्थता और अनासक्ति का यह तर्क दे रहे हो...।"

"मैं यह कोरा तर्क नहीं दे रहा लोक। तुम्हें ऐसी स्थिति का कभी सामना करना नहीं पड़ा है, इसलिए तुम यह कह रहे हो। तुम्हें समझाने के लिए मैं दो फिल्मों का उदाहरण दे रहा हूँ – हिन्दी फिल्म 'गाइड' तथा बाँग्ला फिल्म 'देवी' का। 'गाइड'

का नायक संत नहीं सामान्य इन्सान था, लेकिन लोगों के विश्वास ने अन्ततः उसे संत घोषित कर दिया। 'देवी' की नायिका भी सामान्य स्त्री थी। लेकिन लोगों के विश्वास ने उसे देवी बना दिया। तुम पता लगाकर देख लो, कभी किसी से मैंने कुछ भी नहीं माँगा और कभी अपने को सर्वज्ञ स्वामी घोषित भी नहीं किया।"

"ठीक है। तुम्हारी यह बात मैं मान लेता हूँ सुकेश। धर्म और अध्यात्म के नाम पर लोगों की अन्ध श्रद्धा और अन्धविश्वास से इनकार नहीं कर सकता। ऐसी स्थितियों से अवगत हूँ। लेकिन प्रौढ़ और वृद्ध महिलाओं की अपेक्षा युवा साध्वियों को तुमने क्यों रखा?"

"अगर किसी लड़की के माँ-बाप स्वयं उसे लाकर आश्रम में रखना चाहें, जो आश्रम उनकी श्रद्धा और विश्वास पर ही अवलम्बित है, तो फिर उस लड़की को वहाँ रखने से इनकार कैसे किया जा सकता है?"

"अपने को निश्छल, तटस्थ और निरपेक्ष साबित करने के लिए तुम यह तर्क गढ़ रहे हो सुकेश।"

"यह तर्क नहीं सच्चाई है लोक। यहाँ तुम मुझे जिस रूप में देख कर चकित हो, वह लोगों की श्रद्धा और विश्वास की वजह से निर्मित स्वरूप है। तुम पता कर सकते हो, मैंने अपने को कभी संत, महात्मा या गुरु घोषित नहीं किया है।"

"तो फिर यहाँ लोग यह क्यों कहते हैं कि गुरु महाराज के आशीर्वाद से ही यहाँ सब सम्भव है, गुरु महाराज के आशीर्वाद की शक्ति अमोघ है...।"

"अब तुम्हारे जैसे प्रबुद्ध व्यक्ति को तो यह समझ जाना चाहिए कि लोग ऐसे क्यों कहते हैं? कोई तुम्हें जब प्रणाम करता है तो जवाब में तुम्हें भी कुछ कहना पड़ता है या हाथ उठाकर उस व्यक्ति का अभिवादन स्वीकार करना होता है। ऐसे में उस व्यक्ति के अपने कार्य अगर किसी वजह से सम्पन्न हो जायें, लेकिन वह व्यक्ति तुम्हारे आशीर्वाद के चलते ही उसे सम्पन्न हुआ मान बैठे तो तुम क्या कर सकते हो? ऐसे श्रद्धालु व्यक्ति अपनी ऐसी खुशी को अपने तक सीमित भी नहीं रख पाते, अपने परिचितों में जोर-शोर से प्रचारित कर देते हैं। ऐसे लोग यह चाहते हैं कि वे जिसे श्रद्धा दे रहे हैं, अन्य लोग भी उसे श्रद्धा दें। इस तरह से एकत्रित लोगों की अब स्वतः ऐसी धारणा बन जाती है जिसे चाहते हुए भी तुम बदल नहीं सकते। इस सम्बन्ध में तुम्हारे नकार को वे तुम्हारी शालीनता और महानता घोषित कर डालेंगे...।"

सुकेश के इस जवाब ने अब क्षण-भर के लिए लोकचन्द को चुप करा दिया। फिर अपने को संयतकर वे मूल विषय पर आ गये – "ठीक है, तुम्हारी यह बात

भी मैं मान लेता हूँ। लेकिन जब अपने को तुम इस तरह तटस्थ और निर्लिप्त मान रहे हो तो फिर चुनिन्दा युवा साध्वियों को अपने पास क्यों रखते हो?"

"तो उन्हें कहाँ रखूँ लोक? जिस किसी भी कारण से वे आश्रम में आ गयी हैं तो अब उनकी सुरक्षा का जिम्मा तो मेरा ही है। मेरे नाम पर ही यहाँ हैं। मेरे निकट रहकर ही वे सुरक्षित रह सकती हैं, अन्य आश्रमवासियों के बीच या स्वतन्त्र रहकर नहीं...।"

"तुम्हारा यह कहना मुझे मान्य नहीं है सुकेश। आग और घी को साथ-साथ रखकर अग्नि प्रज्वलित होने से रोका नहीं जा सकता।"

"यहाँ फिर तुम्हारी बात मैं नहीं समझ पा रहा हूँ लोक। पहेलियाँ न बुझाकर सीधे-सीधे अपनी बात कहो...।"

"तो सुनो सुकेश। तुम ऐसे तर्क गढ़कर सच्चाई को छिपाना चाहते हो। चाहे जिन कारणों से यहाँ तुम्हें ऐसा ऐश्वर्य प्राप्त हो गया है, उसमें तो जैसा खाना चाहोगे, खा सकोगे, जैसे कपड़े पहनना चाहोगे, पहन सकोगे, जिस तरह के आवास में रहना चाहोगे, रह सकोगे। एक बार प्राप्त ये चीजें तुम्हें तृप्त करती रहेंगी। लेकिन काम-सुख की कभी तृप्ति नहीं होती। काम वृति निरन्तर काम वासना को भड़काती और बढ़ाती जाती है। यह भोग की अन्तिम मंजिल होती है जिससे आदमी वापस आना नहीं चाहता...। इस काम-सुख के लिए ही ययाति ने अपने पुत्र से जवानी माँग ली थी। तुम्हारे निकट रहती युवा साध्वियाँ रूप और यौवन से ऐसी भरी हैं कि पहुँचे हुए ऋषि, मुनि और योगी भी अपने को संयत नहीं रख सकेंगे। तुम्हारा यह पक्ष मुझे बहुत नागवार लगा है सुकेश। यह पतन का मार्ग है। इससे तुम मुक्त हो जाओ।"

लोकचन्द की इस बात पर अचानक सुकेश का चेहरा कुछ गम्भीर हो गया। क्षण-भर के लिए वह मौन भी रहा। जैसे उसकी चोरी पकड़ ली गयी हो। फिर शीघ्र ही उसने अपना मोर्चा सम्हाल लिया – "यह तुम्हारा मिथ्या आरोप है लोक। यह तुम्हारा भ्रम है। आग और घी को जहाँ हम अलग-अलग रखते हैं वहाँ अग्नि कभी प्रज्वलित नहीं होती। आपस में मिलने पर ही होती है। जाने-अनजाने कारणों से यहाँ जो दायित्व मुझे मिल गया है उस दायित्वबोध को तुम सबसे बड़ा पहरेदार समझो। वह दायित्वबोध मुझे गलत करने की इजाजत दे ही नहीं सकता...।"

"तुम्हारा यह तर्क विश्वसनीय नहीं सुकेश। तुम तो ऐसी बात कह रहे हो जैसे तुम्हारा दायित्व राजा विक्रमादित्य का सिंहासन हो जिस पर बैठा व्यक्ति गलत आचरण कर ही नहीं सकता। तुम अपने को बचाने-छिपाने के लिए ऐसे तर्क गढ़ रहे हो...।"

"अब तुम चाहे जो कहो लोक, यह तुम्हारी और हमारी दृष्टि का फर्क है। तुम्हारे पास भेद-दृष्टि है इसलिए तुम्हें यह गलत दिख रहा है। लेकिन मेरे पास भेद-दृष्टि नहीं...। मेरी चेतना अब भेद-दृष्टि से परे है...।"

"यह भेद-दृष्टि क्या है सुकेश? शब्दों में मुझे इस तरह उलझाकर तुम इस मामले को रफा-दफा नहीं कर सकते। यह संगीन और गम्भीर मामला है। इससे तुम बच नहीं पाओगे।"

"तो तुम भेद-दृष्टि नहीं जानते?"

"नहीं जानता।"

"तो जान लो लोक कि जो स्त्री-पुरुष में भेद मानते हैं उन्हें ही स्त्री, स्त्री प्रतीत होती है और पुरुष, पुरुष। वैसे लोग भेद-दृष्टि से ग्रस्त रहते हैं। लेकिन जो स्त्री और पुरुष में भेद नहीं मानते, उन्हें जीव-मात्र समझते हैं, वे भेद-दृष्टि से मुक्त होते हैं। फिलहाल जिस दायित्व के तहत यहाँ मैं हूँ उसमें भेद-दृष्टि से शुकदेव जी की तरह मुक्त हो गया हूँ। यहाँ साधु और साध्वियों में मेरे लिये कोई अन्तर नहीं है। आश्रम में रहनेवाले सभी सदस्य मेरे लिये जीवमात्र हैं, स्त्री और पुरुष नहीं...।"

"श्रीमद्‌भागवत महापुराण के कथावाचक शुकदेव जी को तो मैं जानता हूँ। राजा परीक्षित को श्रीमद्‌भागवत की कथा उन्होंने ही सुनायी थी।"

"फिर तुम भेद-दृष्टि को कैसे नहीं जानते? लगता है, शुकदेव जी की अपनी कथा तुम्हें विस्मृत हो गयी है तो फिर से सुन लो... एक बार शुकदेव जी जिस रास्ते से गुजर रहे थे उस रास्ते के तालाब में नग्न स्नान करती कुछ रमणियाँ (अप्सराएँ) आनन्द विहार कर रही थीं। लेकिन शुकदेव जी को देखकर वे तनिक भी विचलित नहीं हुईं। उन्हें कोई संकोच महसूस नहीं हुआ। वे पूर्ववत् स्नान करती रहीं। शुकदेव जी उन्हें देखते हुए आगे बढ़ गये। अब कुछ ही समय बाद शुकदेव जी के पीछे-पीछे उनके पिता महर्षि वेदव्यास भी उसी रास्ते से आये। लेकिन उन पर नजर पड़ते ही उन रमणियों ने जल्दी-जल्दी अपने वस्त्रों से अंगों को ढँक लिया। दिव्य दृष्टि सम्पन्न महर्षि वेदव्यास सब-कुछ देख रहे थे। अब रमणियों के समीप पहुँच वे पूछ उठे – "अभी इसी रास्ते से गुजरते मेरे पुत्र शुकदेव को देखकर आप लोग तनिक भी विचलित नहीं हुईं। किसी तरह के शर्म-संकोच का अनुभव नहीं किया। लेकिन मुझ बुजुर्ग पर नजर पड़ते ही संकोच से इस तरह दुहरी हो रही हैं?"

जवाब में उन रमणियों ने कहा – "क्षमा कीजियेगा महर्षि। ब्रह्मज्ञानी शुकदेव जी के पास भेद-दृष्टि नहीं, वे भेद-दृष्टि से परे हैं। स्त्री-पुरुष उनके लिए जीवमात्र हैं। इसलिए उनसे क्या संकोच? लेकिन आपके पास भेद-दृष्टि है महर्षि। आप पर

नजर पड़ते ही स्वाभाविक शर्म-संकोच ने शीघ्र वस्त्र ग्रहण के लिए हमें बेचैन कर दिया...।"

"मैं इस कथा से अवगत था सुकेश। लेकिन अपनी सुविधा के अनुसार इस कथा को तुमने बीच से ही प्रस्तुत कर दिया। यह नहीं बताया कि शुकदेव जी की जन्मजात स्थिति ऐसी थी। जीवन के मध्य में वे भेद-दृष्टि से मुक्त नहीं हुए थे। लेकिन तुम्हारे जीवन का सुगन्धा प्रकरण मैं जानता हूँ। उस घटना को तुम भी भूल नहीं सकते हो। वैसा अनुभव रखनेवाला व्यक्ति अचानक जीवन के मध्य में भेद-दृष्टि से मुक्त नहीं हो सकता।"

लोकचन्द की इस बात ने क्षण-भर के लिए सुकेश को स्तब्ध कर दिया। उसके चेहरे पर किंचित् आवेश और मलिनता दोनों के भाव उभर आये। लेकिन जल्द ही उसने अपने को नियन्त्रित कर लिया – "चेतना के विकास और ज्ञान की प्राप्ति के लिए कोई अवस्था नहीं होती लोक। जब जागे तब हुआ सवेरा...। ऐसा नहीं कि जीवन के मध्य और उत्तरार्द्ध में हम अपने को न बदल सकें। साधना और तपस्या से सब-कुछ सम्भव है...।"

तप बल तें जग सृजइ बिधाता।
तप बल विष्णु भए परित्राता।।
तप बल सम्भुकरहिं संघारा।
तप तें अगम न कछु संसारा।।

अपने कथन के समर्थन में सुकेश ने पुनः 'रामचरितमानस' की यह चौपाई प्रस्तुत कर दी।

"अब तुम ऐसे मिथ्या तर्क देकर मुझे सच्चाई से दूर नहीं कर सकते सुकेश...। मैं तुम्हारा वही मित्र हूँ जिसने तुमसे कभी कुछ भी नहीं छिपाया। तुम्हारा अनभल कभी नहीं चाहा। वही मित्रता मुझे खींचकर तुम्हारे पास यहाँ तक ले आयी और उसी उद्देश्य के तहत तुम्हें यहाँ पंक में गिरने से रोकना चाहता हूँ।"

"ऐसा नहीं है लोक। मैं कहीं किसी पंक में नहीं गिर रहा। इन स्थितियों में भी अपने को बचाकर, सम्हालकर रखा है।"

"क्या सम्हालकर रखे हो सुकेश। तुम्हारे निकट की जैसी साध्वियों को मैं देखकर आया हूँ उनसे क्या सम्हाल सकते हो...। मैं तुम्हारे भले के लिए ही कह रहा हूँ, हमारे भारतीय समाज के लिए ऐसे मसले घोर आपत्तिजनक माने जाते हैं। पिछले दिनों बड़े-बड़े आश्रमों के जो तथाकथित स्वामी गिरफ़्तार हुए वे सब साध्वियों के 'यौन प्रकरण' को लेकर ही। मेरे जानते उन पर ठगी के गम्भीर मामले भी बनते थे। लेकिन

ठगी के मामलों को हमारे यहाँ जुर्म की उस श्रेणी में नहीं रखा जाता जिस श्रेणी में स्त्रियों के यौन-शोषण और यौन-उत्पीड़न को रखा जाता है। इसलिए खुलेआम ठगी करते हुए वे बाबा बचे हुए थे। लेकिन साध्वियों के यौन-उत्पीड़न पर नहीं बच सके. .. ।''

''तुम अपने मन से ऐसी शंका निकाल दो लोक। तुम्हें मैं अपने विश्वस्त सूत्रों से साध्वियों के बीच भेज देता हूँ। तुम हर साध्वी से अलग-अलग एकान्त में बात करके देख लो। अगर किसी ने भी किसी तरह के शोषण का आरोप मुझ पर लगा दिया तो फिर तुम जो कहोगे वह करने के लिए मैं तैयार रहूँगा... ।''

''तुम वैसे कच्चे खिलाड़ी नहीं सुकेश। शास्त्रों के ज्ञान से पारंगत हो। साध्वियों के अनुकूल अपना आचरण बनाकर, उन पर अपना भरपूर स्नेह उँड़ेलकर, उनकी हर इच्छा की पूर्तिकर तथा उन्हें अत्यधिक सुख-सुविधाएँ प्रदान कर अपने प्रति समर्पित बना सकते हो। स्वभाव से ही द्रवित होनेवाली महिलाएँ अनपेक्षित स्नेह-सम्मान और सुख-सुविधा पा अपने को सम्हाल नहीं पाती हैं। फिर तुम्हारी वे युवा साध्वियाँ तो उम्र के जिस नाजुक पड़ाव पर पहुँची हैं, वहाँ वह ऐसी स्थितियों में तुम्हें अपना सर्वस्व मानने लगेंगी... । तुमसे वे स्वतः जुड़ती चली जायेंगी... ।''

''ऐसा नहीं है लोक। मेरी बात पर विश्वास करो... ।''

''तुम्हारी यह बात विश्वास के योग्य है ही नहीं सुकेश। तुम्हारी सेवा में तुम्हारे निकट रहनेवाली जो युवा साध्वियाँ हैं, तुम उनसे असम्पृक्त होकर रह रहे हो, यह बात तुम गंगा में खड़े होकर भी कहोगे तो मैं नहीं मानूँगा।''

''अब तुम्हारी इस बात पर मैं क्या कहूँ? जब तुमने पहले से ही यह धारणा बना रखी है तो मेरी बात समझ ही नहीं सकोगे।''

''यह मेरी धारणा नहीं सुकेश। जीवन और जगत् का सच है जिससे इनकार नहीं किया जा सकता। तुम्हारी स्थिति में यहाँ मैं भी होता तो वही करता। चाहते हुए भी इससे बच नहीं पाता।''

''तो लोक तुम कहना क्या चाहते हो?''

''मैं यही कहना चाहता हूँ सुकेश कि इन झमेलों से तुम मुक्त हो जाओ। फिर पहले की तरह सहज, स्वाभाविक और सामान्य सुकेश बन जाओ। इस आश्रम को यहाँ के अपने भक्तों और अनुयायियों के हवाले कर दो। यहाँ आने और तुम्हारी स्थितियों से अवगत होने के बाद तेजी से बदलते समय को ध्यान में रख कर यह एक मित्र के नाते तुम्हें परामर्श देना मुझे आवश्यक जान पड़ा है।''

''तुम यह अजीब बात कर रहे हो लोक। बिल्कुल असम्भव और अव्यावहारिक। मैं तुम्हारी अभी की दुनिया से परिचित नहीं हूँ। लेकिन निश्चय ही इस उम्र तक

पहुँचते-पहुँचते तुमने अपनी एक अलग दुनिया कायमकर ली होगी। उस दुनिया से ही तुम यहाँ उपन्यास-लेखन के लिए आये हो। यहाँ से फिर उसी दुनिया में वापस चले जाओगे। इस स्थिति में यह कहा जाय कि अपनी उस दुनिया को त्याग कर तुम अब एक नयी दुनिया बना लो तो क्या यह सम्भव है?"

"मेरे प्रश्न का यह जवाब नहीं है सुकेश। तुम्हारी यह दुनिया एक इन्सान के सहज-स्वाभाविक विकास की दुनिया नहीं है। चमत्कारिक रूप से विकसित दुनिया है। जैसे चमत्कार स्थायी नहीं होता, आदमी को यथार्थ से दूर धोखे में रख कर छलता है, वैसे ही तुम इस मोहक दुनिया के धोखे में छले जा रहे हो। जिस चमत्कार ने इस आश्रम को एक साम्राज्य बना कर तुम्हें उसका सिरमौर बना दिया है, कभी एक झटके में वही चमत्कार तुम्हें ऐसे गर्त में ले जाकर फेंक देगा कि फिर चाहते हुए भी तुम अपने को सम्हाल नहीं सकोगे...। तुम स्वयं जानते हो कि जिस चीज का निर्माण जिन तत्त्वों से होता है उसके विनाश के बीज भी उन्हीं तत्त्वों में निहित होते हैं...।"

"तुम्हारा यह दार्शनिक उपदेश सुनने भर के लिए अच्छा है लोक। लेकिन तुम्हारी सम्भावनाओं से मेरी निजी दुनिया बिल्कुल पृथक् है। तुम जानना ही चाहते हो तो अपने निजी जीवन का सच अब मैं तुम्हें बता देता हूँ। मैं अपना आदर्श राजा जनक को मानता हूँ। मेरी दृष्टि में उनसे बड़ा ब्रह्मज्ञानी कोई और नहीं, इसीलिए उन्हें विदेह कहा जाता है। विदेह का अर्थ तो तुम जानते ही हो, देह रहते हुए देह की आसक्ति से मुक्त। एक राजा रहते और अपना राज-पाट कुशलता से सम्हालते हुए चेतना के स्तर पर वे उससे बिल्कुल अनासक्त थे। एकदम निर्लिप्त। सांसारिक कर्म उनके लिए सिर्फ कर्म भर था। उस कर्म बन्धन में वे बँधे हुए नहीं थे। यहाँ मैं भी उसी रूप में जीता हूँ लोक। यहाँ भौतिक रूप में जिन साधनों और सुविधाओं के बीच तुम मुझे देख रहे हो वह मेरा बाह्य आवरण भर है। यहाँ मेरी दैहिक उपस्थिति के आधार पर तुम मेरा वास्तविक स्वरूप नहीं समझ सकते। चेतना के स्तर पर इन सांसारिक कार्यों से मैं बिल्कुल मुक्त और निर्लिप्त हूँ। अपनी आत्मा में रमण करता हूँ। अपनी स्थिति से तुम्हें अवगत करने के लिए, तुम्हें समझाने के लिए अन्ततः कबीर के शब्दों में अपने जीवन का अकाट्य सत्य तुम्हें बता रहा हूँ लोक – "जो तुम देख्यो सो यह नाहिं।"

"अच्छा तो तुम अब यह कहना चाह रहे हो कि युवा साध्वियों के साथ रहते और इस आश्रम का ऐश्वर्य भोगते हुए भी चेतना के स्तर पर तुम इन सबसे मुक्त और निर्लिप्त हो। यह तुम्हारा बाह्य आवरण है, देह के स्तर पर देह की जरूरतों का भोग है। भोगों से तुम बँधे नहीं हो। अपनी आत्मा में रमण करते हो...। मैं जानता हूँ सुकेश, तुम्हारे मार्ग के गुरुओं, बाबाओं और स्वामियों का यह अन्तिम तर्क होता

है कि देह धर्म और सांसारिकता के तहत सारे भोग भोगते हुए भी चेतना के स्तर पर उनसे अपने को निर्लिप्त घोषित कर देना। राजा जनक को उदाहरण बनाकर ऐसे तर्क तो आसानी से दिये जा सकते हैं। लेकिन वास्तव में ऐसा हो सकना कठिन ही नहीं असम्भव भी है। अपने प्रसंग में रामचरितमानस की कुछ पंक्तियों को तुमने प्रस्तुत किया था। यहाँ तुम्हारे प्रसंग में ही मानस की एक चौपाई मुझे भी याद आ गयी है –

लखि सुबेष जग बंचक जेऊ।
वेष प्रताप पूजिअहिं तेऊ।।
उघरहिं अन्त न होइ निबाहू।
कालनेमि जिमि रावन राहू।।

लोकचन्द के इस उदाहरण ने क्षण-भर के लिए सुकेश को निरुत्तर कर दिया। वह समझ गया कि इस तरह के प्रचलित आध्यात्मिक तर्कों से वह लोक को नहीं समझा सकेगा, इसलिए अब इस संवाद को लगभग विराम देने के उद्देश्य से हँसते हुए सुकेश ने पुनः अपनी वह अन्तिम बात ही दुहरायी दी – "जो तुम देख्यो सो यह नाहिं।"

इस पर लोकचन्द ने भी जाते-जाते अपने निर्णय के निष्कर्ष से सुकेश को अवगत करा दिया – "जो मैं देखूँ, सो यह वही...।"

5

'मुक्त लोक' आश्रम में अपने मित्र सुकेश को पाने तथा इस आश्रम की स्थितियों से अवगत हो उससे जी भरकर कहने-सुनने के बाद लोकचन्द को लगा कि अब उन्हें यहाँ से वापस हो जाना चाहिए। अपने जिस मित्र से मिलने आये थे, मिल चुके। यहाँ जो कुछ देखा, उस पर उन्हें जो कहना था कह चुके। उनका मित्र जिस दुनिया में पहुँच चुका है वहाँ से अब उसकी वापसी सम्भव नहीं। इस स्थिति में अब यहाँ रहने का उनका औचित्य ही क्या?

सुकेश के विशिष्ट अतिथि-कक्ष से निकल कर लोकचन्द के कदम अब अपने विशिष्ट अतिथि आवास की ओर चल पड़े। वे जिस आवास में ठहरे थे उसके एक ओर मन्त्री पिता रंगधर शरण थे और दूसरी ओर का आवास खाली था। लेकिन वहाँ पहुँचते हुए लोकचन्द ने देखा, उस दूसरी ओर के आवास में भी एक दम्पती आ गये थे। शायद अभी कुछ ही क्षण पूर्व वे आये थे। सेवादार प्रणव उन्हें व्यवस्थित करा रहा था। लोकचन्द पर नजर पड़ते ही वह बोल उठा – "आइये, श्रीमान् जी। आपका

परिचय करा देता हूँ। अभी-अभी पधारे ये श्रीमान् विमल जी प्रसिद्ध आई. ए. एस. अधिकारी के. सी. एम. नारायण जी के सुपुत्र हैं। ये श्रीमान् जी की धर्मपत्नी हैं। यहाँ आने के बाद आपका आवास बन्द देख श्रीमान् विमल जी पूछ रहे थे कि इसमें कौन, कहाँ से आये हैं? श्रीमान् विमल जी पिछले दो-तीन बार से जब आते थे आप ही के आवास में ठहरते थे। संयोग से वह खाली मिल जाता था।''

यह सुनते ही लोकचन्द बीच में ही बोल उठे –

'' मैं अभी इसे ख़ाली कर देता हूँ प्रणव। विमल जी को इसमें शिफ़्ट करा सकते हो। मुझे कोई आपत्ति नहीं। अब मैं यहाँ से जाने की तैयारी में हूँ।''

इस पर अब स्वयं विमल जी बोल उठे – ''नहीं-नहीं श्रीमान् जी। हमारा उद्देश्य ऐसा कुछ नहीं। हम भी यहाँ ठहरने नहीं, गुरु महाराज का आशीर्वाद पाने आते हैं। ठहरना तो एक माध्यम भर है। अन्दर आइये श्रीमान् जी। बैठिये। हमारा परिचय तो हो जाय..।''

लोकचन्द अब उस आवास के अन्दर आ गये। वह आवास भी एकदम वैसा ही था जैसा लोकचन्द का। शायद विशिष्ट अतिथि आवासों को एक जैसा बनाया गया था। उनमें एक जैसी सुविधाएँ थीं। वहाँ किनारे की एक कुर्सी पर लोकचन्द बैठ गये। उनके सामने सोफे पर विमल जी पति-पत्नी जमे हुए थे। लोकचन्द को पहली नजर में वे पति-पत्नी पैंतालीस के आसपास के जान पड़े। चेहरे से उनकी इसी अवस्था का बोध हो रहा था। लेकिन शरीर के स्तर पर आरामतलबी जीवन की वजह से मोटे और थुलथुले दिख रहे थे। उनके साथ ठिगने कद, साँवले रंग और गठीले बदन का एक व्यक्ति भी था, जो कमरे के एक किनारे स्टूल पर बैठा हुआ था। लोकचन्द को यह समझते देर नहीं लगी कि अवश्य यह इनका निजी नौकर होगा। ऐसे लोग बिना नौकर के कुछ समय भी नहीं रह पाते, इसलिए यात्राओं में भी उसे साथ लेकर चलते हैं। इससे पहले कि लोकचन्द कुछ पूछते, जिज्ञासु विमल जी स्वयं मुखातिब हो उठे – ''सेवादार प्रणव से पता चला है श्रीमान् जी कि आप बिहार से आये हैं और गुरु महाराज के पुराने भक्तों में से हैं, इस दृष्टि से हमारे लिये भी आदरणीय हैं...।''

''ऐसा नहीं है विमल जी। हाँ, यह सच है कि गुरु महाराज से मेरा पुराना परिचय रहा है...।''

''यह बहुत बड़ी बात है श्रीमान् जी। तब तो आपका जीवन धन्य है। हम अभी तो कुछ ही वर्षों से गुरु महाराज के सम्पर्क में आये हैं। लेकिन उनके आशीर्वाद की अमोघ शक्ति देख अभिभूत हैं। गुरु महाराज अन्तर्यामी हैं। भक्तों पर अपनी कृपा बरसाते रहते हैं। उनका आशीर्वाद कभी निष्फल नहीं जाता...।''

प्रणव के अनुरोध पर इस आवास में आते हुए लोकचन्द ने मन-ही-मन तय किया था कि इन नये आगन्तुक दम्पती से दो शब्द में परिचय कर अपने आवास में वापस हो जाना है। अपने मित्र सुकेश से जिस तरह की लम्बी बातचीत कर वे लौटे थे उसने सुकेश को लेकर नये सिरे से विचार करने के लिए उन्हें बाध्यकर दिया था। लेकिन आई.ए.एस. पुत्र विमल की बात ने उससे सम्बन्धित यथार्थ जानने के लिए उन्हें जिज्ञासु बना दिया। विमल उनके मित्र सुकेश के किस अमोघ आशीर्वाद की बात कर रहे, जानना चाहिए। लेकिन सीधे-सीधे पूछना व्यावहारिक न समझ उन्होंने भी विमल की तरह ही प्रारम्भ किया – "आप लोग गुरु महाराज के सम्पर्क में कब से आये विमल जी और कैसे आये?"

"अभी छह-सात साल से ही हम यहाँ आ रहे हैं, श्रीमान् जी। गुरु महाराज की कृपा से ही मेरे पिता जी की जान बच सकी। उन्हें नयी जिन्दगी मिली। गुरु महाराज तो हमारे लिये भगवान् से भी बढ़कर हैं।"

"आपके पिता जी को क्या हुआ था विमल जी? गुरु महाराज की कैसी कृपा हुई?"

"मैं आपको बताती हूँ श्रीमान् जी।" इस बार विमल जी से पहले ही उनकी पत्नी बोल उठी। यहाँ लोकचन्द को लग गया कि अवश्य उनकी पत्नी यह जानती होगी कि विमल जी उस बात को अच्छी तरह व्यक्त नहीं कर सकते, इसलिए स्वयं सामने आ गयी। या फिर यहाँ के आगमन में उस पत्नी की भूमिका ही मुख्य हो, यह भी सम्भव है। बाद में लोकचन्द को पता चल गया कि यहाँ के आगमन में उनकी पत्नी की भूमिका ही मुख्य थी। जो हो, विमल जी की पत्नी अब लोकचन्द से रू-ब-रू थी – "हाँ, तो श्रीमान् जी, उस समय हमारे ससुर पिता जी एक पिछड़े क्षेत्र में डी. एम. थे। अचानक एक रात उन्हें पता चला कि उस क्षेत्र के खूँखार उग्रवादी पास के जंगल में छिपे किसी बड़ी घटना को अंजाम देने के लिए मीटिंग कर रहे हैं। ...बस, दल बल सहित वे घटना-स्थल पर पहुँच गये। उन्होंने उग्रवादियों को चारों ओर से घेर लिया। उनके साथ जिले के एस. पी. भी थे। लेकिन वे उग्रवादी बड़ी संख्या में थे और घातक हथियारों से लैस थे...। जवाबी कार्रवाई में उन्होंने भी प्रशासन पर हमला बोल दिया। ऐसे में कुछ पुलिस कर्मियों को गोलियाँ लगीं। लेकिन तैयार पुलिस कर्मियों ने भी कई उग्रवादियों को घटना-स्थल पर ही मार गिराया। उस वक्त डी. एम. साहब अपने सुरक्षा गार्डों के बीच थे। इसके बावजूद उग्रवादियों की एक घातक गोली सीधे उनके बायें कन्धे में आ लगी। गनीमत थी कि गोली हार्ट में न लग कर उसके ऊपर लगी थी। लेकिन उस गम्भीर प्रहार ने उनके कन्धे को छलनी कर दिया था। उस प्रहार से वे वहीं बेहोश हो गये। उनके सुरक्षाकर्मी, राज्य एवं केन्द्र के सहयोग

से उन्हें तत्काल दिल्ली के बड़े अस्पताल लेकर पहुँचे। सूचना पर हम उनके परिवार जन भी रोते-पड़ते वहाँ आ गये। कुशल चिकित्सकों की एक टीम ने ऑपरेशन के माध्यम से उनके क्षतिग्रस्त कन्धे को ठीक कर दिया। लेकिन घटना स्थल पर से बेहोश होने के बाद वे फिर होश में नहीं आये। जब एक सप्ताह तक वे बेहोश रहे तब चिकित्सकों ने कहा – "डी. एम. साहब कॉमा में चले गये हैं। अपनी ओर से हम पूरा प्रयास कर रहे हैं। अब आप लोग भी ईश्वर से दुआ माँगिये कि इन्हें होश आ जाय... ।"

"मेरी सासु माँ तो प्रारम्भ से ही पूजा-पाठ में रहती थीं श्रीमान् जी। ससुर पिता जी की बेहोशी के बाद तो वे निरन्तर ईश्वर को गोहराती रहती थीं कि वे जल्द ठीक हो जायँ। उस दुःख की घड़ी में मेरे पिता जी भी उस अस्पताल में हमारे साथ ही थे। वे बराबर 'मुक्तलोक' आश्रम आते रहते थे। गुरु महाराज के पक्के भक्त थे। मेरी शादी के बाद से ही वे समधी साहब से कहते रहते थे कि एक बार मुक्त लोक चल कर गुरु महाराज का आशीर्वाद ले लें। लेकिन मेरे ससुर-पिता जी को ऐसी बातों में विश्वास नहीं था। इस स्थिति में अकेली सासु माँ चाहते हुए भी नहीं जा सकती थीं। लेकिन उस गम्भीर स्थिति में मेरे पिता जी ने पुनः सासु माँ से मुक्त लोक चल कर गुरु महाराज का आशीर्वाद प्राप्त करने के लिए कहा। पर मेरी सासु माँ ससुर पिता जी को छोड़कर वहाँ से हटने को कतई तैयार नहीं थीं... । इस स्थिति में उन्होंने मुझे ही यह दायित्व सौंपा कि अपने पिता और पति के साथ मैं आश्रम जाकर गुरु महाराज का आशीर्वाद ले आऊँ।

"देखिये, श्रीमान् जी! उस घटना को याद करते ही रोमांच से हमारे रोंगटे खड़े हो गये... । इस आश्रम और गुरु महाराज की अमोघ शक्ति का तत्काल प्रभाव देख हम अभिभूत हो उठे। मेरे पिता जी के साथ हम जैसे ही इस आश्रम में पहुँचे कि हमारे शुभ अंग फड़क कर शुभ की सूचना देने लगे। मेरे पिता जी को आश्रम के सेवादार तथा मुख्य स्वामी एवं साध्वियाँ सब जानते थे। पिता जी के अनुरोध पर एक मुख्य स्वामी गुरु महाराज को सूचित कर आया और अब उनसे हमें मिलाने ले चला। लेकिन अन्तर्यामी गुरु महाराज सब जान गये थे। हम अभी उनके पास पहुँच भी नहीं सके थे। आश्रम के प्रवचन-मण्डप तक ही आगे बढ़े थे कि सासु माँ का फोन आ गया। उनकी हर्षित आवाज से ही हमें लग गया कि गुरु महाराज का आशीर्वाद कारगर हो गया। सासु माँ ने बताया कि पिता जी को होश आ गया। बस, गुरु महाराज के समीप पहुँच हम उनके चरणों में गिर पड़े।

"उसके बाद हमारी सासु माँ ने ससुर पिता जी को भी यहाँ लाया। उन्हें प्रशासनिक दायित्व से समय कम मिलता था। फिर भी उस घटना के बाद अब वे यहाँ आने लगे हैं। गुरु महाराज में अब श्रद्धा रखते हैं। उनके आशीर्वाद की शक्ति

से परिचित हो गये हैं। लेकिन हम दोनों प्राणी तो हर महीने यहाँ आते हैं। यहाँ आये बगैर हम रह ही नहीं सकते...।"

यह पूरा वृत्तान्त सुन लोकचन्द यह समझ नहीं पा रहे थे कि इस पर क्या कहें? यह जीवन और जगत् संयोग पर ही निर्भर है। संयोग के बिना यहाँ कुछ भी सम्भव नहीं। संयोग और वियोग प्रकृति प्रदत होने के साथ-साथ परिस्थिति प्रदत भी होते हैं। लेकिन इस संयोग को ही किसी के आशीर्वाद की अमोघ शक्ति समझ उसे भगवान् मान लेने पर ऐसे श्रद्धालुओं से वे क्या कह सकते थे? ऐसे श्रद्धालु अपनी अन्ध श्रद्धा के खिलाफ एक शब्द भी सुनना नहीं चाहते। इस स्थिति में इस प्रसंग को यहीं स्थगित कर विषयान्तर होते हुए लोकचन्द ने पूछा – "आपके श्वसुर जी तो बड़े अधिकारी हैं। निश्चय ही विमल जी योग्य पिता के योग्य पुत्र होंगे। तो अभी विमल जी किस पद पर और कहाँ हैं?"

इस पर जवाब में अब स्वयं विमल जी ही बोल उठे – "मैं चाहता तो किसी अच्छे पद पर जा सकता था श्रीमान्। लेकिन मेरा झुकाव नौकरी की तरफ कभी रहा ही नहीं। पिता जी ने भी नौकरी से अलग मुझे एन.जी.ओ. चलाने का सुझाव दिया। अब तो मेरा एन.जी.ओ. ही ऐसा है कि उसमें सैकड़ों लोगों को मैंने रोजगार दिया है...।"

लोकचन्द जानते थे, वे जिस समय में जी रहे थे, उसमें एन.जी.ओ. की आय का मुकाबला किसी भी नौकरी से सम्भव नहीं। आर्थिक उपार्जन और आर्थिक समृद्धि के लिए एन.जी.ओ. अब एक अच्छा माध्यम बन चुका था।

अपनी बात कह कर क्षण-भर मौन रहने के बाद विमल जी ने भी अब अपनी वह जिज्ञासा प्रकट की जिसके लिए वे लोकचन्द से मिलना चाहते थे – "हमने तो अपने बारे में सब-कुछ बता दिया। अब आपका परिचय भी हम जानना चाहते हैं? आप क्या करते हैं श्रीमान् जी और यहाँ कब से आ रहे हैं?"

इस पर विमल जी की मुखर पत्नी ने भी अपने पति की हाँ-में-हाँ मिलायी – "हाँ, हाँ श्रीमान् जी। अपने बारे में हमें भी बताइये...।"

"मेरा वैसा कोई परिचय नहीं विमल जी। मेरा जीवन एक शिक्षक और लेखक का रहा है।"

"और इस आश्रम में कब से आ रहे हैं?"

"यहाँ पहली बार आया हूँ।"

"पहली बार! लेकिन सेवादार प्रणव तो कह रहा था कि गुरु महाराज के आप पुराने शिष्यों में से हैं।"

"हाँ, उनसे मेरा पुराना परिचय रहा है।"

"पुराना परिचय होते हुए भी यहाँ आप पहली बार आ रहे हैं?"

"कभी इच्छा ही नहीं हुई।"

लोकचन्द का यह टका-सा जवाब सुन अब विमल दोनों पति-पत्नी फक् रह गये! शायद वे यह समझ नहीं पा रहे थे कि यह कैसा शिष्य और भक्त है जिसे गुरु महाराज का पुराना अनुयायी बताया जा रहा है। लेकिन इस आश्रम में आने का यह इच्छुक नहीं रहा। यहाँ पहली बार आया है और गुरु महाराज को लेकर कहीं से उत्साहित भी नहीं है। इस स्थिति में अब लोकचन्द से कुछ भी कहना उचित न समझ वे मौन हो गये। इस क्षण अब उनके चेहरे पर लोकचन्द के प्रति बेरुखी और उपेक्षा के भाव उभर आये जिसे लोकचन्द ने तत्क्षण लख लिया। लेकिन इससे उन्हें खुशी ही हुई। अब ये अन्ध श्रद्धालु उन्हें पुनः परेशान नहीं करेंगे। अब वहाँ से उठते हुए लोकचन्द ने कहा—"चलते हैं विमल जी।"

जवाब में दोनों पति-पत्नी ने किंचित् उपेक्षा के स्वर में उत्तर दिया – "ठीक है...। ठीक है...।"

बस, तत्क्षण तेज कदम बढ़ाते हुए लोकचन्द अपने आवास में आ गये...।

अपने एकान्त आवास में इत्मीनान होते ही लोकचन्द के मानस में अब वे सारे प्रसंग पुनः उमड़ने-घुमड़ने लगे जिनसे रू-ब-रू होकर वे आये थे। अपने मित्र सुकेश को उन्हें जितना समझाना था, समझा चुके। उसके सभी प्रश्नों का सम्यक् जवाब दे दिया। इससे अधिक अब वे कर ही क्या सकते थे? लेकिन आई. ए. एस. पुत्र विमल दम्पती से मुलाकात ने, दिल्ली से आयीं एक उद्योगपति घराने की माता जी तथा केन्द्रीय मन्त्री के पिता रंगधर शरण की याद पुनः ताज ा कर दी। जिस देश के उद्योगपति, केन्द्रीय मन्त्री और उच्च पदाधिकारी ऐसे आश्रमों की भक्ति में समर्पित हों, वहाँ फिर अन्य देशवासियों का क्या कहना? इस आश्रम की भक्ति में ऐसे कितने उद्योगपति घराने, मन्त्री परिवार तथा उच्च पदाधिकारी और उनके कुटुम्बी शामिल होंगे। शायद यही वजह है कि बाहरी समाज जहाँ बेरोजगारी, गरीबी, भूख और विभिन्न समस्याओं से परेशान हैं, वहाँ इस आश्रम में चारों ओर सुख-शान्ति ही सुख-शान्ति है। कहीं दुःख, तकलीफ, ईर्ष्या-द्वेष और आपसी संघर्ष नहीं...। आश्रम ऐसे होते हैं, इस यथार्थ से लोकचन्द अब तक अनभिज्ञ थे। अभी तो इस आश्रम में यह उनका दूसरा ही दिन था। लेकिन एक नये अनुभव-संसार के बीच वे अपने को महसूस 63कर रहे थे, नया और सर्वथा विलक्षण अनुभव। अपने अब तक के जीवन और अपनी यात्राओं के तहत ऐसे दुर्लभ अनुभव से वे वंचित थे। इस अनुभव को लेकर

जहाँ एक ओर आकर्षण था, वहीं दूसरी ओर इससे जुड़ी जिज्ञासाएँ भी थीं। अब उन्हें लगने लगा था कि ऐसे अनुभव से समृद्ध होना भी यहाँ रहने की एक बड़ी उपलब्धि ही हो सकती है...। लेखक का सबसे बड़ा खजाना तो उसका अनुभव-संसार ही होता है। सम्भव है, इस आश्रम में अभी उनको ऐसा कुछ देखने और जानने को मिले जिसके बारे में वे सर्वथा अनभिज्ञ हों। उनके लिए यह सुखद संयोग है कि इस आश्रम का गुरु उनका मित्र रह चुका है। किसी भी दूसरे आश्रम में जाकर वहाँ के अन्तर्निहित यथार्थ को जानने-समझने की ऐसी सुविधा उन्हें हर्गिज नहीं मिलती। दूसरे आश्रमों में तो आश्रम की सीमा और अनुशासन में बँधे वे एक सामान्य भक्त भर बने रह जाते, जहाँ से आश्रम का आन्तरिक सच वे कभी नहीं जान सकते...। इस सम्बन्ध में लोकचन्द को लगा कि यहाँ कुछ दिन और रहकर उन्हें आश्रम की वास्तविकता को समग्रता में जान-समझ लेना चाहिए। ऐसा अवसर फिर कहीं और नहीं मिल सकता। बस, वापस होने का विचार उन्होंने त्याग दिया और अब आराम से सोफे पर पसर गये। इस निर्णय पर पहुँचकर उनके मन का सारा उथल-पुथल समाप्त हो गया। अब वे शान्ति और सुकून का अनुभव करने लगे।

इसी क्षण हाथ में एक पुस्तक लिये सेवादार प्रणव आ पहुँचा –"गुरु महाराज ने आशीर्वादस्वरूप आपके लिए भेजा है श्रीमान् जी।"

लोकचन्द समझ गये, अपने कहे अनुसार सुकेश ने अपनी आत्मकथा भेजी है। वह उसे उलट-पुलटकर देखने लगे। पुस्तक का कलात्मक आवरण तथा साफ-सुथरी आकर्षक छपाई लोकचन्द को अच्छी लगी। वे देख रहे थे, 'मुक्त लोक की यथार्थ कथा' नामक वह पुस्तक 451 पृष्ठों की थी। आश्रम के प्रकाशन विभाग की ओर से उसका प्रकाशन हुआ था। लेकिन पुस्तक पर कुछ भी मूल्य अंकित नहीं था।

"प्रणव, इस पुस्तक पर कोई मूल्य निर्धारित नहीं, इस दृष्टि से इसका वितरण मुफ़्त में किया जाता होगा...?"

"हाँ, श्रीमान् जी। आपका कहना सही है। लेकिन गुरु महाराज के कोई भक्त और शिष्य इसे मुफ़्त में लेना ही नहीं चाहते। इस पुस्तक को पाने के एवज में 51 हजार से लेकर वे लाख-दो लाख तक खर्च करते हैं। इस पुस्तक के कई संस्करण छप चुके हैं श्रीमान् जी। अन्दर के पृष्ठ पर देख लीजिये, यह इसका ग्यारहवाँ संस्करण है। आप पर गुरु-महाराज की विशेष कृपा है, इसलिए उन्होंने स्वयं यह पुस्तक आपके पास भिजवायी है...।"

प्रणव के इस जवाब पर अब लोकचन्द को कुछ भी कहना उचित नहीं जान पड़ा – "ठीक है प्रणव। धन्यवाद।"

प्रणव चला गया। लोकचन्द अब उस पुस्तक को देखने लगे। उस पुस्तक के आवरण पृष्ठ पर सुकेश की एक अत्यन्त आकर्षक तस्वीर एक दिव्य प्रभामण्डल के तहत अंकित थी। उस प्रभामण्डल से चारों दिशाओं में रोशनी की किरणें फूटती जान पड़ रही थीं...। एक विशिष्ट प्रभामण्डल में अंकित वह तस्वीर किसी दिव्य विभूति के रूप में प्रतिष्ठित जान पड़ रही थी।

अब लोकचन्द उस पुस्तक के ब्लर्ब की टिप्पणी पढ़ने लगे। वे जानते थे, ब्लर्ब की टिप्पणी से ही किसी पुस्तक का प्रारम्भिक परिचय प्राप्त किया जा सकता है। इस दृष्टि से इस पुस्तक में सुकेश की लम्बी साधना से सिद्धि प्राप्त होने तथा अनेक दैवी विभूतियों से साक्षात्कार का जिक्र उन्होंने पाया। साथ ही इस स्थल के तपोभूमि होने के रहस्यों का उद्घाटन भी।

ब्लर्ब की टिप्पणी पढ़ने के बाद लोकचन्द ने पुस्तक एक किनारे रख दी। फिर कभी इत्मीनान से इसे पढ़ेंगे। वैसे ब्लर्ब की टिप्पणी ने पुस्तक के प्रति उन्हें जिज्ञासु नहीं बनाया। इस पुस्तक में सुकेश के आत्म महिमामण्डन का आभास ब्लर्ब की टिप्पणी से उन्हें हो गया। वे समझ गये, ऐसे आश्रमों के ऐसे गुरुओं की आत्मकथाएँ ऐसी नहीं, तो फिर कैसी होंगी।

इस दौरान अब शाम गहराते ही देवी किरण अपने नियत समय पर आ पहुँची – ''रात के खाने में क्या-क्या बना दूँ श्रीमान् जी?''

''कुछ भी बना दीजिये देवी किरण। खाने को लेकर मेरा कोई विशेष आग्रह नहीं। किचेन में जो हो, उसमें जो कुछ बन जाय, काफी है।''

यहाँ लोकचन्द के मन में आया कि कह दें, आपके लिए मैंने प्रयास शुरू कर दिया है देवी किरण। आपको दाम्पत्य जीवन से जुड़ना ही है। लेकिन इसी क्षण भोजपुरी की यह कहावत उन्हें याद आ गयी – ''कहाँ कांकर, कहाँ मचान।''

बस वे मौन रह गये। ऐसी सीधी, सच्ची और भोली-भाली स्त्री को किसी आश्वासन और सान्त्वना के नाम पर पुनः संवेदित-आह्लादित कर देना उचित नहीं। समय पर यह स्वयं सब जान जायेगी। पद्मा ने जिस दृढ़ता से उन्हें आश्वस्त किया है, उस दृढ़ता के अनुसार वह अवश्य इसे मूर्त रूप प्रदान करेगी।

अगले दिन अपने दैनिक कार्यों से इत्मीनान हो लोकचन्द चल पड़े। अब तक वे यह जान चुके थे कि आश्रम की परिधि के दायरे में ही आश्रम के आवासीय भवनों की ही तरह आश्रम के अधिकांश संस्थान और निर्माण हैं।

उनके कदम अब उन संस्थानों की ओर ही बढ़ गये। लेकिन विशिष्ट अतिथि आवासों की निगरानी में तैनात प्रणव की नजरें उन पर चली गयीं। बस, तत्क्षण प्रणव

उनके सम्मुख आ गया – "जै गुरुदेव श्रीमान् जी। इस तरह अकेले आप कहाँ जा रहे?"

"आश्रम का अस्पताल देखना चाहता हूँ प्रणव।"

"ठीक है श्रीमान् जी। चलिये मैं अपको दिखा देता हूँ।"

"क्यों प्रणव? क्या मैं अकेले अस्पताल नहीं जा सकता...।"

"ऐसा नहीं है श्रीमान् जी। आश्रम के सामान्य आवासीय सदस्य स्वयं जाते रहते हैं। आवश्यकतानुसार आश्रमवासी वहीं अपना इलाज भी कराते हैं। लेकिन हमारे विशिष्ट अतिथि वहाँ कम ही जाते हैं। हमारे विशिष्ट अतिथि तो चन्द समय के लिए आते हैं। फिर गुरु महाराज का दर्शन कर और आशीर्वाद ले वापस हो जाते हैं। ऐसे में हमें आदेश है कि किसी विशिष्ट अतिथि की आवश्यकता पर चिकित्सक को हम स्वयं उनके आवास तक लेते आयेंगे। अगर किसी कारणवश उनका अस्पताल जाना अनिवार्य ही हो तो हम उन्हें साथ लेकर जायेंगे ताकि इलाज में भी उन्हें विशेष सुविधा प्राप्त हो सके।"

"लेकिन प्रणव, मैं इलाज कराने नहीं, आश्रम का अस्पताल देखने जा रहा हूँ...।"

"तब तो यह और आवश्यक है श्रीमान् जी। हमारे विशिष्ट अतिथि स्वयं चिकित्सालय जायेंगे तो चिकित्सा-कर्मी उन्हें सामान्य आश्रमवासी समझ वैसा ही व्यवहार करेंगे, जो हमारे लिये कदापि उचित नहीं...। चलिये मैं आपको चिकित्सालय के प्रबन्धक स्वामी केशवानन्द तक छोड़ देता हूँ। फिर वे स्वयं आपको पूरा चिकित्सालय अच्छी तरह दिखा देंगे।"

लोकचन्द समझ गये कि प्रणव उन्हें अकेले नहीं जाने दे सकता। जैसे बाहरी समाज में विशिष्ट व्यक्तियों को प्राप्त सुविधा और सहयोग सामान्य व्यक्तियों को नहीं मिलते, सम्भवतः वैसी ही व्यवस्था इस आश्रम में भी थी। लेकिन वे तो अपने को कहीं से भी विशिष्ट नहीं समझते। सामान्य व्यक्ति के रूप में ही इस आश्रम में आये थे। लेकिन उनके मित्र सुकेश ने उन्हें यहाँ विशिष्ट बना दिया।

अब प्रणव के साथ आगे बढ़ते हुए लोकचन्द ने पाया कि आश्रम के विस्तार की ओर अस्पताल जाने का मार्ग भी लगभग वैसा ही था जैसा सुबह की सैरवाले मार्ग को उन्होंने पाया था। ठीक वैसे ही मार्ग और वैसे ही प्रवेश-द्वार के पास एक वैसा ही चबूतरा था जहाँ उस मार्ग की निगरानी में एक सेवादार तैनात था। प्रणव को देखते ही वह सेवादार खड़ा हो गया। "जै गुरुदेव स्वामी गोपीचन्द। ये श्रीमान् जी हमारे विशिष्ट अतिथि हैं। आश्रम का चिकित्सालय देखने जा रहे हैं।"

इस पर स्वागत में अपने दोनों हाथ उठाते हुए वह सेवादार गोपीचन्द बोल उठा – "जै गुरुदेव श्रीमान् जी...।"

लोकचन्द अनुभवकर रहे थे कि सैर के मार्ग की तरह ही उस मार्ग के दोनों किनारों पर भी फूलों के बड़े-बड़े वृक्ष थे जो मार्ग को छायादार बनाने के साथ-साथ खुशबूयुक्त भी बनाते जा रहे थे। यहाँ लोकचन्द अब यह समझ गये कि आश्रम के हर संस्थान की ओर जानेवाले मार्गों को ऐसा ही स्वरूप दिया गया है, ताकि आश्रम की भव्यता और दिव्यता दोनों कायम रह सके।

उस मार्ग से कुछ ही कदम आगे बढ़ने पर लोकचन्द को अस्पताल की दो मंजिली इमारत दिख गयी जिसके ऊपर मोटे-मोटे शब्दों में अंकित था 'मुक्त लोक चिकित्सालय।' अब 'चिकित्सालय' शब्द पर ध्यान जाते ही लोकचन्द को आश्रम की भाषा स्मरण आ गयी, शायद इसीलिए प्रणव अस्पताल को चिकित्सालय ही सम्बोधित कर रहा था। उस चिकित्सालय के प्रारम्भ में ही एक किनारे प्रबन्धक कार्यालय लिखा हुआ एक अच्छा-खासा सुविधा-सम्पन्न कमरा था। उस कमरे में लोकचन्द को लेकर प्रणव जा पहुँचा। उस कमरे में मुख्य मेज के पास बैठे व्यक्ति से रू-ब-रू होते ही प्रणव बोल उठा – "जै गुरुदेव स्वामी केशवानन्द...।"

"जै गुरुदेव, स्वामी प्रणव।"

"ये श्रीमान् जी हमारे विशिष्ट अतिथि हैं स्वामी केशवानन्द जी। गुरु महाराज के पुराने शिष्य...। मुक्त लोक चिकित्सालय देखने आये हैं।"

बस, यह सुनते ही केशवानन्द, लोकचन्द के अभिवादन गें खड़े हो गये – "जै गुरुदेव श्रीमान् जी। हम धन्य हो गये कि गुरु महाराज के पुराने शिष्य आप हमारे यहाँ पधारे। क्षण-भर के लिए यहाँ विराजिये श्रीमान् जी। बस, मैं अभी आपको लेकर चलता हूँ। हमारा चिकित्सालय भी आपको जँचेगा श्रीमान् जी। बाहर के चिकित्सालयों से आप इसे पृथक् पायेंगे...।"

लोकचन्द अनुभवकर रहे थे, इस आश्रम में विशिष्ट अतिथि का दर्जा पाने तथा गुरु महाराज का पुराना परिचित होने के नाते यहाँ के लोगों के लिए वे विशेष व्यक्ति हो गये थे। लोकचन्द वहाँ पास ही रखे सोफे पर बैठ गये। वे देख रहे थे, गौरांग बदन, चौड़ा ललाट और भूरी-भूरी आँखोंवाले केशवानन्द के कन्धे से यज्ञोपवीत लटक रहा था। पहली नजर में लोकचन्द को वह एक कर्मकाण्डी पुरोहित जान पड़े। लेकिन फिर अपने को सचेत किया लोकचन्द ने। अगर ये मात्र कर्मकाण्डी होते तो ऐसे अस्पताल के प्रबन्धक जैसे बड़े पद पर नहीं रहते। निश्चय ही इनके अन्दर प्रबन्धक की योग्यता होगी तभी उनके चतुर मित्र सुकेश ने उन्हें इस पद पर रखा है। यहाँ लोकचन्द को अपने अनुभव-संसार के वे व्यक्ति याद आ गये जो दिखते किसी और काम के लायक थे, लेकिन करते कुछ और काम थे। उन्हें देखकर उनके कार्य और पद का अन्दाज नहीं लगाया जा सकता था। सम्भवतः केशवानन्द वैसे ही व्यवित थे। उस कमरे में

एक किनारे तीन अन्य मेजों पर और तीन व्यक्ति कार्यरत थे। उनकी मेजों पर कम्प्यूटर के साथ चन्द फाइलें भी थीं। लोकचन्द समझ गये, वे प्रबन्धक केशवानन्द के सहायक हैं।

इस बीच सेवादार प्रणव जा चुका था। केशवानन्द भी शीघ्रता से अपनी फाइल समेटते हुए लोकचन्द से रू-ब-रू हो उठे –

"चलिये श्रीमान् जी। हमारा चिकित्सालय देख लीजिये...।"

"थोड़ी देर बैठिये केशवानन्द जी। आपसे दो बातें हो जायें, फिर चलते हैं...। प्रबन्धक के रूप में यहाँ आपकी भूमिका आपको कैसी लगती है?"

"बहुत अच्छी लगती है श्रीमान् जी। गुरुदेव ने इस लायक हमें समझा कि ऐसा महत्त्वपूर्ण दायित्व दिया। हमारे इस चिकित्सालय का आर्थिक और प्रशासनिक दोनों दायित्व हमारा यह प्रबन्धक कार्यालय ही सम्हालता है श्रीमान् जी। अकेले गुरु महाराज क्या-क्या करेंगे? इसलिए यहाँ हर विभाग के लिए अलग-अलग प्रबन्धक कार्यालय हैं...।"

"मैं समझ गया, चिकित्सकों का वेतन भुगतान, दवाओं की आपूर्ति तथा चिकित्सालय की व्यवस्था और रख-रखाव का जिम्मा आपके इस कार्यालय को ही है...।"

"हाँ, हाँ, श्रीमान् जी। आप तो सब-कुछ जानते हैं। स्वयं अनुभवी लग रहे हैं...।"

"यहाँ कितने चिकित्सक हैं केशवानन्द जी?"

"अभी तो उनकी संख्या सात है श्रीमान् जी। लेकिन आवश्यकतानुसार हम और बढ़ायेंगे। हमारा चिकित्सालय विकास और विस्तार के मार्ग पर है। ऐसे में हमें और चिकित्सकों की आवश्यकता पड़नी ही है।"

"फिलहाल यहाँ के सातों चिकित्सक आश्रम के आवासीय चिकित्सक होंगे?"

"नहीं श्रीमान् जी। ऐसा नहीं है। हमारे दो चिकित्सक बाहर से आते हैं। सुबह दस बजे से शाम 5 बजे तक सेवा देकर चले जाते हैं। हम उन्हें बाहर के चिकित्सालयों से कम नहीं, अधिक ही वेतन देते हैं। लेकिन और अधिक कमाने के लिए वे अपने आवास पर भी सुबह-शाम मरीजों को देखते हैं...। चूँकि शहर के वे प्रसिद्ध चिकित्सक हैं, इसलिए गुरु महाराज के आदेश पर हमारे आश्रम के चिकित्सालय में उन्हें भी रखा गया है।"

"इनके अतिरिक्त जो पाँच चिकित्सक हैं...।"

"वे हमारे आवासीय चिकित्सक हैं श्रीमान् जी। आश्रम और चिकित्सालय के प्रति समर्पित। हम उन्हें जितना देते हैं, उसे वे अपने लिये बहुत समझते हैं और अधिक धन कमाने के पीछे अपना सुख-चैन गँवाना नहीं चाहते। गुरु महाराज के प्रभाव

से वे आध्यात्मिक चेतना सम्पन्न हैं। खूब प्रेम और शान्ति से रहते हैं। हमने भी उनके चिकित्सकीय आवासों को सभी आवश्यक सुविधाओं से सम्पन्न रखा है...।"

"आपके यहाँ के इन चिकित्सकों में सिर्फ पुरुष चिकित्सक ही हैं या महिलाएँ भी?"

"महिलाएँ भी हैं श्रीमान् जी। बिना महिला चिकित्सकों के किसी चिकित्सालय का काम चल ही नहीं सकता। हमारे सात चिकित्सकों में चार पुरुष चिकित्सक हैं और तीन महिला चिकित्सक।"

"यह अच्छा अनुपात है केशवानन्द जी। इन चिकित्सकों के साथ नर्स और कम्पाउण्डर भी पर्याप्त होंगे?"

"सिर्फ नर्स और कम्पाउण्डर ही नहीं श्रीमान् जी। जाँचकर्त्ता और उनके सहकर्मी भी हैं। अधिकांश जाँच की सुविधा हमारे यहाँ विद्यमान हैं। किसी-किसी खास जाँच के लिए ही बाहर जाना पड़ता है। हालाँकि हम प्रयास में हैं कि प्रायः सभी जाँच हमारे यहाँ सम्भव हो सकें...। वैसी योजना पर कार्य चल रहा है...।"

"ठीक है स्वामी केशवानन्द। चलिये अब यहाँ का चिकित्सालय भी देख लें...।"

"चलिये।"

और लोकचन्द, स्वामी केशवानन्द के साथ चल पड़े। संगमरमर की सीढ़ियों से चिकित्सालय में प्रवेश कर उसकी बालकनी से आगे बढ़ते हुए लोकचन्द को कहीं से भी नहीं लग रहा था कि वे किसी अस्पताल में आये हैं। साफ-सुथरे और अपने कलात्मक निर्माण के तहत वह चिकित्सालय अब तक उनके देखे चिकित्सालयों में सर्वथा पृथक् था। चिकित्सालय के एक किनारे खुली बालकनी और उसके साथ लगे बड़े-बड़े हवादार कमरे। उनके कमरों की बेडों पर जगह-जगह कुछ मरीज भी नजर आ रहे थे – कहीं किसी को पानी चढ़ाया जा रहा था तो कहीं किसी को खून। नर्स और कम्पाउण्डर मुस्तैद दिख रहे थे। इस बीच जगह-जगह कुछ गेरुएधारी सेवादार भी चिकित्साकर्मियों के साथ सहयोग करते नजर आ रहे थे।

"यहाँ चिकित्सालय में आश्रम के ये सेवादार क्या कर रहे हैं केशवानन्द जी?"

"ये यहाँ के जीवनदानी सेवादार हैं श्रीमान् जी। सेवा भाव के तहत यहाँ दिख रहे हैं। हमारे गुरु महाराज सेवा को ही परम धर्म मानते हैं...। वे निरन्तर हमें यह उपदेश देते रहते हैं – *'परहित सरिस धर्म नहिं भाई।'* उसी सेवा भावना के तहत हमारे सेवादार यहाँ आते रहते हैं...।"

इन सेवादारों को देखकर लोकचन्द समझ गये कि इस अस्पताल के साफ-सुथरे बने रहने की वजह क्या है? आगे बढ़ते हुए लोकचन्द का ध्यान उस चिकित्सालय

परिसर में ही बालकनी के दूसरी ओर जाँच-घर अंकित एक लम्बे-से भवन की ओर आकृष्ट करते हुए केशवानन्द ने कहा –

"यह हमारा जाँच-घर है श्रीमान् जी, इसके आगे निर्माण कार्य हो रहा है जहाँ प्रायः सभी जाँच सम्भव कर सकने की हमारी तैयारी चल रही है।"

लोकचन्द देख रहे थे, उस जाँच-घर के मुख्य द्वार से जहाँ दो-तीन लोग प्रवेश कर रहे थे वहीं एक-दो बाहर भी आ रहे थे।

"चिकित्सालय के अनुरूप यहाँ मरीज नहीं केशवानन्द जी। यहाँ मरीजों की संख्या तो सीमित है...।"

"इन मरीजों में भी अधिकांश बाहर से आये भक्त और शिष्य हैं श्रीमान् जी, जो माह-दो माह के लिए आश्रम में आते हैं। उन्हें ही आप चिकित्सालय में अधिक पाइयेगा...। आश्रम के स्थायी वाशिन्दे तो गुरु महाराज द्वारा निर्धारित दिनचर्या में आसन, प्राणायाम करते हुए अपना आहार – विहार ठीक रखते हैं जिससे व्याधियों की पकड़ में कम-से-कम आते हैं...। अगर हमारी दिनचर्या नियत हो श्रीमान् जी तथा स्वास्थ्य के नियमों का पालन करते हुए हम शरीर धर्म का निर्वाह करें तो चिकित्सालय जाने की जरूरत ही न पड़े...।"

केशवानन्द की यह बात लोकचन्द को अच्छी लगी। उनकी इस बात में आश्रम और चिकित्सालय दोनों का प्रभाव उन्होंने लक्षित किया। इस दौरान केशवानन्द के साथ आगे बढ़ते लोकचन्द की नजर बालकनी के किनारे एक गोलाकार कमरे पर चली गयी, जिस पर साफ-साफ शब्दों में अंकित था – 'औषधालय।'

वे समझ गये, चिकित्सालय का यह दवाखाना है। वहाँ खिड़की पर हाथ में रुपये थामे दो-तीन लोग भी दिख रहे थे। शायद दवा खरीदनेवाले थे।

"यहाँ दवाएँ बिकती भी हैं केशवानन्द जी?"

"ऐसा नहीं है श्रीमान् जी। हमारा उद्देश्य दवाओं की बिक्री से आय अर्जित करना नहीं। जो लोग रकम देकर दवाएँ लेना चाहते हैं यहाँ उनसे ही रकम ली जाती है। जो रकम देना नहीं चाहते या जिनके पास रकम नहीं होती, उन्हें यहाँ मुफ़्त में दवाएँ मिलती हैं। हालाँकि आश्रम में आनेवाले अधिकांश लोग रकम देकर ही दवाएँ लेना चाहते हैं। वे जानते हैं कि लोगों के अनुदान एवं सहयोग से ही यह आश्रम चलता है।"

लोकचन्द भी जानते थे, ऐसे आश्रमों में लोग देने के लिए ही आते हैं, लेने के लिए नहीं। इस दृष्टि से केशवानन्द की यह बात भी उन्हें उचित जान पड़ी। अब आगे बढ़ते लोकचन्द को बालकनी के किनारे एक विशिष्ट कक्ष की ओर संकेत करते हुए केशवानन्द ने कहा –

"यह हमारा शल्य-कक्ष है श्रीमान् जी। लगभग अधिकांश आधुनिक उपकरण हमारे शल्य-कक्ष में उपलब्ध हैं।"

इस पर लोकचन्द ने मुड़कर देखा, 'शल्य-कक्ष' अंकित वह कक्ष सचमुच विशिष्ट था। उसके निकट पहुँच लोकचन्द ने पाया कि शल्य-कक्ष अन्दर से बन्द है। उन्हें लगा, शायद किसी मरीज का कोई ऑपरेशन हो रहा होगा। शल्य-कक्ष के दरवाजे के पास ही एक किनारे प्रतीक्षालय की एक केबिन बनी थी जिसके अन्दर रखे सोफे पर एक साध्वी बैठी थी। यहाँ स्वामी और साध्वी की पहचान उनके पहनावे से सहज ही हो जाती थी। आश्रम द्वारा निर्धारित पहनावे में ही वे रहते थे। ऑपरेशन थियेटर के पास बैठी उस साध्वी की उम्र लोकचन्द को पैंतीस से चालीस के बीच जान पड़ी...। उसे देखते ही उन्हें पद्मा की याद आ गयी। वह लगभग पद्मा जैसी ही रूपवती और हमउम्र थी। शायद ऑपरेशन थियेटर में गये मरीज की प्रतीक्षा कर रही थी। लेकिन केशवानन्द पर नजर पड़ते ही वह बोल उठी – "जै गुरुदेव स्वामी केशवानन्द...।"

"जै गुरुदेव देवी शेषाद्रि। यहाँ आप?"

"देवी रूपा के अपेण्डिसाइटिस का ऑपरेशन हो रहा है। अपेण्डिसाइटिस से वह परेशान थी।"

"ठीक है। लेकिन कौन शल्य चिकित्सक हैं?"

"डॉ. सन्ध्या मैडम हैं...।"

"बहुत अच्छा। उनका हाथ साफ है...।"

अब शेषाद्रि से लोकचन्द का परिचय कराते हुए केशवानन्द ने कहा – "श्रीमान् जी हमारे विशिष्ट अतिथि हैं देवी शेषाद्रि। चिकित्सालय देखने के उद्देश्य से आये हैं।"

फिर तत्क्षण लोकचन्द से शेषाद्रि का परिचय कराने लगे – "और श्रीमान् जी, देवी शेषाद्रि इस आश्रम की अनुभवी, कई गुणों में पारंगत और कुशल साध्वी हैं। गुरु महाराज की अनन्य भक्त और विश्वासपात्र।"

इस पर लोकचन्द के अभिवादन में शेषाद्रि बोल उठी – "जय गुरुदेव श्रीमान् जी।"

"जय गुरुदेव देवी शेषाद्रि।"

लोकचन्द समझ गये, अगर यह शेषाद्रि गुरु महाराज की विश्वासपात्र नहीं होती तो अपनी उपस्थिति में एक युवा साध्वी का ऑपरेशन नहीं कराती। रूपा नाम सुनते ही वह युवा साध्वी भी लोकचन्द को स्मरण आ गयी। आश्रम के शिव-मन्दिर पर लोकचन्द उसे देख चुके थे। पद्मा के साथ उनकी बातचीत के दौरान ही वह

चन्दा नामक एक युवा साध्वी के साथ यह पूछने आयी थी कि प्रवचन के लिए गुरु महाराज के साथ जाने की बारी किन-किन साध्वियों का है? इस दौरान उन दोनों युवा साध्वियों की कमनीय अवस्था और मोहक रंग-रूप पर उनकी जिज्ञासा के तहत पद्मा ने उन दोनों के बारे में बताया था। इस सम्बन्ध में रूपा का परिचय देते हुए कहा था कि कहीं अनुकूल शादी न होने के चलते आश्रम आनेवाले माँ-बाप के साथ गुरु महाराज का आशीष पाने आयी थी। फिर यहाँ के प्रभाव में यहीं की होकर रह गयी।

लोकचन्द के कदम अब केशवानन्द के साथ उस शल्य-कक्ष से आगे बढ़ चले। हालाँकि रूपा के इस ऑपरेशन को लेकर कुछ सन्देहास्पद विचार भी उनके मन में उठने लगे। नयी उम्र में चढ़ती जवानी की रूपा। शादी न होने की विवशता के तहत उसका आश्रम आना। फिर यह ऑपरेशन...। लेकिन ऐन वक्त केशवानन्द ने उनका ध्यान भंग करते हुए कहा – "यह देखिये श्रीमान् जी। इस मोड़ से चिकित्सालय के लिए और भवन बन रहे हैं। गुरु महाराज चाहते हैं कि हमारा यह चिकित्सालय आधुनिक सुविधाओं से सम्पन्न, उन्नत और विकसित हो...।"

केशवानन्द की इस बात से लोकचन्द को यह समझते देर नहीं लगी कि जहाँ की आय असीमित और 'अफ रात' हो, विकास और विस्तार के नाम पर वहाँ ऐसे निर्माण नहीं होंगे तो और कहाँ पर होंगे? इस बातचीत के दौरान केशवानन्द के साथ लोकचन्द जहाँ खड़े थे, वह चिकित्सालय का अन्तिम हिस्सा था। उस अन्तिम हिस्से के कोने पर एक अच्छा-सा कमरा था जिस पर अंकित था – महिला-कक्ष। बालकनी की खिड़की से लोकचन्द को उस कक्ष में एक इलाजरत साध्वी नजर आ रही थी जो बिस्तरे पर लेटी थी। अपने रंग-रूप और कद-काठी से वह युवा साध्वी ही थी। उसके पास ही कुर्सी पर एक और साध्वी बैठी हुई थी जो सम्भवतः उसके सहयोग और निगरानी में थी। यहाँ पुनः लोकचन्द का मन सन्देहास्पद हो उठा। नयी उम्र की साध्वियों का अस्पताल में इलाजरत होना...। बस, वे अपने को रोक नहीं सके – "स्वामी केशवानन्द, युवा स्वामियों की अपेक्षा यहाँ युवा साध्वियाँ ही अधिक बीमार पड़ती हैं क्या?"

लोकचन्द के इस प्रश्न ने मुखर केशवानन्द को क्षण-भर के लिए मौन बना दिया। इस औचक और अनपेक्षित प्रश्न से शायद वे कुछ विचलित-से हो गये। लेकिन जल्द ही अपना पक्ष प्रस्तुत करते हुए उन्होंने कहा – "ऐसा नहीं है श्रीमान् जी। हम स्वामी भी अस्वस्थ होते हैं। लेकिन महिलाओं के साथ महिलाजनित समस्याएँ ऐसी होती हैं कि उन्हें समय-समय पर चिकित्सकीय परामर्श की आवश्यकता पड़ती ही है। चाहते हुए भी वे स्वामियों की तरह नहीं रह पातीं।

उनकी यह पृथकूता प्रकृति प्रदत है श्रीमान् जी। इस दृष्टि से उनका यहाँ आना होता ही रहता है...।''

केशवानन्द की इस बात पर भी लोकचन्द कुछ कहना चाहते थे – ''यह तर्क यथार्थसम्मत नहीं। यह तो यथार्थ पर मुलम्मा चढ़ाना है। लेकिन तत्क्षण इस विचार के तहत वे मौन रह गये कि इस सम्बन्ध में केशवानन्द से उनका कुछ और कहना उचित नहीं। जिससे कहना है उसी से उन्हें कहना चाहिए। आश्रम के उस मुख्य सूत्रधार से जब उनके कहने-सुनने का मार्ग प्रशस्त हो चुका है तब फिर अन्य सदस्यों से कहने से क्या फायदा?

चिकित्सालय से वापस होते हुए लोकचन्द के मानस में वह चिकित्सालय कौंधता रहा। जन-सामान्य के बीच उनकी माँगों और सरकारी प्रयासों के बावजूद ऐसे अस्पताल जल्द कायम नहीं हो पाते। लेकिन आश्रम की असीमित आय के तहत बेहिसाब सम्पत्ति से यहाँ कुछ भी सम्भव था। इस दौरान लोकचन्द के मानस में बार-बार वे दोनों साध्वियाँ प्रश्न बनकर अपनी उपस्थिति का एहसास कराती रहीं। एक ऑपरेशन थियेटर के अन्दर तथा दूसरी अस्पताल के बेड पर। इस सम्बन्ध में लोकचन्द ने अपने मन को आश्वस्त करने की कोशिश की। ऐसी स्थितियों में हर वक्त नकारात्मक आशंका के बीच उनका बने रहना उचित नहीं...। लेकिन इसका जवाब अपने अन्दर से ही उन्हें मिल गया।

उनकी ऐसी आशंका निराधार भी तो नहीं। उठते धुएँ को देखकर आग का अनुमान गलत नहीं होता। धुआ वहीं से उठता है, जहाँ आग जल रही होती है...।

6

अगले दिन लोकचन्द अब आश्रम के विद्यालय के मार्ग पर थे। चिकित्सालय के बाद आश्रम का विद्यालय भी वे देख लेना चाहते थे। चिकित्सालय के अनुभव ने तो उन्हें बहुत कुछ सोचने-समझने का विषय दे दिया था। अब उस परिप्रेक्ष्य में इस आश्रम के विद्यालय को भी उन्हें जान-समझ लेना है। प्रणव पुनः उनके साथ हो गया था। अब लोकचन्द को प्रणव की उपस्थिति अनिवार्य लगने लगी थी। विद्यालय प्रबन्धक से परिचित कराने के लिए किसी-न-किसी को उनके साथ होना ही चाहिए। बिना परिचय के प्रबन्धक कुछ भी नहीं बता सकेगा। सम्भव है, वह वहाँ से फुटा भी दे। इस सम्बन्ध में लोकचन्द जान चुके थे कि आश्रम के विश्वस्त सूत्रों से प्राप्त परिचय पर ही प्रबन्धक का सहयोग उन्हें प्राप्त हो सकता है।

विद्यालय के मार्ग पर आगे बढ़ते लोकचन्द को अब विद्यालय से आनेवाली प्रार्थना की ध्वनि साफ-साफ सुनायी पड़ने लगी थी। इस क्षण सहसा उन्हें समय का स्मरण हो आया। यह विद्यालय प्रारम्भ होने का समय था। शायद वे पहले ही यहाँ आ गये थे और कुछ समय बाद आना चाहिए था। फिर उन्हें लगा, यह समय भी ठीक ही है। स्कूल का संचालन प्रारम्भ से ही वे जान सकेंगे...। इस दौरान प्रार्थना के बोल अब उन्हें इतने मीठे लगने लगे थे कि वे ध्यान से उसे सुनने लगे थे –

"गुरुदेव कृपा करके,
हमें मार्ग सुझा देना।
भटकूँ न अँधेरे में,
रोशनी दिखला देना...।"

पहले कुछ छात्राएँ मधुर स्वर में प्रार्थना की इन कड़ियों को व्यक्त कर रही थीं। फिर विद्यालय के छात्र-छात्राएँ समवेत स्वर में उन्हें दुहराये जा रहे थे। ऐसे में प्रार्थना के भाव और अधिक ऊर्जस्वित और विकसित हो उठते थे। इस प्रार्थना के बाद अब एक महत्त्वपूर्ण श्लोक की ध्वनि भी उन्हें सुनायी पड़ने लगी। इस श्लोक को भी तीन-चार टुकड़ों में बाँट कर पहले कुछ छात्राएँ इसे सस्वर व्यक्त करने लगीं। फिर समवेत स्वर में अन्य छात्र-छात्राएँ भी –

"गुरुर्ब्रह्मा, गुरुर्विष्णुः गुरुर्देवो महेश्वरः।
गुरुर्साक्षात् परब्रह्म, तस्मै श्री गुरवे नमः।।"

लोकचन्द अनुभव कर रहे थे, विद्यालय का यह मार्ग भी चिकित्सालय तथा आश्रम के अन्य मार्गों की तरह ही फूल-पत्तियों से सुवासित था। ऐसे मार्ग पर चलने का एहसास लोकचन्द के लिए सर्वथा विलक्षण और पृथक् था। अपनी जानकारी के तहत लोकचन्द को अपने देश के किसी भी शहर की कोई भी गली ऐसी प्रतीत नहीं हुई है। गुरु महाराज के भक्तों और अनुयायियों की दृष्टि में यह आश्रम भगवान् का स्थल है। सम्भव है, उनकी इस धारणा के नियामक घटकों में यहाँ के ऐसे मनोरम मार्ग भी हों...।

शिक्षा-जगत् से जुड़े होने के चलते लोकचन्द स्कूल की प्रार्थनाओं से अवगत थे। अधिकांश स्कूल की प्रार्थनाओं को वे एक-दूसरे से पृथक् पाते थे। ईश उपासना से सम्बन्धित पर्याप्त प्रार्थनाएँ विद्यमान रही हैं। इस सम्बन्ध में हर स्कूल की प्रार्थना, उस स्कूल की मान्यता, परम्परा और परिवेश के अनुकूल ही होती है। शायद इसी वजह से यहाँ गुरु से सम्बन्धित प्रार्थना रखी गयी है। जिस आश्रम का संस्थापक, संचालक

एक गुरु हो उस आश्रम के स्कूल में गुरु से सम्बन्धित प्रार्थना नहीं होगी तो और किसकी होगी?

आगे बढ़ते लोकचन्द की नजरों के समक्ष शीघ्र ही स्कूल की शानदार इमारत दिखने लगी जिस पर अंकित मोती जैसे शब्द अपनी आभा बिखेरते जान पड़े – 'मुक्त लोक-उच्चतर माध्यमिक विद्यालय।' लोकचन्द समझ गये, इण्टर तक की शिक्षा का प्लस टू स्कूल है यह।

चिकित्सालय की तरह ही स्कूल की इमारत के प्रारम्भ में ही प्रबन्धक कार्यालय था। प्रणव के साथ लोकचन्द अब प्रबन्धक कार्यालय में थे। ठीक चिकित्सालय की तरह ही सामने की मुख्य मेज के पास प्रबन्धक तथा किनारे की मेजों पर फाइल और कम्प्यूटर सेटों के साथ उनके सहयोगी। साँवले रंग, चानुल सर, छोटी-छोटी आँखें, लम्बी कद-काठी, लेकिन सौम्य चेहरेवाले प्रबन्धक से रू-ब-रू होते ही प्रणव ने कहा –

"जै गुरुदेव स्वामी प्रद्युम्न सागर।"

"जै गुरुदेव, स्वामी प्रणव।"

"श्रीमान् जी हमारे विशिष्ट अतिथि हैं स्वामी प्रद्युम्न सागर। गुरु महाराज के प्रारम्भिक भक्त। आश्रम का विद्यालय देखना चाहते हैं।"

"बहुत अच्छा श्रीमान् जी। स्वागत है। चलिये, मैं अभी अपने विद्यालय से आपका परिचय करा देता हूँ। आप गुरु महाराज के प्रारम्भिक भक्त हैं, इस नाते हमारे बड़े गुरु भाई और सम्माननीय हैं...।" और स्वामी प्रद्युम्न तत्क्षण अपनी मेज से उठ कर चलने को तत्पर हो गये। इस पर लोकचन्द ने उन्हें रोकते हुए कहा –

"थोड़ी देर रुक जाइये प्रद्युम्न जी। इस सम्बन्ध में आपसे दो-चार बातें हो जायें तो ठीक रहेगा। तब स्कूल देखना मेरे लिये और अच्छा हो जायेगा...।"

"बहुत खूब श्रीमान् जी। आइये, यहाँ सोफे पर विराजिये। यह हमारा अहोभाग्य कि हमारे कार्यालय में आप कुछ समय रुकेंगे...।"

लोकचन्द अब किनारे के सोफे पर बैठ गये। अपना दायित्व पूरा कर प्रणव अब उनसे विदा ले चल पड़े। इस दौरान क्षण-भर में ही लोकचन्द की पारखी नजरों ने उस कमरे का मुआयना कर लिया। कमरे में लगी कुछ रेकों पर फाइलें थीं तथा कुछ पर पुस्तकें करीने से सजा कर रखी गयी थीं।

ऊपर दीवारों पर एक ओर महात्मा गाँधी के साथ प्रसिद्ध स्वतन्त्रता सेनानियों एवं राष्ट्र-नायकों की तस्वीर थीं, दूसरी ओर गौतम बुद्ध, कबीर, सूर, तुलसीदास, नानक, रैदास आदि संत-महात्माओं की। पहली नजर में ही लोकचन्द को यह कमरा

किसी अच्छे शैक्षणिक संस्थान के प्रधान का कमरा जान पड़ा। इस दृष्टि से इस कमरे का प्रबन्धक कार्यालय होना उन्हें उचित प्रतीत हुआ।

इससे पहले कि स्वामी प्रद्युम्न कुछ पूछते, लोकचन्द ने अपनी जिज्ञासाएँ प्रकट करनी शुरूकर दीं – "यह स्कूल कहाँ से अफलियेटेड है प्रद्युम्न जी?"

"राज्य सरकार के शिक्षा विभाग से इसे 'सम्बन्धन' प्राप्त है।"

"तब तो राज्य सरकार का अनुदान भी मिलता होगा?"

"हाँ, श्रीमान् जी।"

"और शिक्षकों का वेतन?"

"वह भी राज्य सरकार से ही आता है श्रीमान् जी। एक अच्छे विद्यालय से सम्बन्धित सभी अर्हताएँ हम पूरा करते हैं, इस दृष्टि से अनुदान और शिक्षकों का वेतन राज्य सरकार से मिलना ही है। हमारे विद्यालय के सारे पद राज्य सरकार द्वारा सृजित और स्वीकृत हैं, इसलिए अर्थ को लेकर हमारे यहाँ कोई समस्या नहीं।"

"तब तो यह विद्यालय राज्य सरकार के अन्य विद्यालयों की तरह ही एक मान्य राजकीय विद्यालय है?"

"हाँ श्रीमान् जी, राजकीय विद्यालय है, लेकिन राजकीय होते हुए यह आम विद्यालय नहीं है। हमारे धार्मिक संस्थान के नाम पर यह अल्पसंख्यक विद्यालय है, जो हमारे आश्रम के प्रावधानों के तहत ही संचालित है...।"

लोकचन्द समझ गये, यह माइनॉरिटी स्कूल है, राज्य सरकार की सुविधा लेते हुए इस पर आश्रम का आधिपत्य बना हुआ है और आश्रम के तहत इसकी स्वायत्तता कायम है।

"इस स्थिति में यहाँ के शिक्षक कितने स्वतन्त्र हैं प्रद्युम्न जी?"

"मैं आपकी यह बात समझ नहीं पा रहा श्रीमान् जी, आप क्या कहना चाह रहे हैं?"

"मैं कहना यह चाह रहा हूँ कि जब यहाँ के शिक्षक राज्य सरकार से वेतन पाते हैं तो राज्य सरकार के अन्य शिक्षकों की तरह ही रहते होंगे। स्कूल अवधि के बाद स्वतन्त्र अपने कोचिंग संस्थान चलाते हुए...।"

"नहीं, नहीं श्रीमान् जी। हमारे शिक्षक ऐसे नहीं हैं। हमारे सभी शिक्षक आवासीय हैं। हमने ऐसे शिक्षकों को ही नियुक्त किया है जो हमारे आश्रम के अनुकूल हों। हमारे यहाँ जैसी आवासीय सुविधा है, वैसी अन्यत्र बाहर नहीं। इस स्थिति में हमारे शिक्षक यहाँ होने पर स्वयं गर्व का अनुभव करते हैं। खूब प्रसन्न और सन्तुष्ट रहते हैं...।"

“तब तो यहाँ के छात्र भी आवासीय होंगे?”

“हाँ श्रीमान् जी। अगर आवासीय नहीं होते तो फिर बाहर के विद्यालयों जैसी ही बिखरी, अनियन्त्रित और लचर स्थिति यहाँ भी कायम हो जाती...।”

“ऐसे में नामांकन का आधार आप लोगों ने क्या रखा है?”

“लिखित जाँच परीक्षा में उत्तीर्ण छात्रों, छात्राओं का ही नामांकन हमारे यहाँ होता है। लेकिन उसमें भी गुरु महाराज के अनुयायियों, शिष्यों और भक्तों के परिवार से आनेवाले छात्र-छात्राओं के बाद ही स्वतन्त्र छात्रों को अवसर देने का प्रावधान है। लेकिन गुरु महाराज का इतना विशाल भक्त-परिवार है कि वहाँ के छात्र-छात्राओं से ही हमारे विद्यालय के लिए निर्धारित संख्या पूरी हो जाती है। उसमें ही हमें छाँटना पड़ जाता है। इस स्थिति में बाहर से किसी स्वतन्त्र छात्र को लेने का प्रश्न ही पैदा नहीं होता है।”

“मैं समझ गया प्रद्युम्न जी। इस विद्यालय को लेकर मेरा भी अनुमान यही था। आपकी बातों से मेरे अनुमान की पुष्टि हो गयी। चलिये अब चलते हैं। विद्यालय का भी एक चक्कर लगा लिया जाय...।”

“ठीक है श्रीमान् जी। चलिये। लेकिन अब अपने बारे में भी मुझे बता दीजिये कि आप कौन हैं? क्या करते हैं और कहाँ से आये हैं? आपकी बातों से आपके बारे में जानने के लिए भी मेरा मन जिज्ञासु हो उठा है...।”

“मैं बिहार के एक विश्वविद्यालय का सेवानिवृत्त प्रोफेसर हूँ प्रद्युम्न जी। अब साहित्य-लेखन का स्वतन्त्र कार्य करता हूँ। उसी सिलसिले में इस आश्रम तक भी चला आया...।”

“मुझे लग रहा था श्रीमान् जी कि निश्चय ही आप शिक्षा-जगत् से जुड़े विशिष्ट व्यक्ति हैं तभी इस तरह के प्रश्न कर रहे हैं। हमारे लिये यह अच्छा है श्रीमान् जी। अब हमारे विद्यालय का निरीक्षण कर आप हमें परामर्श दीजियेगा कि अपने विद्यालय के लिए हमें और क्या करना चाहिए? हमारा यह विद्यालय और अधिक उन्नत और विकसित कैसे हो सकता है? आप गुरु महाराज के पुराने शिष्य हैं, इस दृष्टि से आपके परामर्श हमारे लिये बहुत लाभदायक साबित होंगे...।”

“क्या मुझसे पहले शिक्षा-जगत् से जुड़ा कोई व्यक्ति यहाँ नहीं आया प्रद्युम्न जी?”

“नहीं श्रीमान् जी। यहाँ आश्रम में तो जो भी आते हैं सब गुरु महाराज का आशीर्वाद पाने आते हैं। वे यहाँ क्यों आयेंगे? सम्भव है, गुरु महाराज के शिष्यों में शिक्षा विभाग से जुड़े लोग भी हों। लेकिन विद्यालय की ओर वे कभी नहीं

आये। इस मामले में गुरु महाराज के आप पहले भक्त हैं जो विद्यालय देखने आये हैं...।''

स्वामी प्रद्युम्न के साथ विद्यालय में प्रवेश करते लोकचन्द की नजरों के समक्ष अब छात्र-छात्राएँ आने लगे। बस, उन्हें देखते ही लोकचन्द के मानस में स्वतः स्फूर्त दो प्रश्न उठ खड़े हुए – ''प्रद्युम्न जी, इस विद्यालय में प्राथमिक शिक्षा क्यों नहीं और माध्यमिक शिक्षा में को-एजुकेशन क्यों? ऐसे आवासीय विद्यालयों में को-एजुकेशन के खतरे कम नहीं होते...।''

''आपकी बात मैं समझ रहा हूँ श्रीमान् जी। आपकी शंका भी जायज है। लेकिन आश्रम की स्थितियों को देखते हुए आश्रम के इस विद्यालय में प्राथमिक शिक्षा के संचालन के पक्ष में हमारे गुरु महाराज नहीं। हमारे लिये वह अनुकूल नहीं। जहाँ तक सह-शिक्षा की बात है तो उसे गुरु महाराज ने हमारे आश्रम के परिप्रेक्ष्य में उचित समझा है। छात्र-छात्राओं के लिए अलग-अलग विद्यालयों के पक्ष में हमारे गुरु महाराज नहीं। वे कहते हैं कि सह-शिक्षा से ही छात्र-छात्राओं के व्यक्तित्व का पूर्ण विकास हो पाता है, अलग-अलग की शिक्षाओं में तो वे एकांगी बने रहते हैं...। फिर हमारे इस आश्रम में जब स्वामी और साध्वियाँ साथ-साथ रहते हैं तो हमारे विद्यालय में छात्र-छात्राएँ साथ क्यों नहीं रह सकते? सह-शिक्षा के खतरे वहाँ होते हैं श्रीमान् जी जहाँ की व्यवस्था लुंजपुंज, अनियन्त्रित और अराजक होती है। हमारे आश्रम का माहौल, यहाँ का आध्यात्मिक अनुशासन और यहाँ की दिनचर्या के तहत वैसे खतरे यहाँ सम्भव ही नहीं...।''

स्वामी प्रद्युम्न की इस बात पर लोकचन्द के मन में आया कि कह दें, आवासीय सह-शिक्षा के खतरों को आध्यात्मिक अनुशासन की आड़ में रोकने का आश्वासन अपने को छलना तथा यथार्थ पर पर्दा डालना है। लेकिन चाहते हुए भी इस विचार के तहत वे मौन रहे कि उनका उद्देश्य इस विद्यालय को जानना-समझना है, स्वामी प्रद्युम्न से बहस करना नहीं...। इस दौरान स्वामी प्रद्युम्न के साथ विद्यालय की बालकनी से आगे बढ़ते लोकचन्द के कदम जिस पहले कक्ष के समीप पहुँचे उस पर अंकित था, प्रयोगशाला-कक्ष। वे देख रहे थे, एक बड़े-से कक्ष को पार्टिशन के सहारे चार टुकड़ों में बाँट कर चार प्रयोगशालाएँ बनायी गयी थीं। विद्यालय के प्रारम्भ में ही प्रयोगशालाएँ...। बड़े-बड़े उपकरणों से सुसज्जित आधुनिक प्रयोगशालाएँ।

''यह हमारे विद्यालय की प्रयोगशालाएँ हैं श्रीमान् जी। विद्यालय के प्रारम्भ में ही एक किनारे इसे इसलिए बनाया गया है ताकि भारी-भरकम उपकरणों के रख-रखाव की सुविधा रहे...। यहाँ एक साथ रसायन विज्ञान, भौतिक विज्ञान, जीव विज्ञान और

वनस्पति विज्ञान की प्रयोगशालाएँ हैं...। अधिकांश स्कूलों में आप एक ही प्रयोगशाला पायेंगे। उसी में बारी-बारी से चारों कक्षाओं के छात्रों के अभ्यास होते हैं और प्रायोगिक परीक्षाएँ भी ली जाती हैं। लेकिन अपने छात्रों की सुविधा और उनके विकास को ध्यान में रखकर हमने स्कूल स्तर पर ही यह सम्भव कर दिया है...।"

"यह अच्छी बात है प्रद्युम्न जी। हालाँकि जिन विद्यालयों की आर्थिक स्थिति अच्छी नहीं होती उन्हीं के यहाँ प्रायोगिक कक्ष सिर्फ एक होता है। लेकिन जो विद्यालय साधन-सम्पन्न होते हैं, जहाँ की व्यवस्था अच्छी रहती है, वहाँ वे अलग-अलग प्रयोगशालाएँ रखते हैं...।"

इसी वक्त चारों प्रयोगशालाओं के सहायक स्कूल प्रबन्धक को देख अभिवादन करते हुए तत्क्षण सामने उपस्थित हो गये – "जै गुरुदेव स्वामी जी...।"

"जै गुरुदेव पुनीत, जगन, राजेश और फल्गु। प्रयोगशालाओं में सब-कुछ ठीक तो हैं न? किसी चीज की कमी तो नहीं?"

"सब ठीक है स्वामी जी। कोई कमी नहीं। कुछ आदेश हो तो कहा जाय?"

"कोई आदेश नहीं...।"

लोकचन्द उन सहायकों की उपस्थिति और सतर्कता देख समझ गये, प्रबन्धक की उपस्थिति से मुस्तैद होकर वे आ गये। उनकी नजर में सम्भव है, प्रबन्धक निरीक्षण में निकले हों। शायद प्रबन्धक स्वामी प्रद्युम्न ने भी ऐसा ही महसूरा किया, इसलिए वे तत्क्षण बोल उठे – "ठीक है, अब आप लोग अपने-अपने कक्ष में जाइये और इसी तरह अपनी प्रयोगशालाओं पर तत्पर रहिये...।"

"ठीक है स्वामी जी। जो आज्ञा।" और वे सहायक अन्दर चले गये।

इसके बाद स्वामी प्रद्युम्न अब लोकचन्द की ओर मुखातिब हो गये – "श्रीमान् जी, अपने विद्यालय के इन चारों प्रयोग सहायकों को अपने आश्रम की ओर से हमने नियुक्त किया है। माध्यमिक और उच्चतर माध्यमिक विद्यालयों के विज्ञान शिक्षक ही अपनी प्रयोगशालाओं के सहायक और प्रभारी दोनों होते हैं। कॉलेजों की तरह स्कूलों में स्वतन्त्र प्रयोगशाला सहायक नहीं रखे जाते। हमारे इन सहायकों का वेतन भुगतान हमारे आश्रम के फण्ड से होता है। लेकिन इनकी वजह से हमारी प्रयोगशालाएँ दुरुस्त रहती हैं तथा प्रायोगिक कक्षाएँ नियमित चलती हैं। इसी तरह एक आदेशपाल की जगह अपने आश्रम के फण्ड से हमने चार आदेशपालों को नियुक्त किया है। इससे हमारे विद्यालय को न सिर्फ वे साफ-सुथरा रखते हैं बल्कि विद्यालय के लिए सुरक्षा गार्डों की तरह चौकस और मुस्तैद बने रहते हैं...।"

इस दौरान प्रद्युम्न के साथ विद्यालय की बालकनी में आगे बढ़ते लोकचन्द के कदम अब प्रधानाचार्य-कक्ष के सामने थे। उस कक्ष के ऊपर अंकित मोटे-मोटे शब्द 'प्रधानाचार्य-कक्ष' पर लोकचन्द की नजरें स्वतः चली गयी थीं। उसके नीचे दरवाजे के एक किनारे नेम प्लेट भी लगा था – प्रधानाचार्य, डॉ. चक्रधर शर्मा। अपने कक्ष के सामने अचानक प्रबन्धक को देख प्रधानाचार्य चक्रधर शर्मा अब स्वयं दरवाजे के पास आ गये – "जै गुरुदेव स्वामी प्रद्युम्न सागर।"

"जै गुरुदेव चक्रधर जी।"

"कैसे आना हुआ स्वामी जी? आइये अन्दर पधारिये।"

"हम किसी कार्यवश यहाँ नहीं आये चक्रधर जी। हमारे साथ श्रीमान् जी हमारे विशिष्ट अतिथि हैं। गुरु महाराज के पुराने भक्त। बिहार के एक विश्वविद्यालय के प्रोफेसर और लेखक। ये हमारा विद्यालय देखना चाहते हैं... ।"

इस पर प्राचार्य प्रसन्न होते हुए बोल उठे – "यह तो बहुत अच्छी बात है श्रीमान् जी। आप जैसे विद्वान् भक्त हमारे स्कूल में आयें, यह हमारे स्कूल का भाग्य है। अगर आप चाहेंगे तो टिफिन के बाद सभी छात्रों को सभागार में एकत्रित होने की सूचना जारीकर दूँगा। फिर वहाँ किसी विषय पर हम आपका व्याख्यान भी सुन लेंगे... ।"

इस पर लोकचन्द ने तत्क्षण कहा – "फिलहाल मैं यहाँ किसी व्याख्यान के उद्देश्य से नहीं आया प्रधानाचार्य जी। भविष्य में पुनः आने पर आपकी यह इच्छा मैं पूरा करूँगा। विद्यालय के छात्रों के बीच कहना-सुनना मुझे भी अच्छा लगेगा। लेकिन अभी मैं इस आश्रम का विद्यालय सिर्फ देखने आया हूँ... ।"

यह सुन प्रधानाचार्य भी साथ हो गये – "चलिये श्रीमान् जी। स्वामी जी के साथ मैं भी चलता हूँ। हमारा विद्यालय देख लीजिये। प्रार्थना के बाद अभी कक्षाएँ शुरू ही हुई हैं... ।"

लोकचन्द देख रहे थे, बालकनी से गुजरते हुए कक्षाओं की खुली खिड़कियों से सब-कुछ साफ-साफ पता चल रहा था। कक्षाओं के बीच में मार्ग छोड़ते हुए दोनों किनारे बेंचें लगी थीं। एक किनारे छात्र बैठे थे और दूसरे किनारे छात्राएँ। सामने बोर्ड के पास खड़े शिक्षक या तो बोर्ड पर कुछ लिखकर छात्रों को समझा रहे थे या किसी पाठ को अपने वक्तव्य के माध्यम से विश्लेषित कर रहे थे। शिक्षकों के साथ-साथ शिक्षिकाएँ भी दिख रही थीं। लोकचन्द जानते थे, प्राथमिक शिक्षा से लेकर उच्च शिक्षा तक में महिला शिक्षिकाओं की उपयोगिता महत्त्वपूर्ण साबित हो चुकी है।

इस क्षण विद्यालय की कक्षाओं से गुजरते हुए लोकचन्द अनुभव कर रहे थे कि प्रधानाचार्य और प्रबन्धक के साथ उनकी उपस्थिति देख वर्ग शिक्षक निरीक्षण की

आशंका के तहत सजग-सचेत हो अभिवादन करते हुए दरवाजे के पास आ जाते। इस क्षण वर्ग के छात्र-छात्राएँ भी खड़े होकर अपना अभिवादन व्यक्त करते। लेकिन प्रधानाचार्य और प्रबन्धक हाथ से संकेत कर वर्ग शिक्षक को अपनी कक्षा में पूर्ववत् अपना कार्य करते रहने के लिए आश्वस्त कर देते।

उन कक्षाओं से गुजरते हुए लोकचन्द को कक्षाओं का बोध भी उन पर अंकित अंकों से स्वतः हो जाता था – आठवीं कक्षा – सेक्शन ए, आठवीं कक्षा सेक्शन बी, आठवीं कक्षा – सेक्शन सी। इसी तरह जब दसवीं कक्षा – सेक्शन ए के पास वे पहुँचे तो बड़े होते छात्र-छात्राओं को देख लोकचन्द के कदम रुक गये। एक ओर तरुणाई में पहुँचती छात्राएँ तो दूसरी ओर युवा अवस्था की दहलीज पर छात्र। इस क्षण उनकी इच्छा लक्ष्यकर प्रधानाचार्य ने कहा – "आइये श्रीमान् जी। इस कक्षा का परिचालन भी देख लीजिये...।"

इस दौरान अभिवादन में दरवाजे पर आये उस वर्ग शिक्षक ने भी कहा – "हाँ, हाँ सर। आप लोग अन्दर आ जाइये...।"

लोकचन्द अब प्रधानाचार्य और प्रबन्धक के साथ उस कक्षा के अन्दर आ गये। बस, तत्क्षण प्रधानाचार्य ने उस वर्ग के छात्र – छात्राओं और उस वर्ग के शिक्षक से लोकचन्द का परिचय कराते हुए कहा – "सर, हमारे आदरणीय अतिथि हैं। गुरु महाराज के पुराने शिष्य तथा बिहार के एक विश्वविद्यालय में प्रोफेसर और लेखक। सर हमारा विद्यालय देखने आये हैं। आपकी कक्षा के पास सर के कदम रुक गये। बस, हम उन्हें अन्दर लेते आये।"

प्राचार्य के इस परिचय के बाद लोकचन्द को लगा कि अब उनका मौन रहना उचित नहीं। अब सबसे पहले खड़े छात्रों से उन्होंने कहा – "आप लोग बैठ जाइये। आपकी कक्षा से गुजरते हुए मैं देख रहा था, अपने वर्ग शिक्षक की बातों को जिस शान्ति और एकाग्रता से आप सुन रहे थे, उसी से आपसे मिलने आ गया। वर्ग में आपकी ऐसी उपस्थिति और शान्ति देखकर मुझे खुशी हुई है...।"

लोकचन्द की इस बात से अब उस कक्षा के छात्र-छात्राएँ प्रसन्न हो उठे। वह वर्ग शिक्षक भी। उनके चेहरे पर खुशी के भाव छलक उठे। लोकचन्द ने अब पूछा – "इस कक्षा में किस विषय की पढ़ाई चल रही है?"

जवाब में आगे की बेंच पर बैठी एक सुन्दर सलोनी छात्रा ने कहा – "इतिहास की।"

इस पर अब लोकचन्द पुनः पूछ उठे – "इतिहास के किस पक्ष और किस समय पर आप लोग जानकारी प्राप्तकर रहे थे?"

इससे पहले कि छात्र-छात्राएँ कुछ कहें, वहाँ मुस्तैद वर्ग शिक्षक अब सामने आ गये – "भारत में ब्रिटिश हुकूमत के एक कालखण्ड पर पढ़ा रहा था सर। अभी तो क्लास शुरू ही हुआ है। अभी तो उसकी पृष्ठभूमि बता रहा था। इसके बाद वह पाठ शुरू करता।"

यह सुन लोकचन्द ने कहा – "ठीक है बन्धु। अब उसे पढ़ाइयेगा। लेकिन यह विद्यालय एक धार्मिक आश्रम में है। इसलिए मैं यह जानना चाह रहा हूँ कि धार्मिक इतिहास से भी तो आप अपने छात्रों को अवगत करते होंगे?"

"नहीं सर। सिलेबस के अनुसार निर्धारित पाठों को ही हम पढ़ाते हैं ताकि हमारे छात्र परीक्षाओं में अव्वल आ सकें...।"

"इस मामले में मेरा एक सुझाव है बन्धु, हमें अपने छात्रों को सिर्फ परीक्षा की दृष्टि से ही अव्वल बनाना नहीं, उस विषय का जानकार बनाना भी होना चाहिए। तभी हमारे छात्र उस विषय के विस्तृत ज्ञान के अधिकारी हो सकते हैं। अन्यथा पाठ्यक्रम की सीमाओं में बँधे वे कूप मण्डूक बनकर रह जायेंगे...। इसलिए हम शिक्षकों का यह कर्त्तव्य बनता है कि हम जो विषय पढ़ाते हैं, उसकी विशेषज्ञता तक अपने छात्रों को पहुँचायें।"

लोकचन्द की यह बात सुन उस शिक्षक से पहले अब प्रधानाचार्य ही बोल उठे – "बहुत अच्छा सर। आपने बहुत ही उपयोगी सुझाव दिया है...।"

प्रबन्धक भी अब चुप नहीं रह सके – "वाकई आपका यह परामर्श काबिले तारीफ है सर!"

इस संवाद से अवगत, उस कक्षा के छात्र-छात्राओं के चेहरे भी प्रसन्नता से खिल उठे। अब उस वर्ग शिक्षक ने भी अपना मोर्चा सम्हाल लिया "एकदम माकूल बात कही है आपने सर। मेरे मन में भी यही बात थी। लेकिन पाठ्यक्रम के महत्त्व के चलते मैं इसे अन्जाम नहीं दे पा रहा था। लेकिन अपना सुझाव देकर आपने मेरा हौसला बुलन्द कर दिया। पढ़ाते हुए भी विषय की गहराई में जाने पर ही पढ़ाने का आनन्द मिलता है सर, सीमा में बँधने पर नहीं...।"

लोकचन्द के कदम अब उस कक्षा से बाहर चल पड़े। कक्षाओं से लगी बालकनी में आगे बढ़ते हुए लोकचन्द के एक किनारे प्रधानाचार्य तथा दूसरे किनारे प्रबन्धक। बीच में लोकचन्द। ग्यारहवीं कक्षा भाग-2 के पास पहुँच लोकचन्द के कदम पुनः रुक गये –

"लगता है, यह विद्यालय की अन्तिम कक्षा है?"

"हाँ सर। यह इण्टर की अन्तिम कक्षा है।" – प्राचार्य ने कहा।

लोकचन्द को उस कक्षा की खिड़कियों से ही देखकर पता चल गया था कि इस विद्यालय की यह उच्च कक्षा है। कुछ लड़कियाँ पूर्ण तरुणाई की उम्र में तो कुछ तरुणाई की दहलीज पर। लड़कों में भी कुछ युवक हो चुके तथा कुछ होने की प्रक्रिया में। उस कक्षा के वर्ग शिक्षक भी प्राचार्य और प्रबन्धक की उपस्थिति पर सजग, सचेत होकर अभिवादन की मुद्रा में दरवाजे पर आ चुके थे।

लोकचन्द को यहाँ रुके देख प्रधानाचार्य पुनः बोल उठे – "अन्दर चलिये सर। इस वर्ग का भी मुआयना कर लिया जाय...।"

लोकचन्द अब पुनः प्रधानाचार्य और प्रबन्धक के साथ इस कक्षा के अन्दर आ गये। इस कक्षा के छात्र-छात्राओं के चेहरे पर वे गजब की रौनक पा रहे थे। शायद यह उनकी युवावस्था का असर था। उनके निखरे रंग-रूप नयनाभिराम और मोहक जान पड़ रहे थे। इन्हीं छात्र-छात्राओं के बीच से वर्षों पहले गुरु महाराज ने पद्‌मा का चुनाव भी किया था। इस सम्बन्ध में तत्क्षण पद्‌मा की वह बात भी उन्हें याद आ गयी जो उसने चन्दा और रूपा के सम्बन्ध में कहा था कि चन्दा और रूपा जैसी सामान्य लड़कियाँ भी आश्रम के माहौल और परिवेश में रूपवती बन जाती हैं।

इस सम्बन्ध में इस विद्यालय के छात्र-छात्राओं पर भी लोकचन्द इस आश्रम का ही यह असर देख रहे थे।

कक्षा में प्रवेश करने के बाद पिछली कक्षा की ही तरह प्रधानाचार्य ने उस कक्षा के वर्ग शिक्षक और छात्र-छात्राओं के बीच लोकचन्द का परिचय इस बार किंचित् विस्तार और विशेषणों से दिया। इसके बाद लोकचन्द अब पुनः उस कक्षा के छात्रों से मुखातिब हो गये –

"अब अपनी-अपनी जगह पर पूर्ववत् बैठ जाइये आप लोग। विद्यालय आते हुए प्रार्थना के रूप में आपकी गुरुवन्दना मैं सुन रहा था। आप सभी इस विद्यालय के छात्र-छात्राएँ खूब प्रेम से प्रार्थना कर रहे थे। आपके विद्यालय की वह प्रार्थना मुझे बहुत अच्छी लगी...। आप लोग चूँकि इस विद्यालय की अन्तिम कक्षा के सीनियर छात्र-छात्राएँ हैं, इसलिए उस प्रार्थना के सम्बन्ध में ही मैं आप लोगों से कुछ जानना चाहता हूँ। पहली बात यह कि जिस गुरु की आप वन्दना करते हैं, उस गुरु और ईश्वर में आप किसे अधिक महत्त्वपूर्ण मानते हैं? आपके विचार से इन दोनों में अग्रपूजा का अधिकारी कौन हो सकता है...?"

यह सुन बीच की बेंच पर बैठा एक छात्र तत्क्षण बोल उठा – "गुरु सबसे महत्त्वपूर्ण होते हैं, सर!"

उस लड़के के समर्थन में अब एक तरुणी छात्रा भी बोल उठी – "संत कबीरदास ने कहा है –

गुरु गोविंद दोऊ खड़े, काके लागूँ पाँय।
बलिहारी गुरु आपने जिन्ह गोविंद दियो बताय... ।"

यह सुन लोकचन्द अब पुनः बोल उठे – "बहुत अच्छा जवाब आप लोगों ने दिया। गुरु की महिमा को लेकर यह काव्यात्मक उक्ति विख्यात रही है। इसमें गुरु को महत्त्वपूर्ण ही नहीं माना गया है, बल्कि उस महत्त्व का कारण भी दिया गया है। उस कारण के अनुसार गुरु ज्ञान देता है। मार्गदर्शन करता है। ईश्वर की पहचान भी वही कराता है। इसलिए वह बड़ा है। महत्त्वपूर्ण है। लेकिन यहाँ यह प्रश्न भी उठता है कि उस गुरु को जानकार और सर्वज्ञ किसने बनाया है? वह गुरु कैसे बना है?"

जवाब में अब वही लड़की बोल उठी जिसने वह कविता व्यक्त की थी – "उन गुरु के भी कोई गुरु होंगे सर, जिनसे उन्हें ज्ञान प्राप्त हुआ होगा, सर्वज्ञता हासिल हुई होगी... ।"

लोकचन्द समझ गये, यह वर्ग की सबसे मुखर लड़की है। अब उस लड़की से वे संवादरत हो गये – "एकदम उचित कहा तुमने। गुरु के भी गुरु होते हैं। अब हमारे जो गुरु हैं, उनके भी तो कोई गुरु होंगे? फिर उन गुरु के भी तो गुरु होंगे? इससे यह बात प्रमाणित होती है कि गुरुओं की एक परम्परा रही है जिससे वे ज्ञानी और मार्गदर्शक बनते रहे हैं। इस बात से आप लोग सहमत हैं न?"

जवाब में छात्रों का समवेत स्वर गूँज उठा – "हाँ सर! हाँ सर!"

"ठीक है। लेकिन अब यहाँ एक प्रश्न और उठता है कि प्रकृति और संसार के अटल नियम के अनुसार हमारे समक्ष अभी जो कुछ है, उसका कहीं-न-कहीं उत्स है और कहीं-न-कहीं अन्त भी। यानी आदि और अन्त में ही यहाँ सब-कुछ बँधा है। इस बात से भी तो आप लोग सहमत होंगे?"

"हाँ सर। हाँ सर।"

"तो अब मैं अपने मुख्य प्रश्न पर आता हूँ, गुरु बनने की जो प्रक्रिया है फिलहाल उसके वर्तमान छोर पर हम हैं। लेकिन जब इसके प्रारम्भ की ओर हम लौटेंगे तो गुरु के गुरु फिर उन गुरु के गुरु फिर उन गुरु के गुरु होते हुए इस शृँखला के उत्स तक जब हम पहुँचेंगे तो अपने आदि गुरु को पायेंगे जिनके कोई गुरु नहीं होंगे, क्योंकि गुरु परम्परा का उत्स जहाँ से होता है वहाँ फिर गुरु के गुरु नहीं हो सकते... । तब फिर यहाँ यह प्रश्न उठता है कि हमारे उन आदि गुरु को ज्ञान किसने दिया? गुरु बनने की सर्वज्ञता उन्हें कैसे हासिल हुई? इस पर आप लोग क्या कहना चाहेंगे?"

जवाब में वर्ग के सारे छात्र मौन हो गये। लोकचन्द के साथ खड़े वर्ग शिक्षक, प्राचार्य और प्रबन्धक भी। तब लोकचन्द ने छात्रों को जवाब सुझाते हुए कहा – "यह

तो आपने देख लिया कि गुरु की सत्ता का अन्त एक जगह पहुँचकर हो जाता है, क्योंकि गुरु स्वयं गुरु नहीं बनते। किसी और गुरु के मार्गदर्शन से ही गुरु बनने की क्षमता और सर्वज्ञता उनमें आती है। लेकिन ईश्वर की सत्ता का कहीं अन्त नहीं होता। वे अनन्त और अनादि होते हैं। ईश्वर की इस सत्ता के बारे में तो आप लोगों ने सुना होगा?"

"हाँ सर, हाँ सर।"

"तब हमारे उस आदि गुरु के पास ईश्वर के सिवा कोई नहीं। इस स्थिति में हमारे उस आदि गुरु का मार्गदर्शन निश्चय ही ईश्वर ने किया होगा। उन्होंने ही ज्ञान देकर उन्हें गुरु बनाया होगा। इस बात से तो अब आप लोग सहमत होंगे?"

"हाँ सर! हाँ सर!"

लेकिन छात्रों का यह जवाब कुछ दबी आवाज में संशयग्रस्त रहा। लोकचन्द ने अनुभव किया, उनके इस प्रश्न पर प्राचार्य, प्रबन्धक और वर्ग शिक्षक भी असमंजस में पड़ गये थे। जिस गुरु को भगवान् से बढ़कर माना, उसे अब भगवान् से कमतर कैसे मानें? इस पर लोकचन्द ने जोर देते हुए कहा – "इसके सिवाय यहाँ कोई और सम्भावना बन हीं नहीं सकती। जब हमारे आदि गुरु के पास ईश्वर के अतिरिक्त कोई दूसरा है ही नहीं तो फिर उन्हें ईश्वर के सिवा गुरु बनने का ज्ञान दे ही कौन सकता है?"

इस पर जवाब में वह लड़की ही बोल उठी – "हाँ सर, आप उचित कह रहे हैं...। आपकी बात तर्कसम्मत है।"

इस पर अब वर्ग के अन्य छात्र भी बोल उठे – "हाँ सर...हाँ सर...।"

लेकिन उनकी दबी आवाज से उनके असमंजस का बोध भी लोकचन्द को होता रहा। इस पर लोकचन्द ने अपनी बात और स्पष्ट करते हुए कहा – "जब हमारे प्रारम्भिक गुरु को ईश्वर ने ही ज्ञान दिया, ईश्वर ने ही उनका मार्गदर्शन किया। फिर तो ईश्वर ही हमारे वास्तविक आदि गुरु हुए?"

इस बार फिर वर्ग के छात्र मौन। वर्ग शिक्षक, प्रधानाचार्य और प्रबन्धक के पास भी कोई जवाब नहीं...। इस स्थिति में अब लोकचन्द ने अपनी बात बिल्कुल स्पष्ट करते हुए कहा – "यह मेरी राय नहीं छात्र-छात्राओं। यहाँ मैं अपना विचार व्यक्त नहीं कर रहा। आप अपनी प्रार्थना में जो कहते आ रहे हैं उसे ही स्मरण दिला रहा हूँ। गुरु-वन्दना के बाद जो अन्तिम श्लोक आप लोग बोलते हैं – *गुरुर्ब्रह्मा, गुरुर्विष्णु, गुरुर्देवो महेश्वरः*। इसके बाद क्या कहते हैं – *'गुरुर्साक्षात् परब्रह्म, तस्मै श्री गुरवे नमः।* यानी अपनी प्रार्थना में गुरु को आप स्वयं साक्षात्

ब्रह्म मानते हैं। तब फिर गुरु और ईश्वर को दो कैसे समझते हैं?'' लोकचन्द के इस प्रश्न पर अब वर्ग के सारे छात्रों के चेहरे खिल उठे जैसे किसी उलझन से वे निकल आये हों। अब यही स्थिति प्रधानाचार्य, प्रबन्धक और वर्ग शिक्षक की भी हो गयी थी। इस पर लोकचन्द ने अब अपनी अन्तिम बात कही – ''मेरा उद्देश्य आप लोगों को उलझाना नहीं। मेरा कहना यह है कि प्रार्थना के रूप में या वर्ग के पाठ्यक्रम में आप जो पढ़ते हैं उसे सिर्फ पढ़िये ही मत, उस पर अमल भी किया कीजिये। एक सफल विद्यार्थी बनने के लिए आप लोगों को तर्कशील और कल्पनाशील भी होना चाहिए।''

इस बार छात्रों से पहले अब प्राचार्य ही बोल उठे – ''बहुत अच्छा सर। बहुत अच्छा।''

प्रबन्धक ने भी कहा – ''अति उत्तम सर।''

वर्ग शिक्षक भी पीछे नहीं रहे – ''बहुत अच्छा मार्गदर्शन किया सर।''

जवाब में छात्रों का समवेत स्वर भी गूंज उठा – ''बहुत अच्छा सर। बहुत अच्छा... ।''

लोकचन्द अब उस कक्षा से निकलकर वापस चल पड़े। प्रबन्धक के साथ प्रधानाचार्य भी उन्हें आगे तक छोड़ना चाहते थे। लेकिन लोकचन्द ने उनके कक्ष के पास ही उन्हें रोक दिया। पर प्रधानाचार्य ने अपने उद्‌गार व्यक्त करते हुए कहा – ''आपसे मिलकर बहुत अच्छा लगा सर। अपनी विद्वत्ता से अल्प समय में ही आपने हमारे विद्यालय को आलोकित कर दिया... ।''

''ऐसा कुछ नहीं है प्राचार्य जी। आप लोग स्वयं बहुत अच्छे हैं। जो स्वयं अच्छे होते हैं उन्हें ही दूसरे भी अच्छे लगते हैं... ।''

विद्यालय देखने के बाद लोकचन्द अब सीधे वापस हो जाना चाहते थे। लेकिन अपने कक्ष के पास प्रबन्धक ने उन्हें रोक लिया – ''एक कप कॉफी पी लिया जाय सर, तो जाइयेगा।''

प्रबन्धक का यह आत्मीय अनुरोध लोकचन्द टाल नहीं सके। प्रबन्धक-कक्ष में सोफे पर अब पुनः विराजमान हो गये। यहाँ अस्पताल प्रबन्धक स्वामी केशवानन्द से स्कूल प्रबन्धक स्वामी प्रद्युम्न सागर को लोकचन्द पृथक् पा रहे थे। फिर तत्क्षण इस पृथक्‌ता की वजह भी उन्हें ज्ञात हो गयी। यह अन्तर सिर्फ दो व्यक्तियों का ही नहीं, दो संस्थाओं का भी था। अस्पताल से जुड़े व्यक्ति की मानसिकता अस्पताल जैसी थी। और विद्यालय से जुड़े व्यक्ति की मानसिकता विद्यालय जैसी। इस दौरान अपने कार्यालय सहयोगियों को कॉफी का आदेश दे चुके स्वामी प्रद्युम्न अब इत्मीनान होकर लोकचन्द की ओर मुखातिब हो गये। अपने प्रत्युत्पन्नमतित्त्व से लोकचन्द

समझ गये, स्वामी प्रद्युम्न अब उनके बारे में विस्तार से जानना चाहेंगे। लेकिन इससे पहले कि वे कुछ पूछें, लोकचन्द स्वयं बोल उठे –

"प्रद्युम्न जी, आपके विद्यालय के छात्र-छात्राओं को देखकर मुझे देवी पद्मा की याद आ गयी। इन्हीं छात्र-छात्राओं के बीच गुरु महाराज ने एक दिन देवी पद्मा का चुनाव किया था...।"

"आप इतना कुछ जानते हैं सर। दीदी माँ, देवी पद्मा से भी परिचित हैं। निश्चय ही गुरु महाराज के न सिर्फ पुराने शिष्य हैं आप बल्कि उनके निकटतम और विश्वासपात्र भी हैं।"

"ऐसा नहीं है प्रद्युम्न जी। देवी पद्मा से परिचय के बाद मेरे पूछने पर उन्होंने ही यह जानकारी दी थी। फिर मैं उनसे कुछ नहीं पूछ सका। लेकिन विद्यालय के छात्र-छात्राओं को देखने के बाद मुझे लगता है गुरु महाराज ने आश्रम के लिए और छात्राओं का चुनाव यहाँ से किया होगा?"

"गुरु महाराज ऐसा क्यों करेंगे सर? वे तो अपनी साधना और उपासना में ही लीन रहते हैं। उन्हें ऐसे चुनाव की क्या आवश्यकता? देवी पद्मा का चुनाव तो एक संयोग भर था।"

लोकचन्द समझ गये, गुरु महाराज के प्रति वफादार स्वामी प्रद्युम्न अपने गुरु को बचा रहे हैं।

"तो क्या देवी पद्मा के बाद विद्यालय की किसी अन्य छात्रा को आश्रम में नहीं रखा गया...।"

"रखने-रखाने की बात कहाँ से आ गयी सर? आश्रम की ओर से ऐसा कोई प्रयास कभी नहीं किया जाता। विद्यालय के कुछ छात्र-छात्राएँ तो स्वयं समय-समय पर आश्रम से स्वतः जुड़ते जाते हैं।"

"स्वतः क्यों जुड़ेंगे प्रद्युम्न जी?"

"रोजगार के लिए सर। बेरोजगारी इतनी है कि सबको रोजगार कहाँ मिल पाता है?"

"तो क्या यहाँ रोजगार के अवसर भी हैं?"

"हाँ सर। बहुत अवसर हैं। हमारा आश्रम अपने-आप में एक स्वावलम्बी और स्वायत्त संस्थान है, इस दृष्टि से अनेक कार्यालय और अनेक विभाग हमारे यहाँ कार्यरत हैं। अब हमारा लेखा-विभाग है, जहाँ कम्प्यूटर के प्रयोग में दक्ष इस विद्यालय की चार छात्राएँ हैं। हमारे प्रकाशन-गृह में भी यहाँ की तीन छात्राएँ हैं। इनकी नियुक्तियाँ समय-समय पर हुई हैं।"

"तो क्या बाहर से आनेवाली लड़कियों की नियुक्ति आश्रम में नहीं की जाती?"

"की जाती है सर। हम विधिवत् विज्ञप्ति जारी करते हैं। लेकिन आश्रम के प्रावधान के अनुसार आश्रम के विद्यालय के छात्र-छात्राओं को हमें प्रमुखता देनी है। ऐसे में हमारे आश्रम के योग्य छात्र-छात्राओं की उपस्थिति ही इतनी अधिक हो जाती है कि बाहर से लेने की गुंजाइश ही नहीं रह जाती।"

"लेकिन प्रद्युम्न जी। आपने कहा कि लेखा-विभाग में विद्यालय की चार छात्राएँ तथा प्रकाशन-गृह में तीन छात्राएँ कार्यरत हैं। तो क्या विद्यालय के छात्रों को आप लोग अवसर नहीं देते। उन्हें आश्रम में रखना नहीं चाहते?"

"माफ कीजियेगा सर। हमारे यहाँ छात्र-छात्राओं में कोई फर्क नहीं किया जाता। लेकिन अपनी प्रकृति के अनुसार छात्र बाहर जाना ज्यादा पसन्द करते हैं। वे बाहर के विस्तार में अधिक उड़ान भरते हैं। जबकि अपनी प्रकृति के तहत छात्राएँ अपने चिर-परिचित परिवेश को पसन्द करती हैं। आश्रम के माहौल में रची-बसी कुछ छात्राएँ तो आश्रम छोड़कर कहीं जाना ही नहीं चाहतीं। वैसी छात्राएँ बार-बार प्रयास कर आश्रम के किसी विभाग में नियुक्त हो ही जाती हैं। लेकिन इसका मतलब यह नहीं सर कि आश्रम के छात्र आश्रम में नियुक्त नहीं होते। समय-समय पर आश्रम के खाद्यान्न विभाग में हमारे विद्यालय के दो तथा इंजीनियरिंग शाखा में तीन छात्र नियुक्त हुए हैं, जो अच्छा कार्य करते हैं। गुरु महाराज तक उनकी पहुँच हो गयी है...।"

"बहुत अच्छा प्रद्युम्न जी। जिज्ञासावश यह जानकारी ले रहा था। आप अन्यथा मत लीजियेगा।"

"नहीं सर। मैं अन्यथा क्यों लूँगा। आपसे बातचीत करते हुए मुझे भी बहुत अच्छा लग रहा है सर...।"

"ठीक है प्रद्युम्न जी। आपको बहुत-बहुत धन्यवाद। अब मैं चलता हूँ।"

"चलिये सर। मैं आपको आपके आवास तक छोड़ देता हूँ...।"

"नहीं प्रद्युम्न जी। जैसे मैं अकेले आया था, वैसे ही मुझे अकेले जाने दीजिये। अब तो यहाँ का सब-कुछ मेरा देखा हुआ है। आप कार्यालय के अपने कार्य सम्हालिये...।"

और लोकचन्द चल पड़े। वापस होते हुए स्कूल के दृश्य अब उनके जेहन में पुनः अपनी ताजगी का एहसास कराने लगे। खासकर अन्तिम कक्षा के छात्र-छात्राएँ विशेष कौंधते रहे। इस सम्बन्ध में प्रबन्धक से प्राप्त यह सूचना कि आश्रम के लेखा-विभाग और प्रकाशन-गृह में इस स्कूल की छात्राएँ कार्यरत हैं ने लोकचन्द को जिज्ञासु बना दिया। यहाँ कार्य करती हुई वे छात्राएँ कितना स्वतन्त्र हैं, यह

जानना आवश्यक है, तभी अपने मित्र सुकेश से आश्रम के इस यथार्थ पर वे बात कर सकते हैं...।

7

इस आश्रम में रहते हुए लोकचन्द अब चन्द दिनों के अन्दर ही यहाँ लगाव का अनुभव करने लगे थे। उन्हें लगता था, जैसे यह आश्रम किसी चुम्बकीय आकर्षण के तहत लोगों को अपनी ओर खींच रहा हो, इस आश्रम से बाँध रहा हो। इस सम्बन्ध में उन्हें लगा कि वे यहाँ के विशिष्ट अतिथि हैं, शायद इसलिए ऐसा महसूस कर रहे, क्योंकि इस आश्रम के बड़े-छोटे सभी सेवादार उन्हें सुविधा-सहयोग पहुँचाने तथा उनकी हिफाजत में लगे रहते हैं। फिर उन्हें लगा, उनका यह आकलन उचित नहीं। इस आश्रम में रहनेवाले सामान्य भक्तों, शिष्यों और अनुयायियों को भी वे यहाँ सन्तुष्ट ही पा रहे थे। किसी को भी कहीं दुःख-तकलीफ व्यक्त करते नहीं पाया। आपस में कहीं कोई द्वेष, कलह और संघर्ष नहीं। इस बीच सामान्य भक्तों के आवासों से होकर वे कई बार गुजर चुके हैं। सुबह-शाम उनमें से कइयों से उनका मिलना भी हुआ है। लेकिन किसी के अन्दर कष्ट-क्लेष और अशान्ति का अनुभव उन्होंने नहीं किया। सभी आश्वस्त और प्रसन्नचित्त। सम्भव है, यहाँ रहने को वे ईश्वर के दरबार में रहना मानते हों, जिसकी अनुभूति से वे शान्त और सन्तुष्ट हों। सम्भव है, अपने गुरु की कृपा पर उनका यह अटूट विश्वास हो...।

इस विषय पर अपनी पड़ताल के दौरान जब लोकचन्द ने सूक्ष्म दृष्टि से जानने का प्रयास किया तो पाया कि इस आश्रम में आनेवाले लोगों की स्थिति लगभग एक जैसी रही है। खाते-पीते परिवारों से सम्बन्धित सामान्य श्रेणी के सम्पन्न लोग ही यहाँ अधिक आते हैं जो धार्मिक विश्वास के तहत जीते हैं। ऐसे लोगों में फटेहाल, निर्धन और अभावग्रस्त लोगों को उन्होंने नहीं देखा। शायद ऐसे लोग यहाँ न आते हों या ऐसे लोगों को यहाँ प्रश्रय न दिया जाता हो...।

देवी किरण और स्वामी रत्न सागर जैसे लोग भी यहाँ आर्थिक अभाव के तहत नहीं, बल्कि आश्रय और पनाह पाने के लिए ही आये, यहाँ के जीवनदानी सेवादार बनने। ऐसे लोग कभी असन्तोष और अशान्ति का माहौल कायम नहीं कर सकते। इसके अतिरिक्त विशिष्ट लोग तो चन्द समय के लिए आते हैं। वे आश्रम के रहवैये नहीं बन पाते।

अस्पताल और स्कूल से अवगत होने के बाद अपने निर्णय के अनुसार लोकचन्द को अब लेखा-विभाग और प्रकाशन-गृह का अवलोकन करना था। बस,

सुबह अपनी दिनचर्या से मुक्त हो वे चल पड़े। लेकिन अपने विशिष्ट अतिथि आवास से बाहर निकलते ही उन्हें सुविधा-सहयोग पहुँचाने के लिए तत्पर-सक्रिय सेवादार प्रणव उनकी सेवा में उपस्थित हो गया।

"जै गुरुदेव श्रीमान् जी। क्या आदेश है? कहाँ चलना है?"

"लेखा-विभाग जाऊँगा प्रणव?"

"क्यों श्रीमान् जी? वहाँ क्या आवश्यकता है?"

"कोई आवश्यकता नहीं। ऐसे ही घूमने जाना है।"

"लेकिन माफ कीजियेगा श्रीमान् जी। वह कोई घूमने की जगह नहीं।"

"मेरा उद्देश्य लेखा-विभाग के लोगों से मिलना है। उनसे परिचित होना...।"

"पर वह आश्रम का गोपनीय कार्यालय है श्रीमान् जी। वहाँ कार्यरत सदस्यों के अतिरिक्त किसी और के वहाँ जाने की मनाही है।"

"ऐसा क्यों है प्रणव? क्या वहाँ कोई गोपनीय कार्य होता है?"

"नहीं श्रीमान् जी। यहाँ आश्रम में कहीं कोई गोपनीय कार्य नहीं होता...। मेरी जानकारी के तहत आश्रम की आय-व्यय का सारा जिम्मा लेखा-विभाग का ही है। इस पूरे आश्रम का संचालन वहीं से होता है। वहाँ कार्यरत सदस्य सजग-सक्रिय रहते हैं। किसी और की उपस्थिति से वहाँ का कार्य बाधित हो जाता है, इसलिए वहाँ अन्य व्यक्तियों का प्रवेश निषिद्ध है।"

"लेकिन अगर मैं वहाँ जाना ही चाहूँ तो?"

"वहाँ कभी कोई नहीं जाता श्रीमान् जी। उस कार्यालय से किसी आगन्तुक को कोई आवश्यकता नहीं पड़ती। कभी किसी विशिष्ट अतिथि ने भी वहाँ जाने की इच्छा व्यक्त नहीं की।"

"लेकिन मैं तो ऐसी इच्छा व्यक्त कर रहा हूँ प्रणव? मैं उस विभाग में जाना चाहता हूँ...।"

"माफ कीजियेगा श्रीमान् जी। चलिये, मैं आपको आश्रम के दूसरे रमणीक स्थल पर ले चलता हूँ जहाँ आपको बहुत अच्छा लगेगा...।"

"नहीं प्रणव। इस मामले में मैं जंगल का वह ऊँट हूँ जिसे बबूल के पास जाना है तो सिर्फ बबूल के पास ही जाना है, किसी भी अन्य मनोहर वृक्ष के पास नहीं...।"

लोकचन्द की इस जिद के समक्ष क्षण-भर के लिए प्रणव को अब हतप्रभ रह जाना पड़ा। किंकर्त्तव्यविमूढ़ की स्थिति हो गयी उसकी। फिर तत्क्षण अपने को संयत कर उसने कहा – "ठीक है श्रीमान् जी। थोड़ी देर अपने कमरे में आराम से बैठ

जाइये। मैं अभी गुरु महाराज की अनुमति लेकर आ जाता हूँ। लेखा-विभाग में चलने के लिए गुरु महाराज की अनुमति आवश्यक है।"

और प्रणव तेजी से गुरु महाराज के बँगले की तरफ चल पड़ा। लोकचन्द अपने आवास में आकर बैठ गये। अब तक वे यह समझ चुके थे कि इस आश्रम का मेरुदण्ड वह कार्यालय ही है इसीलिए वहाँ अन्य व्यक्ति का प्रवेश वर्जित है। उपहार, दान और चढ़ावे के रूप में इस आश्रम को जो भी आय प्राप्त हो रही है वह सब लेखा-विभाग के ही जिम्मे है और इस आश्रम के संचालन में जहाँ कहीं और जो कुछ खर्च होना है उसका दायित्व भी लेखा-विभाग का ही है। इस दृष्टि से वहाँ जाने पर उन्हें रोकना प्रणव का उचित कदम था। लेकिन उनके खोजी मन को तो वहाँ की टोह लेनी ही थी।

अब शीघ्र ही प्रणव गुरु महाराज से मिल कर आ गया। लोकचन्द समझ गये, इस आश्रम के सेवादार तथा मुख्य कार्यकर्त्ता अपनी आवश्यकताओं पर कभी भी गुरु महाराज से मिल सकते हैं। सिर्फ आम भक्तों और श्रद्धालुओं के लिए उनका मिलना दुर्लभ बताया जाता है ताकि उनके मन में गुरु-महाराज का महत्त्व बना रहे।

निकट आये प्रणव के चेहरे को देखकर ही लोकचन्द समझ गये, गुरु महाराज ने अनुमति दे दी है...।

"चलिये श्रीमान् जी! गुरु महाराज का आदेश प्राप्त हो गया।"

"क्या कहा उन्होंने?"

"कहा कि श्रीमान् जी लेखा-विभाग में क्यों जाना चाहते हैं? तब मैंने आपकी बात बता दी। फिर उन्होंने कहा, ले जाओ। श्रीमान् जी को वहाँ पहुँचा दो...।"

लोकचन्द जानते थे, उनका मित्र सुकेश उन्हें मना नहीं कर सकता। अगर मना ही करना होता तो उन्हें पहचानता नहीं और इस आश्रम में विशिष्ट अतिथि के रूप में ठहराता भी नहीं।

लोकचन्द के कदम अब प्रणव के साथ पुनः आगे बढ़ चले। इस पर प्रणव ने कहा – "आप बहुत भाग्यशाली हैं श्रीमान् जी। वाकई गुरु महाराज की विशेष कृपा आप पर है।"

"ऐसा कुछ भी नहीं प्रणव। हाँ, गुरु महाराज से मेरा पुराना परिचय रहा है।"

"यह सिर्फ पुराने परिचय का ही असर नहीं है श्रीमान् जी। निश्चय ही गुरु महाराज के आप निकटतम और विश्वासपात्र हैं...।"

इस विषय पर प्रणव से कुछ और कहना-सुनना उचित न समझ लोकचन्द अब चुपचाप आगे बढ़ते रहे। उन्हें लेकर प्रणव सीधे प्रशासनिक भवन आ पहुँचा।

लोकचन्द के लिए यह स्थल परिचित था। पद्मा से मिलने के लिए उसका पीछा करते हुए वे यहाँ तक आये थे। फिर पद्मा ने यहीं मुख्य भण्डारपाल स्वामी इन्द्र सागर से उनका परिचय कराया था। लेकिन प्रणव से इसका उल्लेख करना उन्होंने उचित नहीं समझा।

लोकचन्द देख रहे थे, प्रशासनिक भवन में ही आश्रम के अधिकांश कार्यालय थे। उनमें प्रकाशन-गृह भी उन्हें नजर आ गया। लेकिन लेखा-विभाग कहीं नहीं दिखा। अब प्रणव प्रशासनिक भवन के कोने में बनी नक्काशीदार संगमरमर की खूबसूरत सीढ़ियों के सहारे पहली मंजिल पर उन्हें लेकर चल पड़ा। उस मंजिल पर पहुँच कर लोकचन्द एक बड़े-से भव्य और आलीशान कार्यालय के समीप आ गये। उस कार्यालय के ऊपर कोई नाम अंकित नहीं था। इससे पहले कि वे कुछ पूछते, प्रणव बोल उठा – "हमारे आश्रम का यही लेखा-विभाग है श्रीमान् जी।"

"लेकिन अन्य विभागों की तरह इस पर नाम अंकित नहीं...।"

"इसकी कोई आवश्यकता ही नहीं श्रीमान् जी। आश्रमवासियों का वास्ता अन्य विभागों से पड़ता रहता है, लेकिन इस विभाग से उनका कुछ लेना-देना नहीं...।"

"फिर भी इस विभाग पर इसका नाम अंकित होना चाहिए। इसका नाम अंकित न होना इसे सन्देह के घेरे में लाता है...।"

"नहीं श्रीमान् जी। ऐसा नहीं है। इसका नाम अंकित करने की आश्रम ने कभी आवश्यकता ही महसूस नहीं की। किसी सरकारी या गैर-सरकारी संस्थान की तरह हमारा यह लेखा-विभाग नहीं है श्रीमान् जी। एक धार्मिक और आध्यात्मिक संस्थान का लेखा-विभाग है। इसे आप मानव शरीर के रूप में समझ सकते हैं। जैसे मानव शरीर के बाह्य अंग स्पष्ट हैं – आँख, कान, नाक, मुँह, हाथ, पैर आदि। जो अपने नाम के अनुसार बाहर से परिलक्षित भी होते हैं। लेकिन इस मानव शरीर के अन्दर अवस्थित हृदय बाहर से कहीं परिलक्षित नहीं होता। उसी तरह हमारा यह विभाग है। बाहर से परिलक्षित न होते हुए भी इस आश्रम का हृदय-स्थल है।"

लोकचन्द समझ गये, इस आश्रम के प्रति समर्पित सेवादार इस आश्रम पर कोई आक्षेप स्वीकार नहीं कर सकते। इस स्थिति में चुप लगाकर लोकचन्द ने इस बात को यहीं स्थगित कर देना उचित समझा। इस आश्रम में उनका उद्देश्य ऐसे लोगों से उलझना नहीं।

अब लोकचन्द के साथ प्रणव उस विभाग के अन्दर आ गया। बाहर से वह विभाग जितना आलीशान और भव्य दिखता था अन्दर से उससे कहीं अधिक प्रतीत हो रहा था। विभाग के जिस प्रथम कक्ष में लोकचन्द पहुँचे उसमें छह-सात लड़कियाँ कम्प्यूटर पर कार्यरत थीं। सम्भवतः आश्रम के प्रावधान के तहत ही वे साध्वी के

लिबास में थीं। स्कूल प्रबन्धक और अस्पताल प्रबन्धक के कार्यालयों में कार्यरत सदस्यों को भी लोकचन्द ने स्वामी एवं साध्वियों के गेरुए परिधान में ही पाया था। वे जान चुके थे कि आश्रम में कार्यरत लोगों के लिए आश्रम के परिधान ही निर्धारित हैं।

उस कक्ष के बाद लोकचन्द को लेकर प्रणव अन्दर के जिस कक्ष में पहुँचा वह उस विभाग के प्रधान का कक्ष था। उस कक्ष में अपनी मुख्य मेज के पास बैठा वह प्रधान लोकचन्द को चालीस-पैंतीस के बीच का जान पड़ा। घुँघराले बालों, बड़ी-बड़ी आँखों और सुन्दर, सुडौल तथा आकर्षक व्यक्तित्व का वह अधिकारी जान पड़ा। इससे पहले कि वह प्रमुख अधिकारी इस वर्जित कक्ष में प्रणव के साथ लोकचन्द की उपस्थिति का कारण जानना चाहे, प्रणव तत्क्षण बोल उठा – "जै गुरुदेव स्वामी जगेश्वरानन्द जी। गुरु महाराज की अनुमति पर श्रीमान् जी को आपके कक्ष तक छोड़ने आ गया। श्रीमान् जी बिहार से आये हैं। गुरु महाराज के पुराने शिष्य और निकटतम भक्त हैं...।"

"अच्छा। अच्छा तो यही हैं श्रीमान् जी। जै गुरुदेव श्रीमान् जी। आइये, यहाँ इस आसन पर विराजिये...। गुरु महाराज ने मुझे आपके बारे में बताया है। मैं आपसे मिलने ही वाला था। अच्छा हुआ, आप स्वयं आ गये। गुरु महाराज के पुराने शिष्य और निकटतम विश्वासपात्र होने के चलते हमारे लिये भी आप आदरणीय हैं...।"

अब उस प्रधान के सामने लगे आसननुमा आरामदायक सोफे पर बैठते हुए लोकचन्द समझ गये कि निश्चय ही यह विभाग प्रमुख इस आश्रम का अत्यन्त महत्त्वपूर्ण व्यक्ति है, तभी सुकेश ने उनके बारे में इसे बताया। इससे पहले अस्पताल प्रबन्धक स्वामी केशवानन्द, स्कूल प्रबन्धक स्वामी प्रद्युम्न तथा भण्डारपाल स्वामी इन्द्र सागर से वे मिल चुके थे। लेकिन उनमें से किसी को ऐसी सूचना नहीं थी। इस पर उन्होंने कहा – "यह गुरु महाराज की महानता है जो मेरे बारे में ऐसा कहते हैं।"

"नहीं, श्रीमान् जी। गुरु महाराज किसी के विषय में ऐसे ही नहीं कह सकते। उनकी सूचना के बाद आपके बारे में जानने की जिज्ञासा पैदा हो गयी है। उन्होंने जितना बताया था, उतना कह चुका। अब आपका विस्तृत परिचय मैं जानना चाहता हूँ...।"

जवाब में लोकचन्द ने अपना वह संक्षिप्त परिचय दे दिया जो यहाँ के जिज्ञासुओं को देते थे। वह सुन उस प्रमुख ने कहा – "तब तो आप सचमुच महान् व्यक्ति हैं श्रीमान् जी। साहित्य-सर्जक महान् होते हैं। कॉलेज में हमारे साहित्य-शिक्षक बताते थे कि संसार को नैतिकता, आदर्श, मानवीयता, संवेदनशीलता और मर्यादा का पाठ पढ़ानेवाले साहित्य के रचयिता अपना सुख-चैन गँवा कर साहित्य की रचना करते हैं।

वे परहित सुखाय जीते हैं। अगर ऐसा नहीं होता तो विश्वविद्यालय से सेवानिवृत्त हो आप आराम करते, अपने उपन्यास के विषय को लेकर यहाँ नहीं आते...।"

"ऐसा नहीं है जगेश्वरानन्द जी। मैं इस कार्य को महान् मानकर इसमें नहीं लगा। चूँकि यह कार्य मेरी रुचि का रहा है, इसीलिए इसमें लग गया। यह आपकी उदारता है कि इस कार्य को आप इतना महत्त्व देते हैं। चलिये, अब इसी बहाने आपके बारे में भी मैं कुछ जान लूँ। तो क्या कॉलेज में आप साहित्य के छात्र थे?"

"बिल्कुल साहित्य का छात्र नहीं था श्रीमान् जी। लेकिन आई. ए. तक एक अनिवार्य विषय के रूप में साहित्य की पढ़ाई मैंने की है, जिससे साहित्य के महत्त्व से अवगत हो सका...।"

"तो फिर आगे की पढ़ाई साहित्य से आपने क्यों नहीं की?"

"आपका पूछना जायज है श्रीमान् जी। बी. ए. ऑनर्स में मैं साहित्य लेकर ही पढ़ना चाहता था, लेकिन आई. ए. की परीक्षा में सबसे अधिक अंक मुझे अर्थशास्त्र में प्राप्त हुआ। हमारे उस कॉलेज में अंकों के आधार पर ही बी. ए. में ऑनर्स मिलता था। उस दृष्टि से मेरा नामांकन बी. ए. अर्थशास्त्र ऑनर्स में हो गया...।"

"यानी आपने अर्थशास्त्र प्रतिष्ठा के साथ ग्रेजुएशन किया। फिर तो एम. ए. भी अर्थशास्त्र से ही किया होगा...।"

"नहीं, श्रीमान् जी। मैंने एम. ए. नहीं किया। ग्रेजुएशन के कुछ समय बाद ही इस आश्रम में आ गया।"

"तो क्या आपके परिजन यहाँ आते थे? वे गुरु महाराज के शिष्यों में हैं? उन्हीं के माध्यम से तो यहाँ आपका आना हुआ होगा?"

"नहीं श्रीमान् जी। यहाँ नियुक्ति के सिलसिले में मैं आया...।"

"तो क्या आपकी स्कूली शिक्षा यहीं हुई थी?"

"नहीं श्रीमान् जी। मेरी पढ़ाई दिल्ली में हुई है। मैं जानता था, आश्रम के प्रावधान के तहत यहाँ की नियुक्ति में यहाँ के छात्रों को ही प्रमुखता दी जाती है। लेकिन बाहर के छात्रों को भी लिया जाता है। उन्हीं बाहरी छात्रों में मैं आया।"

"तब भी इस आश्रम में आने के पीछे आपके परिवार का धार्मिक और आध्यात्मिक रुझान तो रहा ही होगा?"

"ऐसा कुछ नहीं श्रीमान् जी। अध्ययन के बाद यहाँ की नियुक्ति पर सीधे इस आश्रम में चला आया। फिर तो यह आश्रम ही मेरा घर-परिवार हो गया...। अब आप

अपने कार्य के बारे में बताइये श्रीमान् जी। जिस कार्य के सिलसिले में यहाँ आये, उससे सम्बन्धित कितनी जानकारी आपने उपलब्ध की?"

लोकचन्द समझ गये, जगेश्वरानन्द अपने परिजनों की जानकारी देना नहीं चाहते, इसलिए बात बदलकर प्रतिप्रश्न कर रहे। लेकिन लोकचन्द उन्हें छोड़नेवाले नहीं। इस आश्रम के ऐसे महत्त्वपूर्ण अधिकारी की जानकारी उन्हें लेनी ही है।

"अभी तो मैं सीधे आश्रम में ही चला आया जगेश्वरानन्द जी। अपने विषय की जानकारी लेने नहीं निकला। फिलहाल इस आश्रम के लोगों से मिल रहा हूँ। इसी सिलसिले में आपके पास आया। अब आप जैसे महत्त्वपूर्ण व्यक्ति से मिलने के बाद आपके परिवार के बारे में जानने के लिए मेरा मन जिज्ञासु हो उठा है।"

"मेरा वैसा परिवार नहीं श्रीमान् जी। अब इस आश्रम को ही आप मेरा परिवार समझें। हम जहाँ काम करते हैं, अधिक समय तक रहते हैं, वह संस्थान ही हमारा परिवार हो जाता है श्रीमान् जी।"

"आपका कहना सही है स्वामी जगेश्वरानन्द। लेकिन मैं जानना यह चाहता हूँ कि आप जैसे योग्य और होनहार व्यक्ति के माता-पिता क्या करते हैं? कहाँ रहते हैं?"

लोकचन्द के इस प्रश्न पर अब क्षण-भर के लिए मौन रह गये जगेश्वरानन्द, जैसे अपने माँ-बाप के बारे में बताना नहीं चाह रहे हों। फिर जल्द ही एक निर्णय पर पहुँच कर बोल उठे – "यहाँ के हम आश्रमवासी अपना अतीत बयान नहीं करते श्रीमान् जी। आश्रम ग्रहण करने के बाद यह हमारा पुनर्जन्म है। अब यह आश्रम ही हमारा घर-परिवार है। लेकिन आप गुरु महाराज के इतने पुराने और निकटतम शिष्य हैं कि आपकी इच्छा को नकार भी नहीं सकता। तो श्रीमान् जी अपने माँ-बाप की जानकारी मुझे नहीं। एक अनाथाश्रम में मैं पला-बढ़ा। वहीं से स्कूली शिक्षा प्राप्त की। फिर छोटे बच्चों को पढ़ाकर आय हासिल करते हुए ग्रेजुएशन किया। उसके बाद नौकरी के लिए इधर-उधर प्रयास कर रहा था। उसी सिलसिले में इस आश्रम की नौकरी प्राप्त हो गयी। फिर तो मेरी दुनिया ही बदल गयी। मुझे लग गया, गुरु महाराज से बढ़कर कोई माता-पिता हो ही नहीं सकते और इस आश्रम से बढ़कर कोई घर-परिवार नहीं।"

जगेश्वरानन्द की यह बात सुन लोकचन्द अपने मित्र सुकेश की सूझ-बूझ और परिपक्व समझदारी देख दंग रह गये। उनके चतुर मित्र सुकेश ने माँ-बाप और घर-परिवार विहीन इस व्यक्ति को आश्रम में रखकर अपने लिये सबसे योग्य उत्तराधिकारी चुन लिया है। अब इस व्यक्ति का सम्पूर्ण समर्पण सुकेश को सदैव मिलता रहेगा। इस आश्रम के प्रति उसकी निष्ठा और वफादारी कायम रहेगी...।

इसी क्षण एक युवा और रूपवती साध्वी हाथ में एक फाइल लेकर आ पहुँची। अपने रंग-रूप की छटा बिखेरती उस लावण्यमयी साध्वी पर नजर पड़ते ही जगेश्वरानन्द पूछ उठे – "क्या है देवी पंखुरी?"

जवाब में उसकी मधुर आवाज से उस कक्ष की स्निग्धता बढ़ गयी –

"माफ कीजियेगा स्वामी जी। कार्य के अति महत्त्व की वजह से बीच में आना पड़ा। कल जो फाइल गुरु महाराज तक नहीं गयी थी, अब वह तैयार हो गयी है। उसी को लेकर उनके पास जाना है।"

"देखें।" – जगेश्वरानन्द ने कहा।

जवाब में वह साध्वी फाइल उनके समक्ष खोलकर खड़ी हो गयी। उस साध्वी की उपस्थिति से लोकचन्द अचानक उस कक्ष के माहौल को सुवासित और स्नेहिल अनुभव करने लगे थे। इस दौरान उस फाइल का शीघ्र निरीक्षणकर जगेश्वरानन्द ने कहा – "सब ठीक है पंखुरी। गुरु महाराज के पास अब इसे शीघ्र ले जाओ...।"

"जो आज्ञा स्वामी जी।"

और पंखुरी चली गयी। लोकचन्द को लग रहा था, सचमुच वह फूल की पंखुरियों की तरह ही थी। वे देख रहे थे, आश्रम में कार्यरत अधिकांश साध्वियाँ युवा और रूपवती थीं, जैसे चुन-चुनकर उन्हें रखा गया हो। इस बात को लेकर पहले भी उनके मन में सन्देह उत्पन्न हुआ था। पंखुरी को निकट से देखकर यह सन्देह और गहरा उठा। हालाँकि पंखुरी के जाते ही लोकचन्द पूछ उठे – "स्वामी जगेश्वरानन्द! आश्रम की फाइलों का निरीक्षण गुरु महाराज भी करते हैं क्या?"

"हाँ श्रीमान् जी। गुरु महाराज हमारे आश्रम के सर्वेसर्वा हैं। उनकी इच्छा के खिलाफ एक पत्ता भी यहाँ नहीं खरक सकता। यहाँ के सभी विभागों की महत्त्वपूर्ण फाइलें उनके आदेश पर ही आगे बढ़ती हैं...।"

"मैं भी यही समझ रहा था स्वामी जगेश्वरानन्द। आश्रम के आय-व्यय और आश्रम की सारी गतिविधियों की जानकारी आश्रम हेड को होनी ही चाहिए...।"

"हाँ श्रीमान् जी। हमारे गुरु महाराज सारी फाइलों का निष्पादन तत्परता से करते हैं। साथ ही अपने नये सुझाव और आदेश भी देते जाते हैं...।"

"स्वामी जगेश्वरानन्द, आपके जिम्मे इस आश्रम का सबसे महत्त्वपूर्ण विभाग है, इस नाते आपके बारे में मैं कुछ और जानना चाहता हूँ। मसलन, इस आश्रम में आने के बाद तो अब आप शादीशुदा हो गये होंगे?"

"नहीं श्रीमान् जी। आश्रम आते ही गुरु महाराज ने मुझे ब्रह्मचर्य का व्रत दे दिया। उसके बाद तो फिर कभी आवश्यकता ही महसूस नहीं हुई...।"

इस सम्बन्ध में लोकचन्द यह तत्क्षण समझ गये कि जिस अधिकारी की मातहत पंखुरी जैसी पाँच-सात साध्वियाँ हैं, जो उसकी इच्छा के अनुसार ही कार्यरत हैं, वैसे अधिकारी को शादी की क्या जरूरत? इस आश्रम के सर्वाधिक महत्त्वपूर्ण विभाग के सर्वशक्तिसम्पन्न इस अधिकारी की इच्छापूर्ति में गुरु महाराज भी बाधक नहीं बन सकते...। क्योंकि इस आश्रम में इस अधिकारी से अधिक विश्वासपात्र उनके लिए कोई और नहीं। इस अधिकारी का भी भविष्य अब इस आश्रम के अतिरिक्त कहीं और नहीं...।

''आपके बारे में जानकर मुझे अच्छा लगा जगेश्वरानन्द जी। भले ही नियुक्ति के रूप में आप यहाँ आये, लेकिन अब तो आश्रम के लिए जीवनदानी सदस्य हो गये...।''

''हाँ श्रीमान् जी। आपने बिल्कुल सही समझा...।''

''अब आपके नाम को लेकर भी मेरे मन में यह बात उठ रही है कि आपका यह नाम स्वामी जगेश्वरानन्द आश्रम का दिया हुआ नाम ही लगता है...।''

''नहीं श्रीमान् जी। मेरा नाम जगेश्वर कुमार है। स्कूल-कॉलेज के मेरे सर्टिफिकेटों में यही नाम अंकित है। बस, गुरु महाराज ने इसमें आनन्द जोड़ दिया। इस तरह मेरा मूल नाम अब आश्रम लायक हो गया...।''

''आपसे मिलकर मुझे खुशी हुई जगेश्वरानन्द जी। इस आश्रम के आप सिर्फ बड़े अधिकारी ही नहीं, बहुत अच्छे इन्सान भी हैं...।''

''आप स्वयं बहुत अच्छे हैं श्रीमान् जी। आप जैसे गुरु महाराज के पुराने और निकटतम शिष्य के आगमन से हमारा कार्यालय धन्य हो गया।''

लोकचन्द अब चल पड़े। बस, जगेश्वरानन्द भी साथ हो गये – ''चलिये श्रीमान् जी, मैं आपको आपके आवास तक छोड़ देता हूँ...।''

''नहीं, नहीं, जगेश्वरानन्द जी। आप अपने विभागीय कार्य सम्हालिये। अभी मैं प्रकाशन-गृह जाऊँगा। फिर आवास।''

''तो बस, एक मिनट के लिए रुक जाइये श्रीमान् जी। मैं अभी प्रकाशन विभाग के प्रबन्धक को बुला देता हूँ। वे स्वयं अपने साथ आपको प्रकाशन-गृह ले जायेंगे...।''

इसके बाद जगेश्वरानन्द द्वारा कॉल बेल बजाते ही पुनः एक तरुणी साध्वी आ पहुँची – ''क्या आदेश है स्वामी जी?''

''प्रकाशन प्रबन्धक स्वामी कर्मलेन्दु को बुलाकर लेती आओ रितिका।''

''जैसी आज्ञा श्रीमान् जी। अभी उन्हें लेकर आती हूँ।''

फिर चन्द क्षणों के अन्दर ही वह सुन्दर, सुडौल साध्वी रितिका, कर्मलेन्दु को लेकर आ गयी।

"जै गुरुदेव स्वामी जगेश्वरानन्द जी।"

"जै गुरुदेव स्वामी कर्मलेन्दु। श्रीमान् जी गुरु महाराज के पुराने शिष्य और निकटतम व्यक्ति हैं। हिन्दी साहित्य के विद्वान् प्रोफेसर और बड़े लेखक। हमारे आश्रम का प्रकाशन विभाग देखना चाहते हैं...।"

"यह तो बहुत अच्छी बात है स्वामी जी। जै गुरुदेव श्रीमान् जी। मेरा सादर नमन स्वीकार करें। यह मेरे प्रकाशन विभाग का सौभाग्य है कि आप जैसे महानुभाव का वहाँ पदार्पण होगा। चलिये श्रीमान् जी। स्वागत है...।"

और कर्मलेन्दु, लोकचन्द की अगवानी करते हुए उन्हें साथ लेकर चल पड़े। फिर सीढ़ियों से उतरकर सीधे अपने प्रकाशन विभाग में आ गये। अब प्रकाशन विभाग के सबसे महत्त्वपूर्ण आसन पर लोकचन्द को बैठाते हुए कर्मलेन्दु ने कहा – "यही हमारा प्रकाशन विभाग है श्रीमान जी। कम्पोजिंग से लेकर प्रिण्टिंग, बाइण्डिंग, डिजाइनिंग आदि के सारे कार्य यहीं हो जाते हैं। अपना आवरण पृष्ठ भी हम यहीं तैयार कर लेते हैं। प्रकाशन से सम्बन्धित किसी भी कार्य के लिए हमें बाहर जाना नहीं पड़ता।"

लोकचन्द ने देखा, एक साथ लगे प्रकाशन विभाग के दो कक्ष सचमुच बड़े थे। उन दोनों में अपनी-अपनी मेजों पर बैठ कर कार्यरत लोगों की संख्या लोकचन्द को एक दर्जन के आसपास जान पड़ी। उनमें साध्वी के लिबास में कार्यरत चार महिलाएँ भी थीं।

"अपने प्रकाशन से आप लोग क्या-क्या प्रकाशित करते हैं स्वामी कर्मलेन्दु?"

"अपनी पत्रिका 'मुक्त लोक भारती' से हमें समय ही नहीं मिलता श्रीमान् जी कि कुछ भी और छाप सकें। हर माह की पहली तारीख को 'मुक्त लोक भारती' का अंक हमें तैयार कर देना होता है। इसके चलते समय से हर अंक के लिए सामग्री चयन, उसका सम्पादन, कम्पोजिंग, प्रूफ रीडिंग, प्रिण्टिंग, बाइण्डिंग आदि का काम लगा ही रहता है। इसके अतिरिक्त फिलहाल हमारे आश्रम की योजना में कुछ और प्रकाशन कार्य है भी नहीं...।"

"इस स्थिति में आप लोग 'मुक्त लोक भारती' की कितनी प्रतियाँ प्रकाशित करते हैं?"

"हमारी पत्रिका का प्रारम्भ ग्यारह सौ प्रतियों से हुआ था श्रीमान् जी। लेकिन अभी हम एक लाख प्रतियाँ प्रकाशित करते हैं?"

"इतनी प्रतियाँ निकल जाती हैं स्वामी कर्मलेन्दु?"

"क्यों नहीं निकलेंगी श्रीमान् जी? जिस पत्रिका के हर अंक में आर्शीवादस्वरूप गुरु महाराज का प्रवचन छपता है, उसे निकलते देर नहीं लगती। आजीवन और मानद सदस्यों को छोड़कर साठ हजार तो हमारी पत्रिका के वार्षिक सदस्य हैं...।"

यह संख्या सुनकर लोकचन्द दंग रह गये। उनकी जानकारी के तहत हिन्दी की किसी भी साहित्यिक पत्रिका की प्रसार संख्या ऐसी नहीं। फिर उन्हें लगा, धार्मिक श्रद्धालुओं की तरह जब साहित्यिक श्रद्धालुओं की संख्या नहीं हो सकती, तब फिर धार्मिक पत्रिकाओं की तरह साहित्यिक पत्रिकाओं की प्रसार संख्या कैसे हो सकती है?

"स्वामी कर्मलेन्दु, 'मुक्त लोक भारती' के कुछ अंक दिखाइयेगा?"

"हाँ श्रीमान् जी। यह है अंक...।"

और पास ही रेक पर रखे नमूने के कुछ अंक स्वामी कर्मलेन्दु ने लोकचन्द के समक्ष प्रस्तुत कर दिया। उन अंकों को देखते ही लोकचन्द को लग गया कि विभिन्न शहरों और रेलवे के बुक स्टालों पर इस पत्रिका को वे देख चुके हैं। लेकिन उन्हें यह अन्य धार्मिक पत्रिकाओं की तरह ही एक आम धार्मिक पत्रिका लगी थी। अब इसे उलट-पुलटकर देखने लगे। लेकिन यह देखकर उन्हें किंचित आश्चर्य हुआ कि इस पत्रिका में गुरु महाराज के प्रवचन को छोड़कर कोई रचना नयी नहीं...।

"स्वामी कर्मलेन्दु, इस पत्रिका के लिए आप लोग नयी रचनाओं का चयन क्यों नहीं करते? नयी रचनाओं से ही कोई पत्रिका महत्त्वपूर्ण बनती है।"

"मैं प्रकाशन विभाग का प्रबन्धक जरूर हूँ श्रीमान् जी। प्रकाशन विभाग के कर्मचारियों को वेतन देने से लेकर पत्रिका के प्रकाशन और वितरण का सारा दायित्व मेरा ही है। लेकिन सम्पादन का कार्य देवी ऋचा गंगा करती हैं। सामग्री-संचयन का जिम्मा उनका है...।"

"फिर देवी ऋचा से मुझे मिलाइये। पत्रिका को लेकर मैं उनसे भी बात करना चाहूँगा...।"

"चलिये श्रीमान् जी। उनका कक्ष भी इस कक्ष से लगा हुआ ही है...।"

कर्मलेन्दु के साथ लोकचन्द चल पड़े। इस क्षण लोकचन्द को सहज ही इस बात का एहसास हो गया कि प्रकाशन विभाग में प्रबन्धक से सम्पादन का महत्त्व कम नहीं, इसीलिए कर्मलेन्दु सम्पादक को अपने पास न बुला स्वयं उन्हें लेकर चल पड़े।

उस कक्ष से दो-चार कदम के फासले पर ही सम्पादक का कक्ष था, बिल्कुल उस कक्ष से सटे हुए। उस कक्ष का एक दरवाजा बाहर की ओर खुलता था तथा दूसरा

उस प्रबन्धक के कक्ष में। शायद इस दरवाजे से ही सम्पादकीय सामग्री प्रबन्धक के पास आती होगी। अब उस दूसरे दरवाजे से ही लोकचन्द कर्मलेन्दु के साथ उस कक्ष में पहुँचे। लेकिन वहाँ पहुँचते ही लोकचन्द दंग रह गये। सुसज्जित और आकर्षक वह कक्ष अपनी दिव्यता और सुषमा की आभा बिखेरता जान पड़ रहा था।

"जै गुरुदेव देवी ऋचा गंगा। श्रीमान् जी गुरु महाराज के अत्यन्त विश्वस्त, निकटतम और पुराने शिष्य हैं। 'मुक्त लोक भारती' के सिलसिले में आपसे मिलना चाहते हैं।"

"जै गुरुदेव श्रीमान जी। स्वागत है। आइये पधारिये। पत्रिका के लिए मैं एक रचना देख रही हूँ। बस, अन्तिम पृष्ठ बचा है। दो मिनट में आपसे बात करती हूँ... ।"

कर्मलेन्दु चले गये। लोकचन्द, ऋचा द्वारा निर्देशित उसके सामने के सोफे पर विराजमान हो गये। इस दौरान ऋचा के रूप-लावण्य ने बरबस उनकी दृष्टि को अपनी ओर आकर्षित कर लिया। यह साध्वी सम्पादिका भी गजब की सुन्दरी थी। रूप और यौवन से भरी यह सम्पादिका न तो तरुणी थी और न उम्रदराज, बल्कि इन दोनों के बीच भरी-पूरी नारी कायावाली रूपसी। अपने सामने की मेज पर रचना का अवलोकन करती उस सम्पादिका के चेहरे से जैसे स्निग्धता बिखरती जान पड़ रही थी। उसकी गोरी और कोमल उँगलियाँ रचना की पंक्तियों पर आगे-पीछे फिसल रही थीं। इस आश्रम में आने के बाद से अब तक यह बात लोकचन्द अच्छी तरह समझ गये थे कि यहाँ स्थायी रूप से रहनेवाली साध्वियों की नियुक्ति में निश्चय ही उनका रूप-सौन्दर्य निर्णायक रहा होगा। तभी यहाँ कार्यरत साध्वियाँ अपने रूप और यौवन को लेकर एक से बढ़कर एक थीं। इस रूप में अपने मित्र सुकेश की भोग लालसा को वे स्पष्ट रूप से समझ रहे थे। अपने बचाव में भले ही उसने यह तर्क गढ़ लिया था कि *"जो तुम देख्यो सो यह नाहिं।"* लेकिन वे जो देख रहे थे, यथार्थ वही था।

इस दौरान लोकचन्द की नजरें अब उस सुसज्जित तथा सुरुचिसम्पन्न कक्ष का मुआयना करने लगी थीं। कक्ष के चारों ओर लगी बुक सेल्फों में करीने से सजा कर रखी गयी पुस्तकें उस कक्ष को एक परिष्कृत अध्ययन-कक्ष का स्वरूप प्रदान कर रही थीं। इसके साथ ही ऋचा की मेज पर रखे ग्रन्थ रामायण, महाभारत, वेद, पुराण और उपनिषद् इस स्वरूप को और महत्त्वपूर्ण बना रहे थे। उस कक्ष की दीवारों पर अधिकांश संत-महात्माओं और ऋषि-मुनियों के चित्रों के साथ आर्ष ग्रन्थों के रचयिताओं के भी चित्र थे जो उस कक्ष को और महिमा मण्डित कर रहे थे। ऋचा जिस ग्रन्थ की रचना पढ़ रही थी, वह 'कठोपनिषद्' था। उसके पिछले आवरण पृष्ठ

से उसका नाम स्पष्ट परिलक्षित हो रहा था। अपने कहे अनुसार ऋचा अब शीघ्र ही लोकचन्द से मुखातिब हो गयी – "हाँ तो श्रीमान् जी। अब मैं मुक्त हूँ। कहिये, यहाँ कैसे आना हुआ। गुरु महाराज के पुराने शिष्य और निकटस्थ होने की वजह से हमारे लिये भी आप आदरणीय हैं।"

बोलते हुए फूल झड़ने की उपमा से लोकचन्द अवगत थे। लेकिन अब उस सम्पादिका को सुनते हुए वे ऐसा ही महसूस कर रहे थे।

"'मुक्त लोक भारती' का प्रकाशन देखने आ गया देवी ऋचा। इसी बहाने प्रकाशन में लगे आप लोगों से मिलना भी मेरा उद्देश्य रहा।"

"बहुत अच्छा श्रीमान् जी। हमारी पत्रिका आपको कैसी लगती है? कोई सुझाव हो तो आप हमें निःसंकोच दे सकते हैं।"

"सुझाव है देवी ऋचा। पत्रिका की सामग्री पर ही मैं बात करना चाहता हूँ। साहित्य का एक मुख्य सूत्र है – 'हर सृजन की पहली शर्त नव्यता है।' यह बात सृजन के परिप्रेक्ष्य में कही गयी है। लेकिन प्रकाशन के क्षेत्र में भी यह बात उतनी ही महत्त्वपूर्ण है। जिस पत्रिका में जितनी नयी रचनाएँ होती हैं वह पत्रिका उतनी ही पठनीय, सराहनीय एवं संग्रहणीय बनती है। इस दृष्टि से 'मुक्त लोक भारती' में मुझे नयी रचनाओं का अभाव खटकता है।"

"आपका कहना अपनी जगह पर सही है श्रीमान् जी। लेकिन हमारी पत्रिका धार्मिक और आध्यात्मिक पत्रिका है। धार्मिक और आध्यात्मिक विषय पर अच्छे, नये लेख नहीं मिल पाते। फिर अपने भारतीय शास्त्रों से जो रचनाएँ हम देते हैं, पाठकों के लिए तो वे नयी ही होती हैं। हजारों-लाखों पाठकों में शायद ही कोई विरला होगा जिसने सम्पूर्ण आर्य ग्रन्थों का अध्ययन किया होगा। इसलिए नये के रूप में गुरु महाराज के प्रवचन को छोड़कर शेष रचनाएँ हम भारतीय आर्य ग्रन्थों से ही देते हैं। हमारे आर्य ग्रन्थ तो ज्ञान के भण्डार हैं। उनसे अच्छी रचनाएँ और कहीं मिल भी नहीं सकती।"

"आपकी इस बात से मैं सहमत हूँ देवी ऋचा। हमारे यहाँ पाठकीयता का जो स्तर है उस दृष्टि से आप द्वारा प्रस्तुत रचनाएँ पाठकों के लिए नयी ही होती हैं। लेकिन पत्रिका के लिए ऐसा निर्णय आपने लिया है देवी ऋचा?"

"नहीं श्रीमान् जी। इतना बड़ा निर्णय लेनेवाली मैं कौन होती हूँ। हमारे गुरु महाराज स्वयं विद्वान् और परम ज्ञानी हैं। यह उनका निर्णय है।"

"फिर तो इस निर्णय के आलोक में आप अपनी रुचि की रचनाएँ इस पत्रिका में देती जा रही होंगी?"

"नहीं श्रीमान् जी। अंक में जानेवाली हर रचना का अवलोकन गुरु महाराज स्वयं करते हैं। हर अंक के लिए चयनित रचनाओं को लेकर जब मैं उनके साथ बैठती

हूँ तो विचार-विमर्श के बाद अंक को वे अन्तिम रूप देते हैं। उनकी मुहर लगने के बाद ही अंक की सामग्री प्रेस में जाती है।"

अपने मित्र सुकेश के संस्कृत ज्ञान से लोकचन्द परिचित थे। सम्भव है, आगे के दिनों में उसने सम्पादन की ऐसी क्षमता भी हासिल कर ली हो...।

"मुक्त लोक भारती के अंकों को छोड़ कर और कुछ प्रकाशन आप लोग क्यों नहीं करती हैं देवी ऋचा?"

"मुक्त लोक भारती से ही हमें फुर्सत नहीं मिलती है श्रीमान् जी। इस बीच गुरु महाराज की आत्मकथा का लगातार पुनर्मुद्रण भी होता रहता है। उनकी आत्मकथा से तो आप परिचित होंगे श्रीमान् जी। गुरु महाराज के नये-पुराने भक्तों के बीच उसकी माँग निरन्तर बनी रहती है। इधर गुरु महाराज के प्रवचनों को भी हम संकलित कर रहे हैं। शीघ्र ही उसका पुस्तकाकार प्रकाशन करेंगे...।"

"लेकिन देवी ऋचा। गुरु महाराज के प्रवचन के विषय भी तो नये नहीं होते। भारतीय वाङ्मय के उपयोगी और मान्य विषयों पर ही वे बोलते हैं...।"

"आपका कहना सही है श्रीमान् जी। इस सम्बन्ध में हमारे गुरु महाराज स्वयं कहते हैं कि विषय नये नहीं होते, उसकी प्रस्तुति और अभिव्यक्ति नयी होती है। एक ही विषय को विभिन्न वक्ता विभिन्न रूपों में प्रस्तुत करते हैं...।"

"गुरु महाराज यह कोई नयी बात नहीं कहते देवी ऋचा। लेखन, प्रकाशन और अभिव्यक्ति की दुनिया का यह अकाट्य सत्य है। जीवन और जगत् के विषय नहीं बदलते। उस पर लिखने-बोलनेवाले अपने विचारों के अनुसार उसे नये रूप में प्रस्तुत करते हैं...।"

"आप इन बातों के प्रबुद्ध जानकार लगते हैं श्रीमान् जी। निश्चय ही आप गुरु महाराज के सामान्य भक्त और शिष्य नहीं, विशिष्ट व्यक्ति हैं। अगर आप अन्यथा न लें तो मैं आपका परिचय जानना चाहूँगी।"

जवाब में लोकचन्द ने ऋचा को अपने संक्षिप्त परिचय से अवगत करा दिया।

"आपकी बातों से मुझे लग रहा था श्रीमान् जी कि आप सामान्य व्यक्ति नहीं हो सकते। किसी प्रोफेसर और साहित्यकार की ही ऐसी समझ और पकड़ हो सकती है। अब पुनः मेरा बौद्धिक नमन स्वीकार करें श्रीमान् जी। आपसे मिलकर सचमुच मुझे बहुत अच्छा लगा...।"

"आप स्वयं सूझ-बूझ सम्पन्न कुशल सम्पादिका हैं देवी ऋचा। अब मैं भी आपके बारे में जानना चाहता हूँ...।"

जवाब में ऋचा ने जो बताया उसके अनुसार वह आश्रम के विद्यालय की ही छात्रा थी। उसके माँ-बाप गुरु महाराज के अनन्य भक्त हैं। विद्यार्थी जीवन से ही गुरु महाराज की उस पर विशेष कृपा रही है। भाषा और साहित्य में उसकी विशेष रुचि देख गुरु महाराज ने आश्रम की ओर से उसे एम. ए. की शिक्षा हासिल करायी। फिर पत्रिका के सम्पादन का दायित्व सौंप दिया।

"इस बीच आपका वैवाहिक सम्बन्ध देवी ऋचा? आपका अपना निजी परिवार?"

"इसकी कभी इच्छा ही नहीं हुई श्रीमान् जी। इस आश्रम से बढ़कर मेरा निजी और आत्मीय परिवार दूसरा हो ही नहीं सकता...।"

ऋचा को देखकर जो अनुमान लगाया था लोकचन्द ने, वह उन्हें सच प्रतीत हुआ। अब ऋचा से विदा ले वे वापस चल पड़े।

वैसे तो आश्रम में जानने-समझने लायक अनेक स्थल थे। लेकिन लोकचन्द ने मुख्य स्थलों की जानकारी तक ही अपने निर्णय को सीमित कर लिया था। उनके उस निर्णय के अनुसार अब गोशाला, आयुर्वेदिक संस्थान तथा आश्रम सेवकों का स्थल था। यह जानकारी बातचीत के दौरान किरण से उन्हें प्राप्त हुई थी। आश्रम सेवकों के बारे में किरण से पूछने पर उसने बताया था कि वे आश्रम के सैनिक हैं। प्रणव आदि आश्रम के अन्य सेवादार आश्रम में आनेवालों को यहाँ के चिकित्सालय, विद्यालय और प्रकाशन-गृह की ही जानकारी देते थे। उनके अनुसार विशिष्ट लोगों लायक आश्रम के ये ही संस्थान थे। लेकिन यहाँ काफी समय से रहनेवाली किरण को सब पता था। लोकचन्द जानते थे कि किरण जैसी स्थायी आश्रमवासी से ही वे यहाँ की सारी जानकारी प्राप्त कर सकते हैं। जिसके अनुसार अपने जानने लायक स्थल पर वे पहुँच सके।

इस सम्बन्ध में किरण से वे यह भी जान चुके थे कि गोशाला, आयुर्वेद संस्थान और आश्रम सेवकों का स्थल तीनों एक ही दिशा में केन्द्रित हैं। बस, अगली सुबह लोकचन्द उस दिशा की ओर उन्मुख हो गये। ठीक इसी क्षण पुनः प्रणव सेवा में आ खड़ा हुआ।

"कहाँ जाना है श्रीमान् जी?"

"गोशाला, आयुर्वेद संस्थान तथा आश्रम सेवकों का स्थल देखना है?"

"वह स्थल देखने और घूमने लायक नहीं श्रीमान् जी। उधर कोई नहीं जाता।"

"लेकिन मैं वहाँ जाना चाहता हूँ प्रणव।"

"आप वहाँ क्यों जाना चाहते हैं श्रीमान् जी? हम अपने विशिष्ट अतिथि को वहाँ नहीं ले जा सकते जो स्थल उनके जाने लायक हो ही नहीं...।"

"इसी तरह लेखा-विभाग में भी मुझे जाने से रोकने का प्रयास तुमने किया था प्रणव?"

"माफ कीजियेगा श्रीमान् जी। हमारी स्थिति ऐसी नहीं कि हम आप जैसे सम्मानित अतिथि को रोक सकें। हम सेवादारों का दायित्व तो आश्रम में पधारे विशिष्ट जनों को सुविधा-सहयोग पहुँचाना रहा है। उस स्थल पर किसी के न जाने का आदेश स्वयं गुरु महाराज का है। इस आश्रम में रहनेवाले स्थायी सदस्य भी उधर नहीं जाते। मैं अभी गुरु महाराज की अनुमति लेकर आ जाता हूँ श्रीमान् जी। सम्भव है, लेखा-विभाग की ही तरह उधर जाने का आपका मार्ग भी प्रशस्त हो जाये।"

और चन्द समय के अन्तर्गत ऐसा ही हुआ। तेजी से गुरु महाराज के पास पहुँचा प्रणव उसी तेजी से वापस आ गया। लोकचन्द समझ गये, उनके मित्र ने अवरोध उत्पन्न नहीं किया। अब मार्ग से कुछ ही कदम आगे बढ़ने पर मार्ग के एक किनारे बने गोशाले के समक्ष लोकचन्द आ पहुँचे। गोशाले में अच्छी नस्ल की पुष्ट गायें देखकर लोकचन्द को अच्छा लगा। उस गोशाला की कोई गाय उन्हें दुबली-पतली नजर नहीं आयी। कोई गाय खड़ी होकर अपने बछड़े को दूध पिलाती हुई तो कोई बैठ कर पागुर करती और रँभाती हुई। तो कोई अपने नाद-चरण के पास खड़ी दाना-भूसा खाती हुई। उस दाने-भूसे में लोकचन्द को भूसा कम, दाना ही अधिक नजर आ रहा था। उस दाने में दाल, चना, दरिया और गुड़ की पर्याप्त मात्रा वे देख रहे थे। लोकचन्द का परिवार जब गाँव पर रहता था तो दूध के लिए वे भी गाय पालते थे। इस दृष्टि से गायों के खान-पान और रख-रखाव से अवगत थे। लेकिन अपने गाँव में किसी भी गाय को ऐसे महँगे अनाज खाते हुए उन्होंने नहीं देखा था। शायद यही वजह थी कि उनके यहाँ रहनेवाली गाय के साथ पूरे गाँव की गायें ऐसी पुष्ट और मस्त नहीं थीं। हालाँकि अपने अनुमान के अनुसार लोकचन्द को वह गोशाला छोटी ही जान पड़ी। उस गोशाले में पच्चीस से तीस गायें ही उन्हें नजर आयीं।

उन गायों के साथ जगह-जगह उनकी देखभाल करनेवाले गोपालक भी नजर आ रहे थे। गोशाला की गायों की ही तरह वे भी लोकचन्द को हृष्ट-पुष्ट दिख रहे थे। सम्भव है, उन गायों का पर्याप्त दूध उन्हें मिलता हो या फिर गो-सेवा में निरन्तर श्रमशील होने की वजह से उनकी ऐसी स्थिति हो।

प्रणव के साथ गोशाला के पास खड़े लोकचन्द जैसे नये व्यक्ति को देखते ही गोशाला के अन्दर से एक पहलवान जैसा व्यक्ति उनकी ओर आने लगा।

"श्रीमान् जी यह गोशाला प्रमुख स्वामी बलराज आनन्द हैं। गोशाला का प्रभार इन्हीं के जिम्मे है। गुरु महाराज के ये अनन्य भक्त हैं..। आश्रम के अतिथि इधर नहीं आते, इसलिए आप पर नजर पड़ते ही आ रहे हैं...।"

इससे पहले कि निकट पहुँचकर बलराज आनन्द कुछ पूछते, प्रणव ने लोकचन्द का परिचय देना शुरूकर दिया – "जै गुरुदेव स्वामी बलराज आनन्द। श्रीमान् जी गुरु महाराज के पुराने शिष्य और अत्यन्त निकटतम व्यक्ति हैं। गोशाला देखने की श्रीमान् जी की इच्छा पर गुरु महाराज ने ही इन्हें भेजा है...।"

इस पर बलराज आनन्द ने लोकचन्द को कुछ आश्चर्य और कौतूहल से देखा, जैसे वे यह जानना चाह रहे हों कि आश्रम का यह कैसा अतिथि है जो गोशाला देखने आया है। फिर उन्होंने तत्क्षण कहा –

"गुरु महाराज ने जब भेजा है तो स्वागत है श्रीमान् जी। वैसे इधर किसी अतिथि का आगमन नहीं होता। चलिये पधारिये श्रीमान् जी।" – और बलराज आनन्द गोशाला के मुख्य द्वार के पास बने चबूतरे पर लोकचन्द और प्रणव को लेकर आ गये। उस चबूतरे पर बैठने के बाद बलराज आनन्द ने अब इत्मीनान से पूछा – "हाँ तो श्रीमान् जी, हमारी गोशाला को लेकर आप क्या जानना चाहते हैं?"

"मुझे कुछ खास जानना नहीं बलराज आनन्द। मैं गाँव का व्यक्ति हूँ। गायों के बीच रहा हूँ। इसी नाते स्वाभविक रूप से इधर आ गया।"

"बहुत अच्छा श्रीमान् जी। गाय-भैंस जैसी दुधारू धेनें तो हमारे जीवन और समाज का अभिन्न अंग रही हैं। इनके बिना तो हमारा काम चल ही नहीं सकता।"

"लेकिन स्वामी बलराज आनन्द, यह आश्रम जितना बड़ा है और जिस रूप में विस्तार ले रहा है, उसे देखते हुए यह गोशाला तो बहुत छोटी है।"

"आपका कहना सही है श्रीमान् जी। इस सम्बन्ध में हमारे गुरु महाराज की भी यह इच्छा है कि हमारी गोशाला को पर्याप्त विस्तार मिले। अभी कई क्षेत्रों में कार्य चल रहा है। समय के अनुसार हमारी गोशाला को भी पर्याप्त विस्तार मिल जायेगा।"

"लेकिन फिलहाल जितनी गायें हैं उससे पूरे आश्रम में दूध की आपूर्ति आप कैसे कर पाते होंगे?"

"हम पूरे आश्रम में दूध की आपूर्ति नहीं कर पाते श्रीमान् जी। गुरु महाराज और आश्रम के स्थायी जीवनदानी स्वामियों और साध्वियों के लिए ही यहाँ से दूध जाता है। शेष दूध आश्रम सेवकों एवं आयुर्वेद औषधालय के लिए चला जाता है। गाय के दूध और घी से ही कई आयुर्वेदिक औषधियाँ तैयार की जाती हैं।"

"तब आश्रम में आने और ठहरनेवाले भक्तों, शिष्यों और अनुयायियों को दूध कहाँ से मिलता है?"

लोकचन्द के इस प्रश्न पर अब बलराज आनन्द से पहले स्वामी प्रणव ही बोल उठे – "आश्रम के लिए बाहर से पैकेट के दूध आते हैं श्रीमान् जी। बड़ी संख्या में पैकेट के दूध हर सुबह आश्रम में आ जाते हैं। यहाँ का डेयरी फार्म राज्य सरकार के नियन्त्रण में चलता है...।"

प्रणव के इस उत्तर के बाद लोकचन्द को लगा कि अब गोशाला के पास और अधिक समय व्यतीत करना उचित नहीं।

"चला जाय प्रणव। आयुर्वेदिक निर्माण केन्द्र और आश्रम सेवकों का स्थल भी देख लिया जाय। वे यहाँ से दूर हैं क्या?"

"नहीं श्रीमान् जी, निकट ही हैं।..."

और प्रणव के कथन के अनुसार वहाँ से कुछ ही कदम आगे बढ़ने पर लोकचन्द को एक भवन के ऊपर अंकित शब्द नजर आ गये 'मुक्त लोक आयुर्वेदिक औषधि निर्माण केन्द्र।' लोकचन्द को वह भवन भी उन्हें गोशाला की तरह ही छोटा जान पड़ा।

"यह औषधि निर्माण केन्द्र भी छोटा ही है प्रणव!"

"हाँ, श्रीमान् जी। इसका भी विस्तार होना बाकी है। अभी सिर्फ सीमित औषधियाँ ही तैयार होती हैं। चलिये, औषधि निर्माण केन्द्र के प्रमुख वैद्य स्वामी सुकण्ठ शरण से आपको मिलवाता हूँ...।"

इस पर प्रणव के साथ लोकचन्द आगे बढ़ चले। उस औषधि निर्माण केन्द्र के मुख्य द्वार से प्रवेश करते हुए जो पहला कमरा उन्हें नजर आया उसमें मजदूर जैसे कुछ लोग विभिन्न जड़ी-बूटियों को कूटते-पीसते दिखे। कुर्सियों पर बैठे तीन वैद्यों की निगरानी में वे ऐसाकर रहे थे। उसके बाद के कमरे में तैयार दवाएँ रखी जा रही थीं।

'प्रणव, आज के आधुनिक युग में आयुर्वेदिक दवाओं का निर्माण भी कारखानों के माध्यम से ही होता है...। लेकिन यहाँ तो हाथों से कूट-पीसकर दवाएँ बनायी जा रही हैं।"

"यहाँ भी कारखाना लगाया जायेगा श्रीमान् जी। गुरु महाराज अक्सर इसकी चर्चा करते हैं। तब आयुर्वेद की अधिकांश दवाएँ हमारे इस आश्रम में भी तैयार होने लगेंगी...।"

"लोकचन्द देख रहे थे, उन कमरों के सामने एक अच्छे से कमरे के ऊपर टंकित शब्द स्पष्ट नजर आ रहे थे, 'औषधि निर्माण केन्द्र प्रबन्धक कार्यालय।'

प्रणव अब सीधे लोकचन्द को लेकर उस प्रबन्धक के कमरे में पहुँच गये। लेकिन प्रबन्धक की कुर्सी पर उस वैद्य को देखकर लोकचन्द का मन तिक्त हो गया। यहाँ आने के दौरान इस वैद्य से न सिर्फ उनकी मुलाकात हो चुकी थी, बल्कि गर्म संवाद भी हुआ था। इससे पहले कि लोकचन्द कुछ कहते, प्रणव तत्क्षण बोल उठा – "जै गुरुदेव स्वामी सुकण्ठ शरण। श्रीमान् जी गुरु महाराज के पुराने शिष्य और विश्वासपात्र हैं...।"

लेकिन प्रणव के इतना कहते ही लोकचन्द को देख चुके उस वैद्य ने बीच में ही रोक दिया – "इनसे मेरा परिचय हो चुका है प्रणव। अधिक बताने की जरूरत नहीं..।"

यह सुन लोकचन्द भी तत्क्षण बोल उठे – "हाँ-हाँ प्रणव, सुबह की सैर के तहत हम एक-दूसरे से मिल चुके हैं। अब आगे चला जाय। औषधि निर्माण केन्द्र देख लिया। आश्रम सेवकों के स्थल तक अब पहुँचा जाय।"

यह सुनकर कि लोकचन्द आश्रम सवकों के स्थल पर भी जायेंगे, वैद्य ने तिरछी नजर से उन्हें देखा। लेकिन तब तक प्रणव लोकचन्द को लेकर आगे बढ़ गया था।

"उस मार्ग पर कुछ ही कदम के बाद एक चबूतरा नजर आया। उस चबूतरे पर एक मुस्टण्डनुमा व्यक्ति बैठा मिला। लोकचन्द और प्रणव पर नजर पड़ते ही वह व्यक्ति तत्परता से उठ खड़ा हुआ। इससे पहले कि प्रणव कुछ कहता वह स्वयं बोल उठा – "जै गुरुदेव, स्वामी प्रणव। अचानक इस ओर कैसे आना हो गया?"

उसकी यह बात सुन लोकचन्द को लग गया जैसे यह वर्जित क्षेत्र हो, इसलिए इस क्षेत्र का पहरेदार उन्हें देखते ही जिज्ञासु हो उठा। उस वैद्य ने भी इधर जाने की बात पर कुपित नजर से उन्हें देखा था। लेकिन प्रणव ने तत्क्षण उस व्यक्ति को समझा दिया। "जै गुरुदेव स्वामी मेघ वरण। श्रीमान् जी गुरु महाराज के पुराने शिष्य और अत्यन्त विश्वासपात्र हैं। स्वयं गुरु महाराज के आदेश पर ही श्रीमान् जी आश्रम सेवकों का स्थल देखने जा रहे हैं...।"

"ठीक है स्वामी प्रणव। जै गुरुदेव श्रीमान् जी। बस, चन्द क्षणों के लिए आप लोग यहाँ इस चबूतरे पर बैठ जायें, मैं अभी आता हूँ..।"

और वह पहरेदार मेघ वरण तेजी से आगे बढ़ गया। लेकिन लोकचन्द नहीं रुके। अवश्य यह पहरेदार आश्रम सेवकों को आगाह करने या कुछ छिपाने के लिए भागा है। लेकिन वे उसे ऐसा अवसर देनेवाले नहीं..।

"चलो प्रणव, मैं रुक नहीं सकता। यहाँ के बाद मुझे गुरु महाराज के पास भी जाना है..।"

और लोकचन्द चल पड़े। विवश लाचार प्रणव भी उनके साथ हो गया। अब कुछ ही कदम आगे बढ़ने पर एक किनारे आश्रम सेवकों का भवन था तथा उसके ठीक आगे समतल मैदान। उस भवन पर कुछ भी अंकित नहीं था। मेघ वरण से उनकी भेंट वहीं हो गयी। वह तेजी से वापस आ रहा था। बस, उन पर नजर पड़ते ही उसकी भौंहें तन गयीं। इससे पहले कि वह उनसे कुछ कह सके पूरी तत्परता से प्रणव बोल उठा – "स्वामी मेघ वरण। श्रीमान् जी बहुत जल्दी में हैं। इन्हें अभी गुरु महाराज के पास भी जाना है। श्रीमान् जी, सामान्य व्यक्ति नहीं। गुरु महाराज के अभिन्न हैं..।"

यह सुन मेघ वरण चुप रहा। ऐसा लगा, जैसे खून का घूँट पीकर वह रह गया हो। लोकचन्द आगे बढ़े गये। प्रणव भी उनके साथ रहा। आश्रम सेवकों का वह भवन बालकनीनुमा था। एक ओर कमरे तथा उसके आगे बालकनी। उस बालकनी में प्रवेश करते हुए लोकचन्द ने एक मुच्छैल और पहलवाननुमा व्यक्ति को तेजी से कमरों को बन्द करते देखा। शायद मेघ वरण इसी के लिए आगाह करने आया था। लेकिन बन्द होते-होते एक कमरे के दरवाजे से उसमें रखी बन्दूकें लोकचन्द को नजर आ गयीं। बस, वे समझ गये, इस क्षेत्र के वर्जित होने की यही वजह रही है। वे जान गये, सारी गोपनीयता इसी के चलते है।

लोकचन्द ने सुना था, आश्रमों में हथियार रखे जाते हैं। शायद आश्रमों की रक्षा के लिए ऐसा हो। लेकिन इस तरह के आश्रमों पर कैसा खतरा और उनकी यह कैसी रक्षा? इस सम्बन्ध में लोकचन्द अभी और कुछ विचारकर पाते कि कड़ी-कड़ी मूँछों और गठीले बदन का एक व्यक्ति उनके समक्ष आ पहुँचा। लोकचन्द समझ गये, आश्रम सेवकों का यह प्रमुख होगा। फिर प्रणव की बात से इसका खुलासा भी हो गया। उस व्यक्ति पर नजर पड़ते ही प्रणव तत्क्षण बोल उठे – "जै गुरुदेव स्वामी नवरंग नारायण।" – और प्रणव ने लोकचन्द के बारे में नवरंग नारायण को कुछ बढ़ा चढ़ाकर बताया। साथ ही नवरंग नारायण का भी परिचय लोकचन्द को दे दिया। नवरंग नारायण अब ढीला और मुलायम पड़ गया – "जै गुरुदेव श्रीमान् जी। स्वागत है। आइये, इधर आसन पर विराजिये। गुरु महाराज के अभिन्न हैं तो फिर हमारे लिये भी पूज्य हैं...।"

और उस व्यक्ति ने लोकचन्द को बालकनी में एक जगह लगे आसन पर आदर से बैठाया। प्रणव के साथ उसने भी वहाँ आसन जमा लिया। उस स्थान पर बैठने की अच्छी व्यवस्था थी।

" कहिये श्रीमान् जी, क्या सेवा है? यहाँ कैसे आना हुआ?"

"यहाँ आने का मेरा कोई विशेष प्रयोजन नहीं नवरंग नारायण। आश्रम के विभिन्न संस्थानों और स्थलों को देखने के क्रम में यहाँ भी चला आया।"

"बहुत अच्छा श्रीमान् जी। आप गुरु महाराज के इतने प्रिय और अभिन्न हैं कि इधर आ गये, अन्यथा इधर कहाँ कोई आता है?"

इस पर लोकचन्द कुछ कहते कि प्रणव बीच में ही बोल उठा – "माफ कीजियेगा श्रीमान् जी। मेरे जिम्मे वहाँ अभी कई कार्य हैं। यहाँ से तो सीधे आप वापस आ सकते हैं।"

"हाँ, हाँ प्रणव। वापसी का रास्ता अब मेरा देखा हुआ है...।"

बस, प्रणव वहाँ से वापस हो गया।

लोकचन्द ने अब अपने उद्देश्य के अनुसार पूछ-ताछ शुरू की – "इस आश्रम में आश्रम सेवकों की क्या भूमिका है स्वामी नवरंग नारायण?"

"क्या भूमिका नहीं है श्रीमान् जी? इस आश्रम में हर जगह हमारे आश्रम सेवकों की ही भूमिका रहती है। आश्रम में जहाँ-जहाँ निर्माण कार्य चलता है, उसकी निगरानी वे ही करते हैं। जहाँ कहीं अधिक मानव शक्ति की आवश्यकता होती है, वहाँ वे भिड़ जाते हैं। आश्रम में होनेवाले जलसों पर अनियन्त्रित भीड़ को वे ही नियन्त्रित कर सबको सुविधा पहुँचाते हैं। आश्रम की सेवा में वे चौबीसों घण्टे तत्पर रहते हैं। प्राकृतिक और आकस्मिक घटनाओं-दुर्घटनाओं पर उनकी भूमिका सर्वोपरि होती है...।"

"तब तो वे आश्रम के सेनानी हैं स्वामी नवरंग नारायण। जैसे देश के सेनानी होते हैं, जो देश की रक्षा करते हैं...?"

"नहीं, नहीं, श्रीमान् जी। हम अपने को सेनानी नहीं, सेवक ही मानते हैं। सेवा धर्म में हमारा विश्वास है। 'रामचरितमानस' में तुलसीदास ने लिखा है – *'सबसे कठिन धर्म सेवकाई...।'* हम इस कठिन धर्म का पालन करते हैं...।"

"इस दृष्टि से आपके आश्रम सेवकों की कितनी संख्या है स्वामी नवरंग नारायण?"

"अधिक संख्या नहीं है श्रीमान् जी। हमारे आश्रम सेवकों की संख्या अभी मात्र 25 है। जरूरत के अनुसार यह संख्या बढ़ भी जायेगी। लेकिन जैसे तिनकों के समूह के लिए माचिस की एक तीली काफी होती है, हमारे आश्रम सेवक भी वैसे ही हैं।"

लोकचन्द को लग गया, ये आश्रम के कमाण्डो हैं। लेकिन यह कहना उचित न समझ उन्होंने पूछा –

"कहाँ हैं आश्रम सेवक?"

"कुछ तो आश्रम की निगरानी में निकले हैं श्रीमान् जी। हर जगह उन्हें देखना है। शेष सेवक सामने मैदान में अभ्यासकर रहे हैं...। वह देखिये...।"

लोकचन्द ने देखा, बॉलकनी के आगे समतल मैदान में अभ्यास के लगे उपकरणों पर सचमुच कुछ सुडौल युवक अभ्यासरत थे। वे अपने ढंग से फाँद रहे थे, कूद रहे थे, उछल रहे थे, दौड़ रहे थे, बरछे और गोले फेंक रहे थे...आदि। उन्हें देखकर लोकचन्द को लगा, वाकई ये आश्रम के सैनिक हैं। उनके सीधे, सज्जन मित्र ने संत बनने के बाद अपने लिये यह कैसी समानान्तर दुनिया कायम कर ली है। समय के अनुसार आदमी कितना परिवर्तित हो जाता है, इसका जीवन्त उदाहरण उनका अपना मित्र सुकेश अब उन्हें जान पड़ रहा था।

"स्वमी नवरंग नारायण अब मैं चलूँगा। लेकिन चलते हुए यह जानना चाहता हूँ कि आप जो कमरे बन्द कर रहे थे उनमें बन्दूकें क्यों रखी गयी हैं? आप मेरी इस बात का अन्यथा मत लीजियेगा। सिर्फ जानकारी के लिए पूछ रहा हूँ...।"

"नहीं श्रीमान् जी, हम अन्यथा क्यों लेंगे? हमारे यहाँ बन्दूकें हैं लेकिन सभी लाइसेन्स प्राप्त बन्दूकें हैं। एक भी गैर-लाइसेन्सी बन्दूक हमारे आश्रम में नहीं...।"

"लेकिन नवरंग नारायण जी, आश्रम तो पूजा-पाठ का स्थल है। फिर यहाँ ऐसे घातक हथियार क्यों?"

"सुरक्षा कारणों से ऐसा है श्रीमान् जी...।"

"कैसी सुरक्षा नवरंग नारायण जी? आश्रम जैसे आध्यात्मिक स्थल की क्या सुरक्षा?"

"सुरक्षा है श्रीमान् जी। चोर-डाकू आश्रम पर भी आक्रमण करते हैं। यहाँ भक्त के रूप में आनेवाले कैसे हैं, कोई नहीं जानता। लुटेरे भी तो भक्त बन कर आ सकते हैं। फिर वे लूटपाट पर उतर जायें तब इसके लिए तो आश्रम को तैयार रहना ही है। इस प्रदेश में और दो-तीन आश्रम हैं। हमारे आश्रम का विकास और वैभव देख वे सभी जलते रहते हैं। हमारे आश्रम के खिलाफ कब वे षड्यन्त्र कर दें, उसके लिए भी हमें तैयार रहना है। हमें किसी पर आक्रमण नहीं करना श्रीमान् जी, आश्रम की रक्षा करना है, आश्रम में आनेवाले भक्तों, शिष्यों और अनुयायियों को सुरक्षित रखना है। आप बस इतना ही समझ लीजिये श्रीमान् जी कि जैसे श्रीरामचन्द्र जी हाथ में धनुष-बाण रखते हैं, हनुमान जी के पास गदा रहता है, वैसे ही हमारे अस्त्र साधु-संतों और सज्जनों की रक्षा के लिए हैं। कहीं किसी पर आक्रमण के लिए नहीं...।"

नवरंग नारायण से इस बातचीत के बाद लोकचन्द को अब यहाँ और कुछ जानना शेष नहीं रह गया। बस, नवरंग नारायण से विदा ले वे वापस चल पड़े।

8

लोकचन्द अब महसूस कर रहे थे कि मुक्त लोक नामक इस आश्रम में जिस उद्देश्य के तहत वे आये उनका वह उद्देश्य अब पूरा हो चला। अचानक अपने खोये मित्र को पाकर उससे मिलना भी सम्भव हो गया। उसके आमूलचूल परिवर्तन पर प्रथम प्रतिक्रिया के तहत उन्हें जो कहना था, कह भी दिया। उसकी इच्छा पर कुछ दिन आश्रम में रुक कर उसके आश्रम को देख भी लिया। इस दौरान चन्द दिनों में ही इस आश्रम को वे लगभग जान चुके। एक लेखक के रूप में इस नये क्षेत्र के अनुभव से वंचित थे। ऐसे किसी धार्मिक और आध्यात्मिक आश्रम में रह कर उसे जानने का अवसर उन्हें कभी नहीं मिला था। आश्रमों के बारे में उन्होंने जो सुना था और जितना जानते थे, प्रत्यक्ष अनुभव ने न सिर्फ उसमें इजाफा किया, बल्कि आश्रमों के अन्तर्निहित यथार्थ से उनके रचना-मानस को सम्पन्न भी कर दिया..।

इस बिन्दु पर पहुँच कर लोकचन्द को लगा कि अब यहाँ उनके रहने का कोई औचित्य नहीं। अब उन्हें यहाँ से वापस हो जाना चाहिए। इस दौरान जगह-जगह उनके मन में सवाल भी उठते रहे। लेकिन वे जान चुके थे, अब उनके किसी भी प्रयास से उनका मित्र सुकेश अपने पूर्व धरातल पर वापस नहीं हो सकता। इस स्थिति में यहाँ से वापस होते हुए इस आश्रम में रह कर उन्होंने जो कुछ महसूस किया और जो शंकाएँ उनके मन में पैदा हुईं उससे उसे अवगत और आगाह कर देना उन्हे उचित प्रतीत हुआ।

बस, एक शाम लोकचन्द, सुकेश से पुनः मिलने चल पड़े। बाहरी आगन्तुकों के लिए गुरु महाराज तक जाने का रास्ता अवरोधों से भरा था। लेकिन विशिष्ट अतिथि से सीधे रास्ता उनके बँगले तक चला जाता था। यहाँ पुनः प्रणव उन्हें सुविधा पहुँचाने के लिए सामने आ गया।

"क्या सेवा है श्रीमान् जी?"

"गुरु महाराज के पास जा रहा हूँ प्रणव।"

"जै गुरुदेव श्रीमान् जी, जै गुरुदेव...।"

– और प्रणव हाथ जोड़कर एक किनारे खड़ा हो गया।

लोकचन्द समझ गये, प्रणव न साथ चलेगा और न रोकेगा। अपने गुरु से उनके सम्बन्ध को इस बीच वह जान चुका है। लोकचन्द अब सीधे गुरु महाराज के बँगले तक पहुँच गये। रास्ते में मार्ग के किनारे बने चबूतरे पर दो युवा स्वामी उन्हें मिले। शायद गुरु महाराज के बँगले की निगरानी में हों। लेकिन लोकचन्द को उन्होंने भी

नहीं रोका। 'जै गुरुदेव, श्रीमान् जी', कहकर उनका स्वागत किया। इस दौरान लोकचन्द ने उन्हें पहचान लिया। ये वही युवा स्वामी थे जो आश्रम में उनके पहले दिन गुरु महाराज से उनके संवाद के बीच आड़े आ गये थे और उन्हें आगे बढ़ने से रोक रहे थे, लेकिन पद्मा की आवाज पर उन्हें छोड़कर अलग हो गये थे। शायद अब गुरु महाराज से उनके सम्बन्ध को लेकर वे आश्वस्त हो चुके थे। लोकचन्द के लिए वह अतिथि-कक्ष अब देखा जाना था जिसमें पहली बार वे सुकेश से मिले थे। उस कक्ष की साध्वी सेविका अमृता उन्हें देखते ही पहचान गयी – "जै गुरुदेव श्रीमान् जी। उस दिन के बाद आप अब आ रहे हैं? लगता है, विशिष्ट अतिथि आवास में आपका मन रम गया था।"

"ऐसा नहीं है देवी अमृता। आपका यह आश्रम इतना विस्तृत और वैविध्यभरा है कि सोचा, इसे देख लूँ, फिर गुरु महाराज से मिलूँ!"

"बहुत अच्छा श्रीमान् जी। आप यहाँ विराजिये। मैं अभी देवी शेषाद्रि गंगा को खबर कर देती हूँ। वे गुरु महाराज से आपको मिला देंगी...।"

"क्यों देवी अमृता? देवी शेषाद्रि क्यों? देवी पद्मा क्यों नहीं?"

"देवी पद्मा अभी त्रिशूलपुरम् आश्रम गयी हैं...।"

"अचानक वे वहाँ क्यों चली गयीं? मैं तो जानता था कि वे स्थायी रूप से यहीं रहती हैं...।"

"नहीं श्रीमान् जी। वे त्रिशूलपुरम् आश्रम भी जाती रहती हैं। इस आश्रम की सबसे बड़ी शाखा के रूप में त्रिशूलपुरम् की तैयारी चल रही है। दीदी माँ देवी पद्मा का ही वह क्षेत्र है।"

"तो क्या देवी पद्मा के माँ-बाप उधर के ही हैं?"

"हाँ श्रीमान् जी।"

"लेकिन यहाँ से स्वामी रत्न सागर तो वहाँ आते ही जाते रहते हैं।"

"रत्न सागर जैसे यहाँ के कई सेवादार और जीवनदानी स्वामी वहाँ आते-जाते रहते हैं । लेकिन देवी पद्मा वहाँ के मुख्य प्रभारियों में हैं। गुरु महाराज के परामर्श पर वहाँ के मुख्य प्रभारियों के निर्देशन में ही वहाँ का निर्माण कार्य हो रहा है।"

"तो फिर इन मुख्य प्रभारियों में कौन-कौन लोग हैं देवी अमृता?"

"इस सम्बन्ध में मुझे पूरी जानकारी नहीं श्रीमान् जी। वैसे वहाँ का नेतृत्व सम्हालने के लिए गुरु महाराज से परामर्श लेकर चार विशिष्ट जनों को वहाँ बारी-बारी से जाते देखती हूँ। उनमें दीदी माँ देवी पद्मा गंगा, स्वामी जगेश्वरानन्द सागर, देवी ऋचा गंगा और देवी शेषाद्रि गंगा हैं।"

लोकचन्द समझ गये, सुकेश के सबसे विश्वासपात्र और निकटतम व्यक्ति यही चारों हैं। पद्मा, ऋचा और जगेश्वरानन्द से वे मिल चुके हैं। आश्रम में उनके प्रभाव से भी परिचित हो गये हैं। इस सम्बन्ध में शेषाद्रि को अस्पताल में सिर्फ देखा भर है। लेकिन अब उन्हें लगता है कि वहाँ भी वह विशेष भूमिका में ही थी। रूपा का ऑपरेशन करा रही थी। सामान्य साध्वी किसी साध्वी का ऑपरेशन नहीं करा सकती....? इससे पहले कि अमृता, शेषाद्रि को खबर करने पहुँचे उसे रोकते हुए लोकचन्द ने अपनी जिज्ञासा प्रकट की – "विशिष्ट आगन्तुक कक्ष की निगरानी में यहाँ आप रहती हैं देवी अमृता। फिर आप स्वयं आगन्तुकों से गुरु महाराज को क्यों नहीं मिलवातीं?"

"मुझे जितना दायित्व दिया गया है, उतना ही मुझे करना है श्रीमान् जी। अपने कार्य से मैं सन्तुष्ट हूँ। गुरु महाराज का आशीर्वाद भी मुझे प्राप्त है। गुरु महाराज मुझे मानते हैं तभी तो अपने इस निजी अतिथि-कक्ष का दायित्व मुझे दिया है...। दीदी माँ देवी पद्मा गंगा, देवी शेषाद्रि गंगा और देवी ऋचा गंगा यहाँ पहले से हैं। वे काफी समय से गुरु महाराज के निकट हैं। विशिष्ट जनों को गुरु महाराज से वे ही मिलवाती हैं...।"

"इसमें देवी ऋचा गंगा भी हैं?"

हाँ श्रीमान् जी। दीदी माँ देवी पद्मा और देवी शेषाद्रि के कहीं बाहर जाने या व्यस्त रहने पर देवी ऋचा गंगा ही विशिष्ट जनों को गुरु महाराज से मिलवाती हैं।

"लेकिन इन तीनों देवियों में सिर्फ पद्मा को दीदी माँ क्यों कहा जाता है?"

"वे गुरु महाराज की प्रथम विश्वासपात्रा और निकटस्थ हैं, इसलिए गुरु महाराज ने ही उन्हे यह नाम दिया है...।"

इस पर लोकचन्द ने अब और कोई प्रश्न नहीं किया। बस, अमृता बाहर चली गयी। फिर कुछ ही देर बाद शेषाद्रि को लेकर आ गयी। अस्पताल में जिस शेषाद्रि को उन्होंने देखा था, वही शेषाद्रि थी। लेकिन उस वक्त अस्पताल देखने के दौरान उन्होंने शेषाद्रि को अच्छी तरह नहीं देखा था। लेकिन वही शेषाद्रि अब अपने निखरे रंग-रूप और यौवन से लबरेज उनके समक्ष उपस्थित थी। उम्र के धरातल पर वह पद्मा और ऋचा के समकक्ष ही जान पड़ रही थी। लेकिन उसके रूप और यौवन पर पद्मा तथा ऋचा की तरह ही उम्र का कोई असर नहीं था।

शेषाद्रि को देखने के बाद लोकचन्द अब महसूस कर रहे थे कि उम्रदराज हो रही इन तीनों देवियों का रूप और यौवन न सिर्फ बरकरार था, बल्कि एक मोड़ पर आकर ठहर-सा गया था। शायद इसी वजह से सुकेश की वे निकटतम पात्रा बन सकी थीं। इस सम्बन्ध में लोकचन्द जानते थे कि माँ नहीं बननेवाली औरतें अपने युवापन को

देर तक कायम रख पाती हैं। उस कक्ष में आते ही शेषाद्रि बोल उठी – "जै गुरुदेव श्रीमान् जी। अच्छा हुआ, आप आ गये। मैं आपसे मिलने ही वाली थी...।"

"क्यों देवी शेषाद्रि? क्या बात है?"

"गुरु महाराज से मैं जान चुकी हूँ कि आप उनके पुराने शिष्य और अनन्य भक्त हैं। लम्बे समय से गुरु महाराज से जुड़े रहे हैं...।"

शेषाद्रि की यह बात सुन लोकचन्द समझ गये कि जगेश्वरानन्द और पद्मा की तरह इसे भी सुकेश ने उनके बारे में बता दिया है। सम्भव है, ऋचा से बताने का अवसर अभी उसे न मिला हो।

"गुरु महाराज ने मेरे बारे में और क्या-क्या बताया है देवी शेषाद्रि?"

"और कुछ अधिक नहीं श्रीमान् जी। हमारे लिये यह जानकारी ही बहुत महत्त्वपूर्ण है कि इस आश्रम के निर्माण के पहले से आप गुरु महाराज के निकटतम रहे हैं। इस दृष्टि से हमारे लिये भी आदरणीय हैं। अभी मैं गुरु महाराज को खबर कर देती हूँ...।"

"रुकिये देवी शेषाद्रि, इतनी जल्दी क्या है? थोड़ी देर के लिए बैठ जाइये। आपसे भी दो बातें हो जायँ।"

लोकचन्द के इस कथन पर क्षण-भर के लिए शेषाद्रि थम गयी, जैसे किसी चलती गाड़ी में ब्रेक लग गया हो। फिर तत्क्षण उसने अपने को सहज कर लिया – "कहिये श्रीमान् जी! मुझ नाचीज से आप क्या कहना चाहते हैं?"

"बस, दो-चार मिनट के लिए बैठ जाइये देवी शेषाद्रि। कोई खास बात नहीं। सामान्य जिज्ञासा भर है...।"

शेषाद्रि अब लोकचन्द के सामने के सोफे पर बैठते हुए किंचित् गम्भीर आवाज में पूछ उठी – "अब बताइये श्रीमान् जी। मुझको लेकर क्या जिज्ञासा है, क्या जानना चाह रहे हैं आप?"

"आपको देखने और मिलने के बाद देवी शेषाद्रि मैं आपके बारे में जानना चाहता हूँ कि आप कहाँ से और कैसे इस आश्रम में आ गयी हैं?"

" हम अपना अतीत नहीं बताते श्रीमान् जी। इस आश्रम में आने के बाद यह हमारा पुनर्जन्म है। अब यह आश्रम ही हमारा भूत, भविष्य और वर्तमान है। गुरु महाराज कहते हैं कि जैसे केंचुल से निकला साँप उस केंचुल में पुनः वापस नहीं होता, उसी तरह अतीत में हमे नहीं जाना। हमारे पास याद रखने के लिए अपनी आत्मा के सिवा और कुछ नहीं। यहाँ सब-कुछ तो क्षणभंगुर है। सिर्फ हमारी आत्मा ही शाश्वत है। इसलिए आत्मस्वरूप बनकर अपनी आत्मा में रमण करते हुए हमें कर्म करना है।"

लोकचन्द जानते थे कि ऐसी साध्वियों को रखनेवाले सुकेश की तरह गुरु और संत उन्हें अत्यधिक सुविधा-सहयोग पहुँचाने के साथ-साथ उनके मानसिक स्तर को भी बदलने की पूरी कोशिश करते हैं – हिप्टोनाइज करने की तरह। शेषाद्रि की बात से भी लोकचन्द को इसका एहसास हो रहा था। शेषाद्रि की तरह पद्मा और जगेश्वरानन्द भी अपना परिचय बताना नहीं चाहते थे। लेकिन लोकचन्द परिचय उगलवाना भी जानते थे – "आपका कहना सही है देवी शेषाद्रि। आत्मा के सिवाय हमारे पास कुछ भी सत्य नहीं। हमारा यह शरीर किसी वृक्ष की तरह है – उगने, बड़ा होने और सूखते जाने के लिए । लेकिन कोई वृक्ष जड़विहीन नहीं होता देवी शेषाद्रि। जड़विहीन तो टिक ही नहीं सकता। स्वामी जगेश्वरानन्द की जड़ एक अनाथ आश्रम रहा है। लेकिन अभी गुरु महाराज के अत्यन्त विश्वासपात्र और निकटतम व्यक्ति हैं। देवी पद्मा और देवी ऋचा की जड़ यह आश्रम ही है। इस आश्रम की स्कूल की ही वे देन हैं। इस आश्रम में पढ़ते हुए इन दोनों देवियों की विलक्षणता और तेजस्विता को गुरु महाराज जाँच-परख चुके थे। इन देवियों का परिवार भी गुरु महाराज का भक्त था। बस, दोनों देवियाँ न सिर्फ आश्रम की होकर रह गयीं, बल्कि गुरु महाराज का विश्वास प्राप्त कर स्वामी जगेश्वरानन्द की तरह आश्रम के मुख्य संचालकों के रूप में प्रतिष्ठित हैं। मैं जानता हूँ, आपका स्थान भी उन्हीं के समकक्ष है...।"

लोकचन्द की यह बात सुन शेषाद्रि अब अपने को रोक नहीं सकी। उसकी सारी गोपनीयता ढह गयी – "आप तो सब-कुछ जानते हैं श्रीमान् जी, लेकिन मैं आश्रम के विद्यालय की छात्रा नहीं रही। हाँ, अपने माँ-बाप के साथ बचपन से ही यहाँ आती रही थी। हमारा परिवार गुरु महाराज का भक्त रहा है, श्रीमान् जी। हमारे माँ-बाप तो गुरु महाराज के प्रिय शिष्यों में हैं। हमारे यहाँ कोई भी शुभ कार्य बिना गुरु महाराज के आशीर्वाद के सम्पन्न नहीं होता। हमारे यहाँ प्रारम्भ से ही पूजा-पाठ की परम्परा रही है। गीता पाठ तो नियमित होता है। पिता जी मुझसे ही सस्वर गीता पाठ कराते थे। इस दौरान जब मैं दसवीं कक्षा की छात्रा थी तभी पूरी गीता मुझे कण्ठस्थ हो गयी थी। उस गीता पाठ ने ही मुझे इस आश्रम तक पहुँचा दिया।"

"कैसे, क्या हुआ देवी शेषाद्रि, मैं जानना चाहता हूँ। यह तो आपकी विलक्षणता है कि पूरी गीता आपको कण्ठस्थ है।"

"हुआ यह श्रीमान् जी कि उन्हीं दिनों हमारे माँ-पिता जी गुरु महाराज से मुझे दीक्षित कराने के लिए आश्रम ले आये। हमारे माँ-पिता जी पहले ही गुरु महाराज से दीक्षित हो चुके थे। बड़े भाई-बहन भी दीक्षा ले चुके थे। अब परिवार की परम्परा और उम्र के अनुसार मुझे दीक्षित होना था। इस पर मुझे देखते ही गुरु महाराज मेरे पिता जी से पूछ उठे –"यह कन्या कहाँ तक पढ़ी है वत्स?"

जवाब में पिता जी ने मेरी तारीफ करते हुए कहा था –

"वैसे तो यह अभी दसवीं कक्षा की ही छात्रा है। लेकिन अपने वर्ग में अव्वल आती है। इसने पूरी गीता कण्ठस्थ कर ली है।"

इस पर गुरु महाराज मेरी ओर मुखातिब हो गये थे – "गीता के कुछ श्लोक सुना सकती हो?"

"क्यों नहीं।" – और मैं शुरू हो गयी। बस कुछ ही श्लोक सुनने के बाद गुरु महाराज प्रसन्न हो उठे –

"बहुत खूब! शुद्ध उच्चारण और स्वर भी सधा हुआ। इस कन्या की जिह्वा पर तो सरस्वती का वास है वत्स।"

फिर गुरु महाराज मेरे पिता जी से बोल उठे – "वत्स, इस कन्या को आश्रम में छोड़ दो। यह विदुषी और ब्रह्मज्ञानी साबित होगी। तुम्हारे पूरे कुल-खानदान का उद्धार कर देगी... ।"

बस, माँ-पिता जी ने मुझे आश्रम को सौंप दिया। हमारे भाई-बहनों की संख्या सात थी, इस दृष्टि से उन्हें कोई परेशानी भी नहीं थी। तब से अक्सर वे आकर मिल जाया करते हैं। लेकिन अब तो यह आश्रम ही मेरा जीवन हो गया है श्रीमान् जी। इस आश्रम से अलग के जीवन की तो अब मैं कल्पना भी नहीं कर सकती।"

"बहुत अच्छा देवी शेषाद्रि। आपको लेकर मेरा अनुमान भी लगभग ऐसा ही था। जब आप इस आश्रम के स्कूल की छात्रा नहीं तो निश्चय ही भक्त-परिवार से आयी होंगी!"

"मुझे बिना जाने आपने ऐसा अनुमान भी लगा लिया था। अब मैं आपके बारे में भी जानना चाहती हूँ श्रीमान् जी। आपको जानने की जिज्ञासा पैदा हो गयी है।"

जवाब में लोकचन्द ने भी अपना परिचय दे दिया। बस, शेषाद्रि खुश हो उठी – " मुझे लग रहा था कि आप सामान्य व्यक्ति नहीं श्रीमान् जी। एक प्रोफेसर और साहित्यकार होने के चलते ही मेरे बारे में अनुमान कर लिया था। यही वजह है कि आप गुरु महाराज से भी लम्बे समय से जुड़े रहे हैं। आपसे मिलकर मुझे बहुत अच्छा लगा श्रीमान् जी। बहुत खुशी हुई। आप क्षण-भर बैठिये, मैं अभी गुरु महाराज को खबर करती हूँ। आपके बारे में जान कर गुरु महाराज भी शीघ्र आ जायेंगे... ।" – और शेषाद्रि चली गयी।

शेषाद्रि से मिलने के बाद लोकचन्द को लग रहा था कि पद्मा, ऋचा और शेषाद्रि में तरुणाई पार करने के बाद भी गजब का आकर्षण था। इन तीनों का व्यक्तित्व ऐसा सम्मोहक था कि सामने वाले को बरबस अपनी ओर आकृष्ट करता प्रतीत होता था।

शायद इसी वजह से उनके मित्र सुकेश ने इन्हें अपना विश्वस्त और निकटस्थ बना लिया था। इनके पास सुन्दर नारी काया के साथ व्यक्तित्व की तेजस्विता तथा गुरु महाराज के प्रति समर्पित भाव उन्होंने परिलक्षित किया। साथ ही आगन्तुकों से कुशल एवं आत्मीय व्यवहार की सीख भी। ऐसी रमणियों के साथ निरन्तर रहते हुए सुकेश का अपने को इनसे निःसंग बताना, सरासर झूठ नहीं तो और क्या है?

लोकचन्द के मानस में अभी इस तरह के कुछ और विचार आते कि तत्क्षण अमृता ने आकर उन्हे आगाह कर दिया – "जै गुरुदेव, श्रीमान् जी। गुरु महाराज पधार रहे हैं।"

और अमृता जैसे ही कमरे से बाहर निकली, प्रसन्न मुद्रा में यहाँ के गुरु महाराज सुकेश आ पहुँचे। वही गेरुआ परिधान। माथे पर चन्दन का गोल टीका। करीने से सजे बाल-दाढ़ी। गले में रुद्राक्ष की सुन्दर माला। साधु-संत का आकर्षक बाना। लोकचन्द को लग गया कि शायद यह बाना ही सुकेश का अब स्थायी बाना हो गया है, क्योंकि हरिद्वार की पुलिया से प्रवचन-स्थल और अपने आवास तक इसी बाने में उसे पा रहे थे। इस दौरान लोकचन्द पर नजर पड़ते ही वह पूर्व मित्रता के लहजे में पूछ उठा –

"कैसे हो, लोक?"

"ठीक हूँ, सुकेश।"

और अपने निर्धारित आसन पर विराजमान होते हुए सुकेश ने पुनः कहा – "यह जानकर अच्छा लगा कि हमारा आश्रम तुम्हें जँच गया तभी यहाँ कुछ दिनों तक तुम विभिन्न संस्थानों को देखते और उन्हें जानने-समझने में लगे रहे...।"

"मेरे लिये ऐसे किसी आश्रम की आन्तरिक दुनिया बिल्कुल नयी रही है सुकेश। ऐसे आश्रमों के बारे में बहुत कुछ सुनता आ रहा था। लेकिन मेरे रचनाकार मानस को ऐसे किसी आश्रम के यथार्थ अनुभव से सम्पन्न होना था। इस दृष्टि से तुम्हारे इस आश्रम का अवलोकन करता रहा।"

"तुम जहाँ-जहाँ गये सुकेश, उन संस्थानों के प्रबन्धक तुम्हारे व्यक्तित्व से प्रभावित हुए!"

"तो क्या सारी सूचनाएँ तुम्हें प्राप्त होती रही सुकेश?"

"हाँ लोक। इस आश्रम में एक पत्ता भी खरकता है तो उसकी सूचना मुझे प्राप्त हो जाती है।"

"तब तो इस आश्रम के प्रति तुम बहुत चौकस हो। आश्रम की गतिविधियों को अपने नियन्त्रण में रखे हो।"

"रखना ही पड़ता है लोक। किसी बड़े संस्थान को सम्हालना आसान काम नहीं...।"

"तुम्हारा यह बड़ा संस्थान अब मैंने भी देख लिया सुकेश। यहाँ आने का मेरा उद्देश्य अब पूरा हो गया। हरिद्वार की पुलिया पर तुमको जीवित देखकर तुम से मिलने की उत्कट आकांक्षा मुझे यहाँ तक खींच लायी थी। तुमसे मिलकर, तुम्हें जीवित पा कर और बचपन की अपनी दोस्ती को स्मरण कर मुझे आन्तरिक खुशी हुई। मन आश्वस्त हुआ। अब यहाँ और रुकने का मेरा कोई औचित्य नहीं। अब चलूँगा, सुकेश। बस, तुमसे मिलने आ गया। मुझे भी अपने काम में लग जाना है। जाने से पहले उस घनिष्ठ मित्रता के तहत पुनः तुमसे यह कहना चाहूँगा कि अपने एक अकेले के लिए तुम्हें आश्रम के रूप में इतने बड़े साम्राज्य की कोई आवश्यकता नहीं है। अभी भी तुम इस जंजाल से निकल जाओ। ऐसा अप्रत्याशित ऐश्वर्य भटकन और विचलन के सिवा और कुछ नहीं दे सकता...।"

" तो क्या मेरे आश्रम में रहकर उसे निकट से जानने के बाद भी तुम्हारी धारणा में कोई परिवर्तन नहीं हुआ लोक?"

"नहीं सुकेश, तुम्हारे आश्रम के अनुभव ने मेरी उस धारणा को और पुख्ता ही किया है, जो एहसास और जिसका आभास पहले ही दिन मुझे हो गया था, उसकी पुष्टि हो गयी...।"

"ऐसा तुमने क्या देखा लोक? पहेलियाँ न बुझाकर अपनी बात स्पष्ट कहो। तुम्हारे जैसे मित्र के मुँह से मैं यथार्थ जानना चाहता हूँ...।"

"जानकर क्या करोगे सुकेश? इस बड़े जंजाल, भव्य तामझाम, चमत्कारिक ऐशो-आराम और मायावी भोग-विलास की इस दुनिया से क्या तुम मुक्त होकर अपने यथार्थ जीवन में वापस हो जाओगे?"

"तुम बताओ तो सुकेश अगर वास्तव में मेरी दुनिया गलत होगी तो मैं उसे क्यों नहीं त्याग सकता। तुम बताकर तो देखो। मेरी चेतना गलत को स्वीकार नहीं करेगी।"

"तो सुनो सुकेश। तुम्हारे आश्रम में आने और अपरिमित सुख-सुविधाओं के बीच रूप और यौवन से लबरेज अप्सरा जैसी साध्वियों के साथ तुम्हें रहते देख कर मेरे मन में सहज स्वाभाविक रूप से जो प्रतिक्रियाएँ कायम हुईं वह यह कि जिस किसी संयोगवश ऐसा दुर्लभ सुखभोग तुम्हें प्राप्त हुआ है अब तुम्हारी पूरी चेतना इस सुखभोग को निरन्तर कायम रखने और इसमें किसी भी तरह का विघ्न न पड़ने देने के लिए सजग और प्रयासरत बनी रहेगी। तुम्हारे आश्रम को निकट से देखने के बाद अपनी सहज-स्वाभाविक प्रतिक्रिया के प्रति मेरा मन आश्वस्त भी हो गया। तुम्हारी

जैसी स्थितियों में रहनेवाले व्यक्तियों के लिए अपने आश्रमों की ऐसी व्यवस्था के प्रति सचेष्ट और सक्रिय रहना ही है...।

"अब तुम्हारे अस्पताल से ही मेरे रचनाकार मन ने अपना आकलन-निरीक्षण प्रारम्भ किया। जब साध्वियों के साथ तुम्हें रहना है तब फिर साध्वियों को नारीजनित समस्याओं से ग्रसित होना ही है। उनके इस तरह ग्रसित होने को तब निश्चय ही विस्तार मिलना है जब युवा स्वामी तुम्हारे आचरण का अनुकरण कर सहज प्राप्त इस अवसर को छोड़ना नहीं चाहेंगे। इस स्थिति में आश्रम से बाहर के अस्पतालों में साध्वियों के इलाज से न सिर्फ आश्रम की गोपनीयता भंग हो जायेगी, बल्कि साधना, योग और संन्यास के नाम पर आश्रम में साध्वियों के साथ क्या-क्या होता है, इसका खुलासा भी हो जायेगा। इसलिए निहित स्वार्थ के तहत तुमने आश्रम में आधुनिक सुविधाओं से सम्पन्न अस्पताल कायम कर लिया। अब साध्वियों को अपनी नारीजनित समस्याओं के लिए आश्रम से बाहर नहीं जाना। आश्रम में ही सारी सुविधा उपलब्ध। अस्पताल घूमने के दौरान एक साध्वी को मैंने ऑपरेशन थियेटर में पाया तो दूसरी साध्वी को बेड पर। अन्य मरीज नहीं के बराबर। आश्रम से बाहर जहाँ 75 प्रतिशत लोग अच्छे अस्पताल की सुविधा से वंचित हैं वहाँ अपने भोग को निर्विघ्न कायम रखने के लिए तुमने ऐसा अस्पताल कायम किया है। मेरी दृष्टि में यह सरासर गलत है सुकेश। अगर ऐसा नहीं तो फिर इस अस्पताल में मरीजों की भीड़ क्यों नहीं? बाहरी लोगों का यहाँ इलाज सम्भव क्यों नहीं...?

"तुम्हारे इस मिथ्या आरोप का मेरे पास जवाब है, लोक। लेकिन आश्रम के बारे में मैं तुम्हारी पूरी राय जानकर जवाब देना चाहता हूँ। अभी तुमने सिर्फ आश्रम के अस्पताल के बारे में ही अपनी प्रतिक्रिया दी है। और संस्थाओं के बारे में भी मुझे तुम्हारी राय जाननी है...। तुम्हारी आलोचना से मैं घबरानेवाला नहीं। *निन्दक नियरे राखिये, ऑगन कुटी छवाय,* सिद्धान्त में विश्वास करता हूँ...।"

"ठीक है सुकेश, तो सुनो, मैंने सिर्फ अस्पताल ही नहीं, तुम्हारे आश्रम का बहुत-कुछ देखा है। तुम्हारे समक्ष अपनी पूरी राय रखे बगैर नहीं रह सकता...। तुम्हारे आश्रम का जो अन्तर्निहित सच मैंने महसूस किया है, उसे तुम्हारे समक्ष व्यक्त करना ही है...।"

"अस्पताल के बाद तुम्हारे आश्रम का स्कूल भी मैंने देखा। राज्य सरकार द्वारा पोषित स्कूल को अल्पसंख्यक स्कूल के नाम पर तुमने आश्रम के अपने निहित स्वार्थों के दायरे में रखा है। इस स्कूल में वैसे ही शिक्षकों को नियुक्त कराते हो जो आश्रम के लिए आवासीय हों और आश्रम के प्रति वफादार बने रह सकें। तुम्हारे भक्तों और अनुयायियों के बच्चों का ही नामांकन इस स्कूल में होता है, बाहरी लोगों का नहीं।

इस रूप में भी अपने शिक्षित-विकसित भक्त परिवारों को आश्रम से बाँधे रखते हो। स्कूल के छात्र-छात्राओं को भी आवासीय रखकर प्रारम्भ से ही आश्रम के प्रति उन्हें भक्त बनाये रखने की तुम्हारी योजना रही है। लेकिन इन सबसे ऊपर स्कूल कायम करने का तुम्हारा मुख्य उदेश्य स्कूल की सुन्दर, सुडौल और युवा हो रही तेजस्वी छात्राओं को आश्रम के लिए साध्वी के रूप में प्राप्त करना है। तुम्हारे आश्रम की मुख्य साध्वी पद्मा और ऋचा ही तुम्हारे स्कूल की देन नहीं रही हैं, बल्कि अन्य कई संस्थानों के लिए सुन्दर, युवा और तेज तर्रार साध्वियों को तुमने अपने स्कूल से ही प्राप्त किया है...।''

''स्कूल के बाद तुम्हारा लेखा-विभाग भी मैंने देखा सुकेश। अन्य विभागों पर उनके नाम अंकित। लेकिन लेखा-विभाग का कोई नाम नहीं। तुम्हारे नाम पर दान और चढ़ावे के रूप में जो असीमित आय प्राप्त होती है उसे लेखा-विभाग को ही सम्हालना और रखना है, इस दृष्टि से उसका अनाम होना ही है। असीमित और बेहिसाब आय को तो गोपनीय भी रखना पड़ता है।

''अपने लेखा-विभाग के हेड के लिए जगेश्वरानन्द जैसे व्यक्ति की खोज तुम्हारी अद्भुत चतुरता रही है सुकेश। अनाथालय से आये परिवारविहीन उस तेजस्वी युवक के लिए अब सब-कुछ तुम्हीं हो। तुम्हारा अपना बेटा भी उतना वफादार साबित नहीं होता जितना वह युवक मुझे जान पड़ा है। उसके कार्यालय में उसके मातहत के रूप में सौन्दर्य और यौवन से भरी जैसी साध्वियों के साथ वह रहता है, उसे अब वैवाहिक बन्धन में बँध कर घर-परिवार बसाने की क्या जरूरत? इस रूप में अपने नाम प्राप्त आय के लिए तुमने सच्चा और सौ फीसदी वफादार कार्यकर्त्ता कायम कर लिया है। यही कारण है कि तुम्हारे आश्रम का विकास दिन दूना रात चौगुना जारी है...। अब अपने भक्तों और अनुयायियों के विस्तार के लिए तुम आश्रम का विस्तार करते जा रहे हो। मेरी राय में तुम्हारा ऐसा करना अपने प्रभामण्डल को बढ़ाना और अपने आश्रम के प्रति लोगों को आकृष्ट करना है...।''

''तुम्हारे लेखा-विभाग के साथ तुम्हारा प्रकाशन विभाग भी मैंने देखा सुकेश। ऋचा के रूप में तुमने ऐसी सम्पादिका कायम किया है जो जितनी सुन्दर है, उतनी ही यौवन से भरी हुई, उस पर उतनी ही व्यवहारकुशल और शास्त्र-ज्ञान में पारंगत। जिसके क्षणिक सान्निध्य में मैंने अद्भुत आकर्षण का अनुभव किया, उसके साथ तुम घण्टों बैठकर 'मुक्त लोक भारती' के हर अंक को अन्तिम स्वरूप प्रदान करते हो। पत्रिका में नयी सामग्री देना श्रमसाध्य और समयसाध्य होने के बावजूद पाठकों की कसौटी पर निर्भर करता है। पत्रकारिता के इसी माध्यम से पत्रकार अपनी पत्रिकाओं को समाज का प्रहरी बनाते हैं। लेकिन तुमने हमारे प्राचीन शास्त्रीय ग्रन्थों की

उक्तियों, सन्दर्भों, उद्धरणों और कथाओं के पुनर्प्रकाशन के माध्यम से ठण्डी पत्रकारिता का निरापद मार्ग अख्तियारकर लिया है।

इसके अतिरिक्त तुम्हारे प्रकाशन विभाग से किसी अन्य स्वतन्त्र कृति के प्रकाशन को आश्रम के लिए अनुकूल नहीं समझा जाता। तुम्हारी आत्मकथा 'मुक्त लोक की यथार्थ कथा' का ही नया संस्करण निरन्तर छपता रहता है।

कहने के लिए तुमने अपनी आत्मकथा को यथार्थ कथा का नाम दिया है, जबकि वह यथार्थ से कोसों दूर है। उसे पढ़ने से साधु-सन्तों और आश्रमों के प्रति अन्ध भक्ति पैदा होती है। इसी उद्देश्य से तुम्हारे भक्तों के बीच वह प्रचारित भी है। उस कृति को पढ़ते हुए जीवनगत यथार्थ का सामना कहीं नहीं होता...। वह कृति बताती है कि ईश्वरीय कृपा निरन्तर बरसती रहती है, जिसे गुरु के आशीर्वाद से सहज ही प्राप्त किया जा सकता है। इस रूप में वह कृति गुरु के नाम पर लोगों को तुमसे जोड़ने का कार्य करती है। तुम्हारे आश्रम सेवकों का स्थल भी मैंने देख लिया सुकेश। उसी मार्ग में गोशाला और निर्माण केन्द्र भी है। बहुत सोच-समझकर तीन संस्थानों को एक ही मार्ग में तुमने अवस्थित रखा है। जहाँ एक ओर गोशाला का दूध औषधि निर्माण केन्द्र को जाता है वहीं दूसरी ओर आश्रम सेवकों को भी दिया जाता है। शेष दूध तुम्हारे बँगले और तुम्हारी निकटतम सेविका साध्वियों के लिए पहुँचता है। आश्रम के भक्तों, अनुयायियों और आगन्तुकों के लिए वह दूध नहीं है। उस मार्ग में आयुर्वेदिक औषधि निर्माण केन्द्र के तुम्हारे मुख्य वैद्य सुकण्ठ शरण से भी मिला। उस वैद्य को तुमने इतनी सुविधा प्रदान की है कि तुम्हारे प्रति अन्ध भक्ति के सिवा उसके पास और कुछ नहीं बचा। यथार्थ ज्ञान से वंचित वैसा व्यक्ति उचित औषधियों का निर्माण कैसे कर पाता होगा? लेकिन तुम्हारे नाम पर आश्रम की कोई भी औषधि चाहे जैसी भी हो, लोग उसे भगवान् का प्रसाद मानकर अधिक-से-अधिक मूल्य में भी लेना चाहेंगे।

"इस दौरान तुम्हारे आश्रम सेवकों के स्थल तक भी मैं पहुँचा, सुकेश। मेरी दृष्टि में तुम्हारे वे आश्रम सेवक, सेवक नहीं, आश्रम के सैनिक हैं। अपनी और आश्रम की सुरक्षा के लिए तुमने उन्हें कायम रखा है। गाय का दूध पीकर वे फील्ड में शारीरिक प्रशिक्षण करते रहते हैं। जब मैं उनके स्थल पर पहुँचा वे फील्ड में ही उछल-कूद रहे थे। वहाँ अचानक मेरे पहुँचते ही वहाँ का प्रबन्धक नवरंग नारायण जल्दी-जल्दी कमरों को बन्द करने लगा। इस बीच उन कमरों में रखी बन्दूकों पर मेरी नजरें चली गयीं। बन्दूकें और घातक हथियार। आश्रम जैसे शान्त स्थल में हथियारों की क्या आवश्यकता? आश्रम में हथियार होना आश्रम की सन्दिग्ध भूमिका का एहसास कराता है, तुम इससे इनकार नहीं कर सकते...।

इस तरह तुम्हारे आश्रम में रहकर और उसके विस्तार से अवगत होकर मेरी आशंका और बढ़ी ही है। यह सब-कुछ और ऐसा विस्तार तुम्हारे लिये मुझे कतई उचित नहीं जान पड रहा। अगर तुम्हारा परिवार होता तो तुम अपने परिवार के लिए या एक बड़े उद्देश्य के तहत देश और समाज के लिए यह सब करते तो मैं समझ सकता था। लेकिन निहित स्वार्थ के लिए तुम्हारा ऐसा करना तुम्हें कठघरे में खड़ा करता है...।''

ऐसा कह कर लोकचन्द अब जैसे ही तनिक मौन हुए, सुकेश ने अपना मोर्चा सम्हाल लिया – ''तो तुम्हारी बात पूरी हो गयी लोक। तुम्हारी एक-एक बात का मैं जवाब देना चाहता हूँ। मेरे परिजनों के बीच अब सिर्फ अकेले तुम मेरे ऐसे घनिष्ठ मित्र हो जिसके मन में मैं कोई शंका रहने देना नहीं चाहता। तुम अपने मन से यह बात निकाल दो कि तुम्हारा दोस्त सुकेश कहीं से भी गलत है। तुमने प्रारम्भ से ही मुझे और मेरे आश्रम को लेकर नकारात्मक भाव अपने मन में कायम कर रखा है। तुम्हारे अन्दर का वही पूर्वग्रह बोल रहा है। उसकी वजह भी मैं समझ रहा हूँ। पिछले दिनों संत और गुरु के नाम पर आश्रम चलाने वाले कुछ बाबा अपनी घिनौनी करतूतों की वजह से जिस तरह व्यापक दुष्चर्चाओं में आये और सलाखों के पीछे पहुँचे, वैसी कारगुजारियों को देखते हुए आश्रमों और गुरुओं के प्रति तुम्हारी शंका स्वाभाविक है। समाज का एक बड़ा तबका अब गुरुओं और आश्रमों को इसी निगाह से देखने लगा है। लेकिन सबको एक ही लाठी से नहीं हाँक सकते लोक। खोटे सिक्कों के बीच असली सिक्के भी अपने वजूद के साथ कायम रहते हैं। अभी भी वास्तविक संत और गुरु हमारे बीच विद्यमान हैं। उनकी साधना, त्याग, तपस्या और आध्यात्मिक ज्ञान को तुम नकार नहीं सकते। उनके आश्रम भी अपने पृथक् महत्त्व के साथ अलख जगाते रहते हैं। यहाँ उन सबका उल्लेख मैं करना नहीं चाहता। जहाँ तक मुझे और मेरे आश्रम को लेकर जो निराधार आरोप तुमने लगाया है, वह तुम्हारे मन का आरोपित और आयातित विकार है। तुम्हारे मन के इस मैल को मुझे दूर करना है। तुम्हारी इस गलत धारणा को साफ किये बगैर अब मुझे चैन नहीं...।

''हाँ, तो लोक यह बात मैं पहले ही दिन तुम्हें बता चुका हूँ कि इस स्थल पर मैं पूजा-पाठ करता था। फिर लोगों की भीड़ यहाँ स्वतः एकत्रित होती चली गयी। उसी भीड़ की धार्मिक आस्था और विश्वास के तहत स्वरूप ग्रहण करता यह आश्रम आज यहाँ तक पहुँच चुका है। इसलिए यह बात तो बिल्कुल तुम अपने मन से निकाल दो कि मैंने अपनी सुनियोजित योजना के तहत इस आश्रम का निर्माण किया है।''

"जहाँ तक इस आश्रम के अन्दर साध्वी के रूप में स्त्रियों की उपस्थिति तुम्हें नागवार लगी है, यहाँ उनका होना तुम्हारे मन में संशय पैदा करता है, तो उसका जवाब भी मैंने पहले ही दिन तुम्हें दे दिया था कि जब महात्मा बुद्ध अपने संघ में स्त्रियों का प्रवेश वर्जित नहीं कर सके तो मैं कैसे कर सकता था? फिर स्त्रियों का होना गलत ही क्यों हो सकता है। सच तो यह है कि उनके बिना कोई भी कार्य शुभ हो ही नहीं पाता।

"तुमने आश्रम के अस्पताल से अपना आकलन प्रारम्भ किया है लोक तो यह जान लो कि आश्रम के अस्पताल की कल्पना भी मेरी नहीं, यहाँ आनेवाले श्रद्धालुओं और भक्तों की रही है। कई बार आश्रम में आये अनेक भक्तों और श्रद्धालुओं को आकस्मिक बीमारियों के तहत बाहर जाकर इलाज के लिए कष्ट, परेशानी और असुविधाओं का सामना करना पड़ा। इसके बावजूद अच्छे इलाज से वे वंचित रहे। ऐसे ही भक्तों ने यहाँ आश्रम में अस्पताल की आवश्यकता महसूस की और इसके लिए मुझे प्रेरित और प्रोत्साहित किया। इस तरह इस अस्पताल के निर्माण का श्रेय यहाँ के भक्तों और श्रद्धालुओं को है।

अब यहाँ आश्रमवासियों के लिए अच्छे इलाज की सुविधा उपलब्ध है। तुम पहले आदमी हो जिसने आश्रम के अस्पताल को लेकर ऐसी गर्हित शंका व्यक्त की है। अभी तुम जिस मौसम में आये हो, स्वास्थ्य के लिए यह अनुकूल मौसम है। मौसम के प्रतिकूल होते ही अस्पताल के बरामदों में भी बेड लगाकर इलाज किया जाता है। इसलिए अस्पताल के विस्तार पर कार्य चल रहा है।

"तुम्हारा यह आरोप कि आश्रम से बाहर के लोगों को इलाज की ऐसी सुविधा नहीं हैं, तो इसमें मेरा और इस आश्रम का क्या दोष? मैंने तो एक बेहतर उदाहरण प्रस्तुत किया है। सरकारी और गैर-सरकारी स्तर पर अगर ऐसा नहीं होता है तो इसका जिम्मेवार हमारा आश्रम कहीं से भी नहीं है। इस मामले में तुम्हारा आरोप निराधार और बेबुनियाद है। अस्पताल में साध्वियों को देखकर तुम्हारे मन जो कुविचार उत्पन्न हुए वे सरासर गलत तथा तुम्हारे शंकालु मन में की उपज हैं। बेड पर पड़ी साध्वी किसी शारीरिक कष्ट में ही वहाँ पहुँची होगी। लेकिन तुमने उसे अकेले नहीं पाया होगा। इलाज के लिए जब भी कोई साध्वी अस्पताल जाती है तो उसके सहयोग और सुरक्षा में एक-दो साध्वियाँ निश्चय ही साथ होती हैं।

"शेषाद्रि जिस साध्वी का ऑपरेशन करा रही थी, वह रूपा थी। उसके अपेण्डिसाइटिस का कारगर इलाज ऑपरेशन ही था। वह ऑपरेशन मेरी जानकारी में रहा है। बगैर जाने तुमने उस ऑपरेशन को लेकर भी अपने मन में सन्देह कायम कर लिया।

"अब स्कूल के बारे में भी अपने दिमाग में जो कचरा तुमने भर रखा है उसे भी निकाल दो लोक। ऐसी ओछी समझ के साथ किसी संस्था का तुम आकलन नहीं कर सकते। अस्पताल की ही तरह आश्रम के श्रद्धालुओं और भक्तों की माँग तथा प्रबल इच्छा पर ही आश्रम में स्कूल कायम हो सका है। आश्रम में आनेवाले अनेक भक्त परिवार अपने बाल-बच्चों के साथ आते रहे हैं। इस सम्बन्ध में वे अक्सर अपनी यह चिन्ता व्यक्त करते रहे कि बाहर के स्कूलों में अंग्रेज ी माध्यम की शिक्षा से उनके बच्चे बर्बाद हो रहे। हिन्दी माध्यम में भारतीय नैतिकता, आर्दश, मर्यादा और बेहतर जीवन-मूल्यों से जुड़ी शिक्षा होनी चाहिए जो हमारी गुरुकुल की परम्परा का विकसित रूप हो। श्रद्धालुओं की ऐसी प्रतिक्रियाओं, इच्छाओं और अपेक्षाओं ने ही आश्रम में स्कूल को साकार किया। तुम्हारे छिद्रान्वेषी दिमाग को लगता है कि सुन्दर, युवा और तेज-तर्रार छात्राओं को साध्वी के रूप में प्राप्त करने के लिए मैंने आश्रम में स्कूल कायम कर रखा है। लेकिन ऐसी कुत्सित सोच मेरी हो ही नहीं सकती लोक। तुमने इस आश्रम के हेड के रूप में मुझे देख कर मेरे बारे में ऐसी गलत धारण क्यों बना ली है। आश्रम के विभिन्न विभागों में नियुक्तियों की आवश्यकताओं के तहत आयोजित प्रतियोगिताओं में अगर आश्रम के स्कूल की कुछ छात्राएँ आ गयी हैं तो यह उनकी योग्यता, क्षमता और प्रतिभा का परिणाम है।

"यह मात्र संयोग भी है। इस दौरान बाहर के युवा भी पर्याप्त मात्रा में आश्रम के विभिन्न कार्यों से जुड़े हैं। जहाँ तक आश्रम के भक्तों और श्रद्धालुओं के परिवार के लिए इस स्कूल के आरक्षित होने की बात तुम मानते हो तो इस सच को भी जान लो कि जिन भक्तों और श्रद्धालुओं के सहयोग से यह स्कूल कायम हुआ है उनके बच्चों के नामांकन की हमारी पहली और नैतिक प्राथमिकता रही है। ऐसे में उनके बच्चों से ही स्कूल की संख्या पूरी हो जाती है। तो फिर बाहरी छात्रों के नामांकन का प्रश्न ही कहाँ उठता है? बेहतर शिक्षा की व्यवस्था के लिए स्कूल का संचालन आवासीय रखा गया है, छात्रों-छात्राओं को आश्रम का भक्त बनाने के लिए नहीं। शायद यही वजह है कि स्कूल के अनेक छात्र-छात्राएँ देश-विदेश के विभिन्न पदों पर अपनी प्रतिभाओं की वजह से कायम हैं और आश्रम के स्कूल का नाम रौशन कर रहे हैं। तुम चाहो तो स्कूल प्राचार्य के यहाँ वैसे छात्रों की सूची देख सकते हो...।

"तुमने हमारे लेखा-विभाग पर भी सन्देह कायम किया है। लेकिन तुम्हारा वह सन्देह भी भ्रामक, निराधार और मिथ्या है। यहाँ आश्रम का हर निर्माण आश्रम के भक्तों और श्रद्धालुओं की इच्छाओं के अनुरूप उनके सहयोग से ही हुआ है। बाहर से आनेवाले भक्त और श्रद्धालु आश्रम के अस्पताल, स्कूल और प्रकाशन-गृह तक ही अपनी जिज्ञासा सीमित रखते हैं। उन्हें ही देखना-जानना चाहते हैं। इस दृष्टि से

उन पर नाम का अंकित होना आवश्यक है। लेकिन लेखा-विभाग से उन्हें कोई मतलब नहीं। तुम्हारे सिवा हमारे लेखा-विभाग की जानकारी लेने कभी कोई और पहुँचा भी नहीं। वह तो आश्रम का आन्तरिक विभाग है। आश्रम के आय-व्यय से उसका सम्बन्ध रहता है। आगन्तुकों और भक्तों को उससे क्या मतलब?

''लेखा-विभाग के बेहतर संचालन के लिए जगेश्वरानन्द जैसे सक्षम और समर्पित व्यक्ति के चुनाव को भी तुमने सन्देह की दृष्टि से देखा है। तुम्हें यह मेरी चतुरता जान पड़ी है। लेकिन मेरी यह चतुरता तुम्हें गलत क्यों लगी, लोक? हर आदमी यह चाहता है कि उसके साथ काम करनेवाला व्यक्ति ईमानदार, कर्मठ और समर्पित हो। लेखा-विभाग में कार्यरत स्वस्थ, सुन्दर और तेज-तर्रार साध्वियों के होने से जगेश्वरानन्द को शादी की आवश्यकता नहीं रही, तुम्हारा यह आरोप भी सरासर गलत, बेबुनियाद और दुष्प्रचार से भरा है। हमारे यहाँ की किसी साध्वी और स्वामी का गलत सम्बन्ध जब तुम नहीं बता सकते तब फिर ऐसा निकृष्ट आरोप लगाने का तुम्हें कोई अधिकार नहीं लोक।

''प्रकाशन विभाग की ऋचा को लेकर भी अपने मन का यही निकृष्ट विचार तुमने व्यक्त किया है। शास्त्र निपुण ऋचा के ज्ञान ने तुम्हें आकृष्ट किया। लेकिन उसके रूप और यौवन पर तुम आकृष्ट रहे। अपने मन का यही विकार तुम मुझ पर भी थोप रहे हो कि जब ऋचा के साथ चन्द समय की उपस्थिति तुम्हें विचलित करती रही तो फिर उसके साथ घण्टों बैठकर 'मुक्त लोक भारती' के सम्पादन के तहत मैं उससे वंचित कैसे रह सकता! आश्रम की स्त्रियों, साध्वियों को लेकर तुम्हारी राय से अब यह बात स्पष्ट हो चुकी है कि तुम स्त्री को भोग्या मानते हो, भोग-विलास की सामग्री भर। इसलिए जहाँ कहीं भी उन्हें देखते हो तो उनके आस-पास के पुरुषों की भोग्या के रूप में ही उन्हें समझते हो।

''लेकिन मेरा दृष्टिकोण ऐसा संकीर्ण नहीं लोक। स्त्री को मैं आदि शक्ति के रूप में देखता हूँ। कुशल सहयोगी, सहायक और सलाहकार के रूप में। इस मामले में तुम्हारा दृष्टिकोण बिल्कुल भोगवादी और सामन्ती है...।

'मुक्त लोक भारती' के प्रकाशन पर भी तुम्हारी राय से मैं सहमत नहीं। तुम तो स्वयं प्रोफेसर एवं लेखक हो फिर यह कैसे भूल जाते हो कि प्रकाशन के लिए विषय नये नहीं होते, उनकी अभिव्यक्ति के तरीके नये होते हैं। प्रेम, घृणा, क्रोध, युद्ध, शान्ति जैसे विषय मुद्दतों से हमारे बीच कायम हैं। लेकिन देश-काल के परिप्रेक्ष्य में अपनी समझ और अपनी रचना-प्रक्रिया के तहत लोग इस पर अलग-अलग लिखते रहे हैं। हम भी 'मुक्त लोक भारती' में ऐसा कर सकते थे। लेकिन अपने आर्ष ग्रन्थों के श्रेष्ठ, अनुकरणीय और बेहतर अंशों को निरन्तर देते रहना हमने आवश्यक समझा

है, क्योंकि हमारे आर्ष ग्रन्थो में जो ज्ञान भरा है लोग उसे पढ़ कहाँ पाते हैं? पत्रिका रूप में उसके सारतत्त्व से अवगत होते रहें तो इससे अच्छा क्या हो सकता है...? ''मुक्त लोक भारती'' के पाठक उसके हर अंक की सामग्री को संग्रहणीय, अनुकरणीय और प्रेरणादायक मानते हैं। हमारे लिये ऐसी प्रतिक्रियाएँ ही मार्गदर्शन का कार्य करती हैं...। पाठकों की माँग के अनुसार 'मुक्त लोक भारती' की प्रसार संख्या हम बढ़ाते आ रहे हैं। आगे भी हमें इसे बढ़ाते ही जाना है...।

''तुमने मेरी आत्मकथा को भी धार्मिक अन्धविश्वास बढ़ानेवाली कृति करार दिया है। पढ़नेवाले की श्रद्धा-भक्ति अपने प्रति कायम करने का मैंने प्रयास किया है। तुम्हारा यह आरोप भी पूर्वाग्रह से प्रेरित है और मेरी कृति का नकारात्मक आकलन है। मैंने जिस जीवन-यथार्थ का सामना किया, जिन अनुभूतियों से रू-ब-रू हुआ, अगर उसे शब्द दे दिया तो इसमें गलत क्या किया? तुम पहले आदमी हो जिसने उस कृति पर ऐसी आपत्तिजनक प्रतिक्रिया दी है। पाठकों के बीच तो वह कृति इतनी लोकप्रिय है कि निरन्तर उसका पुनर्मुद्रण चलता रहता है...।''

''आश्रम की गोशाला का दूध हम चन्द आश्रमवासियों, आयुर्वेदिक औषधि केन्द्र तथा आश्रम सेवकों तक ही क्यों जाता है, तुम्हारे इस निरर्थक प्रश्न का मैं क्या जवाब दे सकता हूँ? गायों की संख्या पर ही दूध की आपूर्ति निर्भर करती है। जब हमारी गोशाला विस्तृत और पर्याप्त स्वरूप ग्रहण कर लेगी तब सहज ही पूरे आश्रम में दूध की आपूर्ति शुरू हो जायेगी।''

''वैद्य सुकण्ठ शरण से तुम्हारे बारे में मुझे पहले ही जानकारी मिल चुकी थी लोक। सुबह की सैर के तहत जिस दिन वैद्य सुकण्ठ शरण से तुम्हारा तीखा संवाद हुआ था, उसी दिन उसकी जानकारी वैद्य सुकण्ठ शरण ने मुझे दे दी थी। अपनी जानकारी के तहत तुम अपने को सही समझ रहे हो, लेकिन वैद्य सुकण्ठ शरण भी अपनी जगह सही हैं। तुम्हें लगता है, आश्रम की औषधियों को भगवान् का प्रसाद मानकर लोग लेते हैं। लेकिन ऐसा नहीं है।''

''आश्रम में उपजायी जड़ी-बूटियों को लेकर आश्रम की औषधियाँ इतनी कारगर और लाभप्रद होती हैं कि इसका उपयोग करनेवाले व्यक्ति स्वयं इसके प्रचारक बन जाते हैं।''

''तुम्हारा आरोप हमारे आश्रम सेवकों को लेकर भी है। हमारे आश्रम सेवकों को तुम जिस शक की निगाह से देख रहे हो और उनकी भूमिका को सन्दिग्ध मान रहे हो, तुम्हारी वह धारणा भी बिल्कुल गलत और वहमपूर्ण है। सामान्य-से-सामान्य नागरिक भी अपने घर-परिवार की सुरक्षा का इन्तजाम रखते हैं, फिर एक बड़े आश्रम

के लिए अगर कुछ सेवकों को तैनात किया गया है तो इसमें गलत क्या है? हमारे आश्रम सेवक कहीं से भी सैनिक नहीं, सच्चे अर्थों में सेवक हैं। आश्रम में जहाँ कहीं भी सेवा और सहयोग की जरूरत होती है, वहाँ हमारे आश्रम सेवक तत्क्षण पहुँच जाते हैं। सेवा को ही वे अपना धर्म मानते हैं। त्याग और सेवा भाववाले युवक ही आश्रम सेवक बनते हैं। उनसे सम्बन्धित कमरों में जो बन्दूकें तुम्हें नजर आती हैं वे सभी लाइसेन्सी बन्दूकें हैं। एक भी बन्दूक बिना लाइसेन्सी नहीं। हमारा किसी से विरोध नहीं। हमें किसी से लड़ना भी नहीं। बस, आश्रम की रक्षा के लिए हमने ऐसा किया है...।''

''हमारे आश्रम को जानने और विभिन्न क्षेत्रों में इसके निर्माण से अवगत होने के बाद तुम्हें लगता है कि अपने एक अकेले के लिए मुझे यह सब नहीं करना चाहिए था। मेरा परिवार होता तथा देश और समाज के लिए मैं ऐसा करता तो ठीक था। लेकिन क्या यह आश्रम मेरा परिवार नहीं है लोक? तुम्हारी दृष्टि में परिवार का जो दायरा है, मेरी दृष्टि में वह उस तरह सीमित नहीं है। तुम जिसे देश और समाज की सेवा समझते हो तो क्या इस आश्रम के रूप में मैं देश और समाज की सेवा नहीं कर रहा? यह मानने से तो तुम भी इनकार नहीं कर सकते कि आश्रम में आने जानेवाले चोर-उचक्के नहीं होते। जिस सद्ज्ञान, सद्‌आचरण और सद्विचार के लिए वे यहाँ आते हैं, उससे सम्पन्न होकर ही यहाँ से जाते हैं। दुःखी, पीड़ित, उपेक्षित और जीवन को लेकर भटकते लोगों का आश्रय स्थल है यह आश्रम। बाहर के समाज में जाति-पाँति, ऊँच-नीच, अमीर-गरीब आदि का भेद तुम पाओगे लोक, लेकिन यहाँ आश्रम में ऐसा तुझे कहीं प्रतीत नहीं होगा।

''आश्रम प्रमुख के रूप में अपनी जानकारी के तहत तुम्हारे प्रश्नों का मैंने जवाब दे दिया। अब तुमसे मैं भी एक प्रश्न कर रहा हूँ, जब मेरी भूमिका प्रारम्भ से अन्त तक तुम्हें सन्देहास्पद लगती है तो बस इतना बता दो कि इस आश्रम में कुछ समय व्यतीत करने और पूरे आश्रम में घूम-घूमकर इसे जानने-समझने के बाद क्या एक भी व्यक्ति, चाहे वह स्वामी हो या साध्वी तुम्हें ऐसा मिला है, जिसे मुझको लेकर कोई शिकायत हो? कोई आपत्ति हो? अगर इस आश्रम में ऐसे किसी एक व्यक्ति को भी तुम चिह्नित कर मुझे बता दोगे तो तुम्हारी बात मैं मान जाऊँगा।''

इतना सुन लोकचन्द भी अब अपने को रोक नहीं सके – ''मैं तुम्हारे इस प्रश्न को समझ रहा हूँ सुकेश। अपने भोग को निर्विघ्न कायम रखने के लिए तुम किसी भी तरह के दबाव एवं ज्यादती का सहारा नहीं लेते हो। अपने मातहतों का मानसिक परिवर्तन करते हुए उन्हें अत्यधिक सुख-सुविधा प्रदान करते रहते हो। ऐसा कर अपने प्रति उन्हें समर्पित बना लेते हो। फिर तुम्हारी इच्छा को ही वे

सर्वोपरि मानने लगते हैं। तुम्हारी खुशी में ही अपनी खुशी देखने लगते हैं। ऐसे लोग विरोध नहीं कर सकते सुकेश। लेकिन गलत प्रक्रिया ही गलत नहीं होती, गलत परिणाम भी गलत होता है...।"

"तुम जिसे गलत परिणाम समझ रहे हो लोक, वह तुम्हारी दृष्टि का भ्रम है। हमारे यहाँ परिणाम में कुछ भी गलत नहीं। सही और गलत के फर्क का नैतिक विवेक मेरे पास है।"

"ठीक है सुकेश। अगर तुम्हें लगता है कि यह सब-कुछ सही है तो फिर मुझे क्या आपत्ति हो सकती है? एक मित्र के रूप में तुम्हारी इस दुनिया को लेकर जो शंका मेरे मन में कायम हुई, उससे तुम्हें अवगत करा देना मुझे आवश्यक जान पड़ा। हालाँकि मैं जानता था, तुम अब अपनी इस दुनिया से अलग नहीं हो सकते...।"

यह सुन सुकेश ने भी करारा जवाब देते हुए कहा – "इस पर अब मैं तुम्हें यही कहना चाहूँगा लोक कि हमारे हाथ में कुछ नहीं होता। ईश्वर हमसे जब और जो कराना चाहता है, वही कराता है। अब तुम ही जो प्रोफेसर और लेखक बने हो तो क्या तुम स्वयं चाहकर ऐसा बने हो? प्रोफेसर और लेखक के अतिरिक्त तुम कुछ और भी तो बन सकते थे। लेकिन नियति को जो तुम्हें बनाना था, उसी ओर तुम्हारे प्रयास को उसने उन्मुख कर दिया।"

"यह उलझानेवाली बातें हैं सुकेश। मनुष्य को भाग्यवादी बनानेवाली। जीवन को कर्म और यथार्थ से काटनेवाली। ऐसी ही बातें कहकर भोले श्रद्धालुओं को तुम लोग अपना भक्त और अनुयायी बनाते हो।"

"नहीं, लोक। यह उलझाने और भरमानेवाली बातें नहीं हैं, सत्य का अनुसन्धान करानेवाली बातें हैं। कर्त्ता का अहंकार ही यह मान बैठता है कि उसने स्वयं किया। तुम गीता को तो नहीं नकार सकते। उसमें स्पष्ट कहा गया है कि मनुष्य तो निमित्त मात्र है, कर्त्ता कोई और है। वह जिससे जो कराना चाहता है उससे वही कराता है।" इसी बात को मानस में तुलसीदास ने भी कहा है –

"जेहि जस रघुपतिकरहीं जब सो तस तेहि छन होइ।।'

"अपने कार्य के समर्थन में तुमने गीता और रामचरितमानस का उदाहरण दे दिया। लेकिन संत महात्माओं को कैसा होना चाहिए इस पर रामचरितमानस की यह बात तुम भूल कैसे जाते हो –

"साधु चरित सुभ चरित कपासू। निरस बिसद गुनमय फल जासू।
जो सहि दुख परछिद्र दुरावा। बन्दनीय जेहिं जग जस पावा।।"

“मैं इस बात को भी भूला नहीं हूँ, लोक। आश्रम की सुख-सुविधाओं को देखकर तुम इसमें मुझको लिप्त मत समझो। यहाँ मेरी उपस्थिति समझने के लिए तुम मानस की ही इस पंक्ति को ध्यान में रख सकते हो –

“जड़ चेतन गुन दोषमय बिस्व कीन्ह करतार।
संत हंस गुन गहहिं पय परिहरि बारि बिकार।।”

“ठीक है सुकेश। तुम ऐसा मत समझो कि तुम्हारी बातों को मैं सिरे से नकार रहा। तुम्हारे परिवेश और तुम्हारी स्थिति ने मेरे मन में जो शंकाएँ पैदा कीं एक मित्र के रूप में उससे तुम्हें अवगत करना मुझे आवश्यक प्रतीत हुआ। वैसे मैं जानता हूँ कि बिना अभियोग साबित हुए किसी को अभियुक्त नहीं कहा जा सकता। जिस किसी विषय के विरोध में जितने तर्क दिये जा सकते हैं, उस विषय के पक्ष में भी उतने ही तर्क सम्भव होते हैं। इस विषय में मुझे कुछ और नहीं कहना सुकेश। जो कहना था, कह दिया। तुमसे मिलना भी हो गया। अब मुझे इजाजत दो।”

“इतनी जल्दी में क्यों हो लोक? अभी मैं तुम्हें जाने को नहीं कह सकता। तुम्हारे सिवा कोई और नहीं जो इस तरह गलत पक्ष से मुझे आगाहकर सके। तुम यह हर्गिज मत समझना कि तुम्हारी बातों से मैं तुम्हें अपना विरोधी समझने लगा हूँ। सच तो यह है कि तुमने मेरे लिये और मेरे पक्ष में इतना सब कहा है। फिलहाल तुम्हारे सिवा मेरे परिजनों में और कोई बचा भी तो नहीं है। तुम मेरे वह बाल सखा हो जिसका स्थान कोई कभी नही ले सकता लोक। मैं कुछ भी भूला नहीं हूँ। अब मेरे लिये तुम्हें यहाँ अक्सर आना है। फिलहाल तुम पहली बार आये हो, इसलिए अभी और कुछ दिन रुक जाओ। परसों ‘गुरु जयन्ती’ है। अगले माह ‘ज्ञान यज्ञ’ का आयोजन है। इन आयोजनों पर भी मैं तुम्हारी राय जानना चाहूँगा।”

“यह ‘गुरु जयन्ती’ और ‘ज्ञान यज्ञ’ क्या है सुकेश?”

“जिस दिन यहाँ शिव-मन्दिर की स्थापना हुई लोक और मेरा आवास यहाँ निर्धारित हुआ, उसी तिथि को मेरे भक्त और श्रद्धालु ‘गुरु जयन्ती’ मनाने लगे। फिर हर वर्ष उस तिथि को ‘गुरु जयन्ती’ का आयोजन करने लगे। इससे अलग ‘ज्ञान यज्ञ’ मानव मात्र के कल्याण और विश्वशान्ति के लिए किया जाता है। इसका भी आयोजन आश्रम में हर वर्ष होता है। देश-विदेश के विद्वान् इसमें भाग लेते हैं तथा अनेक कुण्डों में आहुतियाँ दी जाती हैं। आश्रम के अन्दर ही उत्तर दिशा में यज्ञ के विस्तृत और विशाल मण्डप बने हैं। हर वर्ष उनका नवीकरण किया जाता है। अभी उनके नवीकरण पर काम चल रहा है। शायद उस ओर तुम्हारा जाना नहीं हो सका। वह स्थल भी देख लो लोक। आश्रम के विस्तार का वह अन्तिम छोर है...।”

“मैं अगले माह तक तो नहीं रुक सकता सुकेश। हाँ, तुम्हारा मन रखने के लिए परसों तक रुक जाऊँगा। मुझे भी अपना उपन्यास पूरा करना है और घर भी जाना है। घर से कई बार फोन आ चुका...।”

“चलो अच्छा, परसों तक रुक रहे हो, यह जानकर मुझे खुशी हुई। लेकिन अब तुम्हें अक्सर यहाँ आना है। तुम्हारे इस मित्र को तुम्हारी प्रतीक्षा रहेगी...।”

“ठीक है सुकेश। समय के अनुसार आता रहूँगा। वैसे भी हरिद्वार मेरा प्रिय स्थल रहा है...।” इसके बाद लोक अपने आवास जाने के लिए उठ खड़े हुए। इस बार उन्हें विदा होते हुए सुकेश ने बाँहों में भर लिया। इस क्षण दोनों की आँखें पूर्व मित्रता के ताजे एहसास से छलछला आयीं...।

9

इस बार अपने मित्र सुकेश से मिलने के बाद लोकचन्द के मन में बचपन की वह घनिष्ठ मित्रता ताजा हो गयी। उस मित्रता के आत्मीय एहसास से उनका मन भर आया। सुकेश भी कहीं से बदला नहीं। उसे भी उस मित्रता का वैसा ही एहसास है। समय के लम्बे अन्तराल और परिवर्तित स्थितियों के चलते सहज होने में उसे समय लगा। इस बीच उसने जाँच-परखकर देख भी लिया। बचपन की उस मित्रता की गोपनीयता लोकचन्द ने कहीं भी भंग नहीं की। सिर्फ अपने दोनों तक ही सीमित रखा। शायद यही वजह है कि सुकेश अपनी पूर्व जमीन पर वापस आ गया। उन्हें विदा करते हुए जिस तरह वह आर्द्र हो आया, उनकी बातों को अपना विरोध न मान अपने भले के लिए सुझाव समझा। उसकी वह आत्मीयता लोकचन्द के मन-मस्तिष्क पर अब छायी रही। सुकेश से मिलकर अपने आवास आने तथा रात्रि भोजन के बाद बिस्तरे पर लेटने तक उस स्नेह में वे आकण्ठ डूबे रहे। चाहते हुए भी जल्द सो नहीं सके। उनका मित्र सुकेश परिस्थितियों के तहत जहाँ और जिस रूप में पहुँच चुका है वहाँ उसका फँसना निश्चय है। कभी ऐसी स्थितियों में लोग बेदाग बच जाते थे। तब वह समय मीडिया की व्यापक पकड़ और सूचना क्रान्ति का नहीं था। तब बड़ी-से-बड़ी घटनाएँ-दुर्घटनाएँ गुमनामी में खो जाती थीं। लेकिन अब कहीं कुछ छिपने-छिपाने का समय नहीं रहा। कौन कहाँ क्या कर रहा है, इसका खुलासा भनक लगते ही हो जाता है। उनका मित्र सुकेश जहाँ पहुँच चुका है, वह किसी चक्रव्यूह से कम नहीं। लेकिन अभिमन्यु की तरह उस चक्रव्यूह से वापस आना उसके लिए अब सम्भव नहीं। अपने प्रयासों के तहत उसे लगता है कि उसे बेदाग बचे रहना है। लेकिन सुन्दरी साध्वियों का सम्पर्क-संसर्ग कब, कहाँ और

कौन-सा मोड़ ले लेगा, कोई नहीं जानता। स्त्री-पुरुष के अनाम सम्बन्धों की सीमाएँ और उसकी परिणतियाँ सीमित भी तो नहीं होतीं। अच्छा था, सुकेश को वे भूल गये थे। उसके नहीं रहने की पीड़ा से बीतते समय के अनुसार उबर चुके थे। अब फिर उसे इस तरह घिरे देख एक अनाम और आत्मीय चिन्ता से वे परेशान हो उठे। सुकेश की बातों से उन्हें लग चुका है कि वहाँ से उसकी वापसी अब सम्भव नहीं। 'गाइड' और 'देवी' फिल्मों तथा धर्मग्रन्थों के उद्धरणों से वह यह कह चुका है कि अपने स्वयं के प्रयास से नहीं, लोगों की श्रद्धा और विश्वास ने उसे वहाँ तक पहुँचाया है। वैसे श्रद्धालु और भक्त अब उसे वापस होने नहीं दे सकते। लेकिन उसका यह तर्क भी उचित नहीं। जब आदमी ठान ले कि उसे यह करना है तब कोई भी व्यवधान आड़े नहीं आ सकता। जब अपना राज-पाट, घर-परिवार तथा पत्नी और बेटे को छोड़कर मुक्त होते गौतम बुद्ध को कोई रोक नहीं सका, तब एक आश्रम के गुरु और स्वामी की महन्थी को आदमी क्यों नहीं छोड़ सकता। यहाँ से जाने से पूर्व सुकेश को एक बार फिर उन्हें समझाना है। अपने स्तर से प्रयास करना है। ऐसे मित्र को भँवर में नहीं छोड़ना है। इन्हीं चिन्ताओं के बीच लोकचन्द सारी रात कभी जागते तो कभी सोते रहे। उन्हें पता ही नहीं चला कि कितनी देर सोये और कितनी देर जागते रहे...।

सुबह अपने दैनिक कार्यों से निपटकर लोकचन्द समाचार-पत्र पढ़ने लगे। समाचारों के अवलोकन के बाद डायरी लेखन की उनकी योजना थी। लेकिन ठीक इसी वक्त उनके आवास के पास एक खूबसूरत लग्जरी कार आकर रुक गयी।

कार से निकलकर लगभग तीस-पैंतीस वर्ष का एक सुडौल नौजवान उनके दरवाजे आ खड़ा हुआ – "जै गुरुदेव श्रीमान् जी। गुरु महाराज की आज्ञा से आपके दर्शनार्थ पहुँचा हूँ...।"

"अन्दर आ जाओ युवक। क्या सन्देश है?"

अब वह युवक अन्दर आया। फिर लोकचन्द के संकेत पर सोफे के एक किनारे रखे स्टूल पर बैठ गया। अब लोकचन्द पूछ उठे –

"क्या कहा है गुरु महाराज ने?"

"आपको यज्ञ-स्थल घुमाने की आज्ञा मिली है श्रीमान् जी।"

"तुम्हारा परिचय युवक?"

"मेरा नाम उदय नन्दन सागर है। मैं गुरु महाराज का ड्राइवर हूँ।"

"कितने वर्ष से गुरु महाराज के ड्राइवर हो?"

"पन्द्रह वर्ष से अधिक समय हो गया श्रीमान् जी।"

"उस वक्त तो तुम्हारी उम्र छोटी होगी। तो क्या छोटी उम्र से ही ड्राइवरी का कार्य कर रहे हो?"

"हाँ श्रीमान् जी। यहाँ आश्रम में आने के बाद ड्राइवरी सीखा...। और गाड़ी चलाने लगा...।"

"यहाँ कब, कैसे और कहाँ से आये?"

"हमें अपना अतीत नहीं बताना होता है श्रीमान् जी। हम जिस दिन से इस आश्रम के लिए जीवनदानी होते हैं, उसी दिन से हमारा यह नया जन्म हो जाता है। इसके बाद पिछले जन्म को हमें भूलना पड़ता है। लेकिन गुरु महाराज से मुझे पता चल गया है, आप उनके अत्यन्त विश्वस्त, निकटतम और अभिन्न शिष्यों में से हैं। गुरु महाराज ने मुझे कहा है कि श्रीमान् जी को मेरा ही 'प्रतिरूप' समझना। इस स्थिति में मैं आपसे कुछ भी गोपनीय नहीं रख सकता। आपसे पहले अब तक गुरु महाराज ने किसी को भी अपना इतना आत्मीय नहीं बताया था...।"

"ठीक है उदय। तुम्हारे जैसे युवक को देखने और गुरु महाराज के ड्राइवर होने की जानकारी ने तुम्हारे बारे में मेरी जिज्ञासा बढ़ा दी है।"

"मेरा परिचय कुछ खास नहीं है श्रीमान् जी। किसी धार्मिक आधार और विश्वास के तहत मैं यहाँ नहीं पहुँचा। मैं तो इस आश्रम को जानता भी नहीं था। उस वक्त मैं विवश-लाचार एक बेसहारा लड़का था। मेरी स्थिति अत्यन्त दुःखी, पीड़ित और अभावग्रस्त थी। वह मेरे बचपन का समय था। उस वक्त मैं मध्य प्रदेश के अपने गाँव में अपने चाचा लोगों के साथ रहता था। अपने परिवार का मैं अभागा बालक था। छह-सात साल का था तभी मेरी माँ गुजर गयी थी। पिता जी बताते थे कि वह मेरे जन्म के बाद से ही बीमार रहने लगी थी। फिर चौदह-पन्द्रह वर्ष की मेरी अवस्था होने तक मेरे पिता जी का भी निधन हो गया। उन्हें टी. बी. की बीमारी थी। लेकिन मेरे चाचाओं ने इलाज में तत्परता नहीं बरती। झाड़-फूँक से ही काम चलाते रहे। पिता जी के निधन के बाद अब अपने चाचाओं की मर्जी के अनुसार ही मुझे रहना पड़ता था। मेरे दो चाचा थे। इस स्थिति में उन्होंने सबसे पहले मेरी पढ़ाई छुड़ा दी। उस वक्त अपने गाँव के स्कूल में मैं आठवीं कक्षा का छात्र था। पढ़ाई छुड़ा कर चाचा लोगों ने मुझे कृषि कार्य में लगा दिया। हमारी संयुक्त की खेती थी। अपने बच्चों की तुलना में चाचियाँ मुझे निरन्तर खटाने लगी थीं। उसी वक्त चाचाओं को यह बात भी सताने लगी थी कि मेरी वजह से भविष्य में खेती के तीन टुकड़े होंगे। अगर मैं नहीं रहता तो सिर्फ दो ही टुकड़े होते। बस, मुझे हिस्सेदारी से हटाने के लिए वे साजिशरत हो गये। जिस रात मुझे खत्म कर खेतों की हिस्सेदारी से सदा के लिए

हटा देने की उन्होंने योजना बनायी, उसकी भनक मुझे लग गयी। शायद भगवान् मुझे बचाना चाहते थे। बस, उसी शाम मैदान जाने के बहाने मैं गाँव से बाहर निकला और सीधे उत्तर दिशा की ओर भागता चला गया। मेरे माँ-पिता जी भगवान् शिव के भक्त थे। पिता जी बताते थे कि भगवान् शिव उत्तर दिशा में हिमालय पर्वत पर रहते हैं। इसीलिए मैं उत्तर दिशा की ही ओर भागता चला गया। अपने प्राणों पर संकट देख मैं सारी रात भागता रहा। सुबह होने तब जब मैं थककर चूर हो गया और अब और भाग सकना मेरे वश में नहीं रहा तब पास से गुजर रही एक सड़क पर पहुँच कर हाथ फैलाये खड़ा हो गया। उस वक्त बेतरह थकान के साथ मुझे जोरों की भूख भी लगी थी। इस क्षण अब राहगीरों की प्रतीक्षा में मेरा मन बेचैन था। शायद उनसे कुछ खाने को पा सकँ। ऐसे में उस सड़क से गुजरती एक चमचमाती कार मेरे समीप आकर रुक गयी। शायद कार सवार को मुझ पर तरस आ गयी थी। कार से उतर कर मेरा मुआयना करते हुए उन्होंने कहा –

"तुम माँगने – खानेवाले लड़के तो नहीं लग रहे हो। फिर इतना सवेरे! यहाँ इस स्थिति में?"

जवाब में मैंने सिर्फ इतना ही कहा – "मुझे कुछ खाने को दे दो साहब। बड़ी भूख लगी है...।"

इस पर उन्होंने पूछा –

"कहाँ के हो? तुम्हारे माँ-बाप क्या करते हैं?"

इस पर मैंने बता दिया – "मेरे माँ-बाप नहीं हैं साहब।"

यह सुन वे मेरे और निकट आ गये – "तुम्हें खाना, कपड़ा सब मिलेगा। तुम कौन-सा काम कर सकते हो?"

"मुझे जो काम दोगे साहब, सब कर लूँगा...।"

इसके बाद उन्होंने मुझे गाड़ी में बैठा लिया। फिर जब इस आश्रम में लेकर वे आये तब मुझे पता चला कि वे स्वामी जगेश्वरानन्द थे। सुबह-सुबह त्रिशूलपुरम् आश्रम से मुक्त लोक आ रहे थे। यहाँ आश्रम में आने पर न सिर्फ मुझे खाना-कपड़ा मिला, बल्कि मेरी अवस्था, मेरा रंग-रूप और मेरी कद-काठी देख गुरु महाराज भी मुझ पर द्रवित हो उठे। फिर मैं गुरु महाराज की सेवा में लगा दिया गया। अभी आश्रम में मेरा सिर्फ एक वर्ष ही व्यतीत हुआ था कि गुरु महाराज ने मेरी काबिलियत लक्ष्य कर मुझे ड्राइविंग का प्रशिक्षण दिलवा दिया। उसके बाद से गुरु महाराज के साथ ही मेरा रहना होने लगा श्रीमान् जी। अब तो मेरे माँ-बाप, सब-कुछ गुरु महाराज ही हैं। मेरा घर-परिवार यह आश्रम ही है...।

"उसके बाद फिर कभी तुम अपने गाँव जा सके या नहीं...?"

"नहीं श्रीमान् जी। किसी दुःस्वप्न की तरह अपना वह अतीत तो मैं भूल चुका हूँ...।"

"तब तो तुम्हारे साथ गुरु महाराज ने अच्छा किया, जबकि यह आश्रम बड़े-बड़े नेताओं, मन्त्रियों, धन्ना सेठों और आला अफसरों का ही अड्डा रहा है...।"

"नहीं, नहीं, श्रीमान् जी। ऐसा हर्गिज नहीं है। वे बड़े लोग सिर्फ गुरु महाराज का आशीर्वाद पाने आते हैं, यहाँ के स्थायी रहवैये नहीं बनते। यहाँ जो जीवनदानी हैं, जो आश्रम के कार्यकर्त्ता और स्थायी वाशिन्दे हैं वे घर-परिवार और समाज से बहिष्कृत दुःखी-पीड़ित लोग ही हैं।"

"लेकिन यहाँ आश्रम में उनसे काम भी तो खूब लिया जाता है...।"

"नहीं श्रीमान् जी। किसी की इच्छा के खिलाफ यहाँ कोई काम नहीं लिया जाता। यहाँ के लोग स्वयं आश्रम के प्रति समर्पित हो जाते हैं, क्योंकि आश्रम से ही उन्हें नया जीवन प्राप्त होता है। वे जान जाते हैं कि उनके लिए इस आश्रम से बढ़ कर दूसरी जगह है ही नहीं। इस स्थिति में इस आश्रम के विकास और खुशी को ही वे अपनी खुशी मानने लगते हैं...।"

"यह तो आपके गुरु महाराज बहुत अच्छा कर रहे हैं।"

"अच्छा ही नहीं कर रहे श्रीमान् जी। हमारे गुरु महाराज साक्षात् भगवान् हैं। किसी इन्सान में ऐसी सामर्थ्य कहाँ जो बदतर स्थिति में पड़े किसी व्यक्ति को बेहतर जीवन प्रदान कर सके। यह तो सिर्फ भगवान् ही करते हैं...। और इस आश्रम में हमारे गुरु महाराज ऐसा ही करते रहे हैं...।"

लोकचन्द को लगा, इस सम्बन्ध में उदय नन्दन से अब और बातचीत उचित नहीं। वैसे भी उनका उद्देश्य ऐसे विषय पर उदय नन्दन जैसे लोगों से विमर्श नहीं। उन्हें जो कुछ कहना है अपने मित्र सुकेश से पुनः-पुनः कहेंगे। उसे आगाह करते रहेंगे...।

"ठीक है उदय नन्दन। चल कर अब यज्ञ-स्थल भी देख लिया जाय...।"

"ठीक है श्रीमान् जी, चलिये।"

और उदय नन्दन ने आगे बढ़ कर कार का दरवाजा खोल दिया। लोकचन्द अब उसमें आराम से बैठ गये। सचमुच वह गाड़ी अत्यन्त आरामदायक थी।

"गुरु महाराज इसी गाड़ी से चलते हैं उदय?"

"हाँ श्रीमान् जी।" – और उदय ने स्वयं ड्राइवर की सीट पर कायम हो गाड़ी आगे बढ़ा दी।

यहाँ लोकचन्द अनुभव कर रहे थे कि गाँव से आया आठवीं तक पढ़ा यह लड़का इस आश्रम में रहकर कितनी समझदारी से बात कर रहा है। आश्रम के अन्दर इस मोड़ से उस मोड़ तक गुजरते लोकचन्द को ये प्रारम्भिक स्थल चिर-परिचित जान पड़ते रहे। आश्रम का मुआयना करने के दौरान इन स्थलों से वे गुजर चुके थे। लेकिन जब पूरब दिशा में आगे बढ़कर फिर उत्तर दिशा की ओर कार चल पड़ी तो लोकचन्द के लिए वह स्थल नया जान पड़ने लगा। कंकरीट की साफ-सुथरी सड़क के दोनों किनारे विस्तृत खेत। उन खेतों में गेहूँ के लहराते पौधे। वे खेत दूर-दूर तक नजर आते रहे।

"क्या ये सारे खेत आश्रम के दायरे में हैं उदय?"

"हाँ श्रीमान् जी। यह सारा विस्तृत भू-भाग हमारे आश्रम की परिधि में ही है। पहले हमारे आश्रम में इतनी जमीन नहीं थी। लेकिन लोगों की श्रद्धा और विश्वास से इसका दायरा बढ़ता चला गया। आश्रम के आसपास का भूखण्ड हमारी चहारदीवारी के भीतर आता चला गया।"

"तो क्या आसपास की जमीन लोगों ने दानकर दी, या बेची? या धार्मिक आधार पर आश्रम ने उनसे हासिल की...।"

"नहीं श्रीमान् जी। आश्रम ने किसी की जमीन धार्मिक आधार पर हासिल नहीं की। हमारे आश्रम पर आपको इस तरह का एक भी मामला नहीं मिलेगा। जमीन दान देनेवाले भी यहाँ के जमीन मालिक नहीं थे। इस क्षेत्र की जमीन परती और बंजर थी। वे खेती भी नहीं कर पाते थे। ऐसी जमीन के लिए आश्रम की ओर से उन्हें जो मुँहमाँगी रकम प्राप्त हुई, वैसी रकम कहीं और से वे पा ही नहीं सकते थे।"

"लेकिन अभी तो इस जमीन में फसलें लहलहा रही हैं। फिर यह जमीन बंजर कैसे थी?"

"कोई जमीन सदा के लिए बंजर नहीं होती श्रीमान् जी। यह उस जमीन से जुड़े व्यक्ति पर निर्भर करता है कि वह उस जमीन को किस रूप में रखना चाहता है। हमारे आश्रम में इस जमीन को खाद और पानी से सिंचित कर उर्वर बना दिया गया। अब यह वही जमीन सोना उगलती है। इसमें लहलहा रही फसलों को आप देख ही रहे हैं...।"

उन खेतों के रास्ते जब कार और आगे बढ़ी तो लोकचन्द को पीले रंग का एक सुहाना नगर प्रतीत हुआ। बस, वे पूछ उठे – "उदय, यह सामने का पीताम्बर सदृश कौन-सा नगर है? यह आश्रम के बाहर है या अन्दर?"

"यह नगर नहीं है श्रीमान् जी। यही यज्ञ-स्थल है। फूस के यज्ञ-मण्डप और हवन-कुण्ड तैयार हो रहे हैं। फूस के पीलेपन के चलते यह आपको पीला नगर प्रतीत हो रहा है। निकट पहुँचने पर आपको सब-कुछ स्पष्ट हो जायेगा।"

“लेकिन यह तो बहुत विस्तार में है उदय।”

“हाँ श्रीमान् जी। बीच में एक बड़े यज्ञ-मण्डप के चारों किनारे हजारों की संख्या में बड़े-बड़े हवन-कुण्ड। इस दृष्टि से इसे विस्तार मिलना ही है।”

जैसे-जैसे कार उस स्थल के निकट पहुँचती गयी, वैसे-वैसे फूस के कलात्मक निर्माण लोकचन्द का ध्यान आकृष्ट करते चले गये। वहाँ पहुँच कर तो लोकचन्द अभिभूत हो उठे। इतना विशाल यज्ञ-मण्डप और इतने विस्तृत हवन-कुण्ड वे पहली बार देख रहे थे। वहाँ यज्ञ-मण्डप और हवन-कुण्डों का कलात्मक निर्माण और सजावट अद्‌भुत था। बड़ी संख्या में सक्रिय कारीगर उस यज्ञ-मण्डप और हवन-कुण्डों को अन्तिम स्वरूप प्रदान करने में लगे हुए थे। फूस के वे निर्माण लोकचन्द को इतने मनोहारी प्रतीत हो रहे थे कि उनके समक्ष किसी अच्छे नगर की अट्टालिकाएँ भी ठहर नहीं सकतीं। गगनचुम्बी विशाल यज्ञशाला के चारों ओर की परिधि में बने हवन-कुण्ड अपने अनन्त विस्तार का ऐसा एहसास करा रहे थे। लोकचन्द की दृष्टि जितनी दूर तक जाती थी उन्हें सिर्फ वे कुण्ड-ही-कुण्ड नजर आते थे। उन कुण्डों के किनारे-किनारे पगडण्डी जैसा साफ-सुथरा मार्ग भी बना था। लोकचन्द को यह समझते देर नहीं लगी कि श्रद्धालुओं की परिक्रमा के लिए यह मार्ग बनाया गया है। इसी मार्ग से श्रद्धालु यज्ञ-स्थल की परिक्रमा कर सकेंगे। लेकिन लोकचन्द समझ नहीं पा रहे थे कि एक बड़ी परिधि के तहत इतने लम्बे मार्ग की परिक्रमा लोग कैसे कर पाते होंगे?

यज्ञ-स्थल के किनारे एक ऊँची जगह पर बने मण्डप के पास उदय नन्दन ने गाड़ी रोक दी – “आइये, श्रीमान् जी। इस मण्डप के चबूतरे पर बैठकर यज्ञ-स्थल का मुआयना कीजिये। गुरु महाराज या अन्य प्रबन्धक स्वामी या अतिथिगण यहीं से यज्ञ-स्थल का अवलोकन करते हैं...।”

उदय नन्दन के इस कथन के बाद लोकचन्द कार से बाहर आ गये। अब उन्हें लेकर उदय नन्दन सीढ़ियों के सहारे उस मण्डप के खूबसूरत चबूतरे पर पहुँच गये। वहाँ एक गेरुआधारी स्वामी पहले से मौजूद थे।

उन पर नजर पड़ते ही उदय नन्दन ने परिचय देना शुरुकर दिया –

“जै गुरुदेव स्वामी अमृतचन्द सागर। श्रीमान् जी गुरु महाराज के अभिन्न, बहुत पुराने और परम प्रिय शिष्य हैं। गुरु महाराज की आज्ञा से श्रीमान् जी को यज्ञ-स्थल दिखाने ले आया हूँ...।”

“स्वागत है श्रीमान् जी।” – यह कहते हुए स्वामी अमृतचन्द उठ खड़े हुए – “अभी तो हमारे कारीगर जी-जान से लगे हैं। जब यह यज्ञशाला पूरी तरह तैयार

हो जायेगी तब यह आप जैसे महानुभावों के देखने लायक बन जायेगी...। अभी तो यह निर्माण की प्रक्रिया में है...।''

''लेकिन मेरे लिये तो अभी ही यह अद्भुत, अपूर्व और अविस्मरणीय है। ऐसी विशाल, विस्तृत तथा नयनाभिराम यज्ञशाला मैंने अब तक कहीं नहीं देखी थी।''

''यह हमारा सौभाग्य है श्रीमान् जी कि आपको हमारी यज्ञशाला जँच रही है। इसके लिए हम आपके शुक्रगुजार हैं...।''

इसके बाद अब अमृतचन्द वहाँ से चल पड़े – ''मैं यज्ञशाला की ओर जा रहा हूँ उदय नन्दन। कहाँ, किसे, किस चीज की जरूरत है, देख लेता हूँ। आप आराम से श्रीमान् जी को यहाँ बैठा कर 'यज्ञ-स्थल' का दिग्दर्शन कराइये... ।''

इस दौरान लोकचन्द अब वहाँ आराम से बैठ गये थे। अब अपनी स्वतः स्फूर्त जिज्ञासाओं के तहत वे उदय नन्दन से संवादरत हो गये।

''यह अकेले अमृतचन्द इतनी बड़ी यज्ञशाला का निरीक्षण कैसे कर लेते हैं उदय?''

''अकेले नहीं करते हैं श्रीमान् जी। इनके साथ और पन्द्रह-बीस सेवादार हैं जो यज्ञशाला के कारीगरों के बीच घूमते रहते हैं। यह सारा निर्माण स्वामी जगेश्वरानन्द के निर्देशन में होता है। स्वामी अमृतचन्द उन्हीं के विशेष सहायक हैं। और अमृतचन्द के सहयोग में पन्द्रह-बीस सेवादार रहते हैं... ।''

''यह यज्ञशाला तो मुझे तैयार जान पड़ रही है। नहीं लग रहा है कि इसमें काम बाकी है... ।''

''अभी इसमें बहुत काम बाकी है श्रीमान् जी। इसके तैयार रूप को जब आप देखेंगे तो फिर देखते रह जायेंगे। तब यह आपको धरती का स्वर्ग प्रतीत होगा... ।''

''फिर इतने अच्छे निर्माण को स्थायी रूप में क्यों नहीं रखा जाता उदय? हर वर्ष इसका पुनः-पुनः निर्माण क्यों कराना पड़ता है?''

''फूस का निर्माण स्थायी नहीं होता श्रीमान् जी। वह तो पवित्र निर्माण होता है। फिर हर साल होनेवाले यज्ञ की पवित्रता के लिए हर साल यज्ञशाला का नव निर्माण आवश्यक माना जाता है... ।''

''यहाँ आश्रम में इतनी दूर पर यज्ञशाला है उदय, फिर यहाँ लोग कैसे और कहाँ से पहुँचते होंगे?''

''उस वक्त तो यहाँ की भीड़ देखते बनती है श्रीमान् जी। यज्ञ की तिथि घोषित होते ही देश के कोने-कोने से जहाँ तक गुरु महाराज के भक्त, शिष्य और श्रद्धालु

हैं, वहाँ से बसों में भर-भर कर लोगों का आना शुरू हो जाता है। फिर यह सिलसिला यज्ञ की समाप्ति के दिन तक कायम रहता है। अभी शान्त दिख रहा यहाँ का परिदृश्य तब एक विशाल मेले में बदल जाता है...।"

"लेकिन इतने हवन-कुण्डों में एक साथ हवन और आहुति के लिए इतने पण्डित और यजमान कहाँ से आते होंगे?"

"पण्डितों की तो यहाँ भरमार हो जाती है श्रीमान् जी। वर्ष भर पुरोहिताई में जितना नहीं कमा पाते उतना सिर्फ इस आश्रम के एक यज्ञ की दक्षिणा में पा जाते हैं। और जहाँ तक यजमान की स्थिति है तो यजमानों की तुलना में हवन-कुण्ड कम पड़ने लगते हैं। तब हवन-कुण्ड पाने के लिए यजमानों की होड़ लग जाती है। ऐसे में एक-एक कुण्ड की यजमानी के लिए लोग क्या कुछ नहीं करते...?"

"क्या करते हैं उदय? यजमानी के लिए कैसी होड़?"

इस पर उदय नन्दन क्षण-भर के लिए चुप रह गया। बस, लोकचन्द पूछ उठे – "मैं सब-कुछ जानना चाहता हूँ उदय। यज्ञ-स्थल देखने जब आ गया तो इससे सम्बन्धित किसी भी पक्ष से अनभिज्ञ रहना नहीं चाहता, क्योंकि यज्ञ के अवसर पर यहाँ मेरा आना नहीं हो सकेगा...।"

"मैं आपसे कुछ भी गोपनीय नहीं रख सकता श्रीमान् जी। गुरु महाराज ने जब मुझसे कहा कि मैं आपको उनका प्रतिरूप समझूँ तो यह बहुत बड़ी बात है। फिर इस स्थिति में मैं आपसे कैसे कुछ छिपा सकता हूँ। हाँ, तो श्रीमान् जी, आप क्या जानना चाहते हैं?"

"यही कि हवन-कुण्डों की यजमानी के लिए कायम होड़ को यहाँ कैसे सलटा जाता है? कैसे उसका निष्पादन होता है?"

"उसके लिए यहाँ अधिक परेशानी नहीं उठानी पड़ती है श्रीमान् जी। हवन-कुण्ड की एडवांस बुकिंग शुरू हो जाती है। ऐसे मामलों में यहाँ यजमानी के लिए आनेवाले लोग एक-एक कुण्ड के लिए यज्ञ के नाम पर ग्यारह हजार से लेकर ग्यारह लाख तक देने को तैयार हो जाते हैं।"

उदय नन्दन से यह सुनकर कि हवन-कुण्डों की बिक्री होती है, लोकचन्द को अपना अनुमान सही जान पड़ा। अब वे पुनः पूछ उठे – "यह सब तो गुरु महाराज के आदेश से ही होता होगा उदय नन्दन?"

"नहीं श्रीमान् जी। हमारे गुरु महाराज ऐसे किसी मामले के बीच नहीं होते। यह सब-कुछ स्वामी जगेश्वरानन्द और आश्रम के अन्य प्रबन्धक स्वामी लोगों के जिम्मे होता है। गुरु महाराज तो मुख्य यज्ञशाला के ऊँचे आसन पर विराजमान यज्ञ में आनेवाले श्रद्धालुओं को अपना आशीर्वाद प्रदान करते रहते हैं...।"

"इस तरह कुण्डों की संख्या देखते हुए यजमानों द्वारा प्राप्त रकम तो बड़ी रकम होती होगी?"

"इसकी पूरी जानकारी तो मुझे नहीं है श्रीमान् जी। लेकिन मुझे लगता है कि आश्रम में दान और चढ़ावे के रूप में वर्ष भर में जो रकम प्राप्त होती है, लगभग उतनी रकम सिर्फ एक सप्ताह के यज्ञ से उपलब्ध हो जाती है।"

यह सुन लोकचन्द कुछ समय के लिए अचम्भित बने रहे। बाबाओं के आश्रमों में विपुल धन प्राप्ति के इस माध्यम की सूचना से वे अब तक वंचित थे। लड़कियों के यौन उत्पीड़न में गिरफ़्तार कई बाबाओं के आश्रमों का जो हुलिया सामने आया था, उनमें भी इस माध्यम की चर्चा नहीं थी। सम्भव है, उनके मित्र सुकेश के आश्रम में ही ऐसा होता हो, क्योंकि यज्ञ से जुड़े पाण्डित्य का संस्कार बचपन से ही उसे प्राप्त था।

लोकचन्द अब उठ खड़े हुए – "चलो, उदय, यज्ञ-स्थल देख लिया। सचमुच यह देखने लायक ही है। लेकिन इस विस्तृत यज्ञ-स्थल की गोलाकार परिधि के बाहर-बाहर जो पगडण्डी दिख रही है, मुझे लगता है, यज्ञ-स्थल की परिक्रमा के लिए ही बनी है...।"

"हाँ श्रीमान् जी, श्रद्धालुओं की परिक्रमा के लिए ही वह मार्ग बनाया गया है...।"

"लेकिन क्या पैदल चलकर इतने बड़े यज्ञ-स्थल की परिक्रमा लोग कर लेते हैं?"

"हाँ श्रीमान् जी, उस वक्त परिक्रमा करनेवालों की कतार आप टूटते नहीं पायेंगे। आप सिर्फ एक बार की परिक्रमा को मुश्किल समझ रहे हैं। लेकिन श्रद्धा, विश्वास और उत्साह के तहत परिक्रमा करनेवाले या तो पाँच बार या फिर ग्यारह बार परिक्रमा अवश्य करते हैं...।"

लोकचन्द जानते थे, धार्मिक विश्वास में जीनेवाले लोग उतना और वैसा कर जाते हैं, जैसा सामान्य स्थिति में कभी नहीं कर पाते। लाखों में हवन-कुण्डों की बुकिंग के पीछे उनकी यही मानसिकता काम करती रहती है। अन्ध श्रद्धा और अन्ध विश्वास के तहत अपना सब-कुछ लुटाने वाले न तो पछताते हैं और न चेतते-सम्हलते हैं, बल्कि अन्त तक उस विश्वास को अपने मन के धरातल पर जीते रहते हैं...। इस बात से अवगत होते हुए भी लोकचन्द ने अनभिज्ञता जाहिर करते हुए उदय नन्दन से पूछा – "यज्ञ के नाम पर लोग इस तरह क्यों टूट पड़ते हैं उदय? हवन-कुण्ड पाने के लिए लाखों की दान-दक्षिणा कैसे निकाल देते हैं...?"

"हमारे आश्रम के ज्ञान-यज्ञ का बहुत महत्त्व है श्रीमान् जी। पहुँचे हुए संत महात्माओं की ऐसी मान्यता है कि इस यज्ञ के हवन-कुण्ड में यजमान बनकर हवन करने वाले दम्पतियों के जन्म-जन्मान्तर के सारे पाप कट जाते हैं तथा उनके सारे

मनोरथ पूरे होते हैं। अन्त में शरीर त्यागने पर वैसे लोग सीधे बैकुण्ठ को प्राप्त करते हैं... ।''

''ऐसा गुरु महाराज भी कहते हैं उदय?''

''नहीं श्रीमान् जी। यह सब इस ज्ञान-यज्ञ के अवसर पर आनेवाले महात्मा और ज्ञानी जन कहते हैं। ऐसे यज्ञ को इस धरती का सबसे पवित्रतम कर्म बताते हैं। हमारे गुरु महाराज तो इस अवसर पर यज्ञशाला के केन्द्र में उपस्थित मात्र रहते हैं... । उनकी उपस्थिति ही सब-कुछ होती है श्रीमान् जी... ।''

उदय नन्दन की इस बात के बाद अब उससे कुछ भी पूछना लोकचन्द को उचित प्रतीत नहीं हुआ।

''चलो उदय। अब वापस चला जाय। अच्छा हुआ, आश्रम के यज्ञ-स्थल से मैं अवगत हो गया।''

''ठीक है श्रीमान् जी।'' और उदय नन्दन ने लोकचन्द को पुनः आदर से कार में बैठाया। अब वे वापस चल पड़े। वापसी में न तो लोकचन्द ने ही कुछ पूछा और न उदय नन्दन ने ही कुछ कहा। लोकचन्द को उनके आवास छोड़ विदा होते उदय नन्दन ने उन्हें अपना कार्ड थमा दिया –

''इसमें मेरा मोबाइल नम्बर है श्रीमान् जी। गुरु महाराज का आदेश है कि अब आप जब तक यहाँ रहें मैं आपकी सेवा में तत्पर रहूँ। तो अब किसी भी आवश्यकता पर फोन कीजियेगा, श्रीमान् जी। मुझे पहुँचते देर नहीं लगेगी... ।''

कार लेकर उदय नन्दन चला गया। लोकचन्द अब अपने कमरे में आ गये। उदय नन्दन के उस कार्ड पर मुक्त लोक आश्रम के नाम के नीचे सेवादार स्वामी उदय नन्दन सागर और उसका मोबाइल नम्बर अंकित था। लोकचन्द समझ गये, आश्रम के अन्य जीवनदानी स्वामियों और स्थायी सदस्यों को भी यह कार्ड प्राप्त होगा। सम्भव है, गुरु महाराज की अनुमति के अभाव में अन्य सदस्य इस रूप में उनसे नहीं जुड़ सकें। शायद अब आवश्यकतानुसार अन्य सदस्यों को भी सुकेश उनसे जोड़ सकेंगे। लेकिन उन्हें यहाँ अब और रहना नहीं। सुकेश का मन रखने के लिए गुरु जयन्ती के उत्सव को देख लेना भर है।

शाम होने में अभी देर थी। लोकचन्द के मन में 'मुक्त लोक भारती' की सम्पादक ऋचा से मिलने की इच्छा फिर पैदा हो गयी। भारतीय वाङ्मय के अनमोल धरोहर वेद, पुराण और उपनिषद् पर वे ऋचा से बात करना चाहते थे।

'मुक्त लोक भारती' की सामग्री के लिए इन ग्रन्थों का पारायण वह करती रही है। सम्भव है इस दौरान भारतीय वाङ्मय के कई नये पक्ष चर्चाओं में उभरे। इस दौरान शाम का उनका यह समय भी अच्छी तरह गुजर जायेगा।

वैसे भी विदुषी ऋचा से बात करना उन्हें अच्छा लगा था। ऋचा से वह पहली मुलाकात और पहली बातचीत की याद अभी भी उनके मन में ताज ा थी।

लेकिन इससे पहले कि वे प्रकाशन-गृह की ओर बढ़े स्वामी जगेश्वरानन्द, देवी ऋचा, स्वामी इन्द्र सागर, स्वामी केशवानन्द, स्वामी प्रद्युम्न सागर एक साथ तेजी से आगे बढ़ते हुए गुरु महाराज के आवास की ओर जा रहे थे। लोकचन्द के कान खड़े हो गये। अचानक ऐसा क्या हो गया कि विभिन्न संस्थाओं के प्रबन्धक एक जगह एकत्रित होकर इस तरह गुरु महाराज के पास जा रहे...। अपनी जिज्ञासाओं के तहत लोकचन्द भी अब उधर ही चल पड़े। लेकिन उनके आगे बढ़ते ही सेवा भाव लिये स्वामी प्रणव सामने आ गया – "क्या आदेश है श्रीमान् जी? आपकी इच्छा हमारे लिये शिरोधार्य है...।"

"कोई आदेश नहीं प्रणव? अचानक स्वामी जगेश्वरानन्द के साथ कई संस्थानों के प्रबन्धक गुरु महाराज की ओर क्यों जा रहे?"

"सरकार के अत्यन्त प्रभावशाली और वरिष्ठ मन्त्री राम रघुवीर राघव गुरु महाराज का आशीर्वाद लेने आ रहे हैं। वे राज्य के दौरे पर निकले थे। लेकिन अचानक गुरु कृपा की आवश्यकता उन्हें महसूस हुई। बस, अपने काफिले को मुक्त लोक की ओर मोड़ दिया। अभी थोड़ी ही देर पहले यह सूचना आयी है...।"

"ठीक है प्रणव। मैं भी उधर ही जा रहा हूँ। घूमकर आ जाऊँगा...।"

"जैसी इच्छा श्रीमान् जी। आपके लिए आश्रम के सारे स्थल खुले हैं। जब आवश्यकता हो, अपनी सेवा का अवसर हमें भी दीजियेगा...।"

लोकचन्द अब चल पड़े। वे सीधे शिव-मन्दिर पहुँचे। रास्ते में आश्रम के कई सेवादारों ने उन्हें देखा। लेकिन अब तक गुरु महाराज के उनके निकटतम होने की सूचना से सभी अवगत हो चुके थे, इसलिए मार्ग में किसी ने भी अवरोध उपस्थित करने की कोशिश नहीं की, बल्कि उन पर नजर पड़ते ही सेवा भाव से अभिवादन करते हुए किनारे खड़े हो गये।

प्रत्युत्तर में हाथ उठा कर उनके अभिवादन का जवाब देते हुए लोकचन्द ने शिव-मन्दिर पहुँचकर अपना आसन जमा लिया...।

इस शिव-मन्दिर से गुरु महाराज का आवास निकट ही था जो सीधे नजर आता रहता था। साथ ही गुरु महाराज तक पहुँचने का एकमात्र मार्ग इस शिव-मन्दिर से हो कर ही जाता था। वह नेता भी इसी रास्ते से जायेगा जिसका अवलोकन वे यहीं से कर सकेंगे। वैसे इस तरह के नेताओं में उनकी कोई रुचि नहीं रही है। लेकिन किसी आश्रम के गुरु दरबार तक जाते हुए उसका नजारा वे देखना चाहते हैं...।

लोकचन्द को आसन जमाये अभी कुछ ही समय व्यतीत हुआ था कि कहीं से उदय नन्दन ने उन्हें देख लिया। फिर पास आकर निवेदन किया – "जय गुरुदेव श्रीमान् जी। शाम में यहाँ मन्दिर पर बहुत अच्छा लगता है...। आराम से आप यहाँ बैठिये। कोई जरूरत हो तो मुझे फोन कीजियेगा। तत्क्षण उपस्थित हो जाऊँगा। वैसे गुरु महाराज भी विशिष्ट अतिथि-कक्ष में विराजमान हैं। कहिये तो आपके आगमन की सूचना उन्हें दे दूँ। प्रसिद्ध मन्त्री राघव जी आ रहे हैं। वे गुरु महाराज के अनन्य भक्त हैं...।"

"नहीं उदय। गुरु महाराज को अभी मेरे आगमन की सूचना नहीं देनी है। आवश्यकतानुसार मैं स्वयं उनसे मिल लूँगा। फिलहाल मन्त्री जी को गुरु महाराज से अकेले मिलने दो। मेरी उपस्थिति उन्हें व्यवधान जान पड़ेगी।"

उदय नन्दन चला गया। इस बीच गुरु महाराज से मुलाकात कर स्वामी जगेश्वरानन्द, स्वामी इन्द्र सागर, स्वामी केशवानन्द और स्वामी प्रद्युम्न सागर वापस चल पड़े। इस बार ऋचा उनके साथ नहीं गयी। शायद वह गुरु महाराज के पास ही रह गयी। लेकिन थोड़ी ही देर बाद ऋचा, शेषाद्रि, अमृता, चन्दा और कान्ति पाँच की संख्या में साध्वियाँ, अपने गेरुए परिधान में गुरु महाराज के विशिष्ट अतिथि-कक्ष के पास खड़ी नजर आयीं। अपने प्रत्युत्पन्नमतित्व से लोकचन्द को यह समझते देर नहीं लगी कि चार प्रबन्धक पुरुष स्वामी मन्त्री जी की अगवानी में गये हैं और यहाँ विशिष्ट कक्ष के पास पाँच साध्वियाँ उनके स्वागत में खड़ी हैं...।

बीतते समय के अनुसार लोकचन्द को अपना अनुमान सही जान पड़ा। फूल-मालाओं से लदे मन्त्री जी को लेकर चारों प्रबन्धक स्वामी विशिष्ट अतिथि-कक्ष की ओर आते दिखे। इधर विशिष्ट अतिथि-कक्ष के पास खड़ी साध्वियों ने स्वस्तिवाचन के रूप में गुरु-वन्दना शुरू कर दी –

"गुरु बिनु भव निधि तरै न कोई, जो विरंचि शंकर सम होई...।
गुरु की महिमा अपरम्पार, गुरु बिनु किसी का नहीं उद्धार।
यह तन विष की बेलरी, गुरु अमृत की खान।
सीस दिये जो गुरु मिले, तो भी सस्ता जान।"

निकट से गुजरते मन्त्री पर लोकचन्द की निगाहें सहसा चली गयीं। गोरे रंग पर खादी का सफेद लिबास। चौड़ा चेहरा। माथे के बाल घुँघराले। आँखों पर सुनहला चश्मा। चेहरे पर चन्दन का तिलक। शायद आश्रम में प्रवेश के वक्त प्रबन्धक स्वामियों ने ही तिलक लगाया हो।

मन्त्री के पीछे उनके अंगरक्षकों, पार्टी कार्यकर्त्ताओं और शागिर्दों का हुजूम। विशिष्ट अतिथि-कक्ष में प्रवेश करने से पूर्व मन्त्री ने मुड़कर साथ आये हुजूम को हाथों के संकेत से वहीं खड़े रहने का इशारा कर स्वयं विशिष्ट अतिथि-कक्ष में प्रवेश किया। लोकचन्द को लगा, जैसे मन्त्री महोदय अतिथि-कक्ष के दरवाजे में घुसते हुए झुक गये हों। सम्भव है, गुरु महाराज को उन्होंने साष्टांग दण्डवत् किया हो। जो भी हो, वे चुपचाप उस नजारे को देखते रहे।

अतिथि-कक्ष के अन्दर मन्त्री जी। बाहर उनके शागिर्दों का हुजूम। अतिथि-कक्ष के एक किनारे खड़ी साध्वियाँ तथा दूसरे किनारे प्रबन्धक स्वामी। लगभग 10 मिनट पश्चात् अतिथि-कक्ष के दरवाजे पर पहले मन्त्री जी आये-प्रसन्न, सन्तुष्ट और प्रफुल्लित। फिर गुरु महाराज सामने अवतरित हो गये – गुरु के अपने दिव्य रंग-रूप और परिधान में। अब गुरु महाराज पर नजर पड़ते ही शागिर्दों की भीड़ ने हाथ जोड़कर गुरु महाराज को नमन किया। जवाब में गुरु महाराज ने भी उनकी संख्या का अन्दाज करके पाँच बार उन्हें आशीष प्रदान किया –

"आयुष्मान भव। आयुष्मान भव, आयुष्मान भव... ।"

इसके बाद मन्त्री जी अब वापस चल पड़े। प्रबन्धक स्वामी भी साथ हो गये। शायद मन्त्री जी को आश्रम के दरवाजे तक छोड़ने जायँ। सम्भव है, इस दौरान आश्रम की आवश्यकताओं से भी मन्त्री महोदय को वे अवगत करें। ऐसे मन्त्री से आश्रम के नाम पर क्या कुछ प्राप्त किया जा सकता है, शायद यहाँ के प्रबन्धक उसे अच्छी तरह जान रहे होते हैं। विभिन्न संस्थानों के प्रबन्धकों से मिलने के बाद लोकचन्द यह जान चुके थे कि गुरु महाराज के प्रति वफादार उनके प्रबन्धक गुरु महाराज से आशीर्वाद प्राप्त करनेवाले भक्तों और श्रद्धालुओं की सामर्थ्य के अनुसार उनसे दान-दक्षिणा प्राप्त करने से चूकनेवाले नहीं, क्योंकि आश्रम की आय के सुखभोगियों में अब गुरु महाराज के साथ वे भी थे।

अपने हुजूम के साथ मन्त्री जी के जाते ही आश्रम की शान्ति और सहजता फिर वापस आ गयी। इस बीच अतिथि-कक्ष से निकल कर अपने आवास में जाते हुए गुरु महाराज बने सुकेश को भी लोकचन्द ने देखा। लेकिन लोकचन्द मन्दिर के पास से जहाँ सटकर बैठे थे, वहाँ सुकेश की नजर उन पर नहीं आयी। अब तक साध्वियाँ भी वहाँ से जा चुकी थीं। सम्भव है, इस दौरान गुरु महाराज के आवास के निकट अपने आवासों में विश्राम करने चली गयी हों... ।

लोकचन्द भी अब वहाँ से चलने के लिए तत्पर हो गये। अपने आवास पहुँच शाम की दिनचर्या में उन्हें लग जाना था। लेकिन इसी समय ऋचा उन्हें आती दीख पड़ी। सम्भव है, अपने या गुरु महाराज के आवास से आ रही हो।

मन्दिर होकर ही आगे बढ़ने का रास्ता था। इसलिए शीघ्र ही वह वहाँ पहुँच आयी। अब जैसे ही उसकी नजर लोकचन्द पर पड़ी, वह बोल उठी – "जै गुरुदेव श्रीमान् जी। इस समय आप यहाँ?"

"गुरु दरबार में जाते मन्त्री का नजारा देख रहा था देवी ऋचा...।"

इस पर ऋचा मुस्करा उठी – "बहुत अच्छा श्रीमान् जी। उस दिन मैं आपको पहचान नहीं सकी। माफ कीजियेगा। अब गुरु महाराज से मुझे जानकारी मिल गयी है। आप उनके अत्यन्त विश्वसनीय, निकटस्थ और सर्वप्रिय शिष्य हैं। इस दृष्टि से हमारे लिये भी आदरणीय हैं...।"

"ऐसा नहीं है देवी ऋचा। यह आपके गुरु महाराज की महानता है कि वे मुझे इतना मान देते हैं...।"

"नहीं श्रीमान् जी। हमारे गुरु महाराज ऐसे नहीं कह सकते। वास्तव में आप इसके हकदार हैं...।"

"अच्छा, इस समय अब आप कहाँ जा रही हैं? फिलहाल ऑफिस का समय तो बीत गया है।"

"हाँ श्रीमान् जी। आपका कहना सही है। लेकिन मैं आफिस नहीं जा रही। अगले सप्ताह प्रबन्ध समिति की बैठक है। स्वामी जगेश्वरानन्द के साथ उस बैठक के आयोजन और संचालन का दायित्व मेरा भी है। उसी सिलसिले में स्वामी जगेश्वरानन्द ने बुलाया है...।"

"ठीक है देवी ऋचा, चले जाइयेगा। बस, कुछ क्षण के लिए यहाँ बैठ जाइये...। मैं आपसे कुछ बात करना चाहता हूँ।"

"जैसी आज्ञा श्रीमान् जी। गुरु महाराज के अभिन्न आप हमारे लिये गुरु महाराज की तरह ही हैं।"

और ऋचा लोकचन्द के निकट ही वहीं मन्दिर के चबूतरे पर बैठ गयी। शाम के इस सुहाने समय में ऋचा जैसी सुन्दर, मृदुभाषिणी, विदुषी और व्यवहारकुशल स्त्री की उपस्थिति से अचानक लोकचन्द को लगा, जैसे मन्दिर के आसपास का मौसम बदल गया हो। लोकचन्द जानते थे, स्त्रियों की उपस्थिति, वातावरण को स्नेहिल और मनोरम बना देती है। फिर ऋचा जैसी विलक्षण स्त्री की तो बात ही और थी।

"आज दोपहर बाद मैं आपसे मिलने प्रकाशन विभाग आ रहा था देवी ऋचा, लेकिन उसी वक्त जगेश्वरानन्द आदि प्रबन्धक स्वामियों के साथ आपको इधर आते देखा...।"

"हाँ श्रीमान् जी। अचानक मन्त्री जी के आगमन की सूचना आ गयी। बस, हमें अपने विभाग बन्द कर इधर आ जाना पड़ा।"

"अचानक इतने बड़े मन्त्री का आगमन कैसे हो गया देवी ऋचा? आप तो यहाँ की स्थायी सदस्य हैं। सम्भव है, आप जानती हों।"

"इस प्रदेश में चुनाव होने जा रहा है श्रीमान् जी। राज्य सरकार ने चुनाव की घोषणा कर दी है। अब देखियेगा, अनेक नेता, मन्त्री गुरु महाराज के पास आयेंगे। ये मन्त्री जी भी उसी सिलसिले में विजय का आशीर्वाद प्राप्त करने आये थे।"

"आप तो विदुषी हैं देवी ऋचा। इस सम्बन्ध में आपको क्या लगता है कि गुरु महाराज के आशीर्वाद से लोग विजयी हो जाते हैं...?"

"अब इस सम्बन्ध में अधिकार सहित तो कुछ नहीं कहा जा सकता, श्रीमान् जी। गीता में भगवान् श्रीकृष्ण ने तो कर्म को ही महत्त्वपूर्ण माना है। फल की चिन्ता किये बगैर, हमें कर्म करते जाना है – *'कर्मण्येवाधिकारस्ते मा फलेषू कदाचन।'* लेकिन हमारे शास्त्रों में संत-महात्माओं और गुरुजनों के आशीर्वचनों का भी महत्त्व है...।"

"यह विषय गम्भीर विमर्श की माँग करता है देवी ऋचा। भाग्य और कर्म को यथार्थ के धरातल पर समझना होगा...।"

"हाँ श्रीमान् जी। कभी फुर्सत मिले तो आइयेगा। हम इस विषय पर बात करेंगे। आपसे विमर्श से मुझे लाभ ही होगा। मेरे लिये ज्ञान का नया क्षेत्र खुलेगा तथा नयी जानकारियाँ प्राप्त होंगी...।"

"ऐसा नहीं है देवी ऋचा। निरन्तर महत्त्वपूर्ण ग्रन्थों के आपके अध्ययन और जानकारियों से मैं भी तो लाभान्वित हो सकता हूँ।"

"नहीं श्रीमान् जी। ऐसा नहीं हो सकता। गुरु महाराज से मुझे पता चल गया है, आप सिर्फ प्रोफेसर और लेखक ही नहीं, पहुँचे हुए व्यक्ति भी हैं...।"

"मेरे बारे में ऐसा कहा है गुरु महाराज ने।"

"हाँ श्रीमान् जी। गुरु महाराज आपको जानते हैं तभी ऐसा कहते हैं...।"

इस पर लोकचन्द कुछ कहते कि उनसे पहले पुनः ऋचा ही बोल उठी – "अब मैं चलती हूँ श्रीमान् जी। स्वामी जगेश्वरानन्द प्रतीक्षा कर रहे होंगे...।"

"ठीक है देवी ऋचा। मैं भी चलता हूँ...।"

– और लोकचन्द ऋचा के साथ ही उठ खड़े हुए। मन्दिर के चबूतरे से वे साथ-साथ नीचे उतरे। अब वहीं से एक मार्ग सीधे आश्रम के मुख्य द्वार की ओर चला जाता था और एक मार्ग आश्रम के आवासों की ओर।

'जै गुरुदेव श्रीमान् जी' कहकर ऋचा अपने मार्ग की ओर बढ़ चली और लोकचन्द अपने मार्ग की ओर। लोकचन्द जानते थे, मन्दिर से आश्रम के प्रवेश-द्वार तक पहुँचते उस मुख्य मार्ग से ही विभिन्न संस्थानों के उप मार्ग जुड़े

हुए थे। ठीक उसी तरह आवासों की ओर जानेवाले मुख्य मार्ग से भी उप मार्ग जुड़े थे। लेकिन लोकचन्द अब सीधे अपने आवास की ओर चल पड़े। इस क्षण उस मन्त्री के आगमन का परिदृश्य और ऋचा से बातचीत का प्रसंग उनके मन-मस्तिष्क पर छाया रहा।

10

आश्रम के लिए 'गुरु जयन्ती' का वह दिन भी आ गया जिसके लिए लोकचन्द को उनके मित्र सुकेश ने रोक रखा था। सुबह बिस्तर से ही लोकचन्द को गुरु-वन्दना के पद सुनायी पड़ने लगे। शायद माइक से पूरे आश्रम में गुरु-वन्दना का प्रसारण शुरू हो गया था –

"सतगुरु की महिमा अनंत, अनंत किया उपगार।
लोचन अनंत उघाड़िया, अनंत दिखावणहार।।
गुरु गोविंद तो एक है, दूजा यह आकार।
आपा मेट जीवन मरै, तो पावै करतार।।..."

लोकचन्द अपनी दिनचर्या में लग गये। यहाँ से चलते-चलते आश्रम की 'गुरु जयन्ती' का यह आयोजन भी उन्हें देख लेना है। अपने निर्धारित समय पर रसोई कार्य के लिए देवी किरण भी आ गयीं – "जै गुरुदेव, श्रीमान् जी। आज आश्रम में गुरु जयन्ती है, उत्सव का दिन...।"

"इसमें क्या होता है देवी किरण?"

"बहुत कुछ होता है श्रीमान् जी। दोपहर होते-होते गुरु महाराज से दीक्षा लेनेवाले भक्तों और श्रद्धालुओं से पूरा आश्रम भर जाता है। एकदम मेले जैसा दृश्य उपस्थित हो जाता है।"

"तो क्या सिर्फ 'गुरु जयन्ती' के दिन ही श्रद्धालु गुरु महाराज से दीक्षा लेते हैं?"

"नहीं श्रीमान् जी। गुरु महाराज से तो अक्सर लोग दीक्षा लेते रहते हैं। लेकिन गुरु जयन्ती के दिन दीक्षित होने का विशेष महत्त्व होता है, इसलिए दूर-दूर से लोग बसों में भर-भरकर दीक्षित होने आते हैं..।"

लोकचन्द समय से तैयार होकर अब अपने आवास से निकलने ही वाले थे कि उदय आ पहुँचा –

"जै गुरुदेव, श्रीमान् जी। गुरु महाराज की आज्ञा है कि गुरु जयन्ती पर मैं आपके साथ रहूँ ताकि आपको कहीं कोई असुविधा न हो...।"

"नहीं उदय। मुझे कहीं कोई असुविधा नहीं होगी। मैं आम आदमी के बीच रहनेवाला व्यक्ति हूँ। तुम गुरु महाराज की सेवा में ही रहो। तुम्हारा फोन नम्बर मेरे पास है ही, आवश्यकतानुसार बुला लूँगा।"

"जैसी आपकी इच्छा श्रीमान् जी।" – यह कहते हुए उदय नन्दन अब चला गया। लोकचन्द जानते थे, आश्रम के किसी कार्यकर्त्ता के साथ गुरु जयन्ती को उसके यथार्थ रूप में वे नहीं जान सकते जिस रूप में अकेले के अपने प्रयास से जान सकेंगे...।

लोकचन्द अब अपने आवास से चल पड़े। वहाँ विशिष्ट अतिथियों की सेवा में मुस्तैद प्रणव उन्हें देखते ही पूर्व की भाँति स्वागत में तत्पर हो गया – "जै गुरुदेव श्रीमान् जी। आज गुरु जयन्ती है। क्या आदेश है श्रीमान् जी।"

"कोई आदेश नहीं प्रणव। गुरु जयन्ती की सूचना से मैं अवगत हूँ। इस जयन्ती का कार्यक्रम कहाँ सम्पन्न होता है?"

"'देव वाणी मण्डप' में श्रीमान् जी। ऐसी महत्त्वपूर्ण जयन्ती के लिए वही स्थल निर्धारित है। वह विस्तृत मण्डप आश्रम का पवित्र स्थल भी है।"

उस मण्डप का नाम सुनते ही लोकचन्द को स्मरण आ गया, आश्रम में प्रवेश के दिन उसी 'देव वाणी मण्डप' में उन्होंने गुरु महाराज बने सुकेश का प्रवचन सुना था। शायद वह मण्डप ही सुकेश का प्रवचन-स्थल भी था।

"मैं उधर ही जा रहा हूँ प्रणव!"

"लेकिन गुरु जयन्ती का कार्यक्रम तो बारह बजे से प्रारम्भ होगा श्रीमान् जी। अभी तो बाहर से आनेवाले श्रद्धालु अतिथिशाला में पधार रहें होंगे।"

"मैं भी उस अतिथिशाला में ही रहूँगा प्रणव।"

"ठीक है श्रीमान् जी।"

और लोकचन्द आगे बढ़ गये। उस अतिथिशाला से भी लोकचन्द परिचित थे। आश्रम में पहले दिन उस भव्य और सुविधासम्पन्न अतिथिशाला में ही उन्होंने समय व्यतीत किया था।

अतिथिशाला की ओर बढ़ते लोकचन्द पा रहे थे कि गेरुए रंग में गुरु जयन्ती के झण्डे जगह-जगह फहराने लगे थे।

हर झण्डे पर सुनहले शब्दों मे 'जय गुरुदेव' का अंकन स्पष्ट दिख रहा था। आगे बढ़ते हुए लोकचन्द पा रहे थे कि सचमुच मुख्य द्वार से बड़ी संख्या में श्रद्धालु आश्रम में प्रवेश करते जा रहे थे। आश्रम के कार्यकर्त्ता स्वामी एवं साध्वियाँ उन श्रद्धालुओं के आतिथ्य में तत्पर दिख रहे थे। इस अवसर पर लोकचन्द दान-पेटियों को बढ़ गया पा रहे थे। जब वे आये थे तब अतिथिशाला के पास इतनी दान-पेटियाँ

नहीं थीं। शायद इस अवसर के लिए वे कायम की गयी थीं। लोकचन्द देख रहे थे, बाहर से आनेवाले श्रद्धालुओं के रास्ते में दान-पेटियाँ इस तरह व्यवस्थित की गयी थीं कि उनमें कुछ डालकर ही वे अतिथिशाला में जा पाते थे।

शायद इस धारणा के अनुसार ही वे ऐसा कर रहे थे कि गुरु दरबार में खाली हाथ नहीं आया जाता। ऐसे में जो श्रद्धालु फल-फूल, मिष्टान्न या वस्त्र आदि लेकर आते तो उनके वे उपहार भी कार्यकर्त्ता सम्हाल लेते और उन्हें अतिथिशाला में स्थान ग्रहण कराते जाते।

लोकचन्द पा रहे थे कि इस अवसर पर अतिथिशाला के सामने जगह-जगह बोर्ड लगाये गये थे जिस पर मोटे-मोटे अक्षरों में गुरु मन्त्र अंकित थे-

वन्दे बोधमयं नित्यं गुरुं शंकररूपिणम्।
यमाश्रितो हि वक्रोऽपि चन्द्रः सर्वत्र वन्यते।।
ग्यान प्रकास्या गुरु मिल्या, सो जनि बीसरि जाई।
जब गोविंद कृपाकरी तब गुरु मिलिया आई।।
बूड़े थे परि ऊबरे, गुर की लहरि चमंकि।
मेरा देख्या जरजरा, (तब) ऊतरि पड़े फरंकि।।
कबीर सतगुर नां मिल्या, रही अधूरी सीष।
स्वाँग जती का पहरि करि, घरि-घरि माँगै भीष।।
सतगुरु के सदकै करूँ, दिल अपणी का साछ सांच।
कलयुग हम स्यूं लड़ि पड्या मुहकम मेरा बाछ।।
सतगुरु सवाँन को सगा, सोधी सईं न दाति।
हरि जी सवाँन को हितू, हरिजन सईं न जाति।।

आगे बढ़ते लोकचन्द अतिथिशाला में एक जगह आराम से बैठ गये। श्रद्धालुओं के बीच कायम होकर ही वे गुरु जयन्ती का वास्तविक जायजा ले सकेंगे। इस दौरान माइक से नारी कण्ठ के मधुर स्वर में गुरु-वन्दना का प्रसारण भी पूर्ववत् जारी था –

बंदउँ गुरु पद पदुम परागा। सुरुचि सुबास सरस अनुरागा।।
अमिअ मूरिमय चूरन चारू। समन सकल भव रुज परिवारू।।
सुकृति संभु तन बिमल बिभूती। मंजुल मंगल मोद प्रसूती।।
जन मन मंजु मुकुर मल हरनी। किएँ तिलक गुन गन बस करनी।।
श्रीगुर पद नख मनि गन जोती। सुमिरत दिब्य दृष्टि हियँ होती।।
दलन मोह तम सो सप्रकासू। बड़े भाग उर आवइ जासू।।

उघरहिं बिमल बिलोचन ही के। मिटहिं दोष दुख भव रजनी के।।
गुरु पद रज मृदु मंजुल अंजन। नयन अमिअ दृग दोष बिभंजन।।
बंदउँ गुरु पद कंज कृपा सिंधु नररूप हरि।
महामोह तम पुंज जासु बचन रबि कर निकर।।

लोकचन्द अनुभव कर रहे थे, सचमुच गुरु जयन्ती पर यह आश्रम गुरुमय हो गया जान पड़ रहा था, जगह-जगह लहराते झण्डों पर जय गुरुदेव का अंकन। बोर्डों पर बड़े-बड़े अक्षरों में प्रकाशित गुरु मन्त्र। माइक से सस्वर गुरु-वन्दना। आनेवाले श्रद्धालुओं का कार्यकर्त्ताओं द्वारा जय गुरुदेव कहकर स्वागत। इस दौरान अतिथिशाला श्रद्धालुओं से भरता जा रहा था। आश्रम के स्वामी स्वरूप कार्यकर्त्ता और सेवादार अतिथिशाला में बैठते श्रद्धालुओं को मिष्टान्न के साथ जल ग्रहण भी कराते जा रहे थे...।

लोकचन्द जहाँ बैठे थे उनके पास की खाली कुर्सियों पर भी बाहर से आनेवाले श्रद्धालु बैठते चले गये। अपने आगे-पीछे बैठे श्रद्धालुओं से तो वे रू-ब-रू नहीं हो पा रहे थे, लेकिन अगल-बगल बैठे श्रद्धालुओं को अच्छी तरह देख रहे थे। ऐसे में पास बैठे एक श्रद्धालु पर लोकचन्द की निगाह ठहर गयी। वह चालीस-पैंतालीस वर्ष का एक भद्र-सा सज्जन जान पड़ा रहा था। गोरा रंग। पैण्ट-शर्ट का लिबास। आँखों पर चश्मा। ऊपर की जेब में कलम। माथे के बाल करीने से सजे हुए। लेकिन चेहरे पर चिन्ता की रेखाएँ, किसी परेशानी में होने का आभास। इससे पहले कि लोकचन्द कुछ पूछते, वह व्यक्ति उन्हें अपनी ओर ताकते देख स्वंय बोल उठा –

"आप कहाँ से आये है भाई साहब?"

"लोकचन्द ने बता दिया – "बिहार से।"

इस पर उसने कहा – "मैं मध्य प्रदेश से आया हूँ।"

बस, यह सुनते ही लोकचन्द अपनी जिज्ञासाओं के तहत शुरू हो गये – "यहाँ पधार रहे अन्य लोगों की भाँति आप भी तो गुरु महाराज से दीक्षित होने ही आये होंगे बन्धु?"

"हाँ भाई साहब।"

"तब तो यहाँ पहली बार यह आपका आना है..।"

"नहीं भाई साहब। इससे पहले भी मैं एक बार यहाँ आ चुका हूँ।"

"तब उसी समय आप दीक्षित क्यों नहीं हो गये?"

"उस वक्त दीक्षित होने के उद्देश्य से नहीं आया था। अपने फूफा जी के साथ घूमने पहुँचा था। मेरे फूफा जी गुरु महाराज के परम भक्त हैं। वे अक्सर यहाँ आते

रहते हैं। उन्हें जब लगता है कि जीवन के कार्य मनोनुकूल नहीं हो रहे, मन अशान्त है, तब सीधे यहाँ आ जाते हैं। और बताते हैं कि यहाँ पहुँचते ही उनके मन को अद्‌भुत शान्ति मिलती है। फिर उनके कार्य भी अनुकूल हो जाते हैं...। बस, उन्हीं फूफा जी के साथ एक बार आया था। उस पहली बार ही फूफा जी के साथ जब मैं गुरु महाराज से मिला तो अपनी चिन्ता और परेशानी उनसे व्यक्त की। जवाब में गुरु महाराज ने जिस प्रेम, आत्मीयता और स्नेह से मुझे समझाया कि मेरे मन की सारी बेचैनी खत्म हो गयी और मैं अपूर्व शान्ति का अनुभव करने लगा। इससे पहले किसी की वाणी में इतना प्यार और स्नेह मैंने महसूस नहीं किया था। उसी दिन फूफा जी के साथ लौटते हुए मैंने तय कर लिया था कि गुरु महाराज से ही मुझे दीक्षित होना है।''

''तब तो आपके फूफा जी भी साथ आये होंगे...।''

''नहीं भाई साहब। काम में फँसे हैं, अन्यथा आते। हालाँकि उन्होंने ही मुझे बताया है कि आज गुरु जयन्ती है। आज के दिन दीक्षित होने का विशेष महत्त्व है...।''

उसकी इस बात पर लोकचन्द अब मौन हो गये। इस व्यक्ति के बारे में वे जो जानना चाहते थे, जान गये। अब और क्या जानना! इस पर अब वह व्यक्ति लोकचन्द से भी पूछ उठा – ''आप भी तो दीक्षित होने ही आये होंगे भाई साहब?''

''नहीं बन्धु! मैं यहाँ का पुराना सदस्य हूँ। आप श्रद्धालु मित्रों से मिलने आ गया।'' – लोकचन्द ने अपने इस एक ही संक्षिप्त जवाब से उस श्रद्धालु की सारी जिज्ञासाओं के शमन की कोशिश की।

''तब तो बहुत अच्छा है भाई साहब। आप यहाँ के पुराने सदस्य हैं। अब गुरु महाराज से दीक्षित होने में मेरी मदद कीजियेगा।''

''यहाँ आपको किसी की मदद की जरूरत नहीं पड़ेगी बन्धु। जिस माइक से गुरु मन्त्रों का प्रसारण हो रहा है उसी माइक से दीक्षित होने का कार्यक्रम भी प्रसारित होने लगेगा। जिन गेरुआधारी स्वामियों एवं साध्वियों को अभी आप श्रद्धालु अतिथियों के स्वागत-सत्कार में देख रहे हैं, उस वक्त ये सभी श्रद्धालुओं को दीक्षित कराने के सहयोग में तत्पर हो जायेंगे।''

उस व्यक्ति से लोकचन्द की यह बातचीत सुन रहा अब उनकी दूसरी बगल में बैठा एक व्यक्ति उनकी ओर मुखातिब हो गया। शायद वह प्रतीक्षा में था कि पहले व्यक्ति से लोकचन्द की बात पूरी हो।

''यह जानकर अच्छा लगा भाई साहब कि आप यहाँ के पुराने सदस्य हैं। मैं भी यहाँ दीक्षित ही होने आया हूँ। लेकिन दीक्षित होने के बाद इस आश्रम में ही एक सप्ताह रहना चाहता हूँ।''

लोकचन्द ने देखा, अधेड़ उम्र का वह साँवला व्यक्ति अपने पहनावे से सम्पन्न जान पड़ रहा था। उसके गले में सोने की मोटी चेन दूर से ही चमक रही थी। उसकी आँखों पर चढ़ा चश्मा भी महँगा था। उसके माथे के बाल सफेद थे, जो दोनों कानों के पास दिख रहे थे, क्योंकि अपने माथे पर उसने एक महँगी टोपी धारण कर रखी थी। अब लोकचन्द ने उसे आश्वस्त करते हुए कहा – "दीक्षित होने के बाद आप यहाँ आराम से रह सकते हैं बन्धु। गेरुए परिधान में जो स्वामी कार्यकर्त्ता आपको नजर आ रहे हैं, वे आपके आवास की व्यवस्था कर देंगे।"

"मेरे साथ मेरी पत्नी भी हैं।"

"ठीक है बन्धु। यहाँ आश्रम के आवास व्यक्तिगत और पारिवारिक दोनों तरह के हैं। यहाँ पारिवारिक आवास में आपकी व्यवस्था हो जायेगी...।"

"बहुत-बहुत धन्यवाद भाई साहब! आपकी बात से मुझे बहुत सुकून मिला...।"

"मुझे भी आपसे बातचीत कर अच्छा लगा बन्धु। अगर आप अन्यथा न लें तो मैं आपके बारे में जानना चाहूँगा। आप कहाँ के रहनेवाले हैं और यहाँ गुरु महाराज तक आने की प्रेरणा आपको कैसे मिली?"

"आपने अच्छी जिज्ञासा प्रकट की। गुरु महाराज से दीक्षित होने के बाद हम एक-दूसरे के गुरुभाई हो जायेंगे। इस नाते एक-दूसरे से हमारा परिचय होना ही चाहिए...। हाँ, तो भाई साहब हम बँगलोर से आये हैं। हमारे पड़ोस में रहनेवाले पाण्डेय जी का परिवार गुरु महाराज से दीक्षित रहा है। वे बराबर यहाँ आते रहे हैं। यहाँ के बारे में खूब चर्चा करते हैं। हमसे भी कहते थे कि हम भी गुरु महाराज की शरण ग्रहणकर लें। "फिर हमारा दुःख-दर्द खत्म हो जायेगा..। लेकिन उस वक्त अपने घर-परिवार की व्यस्तता में हम चाहते हुए भी नहीं आ पाते थे।"

"तो क्या आप लोगों के साथ पड़ोसी पाण्डेय जी का परिवार भी आया है।"

"नहीं। वे यहाँ रहते तो जरूर आते। लेकिन अपने बच्चों के पास अमेरिका चले गये हैं।"

"उनके बच्चे अमेरिका में रहते हैं?"

"हाँ भाई साहब! उनका बेटा-बहू और बेटी-दामाद दोनों अमेरिका में ही कार्यरत हैं इसीलिए वे अब बँगलोर से अधिक अमेरिका में ही रहते हैं। वहाँ उन लोगों का मन भी लगता है..।"

"और आपके परिवार में कौन-कौन हैं बन्धु?"

"हमें भी दो बेटे हैं। हमारे बेटे भी अमेरिका में ही कार्यरत हैं। लेकिन पाण्डेय जी की तरह हमारा मन वहाँ नहीं लगता। हम जाते ही वहाँ से भागकर चले आते हैं...।"

"विदेश, विदेश ही होता है बन्धु। सबका मन वहाँ नहीं लगता। आप अभी किसी सेवा में हैं या सेवा मुक्त हैं?"

"सेवा मुक्त हैं भाई साहब। मैं बेंक में चीफ मैनेजर था। जब सेवा में था तो कोई बात नहीं थी। तब बैंक कर्मियों के एक समाज से जुड़ा था। मुक्त होने के बाद अब बँगलोर जैसे महानगर में कोई समाज नहीं। लेकिन इस आश्रम में घुसते ही बाहर के समाज से यहाँ का समाज बहुत आत्मीय जान पड़ रहा है। यहाँ के स्वामियों ने हमें आदर से बैठाया। जलपान कराया। आ-आकर पूछ जाते हैं कि हमें कोई जरूरत तो नहीं..। हमारे पड़ोसी पाण्डेय जी यहाँ के बारे में ठीक ही कहते थे।"

लोकचन्द समझ गये, यह सम्पन्न दम्पति अपनेपन और शान्ति की खोज में यहाँ आया है। अपने पड़ोसी पाण्डेय परिवार की सूचना ने इन्हें यहाँ पहुँचाया। सम्भव है, यह भरोसा भी इनके मन में हो कि यहाँ गुरु महाराज की कृपा के बाद उन्हें किसी बात की तकलीफ नहीं रहेगी। तब प्रतिदान में यह दम्पती भी अपने जीवन की संचित कमाई आश्रम में देता चला जायेगा। अब वह व्यक्ति भी लोकचन्द से पूछ उठा – "अपने बारे में भी हमें बताइये भाई साहब कि आप कहाँ से आये हैं और गुरु महाराज से कब और कैसे जुड़े?"

"मैं बिहार से आता हूँ बन्धु। गुरु महाराज से मेरा बहुत पुराना सम्बन्ध रहा है जब यह आश्रम नहीं बना था तब से। अब आप यहाँ रहने लगेंगे तो अक्सर मुलाकातें होंगी। फिर हमारा मिलना होता रहेगा। तब हम विस्तार से बातें भी करेगें। फिलहाल मैं अन्य आगन्तुक श्रद्धालुओं से मिल लेता हूँ।" और लोकचन्द उठ खड़े हुए। उस समझदार व्यक्ति ने भी उन्हें रोकने की कोशिश नहीं की।

वहाँ से आगे बढ़ते हुए लोकचन्द अतिथिशाला के कुछ अन्य अतिथियों से भी मिल लेना चाहते थे। लेकिन दो ही कदम आगे बढ़ने पर उधर से आती पद्मा से वे रू-ब-रू हो गये। इससे पहले कि वे कुछ कहते, उन पर नजर पड़ते ही पद्मा प्रसन्नता जाहिर करते हुए तत्क्षण बोल उठी- "जै गुरुदेव श्रीमान् जी। कैसे हैं?"

"ठीक हूँ देवी पद्मा। लेकिन आप त्रिशूलपुरम् आश्रम से कब लौटीं?"

"कल देर रात वापस आयी। जाम में हमारी गाड़ी फँस गयी थी, श्रीमान् जी नहीं तो शाम में ही पहुँच आती।"

"अच्छा हुआ आप आ गयीं। मैं आपकी प्रतीक्षा कर रहा था। अब यहाँ से मुझे जाना है। आते हुए पहला परिचय आपसे ही हुआ था, इसलिए जाते हुए भी मैं आपसे मिलकर ही जाना चाहता था।"

"गुरु जयन्ती पर मुझे आना ही था श्रीमान् जी। वर्ष में एक बार तो यह जयन्ती आती है। लेकिन आप अभी क्यों जा रहे? कुछ समय और रुक जाइये श्रीमान् जी।

आज ही सुबह गुरु महाराज से आपके बारे में बातचीत हुई है। यह जानकर मैं सुखद रूप में अचम्भित हूँ कि गुरु महाराज ने आपको अपने समकक्ष हमें बताया है, अपना अभिन्न और परम अन्तरंग...।''

''यह आपके गुरु महाराज की महानता है देवी पद्मा। मैं ऐसा कुछ भी नहीं। अब यहाँ काफी रह लिया। मेरा अपना काम भी बाधित हो रहा है। घर से भी लगातार फोन आ रहे हैं।''

''अभी इधर अतिथिशाला में क्या कर रहे हैं श्रीमान् जी?''

''दीक्षित होने आ रहे श्रद्धालुओं से मिल रहा हूँ।''

''अच्छा है श्रीमान् जी। आप लेखक हैं। इन्हीं श्रद्धालुओं में अपने लेखक के लिए आपको कोई अच्छा चरित्र भी मिल जायेगा। चलिये, मैं आपको एक दम्पति से मिलवाती हूँ। वे मेरे पैतृक शहर से आये हैं। इस गुरु जयन्ती पर अपनी दो बेटियों को वे आश्रम में दान करेंगे...। मेरे पिता जी ने उनकी परेशान जिन्दगी और फटेहाल स्थिति को देखकर भेजा है..।''

पद्मा की यह बात सुन क्षण-भर के लिए लोकचन्द सन्न् रह गये। लोग अपनी बेटियों को आश्रम में दानस्वरूप देने भी आते हैं, यह सूचना उनके लिए अजूबी जैसी थी। देवदासी प्रथा की समाप्ति के बाद भी ऐसा होता है, यह वह नहीं जानते थे। इस दौरान अब पद्मा उस दम्पति के पास उन्हें लेते आयी। अपनी दो बेटियों के साथ अतिथिशाला के एक किनारे वे बैठे हुए थे। उनके रंग गहरे साँवले थे। उनके माथे के बाल खिचड़ी और बेतरतीब। चेहरे पर फैली झुर्रियाँ और सिकुड़न। घुची-घुची आँखें। वार्द्धक्य में पहुँचती उम्र। बदन के कपड़े पुराने, मैले और फटते हुए। साथ में बैठी आठ-दस साल की दो दुबली-पतली बच्चियाँ। रूखे बाल, सूखे चेहरे, सस्ते पुराने फ्रॉक। नये माहौल को अचरज से देखती उनकी मासूम आँखें। अब पद्मा ने लोकचन्द से उनका परिचय कराया – ''श्रीमान् जी, गुरु महाराज के सबसे निकटतम शिष्य हैं भीखम। आप लोगों से मिलने आये हैं...।''

जवाब में भीखम ने अपने दोनों हाथ जोड़ दिये – ''प्रणाम, हुजूर!''

पद्मा ने अब लोकचन्द को उनके निकट की कुर्सी पर बैठाते हुए कहा – ''आप इनसे बात कीजिये श्रीमान् जी। तब तक मैं मुख्य द्वार की ओर जा रही हूँ। मेरे पैतृक क्षेत्र से अभी कुछ और नये श्रद्धालु गुरु महाराज से दीक्षित होने आ रहे हैं..।''

पद्मा चली गयी। लोकचन्द ने अब उस व्यक्ति से पूछा – ''आपका नाम भीखम है?''

जवाब में उसने कहा – "हाँ हुजूर।"

लोकचन्द को यह समझते देर नहीं लगी कि निश्चय ही यह अपने परिवार का मुखिया होगा तभी अपनी पत्नी के साथ अपनी कमसिन बच्चियों को दान देने पहुँचा है। अब वे भीखम की ओर मुखातिब हो गये – "आप देवी पद्मा के शहर से आये हैं भीखम?"

"हाँ हुजूर। देवी मैय्या के पिता जी के आशीर्वाद से ही हम यहाँ पहुँचे हैं...।"

"देवी पद्मा को आप लोग 'देवी मैय्या' कहते हैं?"

"हाँ सरकार। वे देवी मैय्या हैं ही। उनके परिवार और पड़ोस में सब लोग उन्हें देवी मैय्या के रूप में ही जानते हैं।"

"ठीक है भीखम। लेकिन आप मुझे हुजूर और सरकार मत कहिये। मेरा नाम लोकचन्द है।"

"हमारे लिये आप 'हुजूर' और 'सरकार' ही हैं साहब। हम आपका नाम लेकर नहीं बोल सकते..।"

भीखम के इस जवाब ने उसकी दीन-हीन और उपेक्षित स्थिति से लोकचन्द को अवगत कर दिया।

"आप क्या काम करते हैं भीखम?"

"मजदूरी करते हैं साहब!"

"और आपकी पत्नी?"

"वह भी साथ ही कमाती है।"

"वहाँ देवी पद्मा के घर के पास ही आप लोग रहते हैं?"

"नहीं हुजूर। हम शहर से बाहर सड़क के किनारे रहते हैं।"

"क्यों भीखम?"

"हमारा अपना घर-द्वार और अपनी कोई जगह-जमीन नहीं साहब।"

"फिर देवी मैय्या के पिता जी से आप कैसे जुड़े?"

"वे बहुत दयालु हैं साहेब। हमारे लिये तो भगवान् ही हैं। रोज सुबह टहलने के लिए निकलते हैं तो हमारी झोपड़ी के पास अवश्य रुकते हैं। फिर हमें परेशानी में देख कभी पैसे दे देते हैं तो कभी अपने मकान पर बुलाकर अनाज और कपड़े देते हैं। देवी मैय्या के पिता जी की ही तरह उनकी माता जी भी बहुत धर्मात्मा हैं। हम दुखियारों के लिए अपनी ओर से भी वे कुछ-न-कुछ देती ही रहती हैं..."

"आपके कितने बच्चे हैं भीखम?"

"अभी तो सात लड़कियाँ हैं हुजूर।"

"अभी तो का मतलब? और बच्चे चाहते हैं क्या?"

"नहीं हुजूर। और दो लड़कियाँ थीं, जो मर गयीं...।"

"इसका मतलब आपको नौ लड़कियाँ थीं?"

"हाँ सरकार।"

"जब आप मजदूरी करते हैं तो आपकी आय का स्रोत सीमित है, तब फिर इतने बच्चे आपने क्यों पैदा किये?"

"यह सब भगवान् की देन है हुजूर। इसमें आदमी का वश नहीं होता। हमने चाहकर ऐसा नहीं किया।"

"क्यों नहीं किया? दो-तीन बच्चियों के बाद ही पत्नी का या अपना ऑपरेशन करा लिया होता?"

"ऑपरेशन के पैसे कहाँ से आते हुजूर? फिर यह घरवाली बेटे की राह भी तो देख रही थी।"

"बेटा होकर ही क्या करता? क्या तुम्हारी गरीबी दूर कर देता?"

"नहीं करता सरकार। फिर भी सब लोग बेटा तो चाहते ही हैं। बेटा से ही वंश चलता है साहेब, बेटी से नहीं..।"

लोकचन्द को लगा कि इस विषय पर इस अवस्था और इस स्थिति में पहुँचे इस व्यक्ति को वे समझा नहीं पायेंगे, इसलिए जानकारी प्राप्त करने तक ही उन्होंने अपने को सीमित रखा।

"आपकी वे दोनों बेटियाँ कैसे मरीं भीखम?"

"एक तो जन्म के छह माह के अन्दर ही मर गयी हुजूर। उसे पीलिया की बीमारी थी। और दूसरी सात-आठ साल की होकर मरी। हम मजदूरी में गये थे। झोंपड़पट्टी की और छोरियों के साथ वह मछली पकड़ रही थी। बस पैर फिसलने से तालाब में डूब मरी।"

"फिर सात बेटियों में अभी और पाँच कहाँ हैं?"

"दो बेटियों को ब्याह दिया है साहेब। अपने पास की झोंपड़पट्टी में ही। उन्हीं के पास घर पर बची तीनों बेटियों को छोड़ कर इन दो को लेकर आये हैं...।"

"जिन बेटियों को आप ब्याह चुके हैं भीखम, वे सुख से हैं?"

"सुख से क्या रहेंगी साहेब। रोज मजूरी के फुटकर काम में कहाँ सुख? अपने पतियों के साथ किसी तरह कमा-खा रही हैं...।"

"इन दोनों बेटियों को आश्रम में देने की बात आपके मन में कैसे आयी?"

"परमेश्वर बाबू के कहने पर सरकार।"

"कौन परमेश्वर बाबू?"

"वही, देवी मैय्या के पिता जी। उन्हीं का नाम परमेश्वर चन्द है।"

"क्या कहा उन्होंने?"

"कहा कि तुम दोनों के साथ तुम्हारी सभी बेटियों का जीवन बर्बाद हो रहा है, भीखम। अब इन दो बेटियों को 'मुक्त लोक आश्रम' में ले जाकर सौंप दो। वहाँ मेरी बेटी पद्मा है। इन दोनों का जीवन सँवर जायेगा। इन्हीं के बहाने आश्रम में आने-जाने और आश्रम से सहयोग पाने का तुम्हें भी अवसर मिलता रहेगा। परमेश्वर बाबू हमारी हालत से परिचित हैं साहब, इसीलिए हमें आश्रम आने-जाने का खर्च भी उन्होंने ही दिया।"

"तो क्या अब अपनी इन बेटियों को आप लोग यहाँ सौंप देंगे... ।"

"हाँ सरकार। यहाँ आने के बाद अब हमें लग रहा है कि सचमुच यह आश्रम तो स्वर्ग है। यहाँ के लोग कितने अच्छे हैं। कोई किसी से दूरी नहीं मानता। सब एक-दूसरे से हिल-मिलकर रहते हैं। यहाँ आने के बाद तो हमारी सारी थकान दूर हो गयी। कितना अच्छा जलपान करने को मिला।"

"ठीक है भीखम। आप लोग यहाँ आराम से बैठिये। मैं उधर एक और आदमी से मिलने जा रहा हूँ।" – और लोकचन्द वहाँ से चल पड़े। इस सम्बन्ध में वे यह समझ नहीं पा रहे थे कि भीखम की इस घटना का जिम्मेवार कौन है – क्या सुकेश और उसका यह आश्रम? या भीखम की गरीबी या परमेश्वरचन्द का परामर्श या हमारी यह समाज-व्यवस्था? लोकचन्द चाहते हुए भी तत्क्षण किसी निर्णय पर नहीं पहुँच सके। ठीक इसी समय सामने से आते नवरंग नारायण और लोकचन्द एक-दूसरे के आमने-सामने हो गये। बस, नवरंग नारायण बोल उठे – "जै गुरुदेव श्रीमान् जी। माफ कीजियेगा। उस दिन आश्रम सेवकों के हमारे स्थल पर आप आये थे तो हम आपको पहचान नहीं सके। स्वामी प्रणव सागर के परिचय से आपको एक विशिष्ट अतिथि मात्र समझा। लेकिन अब गुरु महाराज से हमें पता चल गया है। आप गुरु महाराज के सिर्फ पुराने शिष्य ही नहीं, परम प्रिय और परम विश्वासपात्र हैं... ।"

"ऐसा कुछ नहीं नवरंग नारायण जी। आपके गुरु महाराज का मैं सिर्फ पुराना परिचित भर हूँ... ।"

"नहीं, नहीं, श्रीमान् जी। अब हम जान चुके हैं। अच्छा, यह बताइये, अभी इस समय आप यहाँ? कोई जरूरत हो तो कहिये। हम अभी पूरा करा देंगे... ।"

"कोई जरूरत नहीं नवरंग नारायण जी। दीक्षित होने आ रहे नये श्रद्धालुओं को देख रहा हूँ । उनसे मिल रहा हूँ। लेकिन आश्रम सेवकों को छोड़कर फिलहाल आप यहाँ?"

"मेरे क्षेत्र से भी दो युवक आनेवाले है श्रीमान् जी। उन्हें ही लेने जा रहा हूँ। आश्रम-सेवकों में हमें अभी और युवकों की आवश्यकता है। ऐसे अवसरों पर हमारे आश्रम सेवक कम पड़ जाते हैं। फिलहाल हमारे आश्रम सेवक कई जगहों पर सक्रिय हैं। कुछ आश्रम के प्रवेश-द्वार पर, कुछ अतिथिशाला में, कुछ अभी से ही मण्डप की व्यवस्था में। शेष आश्रम के निर्माण कार्यों में।"

"लेकिन वे कहीं नजर नहीं आ रहे स्वामी नवरंग नारायण?"

"सभी जगह तो दिख रहे हैं श्रीमान् जी। वह सामने अतिथियों को जलपान करा रहे हैं...।"

"वे तो गेरुए परिधान में आश्रम के स्वामी हैं...।"

"स्वामी तो कम हैं श्रीमान् जी, उनके साथ हमारे आश्रम सेवक ही अधिक हैं। उनके गेरुए परिधान की वजह से आप पहचान नहीं सके। यहाँ हर अवसर पर आश्रम के स्थायी सदस्य आपको गेरुए परिधान में ही दिखेंगे...।"

लोकचन्द स्वामियों की बढ़ गयी संख्या देख रहे थे। इस सम्बन्ध में उन्हें लगता था कि आश्रम के अधिकांश स्वामी इस अवसर पर सेवा भाव के तहत सक्रिय हैं। लेकिन अब वे समझ गये, उनके रूप में आश्रम सेवक ही हैं। यहाँ लोकचन्द को यह समझते देर नहीं लगी कि सचमुच आश्रम सेवकों की विशेष भूमिका है..।

अब नवरंग नारायण से विदा लेते लोकचन्द ने कहा –" मैं उधर नये श्रद्धालुओं की ओर जा रहा हूँ नवरंग नारायण जी। आप भी अपने क्षेत्र के युवाओं को जाकर देखिये। मैं उधर से घूमते हुए प्रवेश-द्वार की ओर ही आऊँगा। देवी पद्मा भी उधर ही गयी हैं...।"

इसके बाद लोकचन्द और नवरंग नारायण अपने-अपने उद्देश्य के तहत आगे बढ़ गये। लोकचन्द देख रहे थे, विभिन्न अवस्था के भाँति-भाँति के लोग दीक्षित होने पहुँच रहे थे। अपनी वेश-भूषा से वे विभिन्न क्षेत्रों और वर्गों से आये जान पड़ रहे थे। धर्म के नाम पर इस विश्वास और श्रद्धा को अन्ध विश्वास तथा अन्ध श्रद्धा कह कर भी लोकचन्द नहीं टाल सकते। जिस देश के शासन का आधार ही संख्या बल हो, वहाँ ऐसे संख्या बल को वे कैसे नकार सकते हैं? शायद यही वजह है कि स्त्रियों के यौन-उत्पीड़न और विभिन्न अभियोगों के तहत निरन्तर गिरफ़्तार हो रहे बाबाओं और स्वामियों तथा कठघरे में खड़े होते उनके आश्रमों के बावजूद निरन्तर नये-नये

स्वामियों और बाबाओं के उदय के साथ नये-नये आश्रम कायम होते रहे हैं। लेकिन अपने जिस मित्र सुकेश को वे जानते हैं, जिसके साथ बचपन और किशोरावस्था की अवधि अभिन्न मित्र के रूप में व्यतीत की है, वैसे मित्र का ऐसे प्रसंग में फँसना उन्हें कतई उचित प्रतीत नहीं हो रहा था।

लोकचन्द देख रहे थे, बीतते समय के अनुसार वह लम्बी, चौड़ी और बड़ी अतिथिशाला आगन्तुक श्रद्धालुओं से लगभग भरती जा रही थी। लोकचन्द को विश्वास नहीं था कि इस अवसर पर इतने लोग आ पहुँचेंगे। दरअसल, उनके लिए तो यह सब-कुछ नया था।

लोकचन्द अब वापस आश्रम के मुख्य द्वार की ओर चल पड़े। देवी पद्मा से अब वे पुनः मिलना चाहते थे। भीखम से बातचीत के बाद यह जिज्ञासा उनके मन में पैदा हो गयी थी कि क्या भीखम-दम्पती चुपके-चुपके अपनी बेटियों को आश्रम में सौंप देंगे या इसके लिए कोई धार्मिक अनुष्ठान होगा या गुरु महाराज द्वारा दानस्वरूप इन्हें प्राप्त करने के लिए विशेष रूप से दीक्षित किया जायेगा। शादी-ब्याह में होनेवाले कन्यादान की रस्म से तो वे परिचित थे। अब आश्रमों के लिए होनेवाले कन्यादान को भी वे जान लेना चाहते थे। लेकिन पद्मा तक पहुँचने से पहले ही मुख्य द्वार की ओर से आ रहे नवरंग नारायण से पुनः उनकी मुलाकात हो गयी। इस बार नवरंग नारायण के साथ दो नये आगन्तुक युवक भी थे। लोकचन्द समझ गये ये वही दोनों युवक हो सकते हैं जो नवरंग नारायण के क्षेत्र से आनेवाले थे। इस सम्बन्ध में उनके कुछ पूछने से पहले ही नवरंग नारायण बोल उठे –

"हमारे ये दोनों बहादुर नौजवान आ गये श्रीमान् जी। अब इनकी बहादुरी और कार्यकौशल के लिए उचित अवसर यहाँ मिल जायेगा।"

लोकचन्द ने देखा, साँवले रंग के उन दोनों युवकों की आकृति अलग-अलग थी। एक का चेहरा चौड़ा था तो दूसरे का लम्बा। एक की ऊँचाई सामान्य से अधिक थी तो दूसरे की औसत। इसके बावजूद दोनों के बदन कसरती। दोनों की आँखें काँच की गोलियों की तरह चमकती हुई। उनके चेहरों पर मनचाही जगह आने की खुशी तथा ताजगी।

"मैं इन नौजवान मित्रों से कुछ बात करना चाहूँगा नवरंग नारायण जी।"

"बहुत अच्छा श्रीमान् जी। आइये, यहाँ बैठिये।" – और अतिथिशाला में एक जगह की खाली कुर्सियों के पास उन्हें बैठाते हुए आगन्तुक युवकों से कहा – "श्रीमान् जी, आप लोगों से कुछ बात करेंगे। आप लोग यहीं रहियेगा। गुरु दीक्षा के

समय मैं आ जाऊँगा। श्रीमान् जी हमारे अत्यन्त आदरणीय हैं। गुरु महाराज के सबसे निकटतम और विश्वसनीय व्यक्ति हैं...।''

''यह सुनते ही वे दोनों युवा लोकचन्द के चरण-स्पर्श के लिए झुक गये। लेकिन लोकचन्द ने उन्हें बीच में ही पकड़ लिया – ''नहीं नौजवान मित्रों। मैं कोई संत-महात्मा नहीं। बस, हाथ का अभिवादन ही पर्याप्त है...।''

और उन नौजवानों को पुनः उनकी जगह बैठाते हुए लोकचन्द ने अपनी जिज्ञासाओं के तहत अब बातचीत प्रारम्भ कर दी।

''आप लोग कहाँ से आये हैं?''

''स्वामी नवरंग नारायण जी के गाँव से।''

''हाँ, वे कह रहे थे कि मेरे क्षेत्र से दो युवा आनेवाले हैं। आप लोगों के नाम क्या है?''

एक ने बताया – ''वंशराखन''

फिर दूसरे ने कहा –

''जगरोपन।''

''बहुत अच्छे नाम हैं आप लोगों के। वंश और सृष्टि के जनक। वहाँ क्या करते थे आप लोग?''

वंशराखन ने कहा – ''कुछ खास नहीं स्वामी जी। जब जो काम मिल जाता, कर लेते...।''

जगरोपन ने स्पष्ट कर दिया वंशराखन के इस कथन को – ''वहाँ गाँव में हम रोज मजदूरी के फुटकर काम करते थे, स्वामी जी...।''

''मैं कोई स्वामी नहीं हूँ, मेरा नाम लोकचन्द है। अगर आप लोग चाहें तो मुझे मेरे नाम से भी सम्बोधित कर सकते हैं। या फिर स्वामी नवरंग नारायण की तरह मुझे सिर्फ श्रीमान् जी कह सकते हैं। हाँ, तो आप लोगों ने कहाँ तक शिक्षा हासिल की है?''

जवाब में अब वंशराखन बोल उठा – ''गाँव की पाठशाला से सिर्फ पाँचवीं कक्षा तक।''

लोकचन्द समझ गये, इन दोनों में यह वंशराखन ही अधिक वाचाल है। इसलिए अब वे वंशराखन से ही संवादरत हो गये – ''आगे क्यों नहीं पढ़े?''

''हमारे घर की स्थिति पढ़ाने लायक नहीं थी श्रीमान् जी।''

''क्या करते हैं आपके घर के लोग?''

"खेत मजदूरी का काम करते हैं। गाँव के खेतिहरों के यहाँ हम खटते हैं।"

"आप लोगों के पास अपने खेत नहीं।"

"नहीं श्रीमान् जी। एक कट्ठा जमीन भी हम लोगों के पास नहीं।"

"फिर यहाँ आने का निर्णय आप लोगों ने कैसे लिया?"

"स्वामी नवरंग नारायण जी के कहने पर।"

"तो क्या यहाँ के बारे में आप लोग जानते थे?"

"हाँ श्रीमान् जी। स्वामी जी के साथ यहाँ एक बार पहले भी हम आ चुके हैं।"

"कब, कैसे? तब फिर उसी वक्त गुरु महाराज से दीक्षित क्यों नहीं हो गये? हमें पूरी बात बताइये। आप लोगों से मिलने के बाद आप लोगों के बारे में जानने के लिए हमारा मन जिज्ञासु है...।"

"ठीक है श्रीमान् जी। हम पूरी बात बताते हैं। हम जान चुके हैं कि आप यहाँ के बड़े श्रीमान् जी हैं...। हमारे गाँव में अक्सर कुश्ती प्रतियोगिता, दौड़ प्रतियोगिता और ऊँची छलाँग प्रतियोगिता का खेल होता है। गाँव के बाहर मजमा लगा कर हमारे गाँव के लोग यह खेल खूब देखते और मजे लेते हैं। इसमें जो लड़के विजयी होते हैं, सब लोग उसकी वाहवाही करते हैं। उसे शाबाशी दी जाती है। पिछले कुछ महीने पहले इसी खेल में हम दोनों विजयी हो गये थे। मैंने कुश्ती में अपनी उम्र के दो-तीन लड़कों को पछाड़ दिया था और जगरोपन ने ऊँची छलाँग में कई लड़कों को मात दे दी थी। लेकिन गाँव के लोगों को खुशी नहीं हुई। हमारी जीत को उन्होंने जीत नहीं माना। हमारी जीत से तो उन्हें तकलीफ ही हुई थी, इसलिए सीधे कह दिया, कुश्ती ढंग से नहीं हुई और ऊँची छलाँग में जगरोपन से दूसरे लड़के आगे थे...।"

"आप लोगों के साथ गाँव के लोगों ने ऐसा क्यों किया वंशराखन? आपसे उन्हें किस बात की दुश्मनी थी?"

"किसी बात की दुश्मनी नहीं श्रीमान् जी। इसे जाति और जमात की दुश्मनी समझिये। हमारी जाति दूसरी और उनकी जाति दूसरी है।"

" तो फिर आपकी जाति के लोगों ने आप लोगों का समर्थन क्यों नहीं किया?"

"उस गाँव में हमारी जाति के लोग सिर्फ दो ही तीन घर हैं श्रीमान् जी। इस स्थिति में हम उनका मुकाबला नहीं कर सकते। पूरा गाँव एक जाति का और उनके बीच अलग जाति के हम सिर्फ दो-तीन परिवार। साथ ही गाँव के खेतिहर और भू-स्वामी भी वे ही तथा हम भूमिहीन। इसलिए हमारा जीतना उन्हें नहीं भाया...।"

"आप लोगों की स्थिति मैं समझ गया। फिर इसके बाद क्या हुआ?"

"क्या होगा श्रीमान् जी। हम दोनों मन मार कर वहाँ से लौट गये। उस समय स्वामी नवरंग नारायण जी भी गाँव आये थे। खेल के उस मजमे में वे भी थे। लेकिन वहाँ उन्होंने भी कुछ नहीं कहा।"

"क्यो वंशराखन? उन्हें तो बोलना चाहिए था।"

"नहीं श्रीमान् जी, वे कैसे बोलते? समूचे गाँव के लोग जिस जाति के हैं, वे भी उसी जाति के हैं। अपनी पूरी जाति और उस समाज से वे विरोध कैसे करते?" लेकिन खेल खत्म होने के बाद शाम घिरने पर वे बारी-बारी से हमारे घर आये और उन्होंने जी भर कर तारीफ की। फिर हमें गाँव से बाहर पुलिया पर एकान्त में ले आये और अपने इस आश्रम के बारे में हमें इतना और ऐसा बताया कि आश्रम देखने-जानने के लिए हमारे मन में भी ललक पैदा हो गयी। फिर स्वामी नवरंग नारायण जी अपने साथ हमें भी यहाँ लेते आये। यहाँ आने के बाद तो हम यह आश्रम देखकर दंग रह गये श्रीमान् जी। हमें यह इतना जँचा कि हम यहाँ रहने को तैयार हो गये। यहाँ की सबसे बड़ी बात यह श्रीमान् जी कि यहाँ जाति-पाँति को लेकर कोई भेद-भाव नहीं। रहने, खाने-पीने और ओढ़ने-पहनने की दिक्कत भी किसी को नहीं। हमारे लिये 'आश्रम सेवक' का काम भी स्वामी नवरंग नारायण ने निर्धारित कर रखा है।"

"तब फिर आप लोग उसी समय से यहाँ क्यों नहीं रहने लगे? उसी समय गुरु महाराज से दीक्षित भी हो जाते... ।"

"स्वामी नवरंग नारायण जी ने गुरु जयन्ती पर ही दीक्षित होने के लिए कहा था। यह शुभ दिन उन्हीं का निर्धारित किया हुआ है श्रीमान् जी।"

"ठीक है युवा मित्रों, मैं सब-कुछ समझ गया। यहाँ आप दोनों का जीवन तो सुख-सुविधाओं के बीच कटने लगेगा, लेकिन यहाँ रहकर अपने घर-परिवार को आप लोग क्या दे पायेंगे? कहीं किसी दूसरी जगह नौकरी में जाते तो घर को भी मदद करते... ।"

"यहाँ से भी करेंगे श्रीमान् जी। यहाँ रह कर भी हम घर की मदद करेंगे। स्वामी नवरंग नारायण जी ने कहा कि हमारे कार्य के अनुसार आश्रम की ओर से हमें दरमाहा भी प्राप्त होगा... ।"

उन युवकों की इस बात और उनसे परिचय ने लोकचन्द को सोचने के लिए बाध्य कर दिया। अब वे यह समझ नहीं पा रहे थे कि अपने जिस मित्र सुकेश और उसके इस आश्रम को संशय की दृष्टि से देखते रहे हैं, वहाँ इस आश्रम में ऐसे युवकों के आगमन को लेकर अब क्या कहेंगे? जो आश्रम हाशिये के लोगों को पनाह देता हो उसके इस पक्ष को नजरअन्दाज भी तो नहीं किया जा सकता है... ।

"आप लोग यहाँ इत्मीनान से बैठिये युवा मित्रों। समय पर स्वामी नवरंग नारायण आ जायेंगे। तब तक मैं मुख्य द्वार की ओर जाता हूँ...।"

"ठीक है श्रीमान् जी।"

इसके बाद लोकचन्द वहाँ से चल पड़े। लेकिन अभी कुछ ही कदम आगे बढ़ पाये थे कि सामने से आता उदय नन्दन मिल गया – "जै गुरुदेव श्रीमान् जी। गुरु महाराज ने पुनः ताकीद की है कि इस अवसर पर मैं आपके साथ, आपके सहयोग में ही रहूँ।"

"ठीक है उदय। अपनी इच्छानुसार अतिथिशाला का मैंने भ्रमण कर लिया। कुछ आगन्तुक श्रद्धालुओं से मिल भी लिया। अब थोड़ी देर के लिए अपने आवास पर विश्राम करने जा रहा हूँ। गुरु-दीक्षा का कार्यक्रम प्रारम्भ हो तो आ जाना।"

"जैसी आज्ञा श्रीमान् जी।"

उदय नन्दन अब वहाँ से आगे बढ़ गया और लोकचन्द अपने आवास में आ गये। अपने बिस्तर पर अपनी प्रकृति के अनुसार कुछ समय के लिए आँख बन्द करके वे लेट गये। यह उनके सोने का समय नहीं था।

ऐसे वक्त वे सोते भी नहीं थे। सिर्फ अपने तन-मन को आराम पहुँचाते थे। लेकिन इस क्षण अतिथिशाला के बातचीत के क्षण पुनः-पुनः उनके मानस में उमड़ते-घुमड़ते रहे।

समय होते ही उदय नन्दन आ पहुँचा – "जै गुरुदेव श्रीमान् जी। दीक्षा का कार्यक्रम अब प्रारम्भ होने जा रहा है...।"

"ठीक है उदय। चलो, चलते हैं...।"

और लोकचन्द जल्द ही तैयार होकर चल पड़े। अब अपने आवास से निकलते ही नारी कण्ठ की मधुर ध्वनि में उद्‌घोषणाएँ सुनायी पड़ने लगीं – "इस आश्रम में पधारे सभी श्रद्धालुओं और भक्त जनों का स्वागत है। गुरु महाराज से दीक्षित होने आये देवियों और सज्जनों से अनुरोध है कि वे 'देववाणी मण्डप' में प्रवेश कर अपना-अपना स्थान ग्रहण कर लें। दीक्षा अनुष्ठान का शुभारम्भ शीघ्र होने जा रहा है...।"

इस उद्‌घोषणा का प्रसारण बार-बार हो रहा था। लोकचन्द समझ गये, सभी श्रद्धालुओं तक यह सूचना समय से पहुँच जाय, इसलिए इसकी पुनरावृति जारी थी...।

वे देख रहे थे, अतिथिशाला खाली होती जा रही थी और देववाणी मण्डप की ओर लोगों के कदम तेजी से बढ़ते जा रहे थे।

उदय नन्दन के साथ लोकचन्द भी 'देववाणी मण्डप' तक पहुँच गये। इस अवसर पर मण्डप की सजावट देख वे अभिभूत हो उठे। ताजे फूलों से सजा वह मण्डप किसी अति विशिष्ट राजकुमारी की शादी का मण्डप जान पड़ रहा था। बाह्य खूबसूरती के साथ-साथ ताजे फूलों की उत्तम खुशबू मन को प्रफुल्लित करती जा रही थी। वह विशाल और दिव्य मण्डप श्रद्धालुओं से लगभग भर चला था। इस अवसर के लिए मण्डप के अन्दर की नक्काशी और तैयारी भी अद्‌भुत थी। गुरु महाराज की विभिन्न मुद्राओं की आदमकद तस्वीरें विभिन्न रंगों में श्रद्धालुओं को आशीर्वाद देती प्रतीत हो रही थीं। हर तस्वीरों के नीचे मोटे-मोटे सुनहले अक्षरों में कहीं गुरु स्तुति, कहीं गुरु मन्त्र, कहीं गुरु-वन्दना, कहीं गुरुकीर्त्तन, कहीं गुरु आरती की पंक्तियाँ अंकित थीं। इस रूप में वह मण्डप न सिर्फ श्रद्धालुओं के लिए ध्यानाकर्षक था, बल्कि उन्हें सम्मोहित करने और गुरुमय बनानेवाला था। लोकचन्द उन श्रद्धालुओं से अलग थे। फिर भी निर्मित माहौल का सम्मोहन और आकर्षण महसूस कर रहे थे।

उदय नन्दन ने अब अनुरोध किया – "चलिये श्रीमान् जी। मण्डप की अगली पंक्ति में लगे सोफा विशिष्ट जनों के लिए ही हैं...।"

"नहीं उदय। मुझे आगे नहीं, कहीं पीछे बैठना है...।"

"नहीं, नहीं, श्रीमान् जी। गुरु महाराज देख लेंगे तो उन्हें भी अच्छा नहीं लगेगा। फिर मुझसे भी पूछ-ताछ करेंगे।"

"ठीक है उदय। लेकिन अगली पंक्ति में नहीं। उधर किनारे की पंक्ति में। वह पंक्ति आगे भी नहीं है और पीछे भी नहीं। वहाँ इत्मीनान से मैं दीक्षा का कार्यक्रम देख-सुन सकूँगा...।"

लोकचन्द के इस निर्णय के अनुसार उदय नन्दन अब उन्हें लेकर किनारे की उन सीटों के पास चला गया। वहाँ पर्याप्त आरामदायक सीट पर बैठते हुए उन्होंने अच्छा अनुभव किया। वहाँ से सामने का मंच स्पष्ट नजर आ रहा था, जहाँ गुरु महाराज पधारनेवाले थे। उस मंच की साज-सज्जा भी अपूर्व और निराली थी। इस आश्रम में प्रथम दिन लोकचन्द इसी देववाणी मण्डप में गुरु महाराज का प्रवचन सुनने आये थे। तब यह मण्डप और गुरु महाराज का मंच आज जैसा नहीं सजा था। लोकचन्द को अब यह समझते देर नहीं लगी कि सचमुच इस आश्रम के लिए 'गुरु जयन्ती' का यह वार्षिक आयोजन अत्यन्त महत्त्वपूर्ण है।

लोकचन्द सुन रहे थे, माइक की उद्‌घोषणाएँ अब बदल गयी थीं – "देव वाणी मण्डप में दीक्षा के लिए उपस्थित देवियों और सज्जनों, गुरु महाराज की इस तपोभूमि में आपका स्वागत है। यह गुरु महाराज की तपःस्थली है। आज का दिन इस आश्रम

के लिए अत्यन्त पावन दिन है। गुरु महाराज की वाणी को अपने चित्त में धारण करने के लिए अपने मन को आप शान्त और एकाग्र बनाये रखें। गुरु महाराज अब पधारने हीवाले हैं। दीक्षित होने के बाद वापसी के मार्ग में उपस्थित आश्रम सेवकों के रजिस्टर में अपना नाम एवं पता अवश्य दर्ज कराइयेगा, ताकि आश्रम के उत्सवों और आयोजनों की सूचना समय-समय पर आपको भेजी जा सके...।''

इस उद्घोषणा के अनुसार लोकचन्द देख रहे थे, श्रद्धालुओं से भरा वह पूरा मण्डप शान्त, स्थिर एवं सहज होता जा रहा था। वे जानते थे, कोई और अवसर होता तो ऐसी भीड़ में ऐसी शान्ति कायम नहीं रह पाती। लेकिन यह अवसर दूसरा था और यहाँ की भीड़ भी दूसरी थी।

अब कुछ ही क्षणों बाद सामने से मधुर ध्वनि में जयकारियाँ सुनायी पड़ने लगीं – ''जै गुरुदेव। जै गुरुदेव।''

लोकचन्द की नजरें सामने चली गयीं। अपने निर्धारित समय के अनुसार अब गुरु महाराज मंच की ओर आ रहे थे। उनकी बायीं ओर चार की संख्या में सुन्दर युवा साध्वियाँ तथा दायीं ओर चार की ही संख्या में युवा स्वामी। प्रवचन के समय भी उन्हें ऐसे ही आते हुए लोकचन्द ने देखा था। गेरुए परिधान में उनकी इस आकर्षक प्रस्तुति की ओर पूरे मण्डप का ध्यान चला गया। सबकी प्रतीक्षित निगाहें गुरु महाराज पर जा टिकीं। मंच के निकट गुरु महाराज के पहुँचते ही अब मण्डप से भी समवेत ध्वनि में जयकारी शुरू हो गयी – 'जय गुरुदेव, जय गुरुदेव।' इस दौरान गुरु महाराज के सम्मान में पूरे मण्डप के श्रद्धालु उठ खड़े हुए। वे श्रद्धालु अब तब तक जयकारी लगाते हुए खड़े रहे जब तक गुरुदेव मंच पर चढ़कर अपने आसन पर आसीन नहीं हो गये।

अपने आसन पर आसीन गुरु महाराज ने जब अपने दोनों हाथ उठाकर लोगों को आशीष प्रदान किया तथा उन्हें शान्त-सहज होकर बैठ जाने का संकेत दिया, तब वे शान्त होकर बैठ गये।

अब कार्यक्रम के अनुसार बिना विलम्ब किये गुरु महाराज की बायीं ओर खड़ी साध्वियों ने मधुर स्वर में गुरु-वन्दना प्रारम्भ कर दी –

''गुरु बिनु भव निधि तरैं न कोई।
जो विरंचि शंकर सम होई।।''

साध्वियों के इस स्वर को संगीत के साज और आवाज में ढालने का काम मंच के आगे आधुनिक वाद्य यन्त्रों के साथ बैठे संगीतज्ञों ने तत्क्षण सम्हाल लिया था। ऐसे में अजीब समाँ बँध गयी। लोकचन्द जानते थे, मानव मन को प्रभावित, संवेदित औ[illegible]ेलित करने में संगीत की भूमिका अग्रणी रही है। संगीत व्यक्ति के अन्तर

मन तक पहुँच जानेवाला माध्यम रहा है। संगीतमय इस गुरु-वन्दना का असर लोकचन्द पूरे मण्डप में महसूस कर रहे थे। इस अवसर पर साध्वियों ने लगातार गुरु-वन्दना के पाँच गीत प्रस्तुत किये। इस दौरान दीक्षित होने आये श्रद्धालु न सिर्फ उसे मन्त्रमुग्ध भाव से सुनते रहे, बल्कि भावविभोर और तन्मय हुए भी जान पड़े।

साध्वियों की इस प्रस्तुति के बाद अब युवा स्वामियों ने अपनी प्रस्तुति प्रारम्भ की। इस क्रम में तीन युवा स्वामियों ने समवेत स्वर में पाठ शुरू कर दिया, जैसे वेद मन्त्रों का किया जाता रहा है –

"गुरुर्ब्रह्मा, गुरुर्विष्णुः, गुरुर्देवो महेश्वरोः।
गुरुःर्साक्षात् परब्रह्म, तस्मै श्री गुरवे नमः।।"

इस दौरान उनके साथ का चौथा युवा स्वामी संस्कृत के उन श्लोकों का बारी-बारी से सहज, सरल और बोधगम्य हिन्दी में भाष्य करना शुरू कर दिया। ऐसे में संगीत की गुरु-वन्दना से झूमता श्रद्धालुओं का मन अब गुरु महिमा के ज्ञान से परिपूर्ण भी होने लगा। लोकचन्द ने अनुभव किया, श्रद्धालुओं के लिए साध्वियों की इस संगीतमय प्रस्तुति के बाद स्वामियों की यह ज्ञानात्मक प्रस्तुति भी प्रभावकारी रही।

इस प्रस्तुति के बाद जिस बात के लिए सबकी निगाहें गुरु महाराज पर केन्द्रित थीं, अब वह समय भी आ गया। एक विशिष्ट माइक उनके आसन के पास ही लगा हुआ था। उस माइक से गुरु महाराज की आकर्षक वाणी अब पूरे मण्डप में गूँज उठी –

"ॐ श्री परमात्मने नमः। परब्रह्म परमेश्वर से प्रार्थना है कि यहाँ उपस्थित आप सभी अतिथियों का कल्याण हो। आप जिस इच्छा, मनोकामना और उद्देश्य से यहाँ आये हैं, प्रभु आपकी वह इच्छा पूर्ण करें। आपके अन्दर सद्ज्ञान की ज्योति जलाते हुए आपको सद्मार्ग पर चलने की प्रेरणा दें। इस अवसर पर मैं बहुत-कुछ कहना नहीं चाहता। यह अवसर लम्बे प्रवचन का नहीं है। मेरे चिन्तन-मनन में जो चन्द बातें हैं, जिन बातों पर मैं स्वयं अमल करता हूँ यहाँ उन्हीं बातों से आपको भी अवगत कराना चाहता हूँ।"

"जहाँ तक मैं समझता हूँ, आप जानते होंगे और अगर नहीं जानते हों तो जान लें, हमें यह मनुष्य योनि चौरासी लाख योनियों के बाद ईश्वर के अनुग्रह से प्राप्त हुई है। पूरी सृष्टि में इस योनि से बढ़कर कोई और योनि नहीं। इसलिए परब्रह्म परमात्मा भी राम, कृष्ण के रूप में इसी योनि में अवतार लेते हैं। लेकिन क्या कभी यह जानने का प्रयत्न आप लोग करते हैं कि यह मनुष्य योनि हमें क्यों प्राप्त हुई है? इस जीवन में हमें क्या करना चाहिए? लेकिन हममें से अधिकांश यह जानने का प्रयास कभी नहीं करते, इसलिए यह अमूल्य जीवन वे व्यर्थ ही गँवा देते हैं। इस जीवन

का उद्देश्य भोग और कामनाओं की पूर्ति नहीं है। भोग और कामनाएँ तो हमें भटकाती हैं। भोग और कामनाओं की पूर्ति से तो हम फिर-फिर जन्म-मृत्यु के दुःखद चक्र और चौरासी लाख योनियों के भँवर में फँस जाते हैं। यह मनुष्य शरीर हमें इसलिए प्रदान किया गया है कि इस मनुष्य शरीर में ही ऐसी क्षमता है कि अपनी साधना भक्ति और ज्ञान से हम भगवान् को प्राप्त कर सकते हैं। यह मैं अपनी ओर से नहीं कह रहा। इस सम्बन्ध में रामचरितमानस की कुछ पंक्तियाँ आप लोगों के लिए प्रस्तुत कर रहा हूँ। इन्हें ध्यान से सुनियेगा –

बड़े भाग मानुष तनु पावा। सुर दुर्लभ सब ग्रन्थन्हि गावा।
साधन धाम मोक्षकर द्वारा। पाइ न जेहिं परलोक सँवारा।।
एहि तनकर फल बिषय न भाई। स्वर्गउ स्वल्प अन्त दुखदाई।।
नर तनु पाइ बिषयँ मन देहीं। पलटि सुधा ते सठ बिष लेहीं।।
ताहि कबहुँ भल कहइ न कोई। गुंजा ग्रहइ परस मनि खोई।।
आकर चारि लच्छ चौरासी। जोनि भ्रमत यह जिव अबिनासी।।
फिरत सदा मायाकर प्रेरा। काल कर्म सुभाव गुन घेरा।।
कबहुँक करि करुना नर देही। देत ईस बिनु हेतु सनेही।।
नर तनु भव बारिधि कहुँ बेरो। सन्मुख मरुत अनुग्रह मेरो।।
करनधार सदगुर दृढ़ नावा। दुर्लभ साज सुलभ करि पावा।।
जो न तरै भव सागर, नर समाज अस पाइ।
सो कृत निन्दक मंदमति आत्माहन गति जाइ।।

"इसी बात को संत कबीर ने भी अपनी वाणी में व्यक्त किया है –

मानुख जन्महिं पाइ कै, चूकै अबकी घात।
जाइ परै भवचक्र मैं सहै घनेरी लात।।

यानी, मनुष्य जन्म पाकर इसके माध्यम से आवागमन के बन्धन, जन्म, मृत्यु, जरा, व्याधि को तोड़ने का अगर हमने प्रयास नहीं किया, हम चूक गये तो फिर दुबारा भवचक्र में पड़कर नाना योनियों में कष्ट भोगते तथा काल के कठोर पंजों में जकड़ते और उसके ग्रास बनते रहेंगे...।

"संसार के इस अकाट्य सत्य से हम सभी अवगत हैं कि यहाँ का हमारा सारा उपार्जन यहीं रह जानेवाला है। फिर भी हम सब इसे भूल बैठते हैं और धन लिप्सा, परिवार लिप्सा और सुख लिप्सा के पीछे पूरा जीवन भागते रहते हैं। लेकिन जिस धन-दौलत और घर-परिवार को हम अपना समझते रहते हैं, यह शरीर छूटते ही उसमें से कुछ भी हमारा अपना नहीं रह जाता।

उस वक्त अपने साथ न तो हम कोई सम्पति ले जा पाते हैं और न हमारे परिवार का कोई व्यक्ति ही साथ जा पाता है। उस अन्तिम यात्रा में हमारे कर्म ही हमारे साथ होते हैं। अगर हमने शुभ कर्म किये हैं तो फिर हमें शुभ गति प्राप्त होती है और आसक्तिमय कर्म या दुष्कर्म पर उसी अनुसार हमें योनि और गति मिलती है...। इसलिए भगवान् श्रीकृष्ण भी गीता में सिर्फ कर्म पर ही जोर देते हैं। निष्काम कर्म करने की बात कहते हैं। निष्काम कर्म, यानी शुभ कर्म। अपने जीवन, समाज और प्रकृति के अनुकूल हमें कर्म करना है, लेकिन अपने उन कर्मों के पीछे फल की कामना नहीं रखनी है। क्योंकि फल की कामना से हमारे कर्म आसक्तिमय बन जाते हैं। हमारे लिये फल की कामना तो भगवान् को जानने, उन तक पहुँचने और उन्हें पाने की होनी चाहिए, चाहे इस दौरान अपने दैनन्दिन के जीवन में हमें जो कर्म करने पड़ें। ऐसे कर्म ही हमें इस दुःखद संसार चक्र से मुक्त करते हैं। तब भगवत स्वरूप हमारी आत्मा नक्षत्रों की तरह अपने प्रकाश से प्रकाशित बनी रहती है।

इस प्रवचन के बाद गुरु महाराज ने अब तनिक विराम लिया। लोकचन्द समझ गये इस अवसर पर यहाँ उनका वक्तव्य अब समाप्त हो गया। शायद अब दीक्षा का कार्यक्रम प्रारम्भ हो। इस सम्बन्ध में अपना अनुमान लोकचन्द को सही जान पड़ा। बिना तनिक विलम्ब किये गुरु महाराज की वाणी अब फिर गूँजने लगी – "मैं कोई गुरु नहीं। अपने को मैं गुरु मानता भी नहीं। ईश्वर से बड़ा गुरु कोई हो भी नहीं सकता। गुरु सत्ता और ईश्वर सत्ता में जो लोग भेद मानते हों, मानें। मैं उन्हें भेदरहित समझता हूँ। उस भेदरहित गुरु सत्ता से सार तत्त्व के रूप में जो ज्ञान मुझे प्राप्त हुआ है, उसी से मैं आपको अवगत करना चाहता हूँ। लेकिन वह आचरणमूलक ज्ञान है। उसे सिर्फ सुनना नहीं, गुनना होता है। संकल्प रूप में उसे ग्रहण किया जाता है, जाग्रत स्थिति के संकल्प में, इसलिए आप अपने मन और चेतना को अब एकाग्र करके खड़े हो जायँ तथा जो संकल्प मैं कराने जा रहा हूँ मेरे साथ उसे दुहराते जायेंगे।"

लोकचन्द समझ गये कि अब यही संकल्प गुरु-दीक्षा होगा। और सचमुच गुरु महाराज ने बिना विलम्ब किये वही शुरू कर दिया। इस बीच मण्डप में खड़े श्रद्धालुओं की तरह गुरु महाराज भी मंच पर अपने आसन से उठकर सीधे खड़े हो गये थे और श्रद्धालुओं से संकल्प कराना शुरू कर दिया था। अब संकल्प लीजिये –

"मैं शरीर नहीं, आत्मा हूँ...।"

श्रद्धालु भी समवेत स्वर में गुरु महाराज के संकल्प दुहराने लगे –

"मैं शरीर नहीं, आत्मा हूँ।"

"मेरी आत्मा को यह मानव शरीर शुभ कर्मों के लिए प्राप्त हुआ है।"

"मेरी आत्मा को यह मानव शरीर शुभ कर्मों के लिए प्राप्त हुआ है।"

"निष्काम कर्म ही शुभ कर्म है।"

"निष्काम कर्म ही शुभ कर्म है।"

लोकचन्द को अब यह परिदृश्य मन्त्रियों के शपथ ग्रहण समारोह की तरह लगने लगा। हालाँकि मन्त्रियों के शपथ ग्रहण समारोह में हर आदमी को अलग-अलग शपथ दिलाया जाता रहा है। गुरु-दीक्षा के बारे में भी लोकचन्द ने यही सुना था कि गुरु, दीक्षित होनेवाले शिष्य को अकेले में ही गुरु मन्त्र देते हैं। लेकिन यहाँ तो सब-कुछ सामूहिक और सार्वजनिक था। सम्भव है, उनके मित्र सुकेश ने इस पुरानी परम्परा को विस्तारित कर दिया हो..। या फिर पहले की तरह एक-दो की संख्या की अपेक्षा भीड़ के रूप में दीक्षित होने आये श्रद्धालुओं के साथ इसके अतिरिक्त और दूसरा कुछ किया भी तो नहीं जा सकता। जो हो, गुरु महाराज अपने कार्यक्रम के अनुसार संकल्प कराते जा रहे थे – "अपने पराये की भावना से अलग इस पूरे संसार को ईश्वरमय जानना है। सियाराम मय सब जग जानी।करहुँ प्रणाम जोरि जुग पानी।"

"हिंसा नहीं करना है। अपने मन से हिंसात्मक विचार एकदम निकाल देना है। अपने स्तर से हिंसा रोकने का अहिंसक प्रयास करना है।"

"सुख और दुःख इस संसार की क्षणभंगुर घटनाएँ हैं, इसलिए सुख में अधिक प्रसन्न और दुःख में अधिक गमगीन नहीं होना है...। दोनों स्थितियों में समभाव बनाये रखना है...।"

"अब अन्तिम संकल्प यह है कि बिना किसी प्रतिदान की अपेक्षा के हमें दूसरों की सहायता करनी है।"

"परहित सरिस धर्म नहीं भाई। पर पीड़ा सम नहीं अधमाई।।"

"अब संकल्प पूरे हो गये। इन संकल्पों को अगर आप याद रखेंगे और इनके अनुसार आचरण करेंगे तो आपका यह लोक और परलोक दोनों सँवर जायेगा, दोनों सुधर जायेगा। इसके बाद अब मैं आपको एक मन्त्र दे रहा हूँ। इस मन्त्र का मैं स्वयं जाप करता रहता हूँ। संकल्पों के अनुसार आचरण करते हुए इस मन्त्र का अगर आप जाप करते रहेंगे तो यह मन्त्र आपको भटकने और विचलित होने से बचाता रहेगा। यह मन्त्र गुरुसत्ता के रूप में सदैव आपका मार्गदर्शन करेगा। मेरे साथ इस मन्त्र का उच्चारण आपको पाँच बार करना है –

ॐ नमः शिवाय।

ॐ नमः शिवाय।

ॐ नमः शिवाय।

ॐ नमः शिवाय।

ॐ नमः शिवाय।

यह गुरु मन्त्र प्रदान करने के बाद दीक्षा का अपना कार्यक्रम समाप्त करते हुए गुरु महाराज की प्रारम्भिक वाणी यहाँ फिर गूँज उठी – "अब पुनः परब्रह्म परमेश्वर से मेरी प्रार्थना है कि यहाँ उपस्थित आप सभी अतिथियों का कल्याण हो। आप जिस इच्छा, मनोकामना और उद्देश्य से यहाँ आये हैं, प्रभु आपकी वह इच्छा पूर्ण करें। आपके अन्दर सद्ज्ञान की ज्योति जलाते हुए आपको सद्मार्ग पर चलने की प्रेरणा दें।

ॐ शान्तिः, शान्तिः, शान्तिः... ।"

इसके बाद मण्डप के श्रद्धालुओं को हाथ से बैठ जाने का संकेत करते हुए गुरु महाराज भी अब आसन पर पूर्ववत् आसीन हो गये। अब गुरु महाराज के बैठते ही माइक से नयी उद्घोषणाएँ गूँजने लगीं – "देववाणी मण्डप में उपस्थित देवियों एवं सज्जनों! गुरु महाराज से दीक्षा के बाद अब आप मुक्त लोक आश्रम के सदस्य हो गये। इस अवसर पर आश्रम की ओर से आप सबका हार्दिक स्वागत है... । अब दीक्षा के बाद वापस होते हुए गुरु महाराज के हाथों प्रसादस्वरूप फल अवश्य प्राप्त कीजियेगा। गुरु महाराज के हाथों प्रदान वह अमृत फल लेना नहीं भूलियेगा.. । गुरु महाराज सबको प्रसादस्वरूप वह फल प्रदान करेंगे, इसलिए कतारबद्ध होकर ही गुरु महाराज तक पहुँचना है। आश्रम के स्वामी हर जगह आपकी सहायता के लिए तत्पर हैं... ।"

लोकचन्द देख रहे थे, आश्रम में उनके प्रथम दिन इस मण्डप में प्रवचन की समाप्ति पर गुरु महाराज जैसे सबको फलस्वरूप प्रसाद प्रदान कर रहे थे, वैसे ही इस अवसर पर भी हो रहा था। गेरुए परिधान में आश्रम सेवक लोगों को कतारबद्ध होने में सुविधा पहुँचा रहे थे तथा गुरु महाराज से फल प्राप्त करनेवाले श्रद्धालुओं को तेजी से आगे बढ़ा रहे थे। ऐसे में भीड़ खिसकते देर नहीं लग रही थी। इस अवसर के लिए वहीं मंच के पीछे फल की टोकरियाँ भरी थीं जिनमें से एक-एक टोकरी आश्रम सेवक फुर्ती से गुरु महाराज के आगे बढ़ाते जा रहे थे। ऐसे सुव्यवस्थित कार्यक्रम में भीड़ अनियन्त्रित हो भी नहीं सकती थी।

लोकचन्द देख रहे थे, पूर्व की उद्घोषणा के अनुसार वापसी के मार्ग में मोटे-मोटे रजिस्टर लेकर कई आश्रम सेवक मेज -कुर्सियों पर जमे थे। किसी भी श्रद्धालु का नाम, पता दर्ज होना न छूटे इसके लिए वे तत्पर थे। श्रद्धालुओं की अधिक संख्या को ध्यान में रखकर ही एक से अधिक रजिस्टर खोले गये थे। वापसी के जिस रास्ते में गुरु महाराज से फल प्राप्त कर श्रद्धालु अपना नाम पता दर्ज करा कर आगे बढ़ रहे थे, उसी रास्ते में नयी-नयी सुनहली दान-पेटियाँ भी रखी हुई थीं क्योंकि गुरु-दीक्षा के बाद

गुरु-दक्षिणा की परम्परा सर्वज्ञात रही है। उन दान-पेटियों के पास भी मेज -कुर्सियों पर कुछ आश्रम सेवक रजिस्टरों के साथ मौजूद थे।

वहाँ के कार्य भी लोकचन्द को स्पष्ट दृष्टिगत हो रहे थे। गुरु महाराज से दीक्षित होने के बाद शिष्य दक्षिणास्वरूप कुछ-न-कुछ दान अवश्य देते जा रहे थे। जो श्रद्धालु शिष्य नगद के रूप में छोटी रकम देनेवाले थे, वे दान पेटियों में डालकर आगे बढ़ जाते थे। लेकिन बड़ी रकम या चेक या जेवरात देने वाले लोगों के सहयोग के लिए ही दान-पेटियों के पास कुछ आश्रम सेवक मौजूद थे। बड़ी रकम और जेवरातों को वे दाता के नाम पर अंकित भी करते जा रहे थे।

लोकचन्द के साथ उपस्थित उदय नन्दन अब अनुरोध के स्वर में पूछ उठा – "इसके बाद अब क्या आदेश है श्रीमान् जी? आश्रम में कहीं और घूमना है?"

"नहीं उदय। अब मैं अपने आवास जाऊँगा। गुरु-दीक्षा का कार्यक्रम देख लिया। अब तुम अपने गुरु महाराज के पास चले जाओ...।"

"ठीक है श्रीमान् जी, जैसी आज्ञा?"

वहाँ से उदय नन्दन गुरु बँगले की ओर चल पड़ा तथा लोकचन्द अपने अतिथि आवास की ओर। अभी रास्ते में वे कुछ ही कदम आगे बढ़ पाये थे कि माइक से पुनः नयी उदघोषणाएँ सुनायी पड़ने लगी थीं – "आश्रम में पधारे सभी श्रद्धालुओं और यहाँ उपस्थित सभी सदस्यों से अनुरोध है कि 'भगवत भोग' का समय हो चला है। प्रसाद-कक्ष में पहुँचकर प्रसाद अवश्य ग्रहण कर लें। गुरु जयन्ती के इस अवसर पर दिव्य-भगवत भोग के लिए आप सभी सादर आमन्त्रित हैं।"

इस आश्रम में प्रथम दिन लोकचन्द ने भी प्रसाद-कक्ष में पहुँचकर 'भगवत भोग' ही ग्रहण किया था। लेकिन जब से किरण ने खाना बनाना शुरू किया था, प्रसाद-कक्ष जाने की उन्हें जरूरत नहीं रही थी। किरण का बनाया खाना उन्हें अपने घर के खाने जैसा ही प्रतीत होता था।

11

गुरु जयन्ती की समाप्ति पर ही 'मुक्त लोक आश्रम' से वापस होने का निश्चय लोकचन्द ने कर लिया था। सुकेश की इच्छा के अनुसार गुरु जयन्ती तक रुक गये। अब और रुकने का कोई कारण शेष नहीं था। बस, सुबह तैयार होते ही चल पड़े। सुकेश से मिलते हुए निकल जायेंगे। अभी अपने नये उपन्यास से सम्बन्धित सामग्री भी उन्हें संगृहीत करनी थी। इस बीच घर भी पहुँचना था। घर से भी कई फोन आ

चुके थे। लेकिन अपने अतिथि आवास से निकलकर आगे बढ़ते लोकचन्द को बराबर की भाँति सहयोग में तत्पर प्रणव हाथ जोड़े एक किनारे खड़ा मिला – "जै गुरुदेव श्रीमान जी। क्या आज्ञा है?"

"कोई आज्ञा नहीं प्रणव। गुरु महाराज से मिलने जा रहा हूँ। मुझे वहीं से अब वापस भी हो जाना है।"

"अभी रहिये श्रीमान् जी। अभी यहाँ आये आपको हुए ही कितने दिन? आप जैसे महापुरुषों की उपस्थिति से हमारे आश्रम की गरिमा और बढ़ जाती है...।"

लेकिन प्रणव की इस बात का अब कोई जवाब दिये बगैर लोकचन्द आगे ही बढ़ते गये। वे जानते थे, यहाँ से उनके जाने की बात पर शिष्टाचारवश यहाँ का हर सेवादार अब यही बात कहेगा...।

आगे बढ़ते हुए लोकचन्द अनुभव कर रहे थे कि आश्रम के सारे मार्ग अब उनके परिचित थे। मार्गों के पहरेदार स्वामी भी उन्हें पहचान गये थे, इसलिए कहीं किसी ने उन्हें रोकने की कोशिश नहीं की। वे गुरु महाराज के बँगले तक सीधे पहुँच आये। अपने आने की सूचना फोन पर वे उदय को दे चुके थे। विशिष्ट अतिथि-कक्ष के पास इस बार पद्मा की उपस्थिति देख उन्हें खुशी हुई। निश्चय ही गुरु महाराज के विश्वस्त और निकटतम ड्राइवर उदय ने उन्हें सूचना दे दी है, तभी उनकी प्रतीक्षा में पद्मा यहाँ उपस्थित है।

"जै गुरुदेव श्रीमान् जी। आइये, इस विशिष्ट अतिथि-कक्ष गें पधारिये...। सुबह-सुबह आपका दर्शन पाकर धन्य हो गयी। आप जैसे महापुरुष के दर्शन को हम अपने किसी पूर्व जन्म के पुण्य का ही प्रभाव मानते हैं श्रीमान् जी।"

इस पर अतिथि-कक्ष में बैठते हुए लोकचन्द बोल उठे – "मैं ऐसा नहीं देवी पद्मा। आप तो स्वयं विलक्षण देवी हैं। जो लोग अच्छे होते हैं, उन्हें ही दूसरे अच्छे प्रतीत होते हैं। आप जैसी विदुषी और व्यवहारकुशल देवी से उस पहली मुलाकात की याद अभी तक मेरे मन में बनी हुई है। उसके बाद फिर आपसे मुलाकात हो ही नहीं सकी। आप त्रिशूलपुरम् आश्रम चली गयी थीं।"

"हाँ श्रीमान् जी। लेकिन अब आ गयी हूँ। अब रोज मुलाकात हो सकती है।"

"नहीं देवी पद्मा। अब मैं और नहीं रुक सकता। गुरु महाराज से मिलकर वापस हो जाऊँगा।"

"मेरे लिये तो यह अच्छी सूचना नहीं है श्रीमान् जी। मैं तो अब आपको जान सकी हूँ कि आप क्या हैं? इससे पहले कहाँ जान पायी थी? इतनी जल्दी क्या है? कुछ समय और रुक जाइये...।"

"देवी पद्मा, मेरी जानकारी के तहत हमारे जीवन में समय से महत्त्वपूर्ण और कुछ नहीं। ईश्वर ने हमें जो जीवन प्रदान किया है उसके साथ हमारे लिये एक गतिमान् समय भी निर्धारित कर रखा है। उस समय की गति चाहते हुए भी हम रोक नहीं सकते। हमारा अधिकार सिर्फ उस समय के सदुपयोग और दुरुपयोग तक ही सीमित है। यह हमारे ऊपर निर्भर है कि अपने प्राप्त समय का हम सदुपयोग कर रहे हैं या उसे निरर्थक गँवा रहे हैं। यहाँ समय की जिस अनिवार्यता के तहत मैं रुका था देवी पद्मा, वह अनिवार्यता अब पूरी हो गयी। आगे के समय के लिए मेरे कार्य निर्धारित हैं, इसलिए मै अब और नहीं रुक सकता... ।"

यह सुन पद्मा बोल उठी – "आपकी इस विशिष्ट समझ के प्रति नतमस्तक हूँ श्रीमान् जी। यह किसी तत्त्व ज्ञान से कम नहीं। अब समझ गयी कि गुरु महाराज ने क्यों आपको अपना अभिन्न और अपने समकक्ष बताया है। मेरा सादर प्रणाम स्वीकार करें श्रीमान् जी। अब मैं चलती हूँ। गुरु महाराज आपसे मिलने के लिए तैयार बैठे हैं। आपके आगमन की सूचना उदय से उन्हें मिल चुकी है।"

और देवी पद्मा अतिथि-कक्ष से बाहर चल पड़ी। अब इसी वक्त अमृता आ गयी – "जै गुरुदेव, श्रीमान् जी, स्वागत है। गुरु महाराज पधार रहे हैं... ।" – और अमृता भी चली गयी।

अमृता की इस सूचना के बाद यहाँ के गुरु महाराज अब तत्क्षण आ पहुँचे। फिर लोकचन्द को गर्मजोशी से अपनी बाँहों में भर लिया। तत्पश्चात् लोकचन्द के निकट बैठते हुए आत्मीयता से पूछ उठे – "कैसे हो लोक? क्या बात है? उदय ने जब से सूचना दी, मैं तुम्हारी प्रतीक्षा ही कर रहा था। इस तरह सुबह में तुम्हारा आना मुझे अच्छा लगा। तुम्हारे बारे में ही सोच रहा था। यहाँ कोई असुविधा तो नहीं हुई...?"

"नहीं सुकेश। मुझे कोई असुविधा नहीं हुई। अब आज ही मुझे वापस होना है, इसलिए सुबह-सुबह तुमसे मिलना जरूरी था... ।"

"नहीं लोक। अभी तुम्हें नहीं जाना है। अभी तुम यहाँ रहे ही कितने दिन? मैं तुम्हें इतनी जल्दी नहीं जाने दे सकता... ।"

"अब यहाँ और रहने का मेरा कोई प्रयोजन नहीं रहा सुकेश। मैं तो और पहले ही वापस हो जाता। लेकिन तुम्हारा मन रखने के लिए 'गुरु जयन्ती' तक रुक गया। यहाँ आकर अपने खोये मित्र को पा लिया। अपनी उस घनिष्ठ मित्रता का एहसास भी हम दोनों ने मन के धरातल पर कर लिया। अब तुम यहाँ की अपनी दिनचर्या का निर्वाह करो और मुझे भी अपने काम में लग जाने दो... । तेजी से गुजरता समय अब मुझे यहाँ और रहने की इजाजत नहीं दे रहा।"

प्रबुद्ध सुकेश को लोकचन्द की यह बात समझते देर नहीं लगी – "तुम्हारा कहना सही है लोक। हमें व्यर्थ में समय नहीं गँवाना। तुम्हारे जैसा कोई वास्तविक शिक्षक और लेखक ही ऐसी बात कह सकता है। समय की ऐसी पकड़ की वजह से ही तुम्हारे जैसे लेखक अनमोल कृतियों की रचना कर जाते हैं। लेकिन व्यक्तिगत आत्मीयता की वजह से तुम्हारा जाना मेरे मन को अखर रहा है। तुमसे नहीं मिला था तो मैं अपने उस अतीत को भूल चुका था। लेकिन तुम्हें पाकर अब मुझे ऐसा लग रहा था कि इस आश्रम में मेरा कोई अपना, अभिन्न भी है, मेरे अपने परिवार का मेरा परम शुभचिन्तक। मुझको लेकर तुमने जो आशंकाएँ व्यक्त की हैं, वह तुम्हारी शुभ चिन्ता ही है। तुम्हारे सिवा कोई और नहीं जो इन आशंकाओं से मुझे आगाह कर सके। लेकिन तुम्हारी आशंकाएँ निर्मूल हैं लोक। मैं वैसा कुछ भी नहीं करता जिसकी परिणति की ओर तुम संकेत करते हो। मैं स्वयं जानता हूँ कि यह संसार कर्मप्रधान है। जो जैसा करता है, वैसा फल पाता है –

'कर्म प्रधान विश्व करि राखा। जो जस करहिं सो तस फल चाखा।"

"ठीक है सुकेश। लेकिन दीपक को अपनी जड़ के पास का अँधेरा नहीं दिखता। वह अपने आसपास के परिदृश्य को प्रकाशित कर देता है, लेकिन अपनी जड़ तक नहीं पहुँच पाता। तुम्हारी जड़ का अँधेरा मुझे नजर आ रहा है। अच्छा था, मैं तुम्हें भूल गया था। लेकिन यहाँ तुम्हें जीवित और इस रूप में पाकर न चाहते हुए भी तुमको लेकर मेरा मन आशंकाओं से भर उठा है।"

"तुम्हारी आशंकाओं की वजह मैं समझ रहा हूँ लोक। अभी इधर देश के विभिन्न हिस्सों में कुछ ऐसे विख्यात संत अपनी घिनौनी करतूतों की वजह से गिरफ़्तार हुए जिनके भक्तों और अनुयायियों की संख्या लाखों में रही है तथा जिनके आश्रम की अनेक शाखाएँ देश और विदेशों में फैली हुई हैं। अदालत द्वारा ऐसे सन्तों के मुजरिम घोषित होने के बाद इस संत मार्ग और उनके आश्रमों को लेकर मीडिया के हर माध्यम पर विमर्श जारी है, कि ऐसे संत और उनके आश्रम धर्म के नाम पर लोगों को ठगने तथा गन्दे धन्धे के रूप में ऐयाशी के केन्द्र हैं। इस विमर्श ने देश के बौद्धिक मानस को प्रभावित किया है। निश्चय ही तुम्हारे ऊपर भी उसी का प्रभाव है, इसीलिए उसी नजरिये से तुम मुझे और मेरे इस आश्रम को देख रहे हो। लेकिन लोक बुराई के साथ अच्छाई, दानव के साथ देव, दुर्जन के साथ सज्जन और असन्त के साथ संत की उपस्थिति से भी तुम इनकार नहीं कर सकते। इसलिए अपने मित्र को उस नजरिये से मत देखो और उनके रूप में मत आँको।"

"तो तुम ऐसी सूचनाओं से अवगत हो...?"

"हाँ लोक, ऐसी सूचनाएँ तुमसे पहले हम तक पहुँच जाती हैं। हमारे सूचना तन्त्र न सिर्फ अधुनातन हैं, बल्कि जाग्रत और सक्रिय भी हैं...।"

"ठीक है सुकेश, तुम सब-कुछ जानते हो और अपने को उनसे अलग मान रहे हो, यह अच्छी बात है। लेकिन तुम्हारे यहाँ भी वे सारे घटक विद्यमान हैं जो पतन की राह पर ले जाने के लिए पर्याप्त हैं।"

"तुम्हारा इशारा मैं समझ रहा हूँ लोक। हमारे आश्रम की साध्वियों की ओर है। लेकिन अब तो तुम हमारे आश्रम में कुछ समय रह भी गये। इस बीच हमारी साध्वियों को लेकर तुम्हें कोई जानकारी मिली हो तो बताओ। मैं पहले भी तुमसे कह चुका हूँ और पुनः कह रहा हूँ कि अपने स्तर से तुम प्रत्यक्ष, अप्रत्यक्ष जैसे हो जानकारी प्राप्त कर लो। फिर तुम जो कहोगे मैं वह करने के लिए तैयार रहूँगा।"

"मैं समझ रहा हूँ सुकेश कि तुम किस आधार पर ऐसी बात कह रहे हो। किसी अभावग्रस्त को जब हम अपने भरपूर सहयोग से, उपकारों से और सुविधाओं से लाद देते हैं तो ऐसे व्यक्ति हमारी इच्छा और मन्शा लक्ष्य कर हमारी सेवा में अपने को स्वतः समर्पित कर देते हैं। ऐसे प्राणी विरोध नहीं करते। लेकिन सुकेश इस यथार्थ को हमें बराबर स्मरण रखना चाहिए कि जो व्यक्ति जितनी जल्दी पाँव छूता है उतनी ही जल्दी गला भी पकड़ लेता है। भष्मासुर भगवान् शिव का कृपा पात्र था। लेकिन अपने कोप का शिकार उन्हें ही बनाने के लिए उन्मुख हो गया। यह सिर्फ धार्मिक कथा भर नहीं, इस संसार और यहाँ के सम्बन्धों का यथार्थ भी है। हम जिसे अपना परम आत्मीय समझते हैं, वह कब हमारा परम विरोधी बन जाय, जान पाना मुश्किल है। इसलिए ज्ञानियों ने मध्यम मार्ग अपनाने की बात कही है। न अधिक सम्पन्नता और न अधिक अभाव। न किसी से अधिक प्रीति और न किसी से द्वेष। सामान्य जीवन का मध्यम मार्ग। इस दृष्टि से तुम्हें इस आश्रम के रूप में ऐसा वैभवसम्पन्न साम्राज्य कायम नहीं करना चाहिए था। मैं जानता हूँ, तुम अब इससे मुक्त नहीं हो सकते। इस विषय पर तुमसे मेरी लम्बी बातचीत भी हो चुकी है। हममें से अधिकांश व्यक्ति अपनी प्राप्त स्थिति से विलग नहीं हो सकेंगे। लेकिन हममें से जिसके अन्दर बुद्ध जैसी चेतना आ जायेगी उसे मुक्त होते देर भी नहीं लगती। गौतम बुद्ध एक राज-घराने से ही आते थे। लेकिन सारा राजसी वैभव त्याग वे मुक्त हो गये थे...।"

"तुम्हारी इस बात पर मैं क्या कहूँ लोक। इस विषय पर पहले ही दिन तुझे बता चुका हूँ। बस, संक्षेप में उसे ही दुहराना चाहूँगा – 'जो तुम देख्यो, सो यह नाहीं।' अब छोड़ो इन पिछली बातों को। 'गुरु जयन्ती' पर कुछ कहो। कैसा लगा तुम्हें आश्रम का यह आयोजन?"

"हाँ सुकेश। उसके बारे में भी तुमसे बातचीत करनी है। लेकिन इस बीच तुम्हारा 'यज्ञ-स्थल' भी देख लिया और तुम्हारे पास आये उस बड़े केन्द्रीय मन्त्री के मजमे से भी अवगत हुआ। तुम्हारा 'यज्ञ-स्थल' देखकर तो मैं चौंक गया हूँ सुकेश। अपने अब तक के जीवन में इतना विस्तृत यज्ञ-स्थल, इतने हवन-कुण्ड तथा कुश का ऐसा भव्य और विशिष्ट निर्माण मैंने कहीं नहीं देखा था। मैं समझ नहीं पा रहा हूँ कि यज्ञ और हवन जैसे अनुष्ठान का विस्तार इतने बड़े भू-भाग तक क्यों किया गया?"

"लोक तुम जानते हो, आवश्यकता आविष्कार की जननी होती है। यहाँ एक सामान्य यज्ञशाला और उसके एक छोटे-से हवन-कुण्ड से मैंने यज्ञ की शुरुआत की थी। लेकिन भक्तों और श्रद्धालुओं की बढ़ती संख्या और उनकी बढ़ती अपेक्षाओं के तहत इसका विस्तार होता चला गया। एक साथ और एक ही समय में, एक छोटे-से हवन-कुण्ड में बड़ी संख्या में उपस्थित श्रद्धालु चाहते हुए भी हवन नहीं कर सकते। परिणामतः हवन-कुण्ड और यज्ञशाला का वे विस्तार कराते चले गये...।"

"लेकिन इस विस्तार को तो व्यापार ही कहा जायेगा सुकेश, जब हवन-कुण्ड बेचे जाने लगे। मैंने सुना है कि तुम्हारी यज्ञशाला के हवन-कुण्ड हजारों और लाखों में बेंचे जाते हैं...।"

"नहीं लोक, बेचे नहीं जाते। ऐसा नहीं होता और ऐसा कभी हो भी नहीं सकता। यह श्रद्धालुओं के अपने-अपने स्तर से सन्तुष्ट होने का माध्यम होता है लोक। सामान्य श्रद्धालु यज्ञशाला की परिक्रमा करने मात्र से यज्ञ में अपनी भागीदारी से सन्तुष्ट हो जाते हैं, लेकिन सम्पन्न, अति सम्पन्न और अतिशय सम्पन्न श्रद्धालु यज्ञ में दानस्वरूप अपनी सामर्थ्य के अनुसार कुछ देकर ही सन्तुष्ट हो पाते हैं...। इसे बेचना नहीं कहा जा सकता।"

"लेकिन मैंने सुना है सुकेश कि हवन-कुण्डों की अग्रिम बुकिंग भी होती है। दूर के सम्पन्न भक्त अपने मनचाहे हवन-कुण्ड पाने के लिए आन लाइन बुकिंग कराते हैं...।"

"हाँ लोक, ऐसा होता है। लेकिन इसका आशय बिक्री कदापि नहीं है। यह व्यवस्था बनाये रखने के नियम हैं...। अब रेल-यात्रा को ही तुम ले लो। कुछ यात्री तत्काल टिकट लेकर यात्रा करते हैं और कुछ पहले से टिकट आरक्षित करा लेते हैं। इसी तरह सुविधा के अनुसार लोग सामान्य श्रेणी, स्लिपर या ए. सी. में यात्रा करते हैं। हवन-कुण्ड भी व्यवस्था के इसी नियम के तहत प्रदान होते हैं...।"

"तुम्हारा कहना सही है सुकेश। लेकिन मुझे यह भी जानकारी प्राप्त हुई है कि इस आश्रम में वर्ष भर के चढ़ावे पर भी उतनी रकम प्राप्त नहीं होती जितनी एक

यज्ञ के आयोजन से हो जाती है...। तो क्या इसे भी तुम यज्ञ का श्वेत पक्ष ही कहोगे?''

''हाँ लोक। यह भी यज्ञ का श्वेत पक्ष ही है। इसे हम यज्ञ भगवान् की कृपा मानते हैं।''

''ऐसी अन्ध श्रद्धा पर तुम यकीन करते हो सुकेश?''

''यह अन्ध श्रद्धा नहीं लोक। कर्म फल की बात है। कौन कर्म किस रूप में फलदायी है, यह कर्म फल से ही जाना जा सकता है। हम दूसरे कर्म करते हैं, तुम भी दूसरे कर्म करते हो, लेकिन वे कर्म 'यज्ञ' जैसे फलदायी नहीं होते तो यह कर्मफल की ही बात हुई न?''

''यह कर्म फल नहीं सुकेश, यह अन्ध श्रद्धा का ऐसा मार्ग है जिसमें बिना कुछ निवेश किये भक्तों की फौज खड़ी कर यज्ञ के रूप में उसकी फसल काटी जाती है। ऐसी असीमित आय प्राप्तकर्त्ता को भटकाती और विचलित करती है, उसे अपने धैर्य और संयम पर कायम नहीं रहने देती।''

''ऐसा नहीं है लोक। यह आय जिस रूप में प्राप्त होती है उसी रूप में इसका व्यय भी होता है...। इस आश्रम के यज्ञ में जितने लोग पहुँचते हैं, सबको उचित आतिथ्य प्रदान किया जाता है। सबके रहने-खाने की ऐसी व्यवस्था होती है कि यहाँ से जानेवाला कोई कष्ट और उपेक्षा की बात नहीं कह पाता। फिर उतने बड़े यज्ञ-स्थल की उतनी बड़ी 'यज्ञशाला' और हजारों हवन-कुण्डों का हर यज्ञ के अवसर पर पुनर्निर्माण किया जाता है। पुराने निर्माण में नये यज्ञ का अनुष्ठान नहीं हो पाता...।''

''तुम्हें क्या लगता है सुकेश कि यज्ञ में भाग लेने वाले स्वर्ग को प्राप्त करते हैं और उनकी मनोकामनाएँ पूरी हो जाती हैं। अगर ऐसा कुछ है तभी तो तुम्हारे यहाँ इतने बड़े पैमाने पर यज्ञ का आयोजन होता है?''

''यज्ञ को लेकर धार्मिक-आध्यात्मिक मान्यताओं के साथ वैज्ञानिक मान्यता भी अब सामने आ गयी है लोक। शास्त्रों में अनेक यज्ञों का वर्णन है। लेकिन उनमें राजा दशरथ का 'पुत्रकामेष्टि' यज्ञ बहुचर्चित रहा है। श्रृंङ्गी ऋषि को बुलवाकर उनसे शुभ 'पुत्रकामेष्टि' यज्ञ कराया गया। उस यज्ञ में मुनि के भक्ति सहित आहुतियाँ देने पर अग्निदेव हाथ में हविष्यमान (खीर) लिये प्रकट हुए। उसी खीर से भगवान् राम और उनके अनुज पैदा हुए। सम्भव है, इस कथा को तुम सिर्फ मिथ भर मानो। लेकिन यज्ञ के बारे में विज्ञान के निर्णय को तो नहीं नकार सकते। विज्ञान ने भी अपने शोधों से यह परिणाम जाहिर किया है कि विशिष्ट हवन सामग्री के धुएँ से प्रदूषित वायु-मण्डल शुद्ध बनता है। यज्ञ से बादल बनने और बारिश होने की सम्भावनाएँ

कायम हो जाती हैं। शायद यही वजह है कि जिस क्षेत्र में यज्ञ होते हैं वहाँ अनावृष्टि (अकाल) की समस्या पैदा नहीं होती...।''

''यज्ञ के बारे में तुम इतना कुछ जानते हो सुकेश। मैं तो उसके इस विशद पक्ष से अनभिज्ञ था।''

''जो जिस क्षेत्र में रहता है वही उस क्षेत्र का जानकार होता है लोक। अब उपन्यास लेखन के लिए समाज से विषय प्राप्त कर उपन्यास के साँचे में उसे ढालने की प्रक्रिया की जैसी जानकारी तुमको होगी, दूसरों को नहीं हो सकती''

''तुम्हारा कहना सही है। इस दृष्टि से मुझे 'यज्ञ' के बारे में नयी जानकारी हासिल हुई। तुम्हारे इस आश्रम ने तो मुझे नयी जानकारियों से सम्पन्न कर दिया है सुकेश। मेरे लिये आश्रमों का क्षेत्र बिल्कुल अनजाना था। उनके बारे में सिर्फ सुनता और अनुमान लगाता था। लेकिन अब उनके यथार्थ से पूरी तरह अवगत हो गया। सम्भव है, इस आश्रम से दूसरे आश्रमों की गतिविधियों में कुछ अन्तर हो। लेकिन उनके मूल स्वरूप में अन्तर नहीं हो सकता। मैंने सुना था कि बड़े आश्रमों के सन्तों के आगे उद्योगपति, राजनेता और बड़े अधिकारी नतमस्तक होकर उनके प्रभामण्डल और महानता को और बढ़ा देते हैं। उस दिन तुम्हारे यहाँ आये उस बड़े केन्द्रीय मन्त्री के नजारे से मैं अवगत भी हुआ। पता चला, अचानक अपना कार्यक्रम बीच में स्थगितकर वह सीधे तुम्हारे दर्शन के लिए आ पहुँचे। तुम्हारे पास आने के लिए उन्हें ऐसी आतुरता क्यों सुकेश?''

''राज्य सरकार ने चुनाव की घोषणा कर दी है लोक। ऐसे में अन्य पार्टियों के नेताओं और मन्त्रियों से पहले ही मेरे आशीर्वाद के लिए वह मन्त्री आ गये।''

''तो क्या तुम्हारे आशीर्वाद से लोग विजयी हो जाते हैं?''

''नहीं लोक। न मैं ऐसा मानता हूँ और न कहता हूँ। लेकिन वे अपने विश्वास पर अड़े रहते हैं तो मैं क्या करूँ? ऐसे मामलों में उन्हें मेरा आशीर्वाद चाहिए ही। अब मैं उन्हें अपने यहाँ आने से मना भी तो नहीं कर सकता। मैं जानता हूँ, यह उनकी अन्ध श्रद्धा है। लेकिन मैं विवश हूँ। शिष्टाचारवश उनके नमन पर मुझे आशीषस्वरूप कुछ कहना ही पड़ता है...?''

''क्या कहते हो सुकेश? जरा मैं भी तो सुनूँ?''

''क्या कहूँगा लोक। आशीष के प्रचलित शब्द व्यक्त कर देता हूँ – आयुष्मान् भव, यशस्वी भव, विजयी भव।''

''विजयी भव भी कहते हो? तुम्हारा विजयी भव कहना तो उनके विश्वास को बढ़ावा देना है। उनकी कामना पर अपने समर्थन की मुहर लगाना।''

"नहीं लोक, ऐसा नहीं है। इस मन्शा और उद्देश्य से मैं कहता भी नहीं। संस्कृत का एक श्लोक है – 'वचनम् किम् दरिद्रम?' यानी अपने वचन से हम क्यों दरिद्र बनें? शास्त्र और नीति कहती है कि किसी को हम कुछ दें या नहीं, लेकिन कटु वचन की जगह मधुर वचन तो व्यक्त कर ही सकते हैं।"

"ऐसे में तुम्हारे आशीर्वाद प्राप्त प्रत्याशियों में जो विजयी होते होंगे वे अपनी विजय के कारणों में निश्चय ही तुम्हारे आशीर्वाद को भी एक कारण मानते होंगे।"

"हाँ लोक, वे मानते हैं। लेकिन मैं जानता हूँ, उनकी जीत में मेरे आशीर्वाद की कोई भूमिका नहीं होती। मेरा आशीर्वाद तो सिर्फ शुभेच्छा भर होता है, जिसे अपने हर भक्त और श्रद्धालु के लिए मैं व्यक्त करता हूँ...।"

"इस स्थिति में तुम्हारे आशीर्वाद प्राप्त जो प्रत्याशी हार जाते हैं तो क्या वे तुमसे पूछने आते हैं कि ऐसा क्यों हुआ या फिर तुम्हारे प्रति अपनी नाराजगी या उदासीनता व्यक्त करते हैं?"

"नहीं लोक। ऐसा कभी नहीं करते हैं। उस वक्त उन्हें अपनी हार के दूसरे वास्तविक कारण ज्ञात हो जाते हैं। तब उनका ध्यान उन कारणों की ओर ही केन्द्रित रहता है...।"

"इसका अर्थ यह सुकेश कि श्रद्धालु हर स्थिति में अपने श्रद्धेय को निरापद मानते हैं। अपनी असफलता का दोष कभी उनके माथे नहीं मढ़ते। उनके समक्ष भक्ति भाव से फिर-फिर नतमस्तक बने रहते हैं।"

"ऐसा ही होता है लोक। लेकिन इसमें मेरी इच्छा-अनिच्छा की कोई भूमिका नहीं होती। इस पर मेरा नियन्त्रण भी नहीं होता...।"

"तुम्हारे यहाँ उस मन्त्री के आगमन का नजारा मैंने देखा है सुकेश। अपने काफिले के साथ तुम्हारे विशिष्ट अतिथि-कक्ष की ओर उन्हें बढ़ते हुए मेरी नजरें कौतूहलवश उन्हीं पर टिकी थीं। उस वक्त मैं शिव-मन्दिर के चबूतरे पर बैठा था। वह मन्त्री तुम्हारे मुख्य अतिथि-कक्ष में घुसते हुए मुझे काफी झुके जान पड़े।"

"झुके ही नहीं लोक। मुझ पर नजर पड़ते ही वे साष्टांग दण्डवत् करने जा रहे थे। लेकिन आगे बढ़ कर मैंने उन्हें सम्हाल लिया...।"

"तुम्हारे अतिथि-कक्ष में कुछ समय वे रुके थे। बाहर उनके शागिर्दों की भीड़ खड़ी थी।"

"हाँ लोक। वे बार-बार एक ही बात कह रहे थे कि मेरे कार्य की सर्वत्र सराहना है गुरु महाराज। मेरे कार्यकर्त्ता भी जी-जान से लगे हैं। बस, आपका आशीर्वाद चाहिए। मैं जो कुछ हूँ गुरुदेव, सब आपकी ही कृपा का फल है। पिछली बार भी

आपके आशीर्वाद ने ही मुझे विजयी बनाया था। इस बार भी मुझे विजयी बना दीजिये प्रभु...। इस पर मैंने उन्हें समझाने की कोशिश की लोक कि यह सब आपकी योग्यता का प्रतिफल है मन्त्री जी। आपके कर्मठ व्यक्तित्व और आपकी कार्यकुशलता का परिणाम है। जनता ने आपके कार्य को देख कर आपको विजयी बनाया है। पुनः वही जनता आपको विजयी बनायेगी...। लेकिन वे बार-बार यही कहते कि आपके आशीर्वाद के बिना कुछ भी सम्भव नहीं गुरुदेव। बस, इस बार मुझे विजयी बना दीजिये। आपके लिए कुछ भी असम्भव नहीं प्रभु। अन्ततः मुझे आशीर्वाद देना ही पड़ा...।''

''ऐसी अन्ध आस्था देखकर मैं विस्मित हूँ सुकेश। गुरु जयन्ती पर तो ऐसी आस्था के विशद् और व्यापक रूप ने मुझे हतप्रभ कर दिया है...। मैं समझ नहीं पा रहा हूँ कि संत और आश्रम के नाम पर लोग इस तरह टूट क्यों पड़ते हैं?''

''यह संत-महात्माओं का देश रहा है लोक। यहाँ के सन्तों और महात्माओं से लोग सद्ज्ञान और सद्मार्ग पाते रहे हैं। हमारे यहाँ ऐसे-ऐसे जाग्रत महात्मा रहे हैं जो प्रकृति और परिस्थिति को अपने अनुकूल बनाने की क्षमता रखते थे। उनके जाग्रत व्यक्तित्व के किस्से सुनकर तुम दंग रह जाओगे लोक। अब वे शरीर बदल चुके हैं। लेकिन उनकी सूक्ष्म शक्ति से उनका आश्रम पूर्ववत् कायम है...। अभी भी अपने देश के विभिन्न हिस्सों में वैसे संत हैं। इसलिए संत के चोले में कुछ दुराचारियों की गिरफ़्तारी से तुम पूरे संत समाज की महिमा पर प्रश्न चिह्न नहीं लगा सकते हो?''

''तो क्या तुम भी अपने को उसी तरह का पहुँचा हुआ संत समझते हो सुकेश?''

''नहीं लोक, न मैं अपने को वैसा समझता हूँ और न वैसा हूँ और न वैसा होने का दावा ही करता हूँ...। लेकिन हाँ, संत मार्ग का यात्री जरूर हूँ। अपने यहाँ आनेवाले श्रद्धालुओं को किसी सिद्धि का वरदान तो मैं नहीं देता। लेकिन सद्ज्ञान और सद्मार्ग की शिक्षा अवश्य देता हूँ। अपने यहाँ के मान्य शास्त्रों और ग्रन्थों के अध्ययन के तहत यह बताता हूँ कि इस मनुष्य जीवन का उपयोग हमें किस रूप में करना चाहिए। लोगों को सद्कर्म की ओर प्रेरित और दुष्कर्म से दूर रहने का परामर्श मैं निरन्तर देता रहता हूँ...।''

''ठीक है सुकेश। लेकिन तुम्हारे 'गुरु जयन्ती' के आयोजन ने अब तुम्हें और तुम्हारे आश्रम को लेकर मुझे नये सिरे से सोचने के लिए बाध्य कर दिया है। विभिन्न संतों और उनके आश्रमों के बारे में जो सुनता आ रहा था, तुम्हारे आश्रम को जानने के बाद मेरी वह धारणा बलवती हो गयी कि अन्ध श्रद्धा के तहत लाखों लोग संतों और उनके आश्रमों को भगवान् का दरबार समझ उनके भक्त और अनुयायी बन जाते हैं। लेकिन तुम्हारे आश्रम की गुरु जयन्ती के आयोजन ने मेरी धारणा में परिवर्तनकर दिया

है। मैं इस तथ्य से भी अवगत हुआ कि ऐसा सिर्फ अन्ध श्रद्धा के चलते ही नहीं, सामाजिक विसंगतियों के चलते भी होता है। तुमने अच्छा किया, गुरु जयन्ती देखने के लिए मुझे रोक लिया। मैं भी घूम-घूमकर नये श्रद्धालुओं से मिलता रहा। लेकिन उनसे प्राप्त जानकारी ने मुझे नये यथार्थ से अवगत कर दिया। तुम्हारे यहाँ आने वाले लोग उस मन्त्री की तरह सिर्फ अन्ध – श्रद्धा के तहत ही नहीं, दूसरे कारणों से भी आते हैं। गुरु जयन्ती पर मुझे मध्य प्रदेश से आया एक ऐसा व्यक्ति मिला, जो पहले घूमने के उद्देश्य से यहाँ अपने फूफा जी के साथ आया था। उसके फूफा जी तुम्हारे भक्त रहे हैं। उस घूमने के ही दौरान उसने तुम्हारे समक्ष अपनी समस्याओं का जिक्र किया। जवाब में तुमने जिस प्रेम और आत्मीयता से उसे समझाया कि वह तुम्हारा मुरीद बन गया। तुम्हारे उस प्रेमपूर्ण आत्मीय परामर्श ने उसके मन में तुम्हारी भक्ति जगा दी। तुम्हारी वही प्रेमपूर्ण वाणी गुरु जयन्ती पर तुमसे दीक्षा के लिए उसे खींच लायी।''

''इस पर अब तुम्हीं बताओ लोक कि इसमें मैंने क्या गलत किया? अभी हमारा समाज जिस दौर से गुजर रहा है, उसमें कोई एक-दूसरे की व्यथा सुनने और उस पर सहानुभूति प्रकट करनेवाला नहीं। मैं अगर ऐसा करता हूँ तो अपने इस संत मार्ग के चलते ही करता हूँ। हमारा ऐसा मानवीय आचरण होना ही चाहिए। अगर हमारे इस मानवीय आचरण पर लोग हमारे यहाँ आ रहे हैं तो इसमें हमारा क्या दोष लोक।''

''मैं तुम्हारे दोष की बात नहीं कर रहा सुकेश। यह तुम्हारे व्यक्तित्व का सबल पक्ष है। मैं तुम्हारी इस बात से सहमत हूँ। हमारा व्यवहार मधुर, आत्मीय और मानवीय होना ही चाहिए। इस वजह से किसी का आश्रम में आना अन्ध श्रद्धा के तहत आना नहीं कहा जा सकता। इसी तरह बँगलोर से आये एक भद्र सज्जन से मुलाकात हुई। वे किसी बैंक में चीफ मैनेजर के पद से सेवा निवृत्त थे। गुरु जयन्ती पर सपत्नी दीक्षित होने आये थे। तुम्हारे यहाँ आने की प्रेरणा उन्हें अपने पड़ोसी एक पाण्डेय परिवार से मिली थी। वह पाण्डेय परिवार तुम्हारा भक्त रहा है। फिलहाल अपने बच्चों के पास वे अमेरिका चले गये हैं। उस चीफ मैनेजर के बच्चे भी अमेरिका में ही रहते हैं। लेकिन पाण्डेय परिवार की तरह अमेरिका में उनका मन नहीं लगता है। सेवा निवृत्ति के बाद बँगलोर के अपने महानगर में आत्मीय सम्बन्धों का अभाव उन्हें खटकता रहा है। पाण्डेय परिवार से यह सुनकर कि आश्रम की आत्मीयता में उनके मन का यह अभाव जाता रहेगा, यहाँ वे न सिर्फ तुमसे दीक्षित होने आये थे, बल्कि दीक्षित होकर रहना भी चाहते थे। जाहिर है, इस स्थिति में आगे चलकर अपना अर्जन वे आश्रम को ही प्रदान करेंगे...।''

''तो इस मामले में तुम कहना क्या चाहते हो लोक?''

"कहना यह चाहता हूँ सुकेश कि हमारे समाज से खत्म हो रहे परस्पर का सद्भाव, सहयोग और भाईचारे का सम्बन्ध भी आश्रमों की ओर लोगों को उन्मुख कर रहा है...।"

"फिर यह तो आश्रमों की विशेषता हुई लोक। जिन आश्रमों को तुम सन्देह की दृष्टि से देखते थे अब उनमें तुम्हें कुछ विशेषताएँ भी तो नजर आने लगीं।"

"हाँ सुकेश। मैं किसी भी चीज का न तो अन्ध समर्थक हूँ और न अन्ध विरोधी। तुम्हारे आश्रम का जो पक्ष अच्छा है, उसे मैं कैसे नजरअन्दाज कर सकता हूँ? अब तुम्हारे आश्रम का एक और पक्ष मुझे सही जान पड़ा। नवरंग नारायण के आमन्त्रण पर तुमसे दीक्षित होकर आश्रम सेवक बनने दो युवक आये थे – वंशराखन और जगरोपन। उनसे जानकारी के बाद मुझे पता चला कि वे दोनों अपने गाँव के बहादुर युवक थे। लेकिन अपने गाँव में अल्पसंख्यक थे, इसलिए अपने हक से वंचित और उपेक्षित थे। नवरंग नारायण के साथ एक बार पहले भी आश्रम आकर यहाँ सब-कुछ जान-समझ चुके थे। यहाँ के भेदरहित समाज ने उन्हें आकृष्ट किया। इसीलिए अब गुरु जयन्ती पर तुमसे दीक्षित होकर आश्रम सेवक बनने आ गये। इन युवकों से मिलने के बाद अब एक और नये यथार्थ से मैं अवगत हुआ कि हाशिये के ऐसे लोग भी भेदरहित समाज में समान अधिकार और सह जीवन के लिए आश्रमों में आते हैं...।"

"इसी तरह आश्रमों की अभी और विशेषताएँ तुम्हें ज्ञात होंगी लोक। जैसे-जैसे आश्रमों की दुनिया में तुम गहरे उतरते जाओगे, वैसे-वैसे आश्रमों का यथार्थ तुम्हारे समक्ष खुलता चला जायेगा। तब कुछ छद्मवेशी संतों की वजह से आश्रमों को लेकर कायम तुम्हारे नकारात्मक विचार स्वतः समाप्त हो जायेंगे।"

"ऐसा नहीं है सुकेश। मैं पूर्वाग्रह लेकर नहीं जीता। अपने जीवन एवं लेखन दोनों में सही को सही और गलत को गलत कहने से गुरेज नहीं करता। अब गुरु जयन्ती के अवसर पर एक ऐसे यथार्थ से अवगत हुआ जिसने न सिर्फ मुझे आहत और पीड़ित किया, बल्कि तुम्हारे आश्रम और अपने वर्तमान समाज पर भी नये सिरे से सोचने के लिए बाध्य कर दिया। देवदासी प्रथा के दुष्परिणामों से हम अवगत हैं। तुमसे भी उसके दुष्परिणाम छिपे नहीं। उन्हीं दुष्परिणामों की वजह से वह प्रथा बन्द हुई तथा एक कुरीति के रूप में चिह्नित की गयी। लेकिन तुम्हारे आश्रम में उसकी पुनरावृत्ति देख मैं हैरत में पड़ गया। पद्मा के शहर से भीखम नामक एक अभावग्रस्त इन्सान अपनी दो बेटियों को आश्रम में दान करने पहुँचा था। पद्मा के पिता ने इस दान के लिए उसे प्रेरित किया था...।"

"लेकिन इस घटना को तुम देवदासी प्रथा की तरह नहीं देख सकते लोक। वह एक सामाजिक कुरीति थी। यहाँ अभावग्रस्त भीखम के समक्ष अपनी सात बेटियों की फटेहाल और दुर्दशापूर्ण जीवन से दो बेटियों को निकाल कर बेहतर जीवन प्रदान करने का सराहनीय निर्णय है। भीखम जैसा दुःखी, पीड़ित, नासमझ और अँधेरे में जीनेवाला व्यक्ति ऐसा निर्णय कभी नहीं ले सकता। लेकिन पद्मा के प्रबुद्ध, धर्मात्मा और दयालु पिता ने उसकी स्थिति पर करुणार्द्र होकर उसे यह मार्ग सुझाया। अब इस आश्रम में उन दोनों लड़कियों का भाग्य सँवर जायेगा। कुछ समय बाद पढ़-लिखकर और योग्य बनकर ये कुशल साध्वियाँ बन जायेंगी, जिन साध्वियों को लेकर तुम्हें आपत्ति रही है...।"

"हाँ सुकेश। तुम्हारे आश्रम में साध्वियों को लेकर कायम मेरी वह आपत्ति अभी भी अपनी जगह कायम है। विघटन की, विनाश की और भूचाल की सामग्री एक जगह एकत्रितकर हम उसके दुष्परिणामों को झुठलाते रहें तो उससे उसके अस्तित्व को नकारा नहीं जा सकता...। हालाँकि इस विषय पर हम बात कर चुके हैं सुकेश। पुनः पूर्व की तरह अपने-अपने निर्णय पर अड़े रहेंगे। इसलिए अब मैं मुख्य बात पर आता हूँ। यहाँ से जाने से पहले इस मुख्य बात से मैं तुम्हें अवगत करा देना चाहता हूँ। वैसे तुम इस मुख्य बात से वाकिफ हो। लेकिन इस ओर तुम्हारा ध्यान फिर आकृष्ट करना मुझे वाजिब जान पड़ा है...। यह मुख्य बात ही वह वजह है जिसने आश्रमों को पनपने, विकसित होने और ऐयाशी के अड्डे के रूप में तब्दील किया है...।

"तुम्हारी गुरु जयन्ती पर चन्द लोगों का मैंने उल्लेख किया है, वे अपवादस्वरूप ही हैं। बड़ी संख्या वैसे श्रद्धालुओं की है जो तुम्हारे और तुम्हारे आश्रम के प्रति अपनी अटूट श्रद्धा के तहत पहुँचे थे। वैसे तो तुम्हारे यहाँ रोज ही तुम्हारे दर्शन, आशीर्वाद एवं प्रवचन के लिए हजारों श्रद्धालु आते हैं। लेकिन गुरु जयन्ती की भीड़ देख मेरी आँखें आश्चर्य से विस्फारित थीं।

"ऐसा लगता था सुकेश कि पूरा देश तुमसे दीक्षित होने पहुँच आया है। निश्चय ही इसी तरह अन्य गुरुओं के आश्रमों में भी लोग जाते होंगे। शायद यही वजह है कि अदालतों द्वारा मुजरिम और सजायाफ़्ता घोषित होने के बाद भी उन गुरुओं के यहाँ से यह घोषणा होती रहती है कि हमारे भक्तों की संख्या हजारों और लाखों में है। अगर हम गलत ही होते तो फिर हमारे इतने भक्त कैसे बनते? इसी तरह कुम्भ के अवसर पर या तीर्थों में या प्रसिद्ध धर्म-स्थलों पर या धार्मिक आयोजनों के तहत अचानक ऐसी भीड़ उमड़ उठती है कि वह पूरा स्थल भीड़मय बन जाता है। लोग अपने निजी कार्य स्थगित कर ऐसे स्थलों पर परेशानियों और अभावों के बावजूद अवश्य पहुँचते हैं। उन्हें लगता है कि ऐसे स्थलों पर पहुँचने और उनमें सम्मिलित

हुए बिना उनके पाप कटनेवाले नहीं और उनका परलोक भी नहीं सुधरनेवाला। लेकिन यह विषय अक्सर हमें सोचने के लिए बाध्य करता है सुकेश। हम अपने जिस समाज को उन्नत, विकसित और जागरूक रूप में देखना चाहते हैं, क्या यह हमारा वही समाज है? इस विषय पर अपने प्रबुद्ध मित्रों के साथ जब हम विमर्श करते हैं तो कई पक्ष उभरकर सामने आते हैं जिससे मैं तुम्हें भी अवगत कर देना चाहता हूँ। कुछ मित्रों का कहना है कि हमारे अधिकांश लोग अशिक्षा और अज्ञान के शिकार हैं। ऐसे लोग ऐसे धार्मिक मसलों पर अपने विवेक से निर्णय न लेकर अन्ध विश्वास की गिरफ़्त में चले जाते हैं...। इससे अलग कुछ दूसरे लोग मानते हैं कि हमारे यहाँ के लोगों की मानसिकता 'भेड़िया धसान' वाली होती है। जैसे आगे चलती भेंड़ किसी कुएँ में गिर जाय तो उसके पीछे की भेंड़ें भी अपनी अलग राह न बना उसी कुएँ में गिरती जाती हैं। यही स्थिति चोरी या पाकेटमारी के इल्जाम में किसी के पीटे जाते वक्त भी देखने को मिलती है जब वहाँ एकत्रित भीड़ यथार्थ ज्ञात करने की कोशिश नहीं करती, बल्कि उस पीटे जाते व्यक्ति को ही पीटना शुरू कर देती है।

"सचमुच ऐसी भीड़ खौफ पैदा करती है। तुम्हारे यहाँ भी मैं यही भीड़ देख रहा हूँ सुकेश। यह ऐसी भीड़ है जो जिस तरह अपने गुरुओं और आश्रमों को अपने माथे पर चढ़ा लेती है वैसे ही अपने माथे से उन्हें झटक भी देती है। यही वजह है कि अपने गुरुओं के सजायाफ़्ता होते ही उस भीड़ को सरकते देर नहीं लगती। अगर ऐसा नहीं होता तो फिर अपने उन गुरुओं के लिए जब लाखों लोग अनसन पर बैठ जाते तब स्थिति ही बदल जाती। लेकिन ऐसा नहीं होता। इसलिए यह भरोसे की भीड़ नहीं है सुकेश। श्रद्धालुओं की ऐसी भीड़ पर तुम भरोसा मत करना...।

"हमें इस बात पर विचार करना चाहिए सुकेश कि इस तरह सहज ही एकत्रित होनेवाली भीड़ हमारे ही देश में क्यों है? विकसित देशों में कुछ लोगों को भी एकत्रित करने के लिए कई तरह के विज्ञापनों का सहारा लेना पड़ता है। ऐसी भीड़ से तुम्हें बचना चाहिए सुकेश। जहाँ तक तुम्हें मैं समझता हूँ, ऐसी भीड़ तुम्हारे जैसे व्यक्ति के पास नहीं होनी चाहिए। अपने पास आनेवाले लोगों को तुम स्पष्ट शब्दों में समझा सकते हो कि वे अपने घर पर रहकर ही अपनी साधना कर सकते हैं। भगवान् कहीं अन्यत्र नहीं, वे हमारे अन्दर ही हैं। अपने कर्म में रत रहते हुए भगवान् की उपासना की जा सकती है। संत कबीर यही करते थे और ऐसा ही करने के लिए दूसरों को भी प्रेरित करते थे, इसलिए हमारे समय में आज संत कबीर सबसे अधिक प्रासंगिक हैं...।"

अपनी इस बात के बाद अब लोकचन्द ने जैसे ही तनिक विराम लिया, जवाब देने के लिए उद्वेलित सुकेश ने तत्क्षण कहा – "तुम्हारी बात अब पूरी हो गयी लोक?"

सुकेश के इस प्रश्न से लोकचन्द को ऐसा लगा, जैसे जवाब देने के लिए वह ऊब रहा हो। इस पर उन्होंने कहा – "हाँ सुकेश। मेरी बात पूरी हो गयी है। मुझे अब और कुछ नहीं कहना...।"

"तो ठीक है लोक। तुम्हारी पूरी बात मैंने ध्यान से सुनी है। अब मेरी भी बात तुम ध्यान से सुन लो। मेरी इस बात को तुम मेरा जवाब भी समझ सकते हो। मेरे यहाँ या अन्य धार्मिक-आध्यात्मिक केन्द्रों पर जिस उमड़ती भीड़ को तुम अन्ध श्रद्धा के वशीभूत मानते हो, ऐसा नहीं है। उनकी धार्मिक, आध्यात्मिक आस्था और विश्वास को अन्ध श्रद्धा कहकर खारिज नहीं किया जा सकता। विश्व में हमारा यह देश ही ऐसा देश रहा है जो ईश्वरीय विभूतियों का केन्द्र रहा है। भगवान् राम और कृष्ण ने हमारी इस धरती पर ही अवतार ग्रहण किया। महात्मा बुद्ध को भी यहीं पर ज्ञान प्राप्त हुआ। हमारे विवेकानन्द तो हमारे आधुनिक समाज के ज्वलन्त उदाहरण हैं, जिन्होंने विश्व में भारत की धार्मिक-आध्यात्मिक श्रे ष्ठता का उच्चतम प्रतिमान कायम किया। शायद इसी वजह से विश्व भारत को अपना गुरु मानता रहा है। लेकिन यह आर्थिक और वैज्ञानिक कारणों से नहीं, धार्मिक और आध्यात्मिक कारणों से है। तुम अगर जानकारी प्राप्त करने निकलोगे तो हमारे यहाँ ऐसे-ऐसे जाग्रत और सिद्ध संत-महात्मा रहे हैं, जो त्रिकालदर्शी थे। लेकिन उनका विश्वास चमत्कार प्रदर्शन में नहीं था। वैसे अनेक संत अब नहीं हैं। वे समाधि ले चुके हैं। लेकिन उनके आश्रम उनकी दिव्य शक्ति से पूर्ववत् कायम हैं। उनकी परम्परा के कुछ वास्तविक संत और महात्मा अभी भी हैं। लेकिन मैं तुम्हारा ध्यान उन ईश्वरीय विभूतियों की ओर ले जाना चाहता हूँ जिनसे साक्षात्कार हमारा जन-समाज सदियों से करता रहा है। हमारे यहाँ देव स्थलों के रूप में ऐसे कई स्थान हैं जहाँ ईश्वर की अनुभूति का प्रत्यक्ष एहसास तुम अभी भी सीधे-सीधेकर सकोगे।

ऐसे देश की जनता के धार्मिक और आध्यात्मिक विश्वास को तुम अन्ध श्रद्धा और अन्ध विश्वास नहीं कह सकते लोक। इस भारत भूमि की ऐसी धार्मिक और आध्यात्मिक चेतना की ही वजह से विश्व विजेता सिकन्दर को तपस्यारत महर्षि दाण्डायन के समक्ष नत मस्तक होना पड़ा था...।"

अपनी इस बात की समाप्ति पर जब सुकेश ने विजयी भाव से लोकचन्द की ओर देखा तो वे मुस्कराते हुए बोल उठे – "अपने पक्ष में तुमने बहुत-सारे तर्क प्रमाणों के साथ एकत्रित कर रखा है सुकेश। लेकिन इन तर्कों की वजह से तुम गलत को सही और अन्ध – श्रद्धा को सच्ची – श्रद्धा में तब्दील नहीं कर सकोगे। तुम स्वयं ज्ञानी हो। जीवन और जगत् की व्यावहारिक समझ भी रखते हो। बस, जाते-जाते यही कहूँगा कि जो स्थिति यहाँ निर्मित हैं और जिसके केन्द्र बिन्दु के

रूप में तुम हो उस स्थिति में सजग-सतर्क बने रहना। अपने ज्ञान और अनुभव से मैं इतना जानता हूँ सुकेश कि परिश्रम का अर्जन और परिश्रम से कायम स्थिति उस रूप में नहीं बदलती जिस रूप में अनायास और सहसा कायम स्थिति बदल जाती है।''

''इस मामले में मेरी ओर से तुम निश्चिन्त रहो लोक। तुम्हारा मित्र न वैसा है और न कभी वैसा होगा। पुनः अपने जीवन के उस सत्य और तथ्य से मैं तुम्हें आश्वस्तकर देना चाहता हूँ – *'जो तुम देख्यो सो यह नाहिं।''*

यहाँ लोकचन्द के मन में भी आया कि पूर्व की भाँति कह दे – 'जो मैं देखूँ, सो यह वही।' लेकिन चलते-चलते और इतने लम्बे विमर्श के बाद अब यह कहना उन्हें उचित नहीं जान पड़ा। इसलिए अब वे उठ खड़े हुए – ''चलता हूँ सुकेश। हरिद्वार के लिए बस भी पकड़नी है...।''

''नहीं लोक। आते हुए भले ही तुम जिस माध्यम से आ गये, अब आश्रम की गाड़ी से उदय हरिद्वार के तुम्हारे ठहराव तक तुम्हें पहुँचायेगा...।''

''नहीं सुकेश। एक सामान्य नागरिक के रूप में जैसे मैं बस से आया हूँ, वैसे ही मुझे बस से ही जाने दो।''

''नहीं लोक। तुम्हारी यह बात मैं नहीं मान सकता। बस की भीड़, परेशानी और अनियमितता की जानकारी मुझे है। इस मामले में आश्रम की गाड़ी तुम्हें समय से तुम्हारे गन्तव्य तक पहुँचा देगी। मेरा यह अनुरोध तुम्हें मानना ही है।''

सुकेश के इस प्रबल आत्मीय अनुरोध को लोकचन्द अब नकार नहीं सके – ''ठीक है, सुकेश। लेकिन अब मैं चलूँगा। समय से पहुँचकर ही अपनी दिनचर्या को सार्थक स्वरूप दे सकूँगा...।''

''बस, अभी उदय को बुलाता हूँ। किसी भी बस से पहले वह तुम्हें तुम्हारे स्थान तक पहुँचा देगा।''

और लोकचन्द ने पास रखी काल बेल बजा दी। जवाब में अमृता तत्क्षण उपस्थित हो गयी – ''जी गुरुदेव।''

''उदय को खबर कर दो।''

''जैसी आज्ञा गुरुदेव।''

और अमृता चली गयी। सुकेश ने अब एक छोटा-सा सुनहला कार्ड लोकचन्द को देते हुए कहा – ''इस कार्ड में आश्रम संचालन से जुड़े सभी मुख्य प्रबन्धकों एवं सदस्यों के फोन नम्बर हैं। यह कार्ड सबको उपलब्ध नहीं, विशेष लोगों के लिए ही है। यह कार्ड तुम्हारे पास होना ही चाहिए। फिर इस शर्त पर ही मैं तुम्हें जाने दे रहा

हूँ कि अब तुम्हें अक्सर यहाँ आना है। औरों के लिए चाहे जो हूँ, तुम्हारे लिये तुम्हारा वही सुकेश हूँ...।''

बिना किसी कार्य या आवश्यकता के निरर्थक भ्रमण लोकचन्द को समय की बर्बादी जान पड़ती है, इसलिए अकारण या मात्र घूमने के उद्देश्य से वे कहीं नहीं जाते थे। कार्य के सिलसिले में ही कहीं जाने पर घूमना हो जाय तो उस घूमने को ही वे सार्थक मानते थे। इस आश्रम में उनका आना और घूमना भी उनके जीवन के इसी निर्णय के तहत हुआ था। लेकिन अपने जीवन के इस निर्णय से सुकेश को अवगत कर उसे दुःखी नहीं बनाना चाहते थे, इसलिए उन्होंने औपचारिक और व्यावहारिक जवाब दे दिया – ''ठीक है सुकेश। समय मिलने पर आऊँगा...।''

इस दौरान उदय तत्क्षण आ पहुँचा। सुकेश के आदेश के अनुसार उसी वक्त वह लोकचन्द को लेकर चल पड़ा, जैसे कहीं आने-जाने के लिए सुबह से ही तैयार बैठा हो। सुकेश भी लोकचन्द को कार तक छोड़ने के लिए उन्मुख हो गये। लेकिन उस विशिष्ट अतिथि-कक्ष से सुकेश के निकलते ही लोकचन्द ने उन्हें रोक दिया – ''औरों के लिए हमारे सम्बन्ध की कायम गोपनीयता गोपनीय ही बने रहे तो ठीक है...।''

लोकचन्द की यह बात सुकेश को जँची। बचपन की मित्रता के उस औचक आवेग को अब उन्होंने तत्क्षण नियन्त्रित कर लिया। लोकचन्द की यह बात उदय नहीं सुन पाया था। लोकचन्द का बैग हाथ में लिये वह आगे बढ़ गया था। अब लोकचन्द ने भी सुकेश से विदा के लिए हाथ बढ़ाया। शायद हाथ मिलाकर वे विदा लेना चाहते थे। लेकिन प्रतिक्रिया में सुकेश ने उन्हें बाँहों में भर लिया। यहाँ क्षण-भर के लिए उन दोनों की आँखें नम हो गयीं। फिर लोकचन्द अपने मार्ग की ओर चल पड़े और सुकेश अपने बँगले की ओर।

12

अपने मित्र सुकेश से मिलने तथा 'मुक्त लोक आश्रम' से आने के नौ वर्ष बाद अचानक न्यूज चैनल पर यह खबर देख लोकचन्द दुःखद आश्चर्य से चौंक उठे कि ''अपने आश्रम की एक साध्वी पद्मा से यौन शोषण के मामले में प्रसिद्ध संत एवं गुरु स्वामी मुक्तानन्द जी मुक्त को पुलिस ने गिरफ़्तार कर लिया है। उस साध्वी पद्मा की शिकायत पर पुलिस की छानबीन तथा उसकी मेडिकल जाँच से यौन सम्बन्ध की पुष्टि के बाद ही पुलिस ने उन्हें गिरफ़्तार किया। हालाँकि उनके आश्रम

मुक्त लोक के उनके अनुयायी भारी संख्या में एकत्रित हो अपने गुरु महाराज की गिरफ़्तारी के बीच आड़े आ गये थे। इस स्थिति में सम्बन्धित पुलिस अधिकारी की सूचना पर जब बड़ी संख्या में पुलिस के जवान वहाँ पहुँचे, तब स्वामी मुक्तानन्द जी मुक्त गिरफ़्तार हो सके...।"

यह सूचना लोकचन्द के लिए किसी भूचाल से कम नहीं थी। जैसे वे आसमान से जमीन पर आ गिरे हों, जैसे कोई अनहोनी हो गयी हो, उन्हें ऐसा ही महसूस हो रहा था। यह घटना उन्हें बिल्कुल असम्भव-सी जान पड़ रही थी। किसी अन्य युवा साध्वी के साथ ऐसा होने की बात वे समझ भी सकते थे। लेकिन अपनी सर्वाधिक निकटस्थ और विश्वसनीय पद्मा के साथ सुकेश का ऐसा करना लोकचन्द के लिए गहरे आश्चर्य एवं अजूबे का विषय था। उन्हें किसी ने बताया नहीं था और इस मामले में उन्हें किसी से पूछने की जरूरत भी नहीं थी। लेकिन अपने मन के धरातल पर वे जानते थे कि पद्मा जैसी अनिन्द्य सुन्दरी साध्वी से सुकेश की वैसी गहरी निकटता और आत्मीयता बगैर पति-पत्नी की तरह साथ रहे सम्भव नहीं थी। बाहरी समाज के लिए उनका सम्बन्ध गुरु और शिष्या का था। ऐसी स्थितियों में यही होता भी है। तब फिर यह यौन-शोषण की बात कहाँ से आ गयी। आपसी सहमति से कायम यौन सम्बन्ध को यौन-शोषण नहीं कहा जा सकता। मेडिकल जाँच से ऐसे सम्बन्ध की पुष्टि तो होनी ही है। लेकिन यौन-शोषण के नाम पर मुकदमा और गिरफ़्तारी की बात वे समझ नहीं पा रहे थे।

सुकेश से मिलने और मुक्त लोक आश्रम में रहकर अपने घर आने के बाद लोकचन्द ने सुकेश से गोपनीयता की शर्त के अनुसार अपने परिवार में पत्नी को छोड़कर वह प्रसंग किसी और के समक्ष जाहिर नहीं किया था। वे जानते थे, उनकी पत्नी गोपनीयता की उनकी शर्त भंग करनेवाली नहीं। उस पूरे प्रसंग को सुनने के बाद पत्नी ने लोकचन्द का ही समर्थन किया था – "आपने अपने मित्र को अच्छा परामर्श दिया है। उन्हें युवा साध्वियों के साथ ऐसी निकटता नहीं रखनी चाहिए। संत को अपने आश्रम में ऐसी साध्वियों की क्या जरूरत?"

इस सूचना पर भी पत्नी ने उन्हें समझाने की कोशिश की – "इस घटना को लेकर आप चिन्तित और परेशान न हों। वहाँ की जो स्थिति आपने बतायी थी उसमें ऐसा कुछ होना ही था...। आप पहले ही उन्हें आगाह कर चुके हैं, इसलिए आपको अफसोस करने की जरूरत नहीं..।"

"लेकिन मेरे अपने अनुमान के अनुसार पद्मा के साथ उनका सम्बन्ध पति-पत्नी की ही तरह सम्भावित था लता। फिर यौन-शोषण का आरोप कैसे चस्पां हो गया?"

"तो क्या पति-पत्नी के बीच मतभेद नहीं होते? पति-पत्नी के मतभेद तो उन्हें अदालत तक ले जाते हैं। फिर दोनों एक-दूसरे को पराजित करने में प्राणपण से भिड़ जाते हैं। यह मामला भी अब ऐसा ही लगता है। इसे लेकर आप व्यर्थ की माथापच्ची न करें...।"

"हमें इसकी गहराई में जाना चाहिए लता। यथार्थ की पड़ताल करनी चाहिए! बचपन के उस मित्र को भूल गया था, वह अच्छा था। लेकिन फिर से उसे पाने और ऐसी घटना में उसके फँसने के बाद अब मैं चैन से कैसे रह सकता हूँ।"

"एक मित्र के रूप में आपको जो समझाना था, समझा चुके हैं। अपने मित्र धर्म का निर्वाह आप बखूबी कर चुके हैं। अब हमारे अपने जीवन में ही समस्याएँ क्या कम हैं कि हम और समस्याओं में घिरें? फिर हमारी अवस्था भी तो अब कहीं लड़ने-भिड़ने और उलझने की नहीं रही...।"

पत्नी की इस बात से लोकचन्द को लगा कि उनके समक्ष कायम इस नयी समस्या में अब पत्नी को शामिल कर उसे परेशान करना उचित नहीं। वैसे भी उनकी पत्नी घर-गृहस्थी और पारिवारिक समस्याओं के बीच घिरी रहती है। पत्नी द्वारा पारिवारिक जिम्मेवारियों के कुशल निर्वाह की वजह से ही वे समय निकाल कर लिख-पढ़ लेते हैं। ऐसी पत्नी को मित्रता की अपनी निजी चिन्ताओं में उलझाना उचित नहीं। इस निर्णय के बाद इस विषय पर पत्नी से उन्होंने और कोई बात नहीं की। पत्नी को भी लगे कि उसकी बात मानकर वे सहज हो गये, इसलिए उन्होंने लेखन की मेज भी पकड़ ली। हालाँकि बाह्य रूप में ऐसा करने के बावजूद उनके अन्तर में तो हाहाकार मचा था। अपने बचपन के उस घनिष्ठ मित्र के साथ ऐसी अनपेक्षित घटना की तह तक पहुँचे बिना अब उन्हें चैन कहाँ था...।

नौ वर्ष पहले सुकेश से उस अन्तिम बातचीत के बाद लोकचन्द मुक्त लोक आश्रम से हरिद्वार के उस गेस्ट हाउस में आ गये थे, जहाँ वे ठहरे थे। वहाँ और तीन-चार दिन रहकर अपने उपन्यास से सम्बन्धित विषय के नोट्स उन्होंने ले लिये थे। समस्या और समस्या की जड़ में विद्यमान कारणों को अपने नोट्स में चिह्नित, अंकित कर अब वे वापस आ गये थे। किसी भी उपन्यास के लिए उसके आधार के रूप में जमीनी यथार्थ का जो पक्ष हो सकता है, अब वह लोकचन्द के पास उपलब्ध हो गया था। इस दृष्टि से जब उस पर लिखने बैठे तो लिखते चले गये। उस उपन्यास के पूरा होने में अपेक्षित समय लगा, क्योंकि उपन्यास का लेखन सरपट भागने का लेखन नहीं होता। हर स्थिति, संवाद और घटना को जीवन्तता के साथ रचना पड़ता है जिसमें समय लगना स्वाभाविक था। खैर, पूरा होकर जब उपन्यास प्रकाशित हुआ तो पाठकों ने नये विषय पर उनकी इस नयी रचना की सराहना की। तब उन्हें अपना

परिश्रम सार्थक जान पड़ा। तब इस बात को लेकर उन्हें खुशी हुई कि भूस्खलन से विस्थापित जनों पर लोगों का ध्यान आकृष्ट करने में वे सफल रहे। उनके दुःख-दर्द से लोगों को अवगत कर सके।

इस बीच लोकचन्द के पास कुछ समय के अन्तराल पर सुकेश के दो बार फोन आये। दोनों बार उसने लोकचन्द को पुनः आश्रम में आमन्त्रित किया। आश्रम में लोकचन्द की उपस्थिति और उनसे लम्बी बातचीत को दोनों बार उसने आत्मीयता से स्मरण किया। उसके उन आत्मीय अनुरोधों पर लोकचन्द भी यह कहने से पीछे नहीं रहे – "हाँ सुकेश, आऊँगा। समय मिलते ही पहुँचूँगा। तुमसे मिलकर और बातचीत कर मुझे बहुत अच्छा लगा। बचपन की वह मित्रता फिर ताज़ा हो गयी है..."

लेकिन इस बीच अपने बढ़ गये कार्यों से लोकचन्द इस तरह घिर गये थे कि चाहते हुए भी कहीं निकल नहीं पाते थे। भूस्खलन से विस्थापित लोगों पर जो उपन्यास लिख रहे थे उसी दौरान जीवन, समाज और लोकतान्त्रिक शासन व्यवस्था पर उपन्यास-लेखन के लिए दो-तीन ऐसे तल्ख और जीवन्त विषय उन्हें प्राप्त हुए जिन्हें उनके रचनात्मक आयामों के साथ अपनी डायरी में उन्होंने दर्जकर लिया था।

अब जैसे ही रचनारत उपन्यास पूरा हुआ, नये विषय उनके रचनाकार को आमन्त्रित करने लगे। वे विषय इतने सशक्त और महत्त्वपूर्ण थे कि लोकचन्द भी उन पर उपन्यास रच डालने से अपने को रोक नहीं सके। इस बीच उनके अपने आवासीय घर के विस्तार की जरूरत भी उन्हें महसूस होने लगी। यह ऐसी पारिवारिक समस्या थी जिसका निदान पत्नी से सम्भव नहीं था। कभी यही घर उन दोनों पति-पत्नी और उनके बेटे-बेटियों के लिए पर्याप्त था। लेकिन उनके बेटे-बेटियों की शादियों के बाद उनके बाल-बच्चों के तहत बढ़ते परिवार के लिए घर का विस्तार आवश्यक हो गया था। घर के मुखिया के रूप में यह कार्य उन्हें ही करना था, इस दृष्टि से न चाहते हुए भी इस कार्य में भी वे लग गये।

ऐसे में नौ वर्ष का समय कब और कैसे व्यतीत हो गया, लोकचन्द को पता नहीं चला। इस सम्बन्ध में उनके अपने अनुभव के अनुसार नियमबद्ध ढंग से काम करने के चलते ही उन्हें बीतते समय का एहसास नहीं रहा। अगर उनका जीवन भी किसी कार्य या नियम में बँधा नहीं होता तो उनके लिए समय पहाड़ बन जाता जो काटे नहीं कटता...। लेकिन वैसे जीवन को वे समय और जीवन दोनों की बर्बादी मानते थे

इस बीच दो फोन के बाद फिर सुकेश के यहाँ से न तो कोई फोन आया और न कोई सूचना ही प्राप्त हुई। लोकचन्द इस तथ्य से अवगत थे कि मुलाकात की प्रारम्भिक ऊर्जा के तहत ही सुकेश ने उन्हें फोन किया था। बाद में अपनी व्यस्तताओं

के तहत उन्हें याद नहीं रख सका। उसके यहाँ जिस तरह की भीड़ थी, जैसे लोगों का आना था और जिस तरह के कार्यक्रम होते रहते थे, वैसे में वर्तमान को छोड़कर विगत को याद रखने की उसे फुर्सत ही कहाँ? इसलिए प्रारम्भिक फोनों के बाद उसका कोई फोन नहीं आया। इधर बीतते समय और अपने कार्य में तल्लीनता के तहत लोकचन्द की भी यही स्थिति थी। अपने दिवंगत मित्र को जीवित पा जिस उत्साह और जिज्ञासा से वे उससे मिले और उसके आश्रम में रुके, उस पूरे सन्दर्भ का स्मरण वापस आने के कुछ समय बाद तक ताज़ा रहा। फिर समय के अनुसार वह सब-कुछ पुराना पड़ते हुए कब विस्मृति के गर्त में चला गया, लोकचन्द जान भी नहीं सके। जहाँ तक 'मुक्त लोक आश्रम' में लोकचन्द के पुनः जाने की बात थी यह उनके मन के किसी कोने में दबी पड़ी थी। लेकिन अब अचानक यह ऐसी सूचना आ पहुँची जिसने सब-कुछ ताजा कर दिया। यह ऐसी सूचना थी, जिसने लोकचन्द की सारी नियमबद्धता खत्म कर दी। जैसे अपने दिवंगत मित्र को जीवित पा उसे मिलने अपना कार्य छोड़ वे 'मुक्त लोक आश्रम' भागे थे, वैसे ही उस घटना की तह तक पहुँचने के लिए अब अपना लेखकीय कार्य बीच में ही स्थगित कर वे चिन्तित हो उठे।

मुक्त लोक आश्रम से विदा होते वक्त सुकेश ने उन्हें एक सुनहला कार्ड दिया था। घर आने पर वह कार्ड उन्होंने सँजोकर अपनी आलमारी में रख दिया था। अब उस कार्ड को लेकर वे बैठ गये। उस कार्ड में ग्यारह व्यक्तियों के क्रमवार नाम और उनके फोन नम्बर अंकित थे :

1. स्वामी मुक्तानन्द जी मुक्त
2. स्वामी जगेश्वरानन्द सागर
3. देवी पद्मा गंगा
4. देवी शेषाद्रि गंगा
5. देवी ऋचा गंगा
6. स्वामी केशवानन्द सागर
7. स्वामी प्रद्युम्न सागर
8. स्वामी नवरंग नारायण सागर
9. स्वामी बलराज आनन्द सागर
10. स्वामी उदय नन्दन सागर
11. स्वामी इन्द्र सागर

लोकचन्द इन सभी व्यक्तियों से परिचित थे। मुक्त लोक आश्रम के संचालन से जुड़े ये सभी मुख्य व्यक्ति थे। इनमें प्रथम नाम अपने मित्र सुकेश से ही उन्होंने

फोन की शुरुआत की। लेकिन जैसा उन्हें आभास था, उनका फोन ऑफ मिला। जेल में बन्द व्यक्ति को फोन की वैसी सुविधा नहीं रहती जैसी बाहर रहने पर होती है। अब आश्रम से आते हुए जिस अन्तिम व्यक्ति उदय से उनका परिचय हुआ था, वह सुकेश का निकटतम ड्राइवर था। सुकेश ने उनके साथ अपने अभिन्न सम्बन्ध की बात उसे बता दी थी। उस बात से उदय वाकिफ भी था, इसलिए लोकचन्द ने अब उदय को ही फोन किया। रिंग होने के बाद फोन उठाकर उदय ने आश्रम की शिष्ट भाषा में पूछा – "हलो, आप कौन महाशय बोल रहे है?"

"मैं बिहार से प्रोफेसर लोकचन्द बोल रहा हूँ उदय...।"

इतना सुनते ही उदय बोल उठा – "हाँ, हाँ, श्रीमान् जी। मैं पहचान गया। मुझे सब-कुछ याद है श्रीमान् जी। आपको सूचना मिली होगी। हमारे आश्रम पर वज्रपात हो गया। हम बर्बाद हो गये श्रीमान् जी। हमारे गुरु महाराज के बिना यह आश्रम हमारे लिये अब मरघट के समान है।"

"अभी आज ही एक सामाचार चैनल पर यह खबर मुझे मिली है उदय।"

"सभी चैनलों पर आज यही सूचना है श्रीमान् जी। देश के सभी अखबार इस सूचना से रँगे हुए हैं। हमारे गुरु महाराज सामान्य इन्सान नहीं हैं। वे पहुँचे हुए परम संत और महामानव हैं।"

"लेकिन देवी पद्मा तो उनकी सबसे निकटतम शिष्या थी उदय। उसके लिए आश्रम का सर्वोच्च सम्बोधन 'दीदी माँ' उन्होंने ही दिया था। उस पद्मा ने उन पर ऐसा आरोप कैसे लगाया?"

"इस विषय में मैं कुछ भी नहीं बता सकता श्रीमान् जी। आश्रम पर पुलिस का पहरा है। आश्रम के सारे फोन टेप किये जा रहे हैं। लेकिन इतना तो मैं कहूँगा ही कि हमारे गुरु महाराज एकदम निर्दोष हैं। वे अग्नि की तरह पवित्र हैं। उन्हें साजिश और षड्यन्त्र के तहत फँसाया गया है। आप यहाँ आ जाइये, श्रीमान् जी। आपको सब पता चल जायेगा। इस संकट की घड़ी में आपका सहयोग और सम्बल हमें चाहिए। अब गुरु महाराज को निर्दोष साबित कर उनकी मुक्ति के लिए हम सबको मिलकर लड़ना है। आप जितनी जल्दी हो सके, आ जाइये श्रीमान् जी...।"

"आऊँगा उदय। लेकिन असली बात क्या है? असली बात जानना जरूरी है...। समाचारों से असली बात की जानकारी नहीं हो पा रही है!"

"चैनलों और अखबारों से आपको असली बात की जानकारी कभी नहीं मिलेगी श्रीमान् जी। समाचार माध्यम जिस वजह से कार्रवाई हुई है, उसे ही बार-बार बतायेंगे, उसे ही लगातार प्रचारित करेंगे। फोन से आपको कोई कुछ भी नहीं बता सकेगा।

आश्रम के सारे फोन नम्बर पुलिस के पास हैं। और उन नम्बरों से होनेवाली बातचीत पर उनकी कड़ी निगरानी है। इसलिए बिना तनिक विलम्ब किये आ जाइये श्रीमान् जी। जहाँ तक मैं आपको समझ सका हूँ, गुरु महाराज के सबसे प्रिय शिष्यों में आप हैं। कभी किसी शिष्य को अपनी गाड़ी से उन्होंने विदा नहीं किया था। वे आपको अपनी गाड़ी तक छोड़ने भी आ रहे थे, तो आपने रोक दिया था। मैं जब से आश्रम में रह रहा हूँ श्रीमान् जी, ऐसा पहली बार हुआ था।''

उदय जिस आवेग में बोलता जा रहा था कि रुकने का नाम नहीं ले रहा था। इस पर बीच में ही उसे रोकते हुए लोकचन्द ने कहा – ''हाँ उदय। गुरु महाराज से मेरा बहुत पुराना सम्बन्ध रहा है, इसलिए यह सूचना पाते ही मेरा मन भी बेचैन हो गया...। मैं अन्दर से आहत और व्यथित हूँ उदय। मैं जरूर आऊँगा..।''

''अब हमें तनिक भी देर नहीं करनी चाहिए, श्रीमान् जी। गुरु महाराज के बिना इस आश्रम में अब एक-एक दिन एक-एक वर्ष की भाँति व्यतीत हो रहे हैं। मेरे लिये तो गुरु महाराज ही सब-कुछ हैं श्रीमान् जी।

मेरे माँ-बाप ने तो सिर्फ मुझे जन्म भर दिया था। लेकिन मुझे वास्तविक जीवन तो गुरु महाराज ने ही प्रदान किया। आप अनुभवी, विद्वान् और सूझ-बूझ सम्पन्न व्यक्ति हैं श्रीमान् जी। अचानक जिस तरह गुरु महाराज को गिरफ़्तार किया गया, उससे पूरे आश्रम को जैसे लकवा मार गया है। आप जल्दी आइये श्रीमान् जी और हमें मार्ग सुझाइये...। हम सब औचक भहरा गये हैं। आप अविलम्ब यहाँ पहुँचिये श्रीमान् जी।''

''मैं तुमसे कह चुका हूँ कि आऊँगा तो आऊँगा उदय। लेकिन तुम्हारे इस तरह घबराने और बेचैन होने से कुछ होनेवाला नहीं। जो भी समस्या आती है, उदय, उसी के अन्दर उसका समाधान भी निहित होता है। फिर किसी भी समस्या का सामना साहस और धैर्य के साथ ही किया जा सकता है, घबराकर और बेचैन होकर नहीं...। इसलिए अपने पर नियन्त्रण रखो। मैं शीघ्र आऊँगा...।'' – और लोकचन्द ने यह कह कर बात समाप्त कर दी।''

लोकचन्द जानते थे, उदय नन्दन की दुनिया गुरु महाराज और आश्रम के सिवा अन्यत्र कहीं नहीं, इस दृष्टि से गुरु महाराज के लिए उसकी बेचैनी स्वाभाविक थी। अगर वे फोन पर अपनी ओर से बातचीत समाप्त करने का संकेत नहीं करते तो वह फोन नहीं रखता।

उदय नन्दन के बाद लोकचन्द को पद्मा से बात करना भी आवश्यक प्रतीत हुआ। इस औचक घटना के केन्द्र में गुरु महाराज के साथ वही थी। सम्भव है, उससे

बातचीत से यथार्थ का सम्भावित संकेत वे पा सकें। पद्मा उनसे परिचित भी है। आश्रम में प्रवेश के दिन और आश्रम से वापस आते हुए दोनों अवसरों पर पद्मा से आत्मीय बातचीत की याद अब भी उनके मन में थी। उस बातचीत के आधार पर पद्मा का जो चरित्र उनके मन में निर्मित था वह अपने गुरु महाराज के प्रति अनन्य समर्पण और भक्ति का था। वैसी मृदुभाषी और स्नेहिल पद्मा अपने गुरु महाराज पर ऐसा आरोप कैसे लगा सकती है? लेकिन पद्मा के नम्बर पर उसका फोन स्विच ऑफ मिला। फिर भी अपने मन की आश्वस्ति के लिए लोकचन्द ने तीन बार उसका नम्बर डायल किया। लेकिन हर बार एक ही जवाब – "फिलहाल उपभोक्ता का मोबाइल स्विच ऑफ है...।"

लोकचन्द को अब यह समझते देर नहीं लगी कि जिस लड़की ने अपने साथ यौन-शोषण के आरोप पर केस दर्ज किया हो वह अपना फोन ऑन कैसे रख सकती है? सम्भव है, पुलिस से बातचीत के लिए उसने अपना कोई और नम्बर रखा हो।

लेकिन लोकचन्द के कार्ड में उसका यह एक ही नम्बर था। यहाँ लोकचन्द को अब स्वतः इस बात का एहसास भी हो गया कि फिलहाल पद्मा आश्रम में भी नहीं होगी। आश्रम प्रमुख अपने गुरु महाराज पर मुकदमा कर वह आश्रम में कैसे रह सकती है? तब निश्चय ही वह अपने पिता के घर पर होगी। आश्रम में रहते हुए अपने परिवार से उसका आत्मीय सम्बन्ध बना हुआ था। उसकी वजह से ही उसके पिता परमेश्वरचन्द ने अपने यहाँ के भीखम नामक एक गरीब मजदूर को प्रेरित कर आश्रम में उसकी दो बेटियों को दान देने हेतु भिजवाया था।

आश्रम में रहने के दौरान लोकचन्द इस बात से अवगत हो गये थे कि उनके मित्र सुकेश के बाद आश्रम में विशेष अधिकार सिर्फ स्वामी जगेश्वरानन्द को ही प्राप्त था। कहने के लिए गुरु महाराज आश्रम के सर्वेसर्वा थे, जबकि आश्रम का सारा दारोमदार जगेश्वरानन्द के कन्धों पर ही था। अनाथाश्रम से आया वह तेज-तर्रार युवक गुरु महाराज का सबसे विश्वासपात्र था, क्योंकि अब गुरु महाराज और आश्रम के रूप में उसे भी अपना स्थायी आशियाना प्राप्त हुआ था। वह अब गुरु महाराज को ही अपना पिता और आश्रम को ही अपना घर मानता था। लोकचन्द ने अब सीधे उसके ही नम्बर पर कॉल किया। जवाब में लोकचन्द द्वारा हलो, हलो कहते ही विलक्षण प्रतिभा का धनी वह व्यक्ति उन्हें पहचान गया –

"मैं आपकी आवाज से ही जान गया श्रीमान् जी। आप बिहार के प्रोफेसर एवं लेखक लोकचन्द जी बोल रहे हैं...।"

"हाँ, हाँ, जगेश्वरानन्द जी। आश्चर्य है कि इतने वर्षों बाद भी मेरी आवाज़ से आप पहचान गये।"

"क्यों नहीं पहचानूँगा श्रीमान् जी। गुरु महाराज ने आपके बारे में मुझे जो बताया था उसके अनुसार आप उनके सर्वाधिक प्रिय, विश्वसनीय और सबसे बड़े शुभचिन्तक रहे हैं। मैं नहीं जानता, आपके साथ उनका कैसा सम्बन्ध रहा है। लेकिन उनके कथन से इतना तो आभास मुझे हो ही गया है कि उनके पुराने शिष्यों में आपसे अधिक भरोसेमन्द और प्रिय कोई और नहीं। इस दृष्टि से अब समय आ गया है श्रीमान् जी कि गुरु महाराज के लिए हमें अपने-अपने स्तर से लग जाना है... ।"

"मुझे आज ही यह सूचना मिली है जगेश्वरानन्द जी। लेकिन इस सूचना से सच की जानकारी नहीं हो पा रही है।"

"ऐसी सूचनाओं से सच की जानकारी नहीं हो पाती श्रीमान् जी। इस सम्बन्ध में फोन से भी हम कुछ नहीं बता सकते... ।"

"हाँ, जगेश्वरानन्द जी। मुझे जानकारी मिली है, आश्रम के सारे फोन पुलिस की ओर से टेप किये जा रहे हैं। आश्रम से होनेवाली बातचीत पर पुलिस की कड़ी निगरानी है।"

"आप तो सब-कुछ जानते हैं श्रीमान् जी। बस समय निकालकर शीघ्र आ जाइये श्रीमान् जी। मैं जानता हूँ, हर आदमी अपने जीवन और अपनी समस्याओं के चक्रव्यूह में घिरा है। हमें बस, आप जैसे वरिष्ठ और प्रबुद्धजनों का स्नेह-समर्थन चाहिए। हमने सारी तैयारी कर ली है श्रीमान् जी। प्रसिद्ध अधिवक्ताओं और विधि-विशेषज्ञों से आज ही हमारी बातचीत हो चुकी है। हम हाई कोर्ट से लेकर सुप्रीम कोर्ट तक जायेंगे। हमारे गुरु महाराज स्त्रियों के यौन-शोषण करनेवाले उन छद्म सन्तों में नहीं हैं। उनके ऊपर लगे इस मिथ्या आरोप को ध्वस्त कर हम पुनः उन्हें आश्रम में ले आयेंगे और अपने गुरु के उच्चतम सिंहासन पर पूर्व की भाँति विराजमान करेंगे। बस, हमें आशीर्वाद देने के लिए आप आ जाइये श्रीमान् जी। अपने गुरु महाराज के लिए हम अन्तिम साँस तक लड़ेंगे। उन्हें आश्रम में लाये बगैर चैन से नहीं रह सकते।"

"आऊँगा जगेश्वरनन्द जी। मैं शीघ्र ही आऊँगा... ।"

उदय के बाद अब जगेश्वरानन्द को भी शीघ्र आने की बात तो लोकचन्द ने कह दी। लेकिन उनके वर्तमान जीवन का सच यही था कि अपने जीवन और परिवार की तत्कालीन समस्याओं की वजह से फिलहाल वे तत्क्षण कहीं जाने की स्थिति में नहीं थे। लेकिन यह घटना और इसकी सूचना ऐसी थी कि घर पर रहते हुए भी वे लिख-पढ़ नहीं सकते थे। स्थूल रूप में, शरीर के घरातल पर वे घर पर जरूर थे। लेकिन मन के धरातल पर तो 'मुक्त लोक आश्रम' में अपनी विगत स्मृतियों के तहत

एक संस्थान से दूसरे संस्थान तक घूमते तथा विशिष्ट अतिथि-कक्ष में सुकेश के साथ संवादरत थे।

जिस आश्रम एवं गुरु के यहाँ शिष्ट भाषा, सुसंस्कृत आचरण और आत्मीय समाज से वे रू-ब-रू होकर आये थे, वहाँ से ऐसी अनपेक्षित खबर के तहत उनके मन का अशान्त होना स्वाभाविक था। आश्रम के उस कार्ड में स्वामी जगेश्वरानन्द और उदय नन्दन के बाद अब किसी और को फोन करने की उन्हें इच्छा नहीं हुई। जब जगेश्वरानन्द और उदय कुछ नहीं बता सके तो किसी और से उन्हें कुछ भी ज्ञात नहीं हो सकता। इस स्थिति में मानसिक स्तर पर अब मुक्त लोक आश्रम चलने की तैयारी में वे लग गये। उन्होंने तय किया कि एक सप्ताह के अन्दर अपने निजी और पारिवारिक कार्यों को समेटते हुए उन्हें आश्रम से घूम कर आ जाना है। अपने मन के धरातल पर अब वे शिद्दत से महसूस कर रहे थे कि बगैर आश्रम पहुँचे सम्बन्धित घटना के यथार्थ से वे अवगत नहीं हो सकते...।

इस दौरान सुकेश की गिरफ़्तारी के तीसरे दिन बाद अचानक चौंकानेवाली एक और अप्रिय खबर आ गयी। उस खबर के अनुसार 'मुक्त लोक आश्रम' की और दो युवा साध्वियाँ अमृता और चन्दा ने भी मुक्तानन्द जी मुक्त पर यौन-उत्पीड़न का आरोप लगाया है। इन युवा साध्वियों के अनुसार इन्हें बहला-फुसलाकर तथा इनके नाम स्थायी सम्पत्ति का झाँसा देकर इन्हें यौन-उत्पीड़न का अपना शिकार बनाते रहे थे। इस सम्बन्ध में वे जब भी विरोध करतीं उन्हें अपने हथियारबन्द आश्रम सेवकों से वे सफाया करा देने की कठोर धमकी दे देते...। अब जब कि वे गिरफ़्तार हो चुके हैं, उन पर कार्रवाई के लिए वे आगे आ गयी हैं। उनकी शिकायत पर मेडिकल जाँच से उनके साथ अवैध सम्बन्ध की पुष्टि भी हो गयी है। इस पुष्टि के बाद स्वामी मुक्तानन्द जी मुक्त पर कानून का शिकंजा और कस गया है...।

लोकचन्द को इस दूसरी अप्रिय घटना ने और बेचैन कर दिया कि 'मुक्त लोक आश्रम' में यह अचानक क्या होने लगा? एक-पर-एक ऐसी आपत्तिजनक घटनाएँ! गुरु महाराज की प्रिय, विश्वसनीय और निकटतम शिष्याओं द्वारा ऐसे गम्भीर और अक्षम्य आरोप। निश्चय ही यह किसी-न-किसी षड्यन्त्र के तहत है। पद्मा जब युवा थी और लम्बे समय से उनके साथ रह रही थी तब यह आरोप उसने क्यों नहीं लगाया? सुकेश से मिलने के दौरान लोकचन्द अमृता से भी तीन बार मिल चुके थे। वह युवा साध्वी, जितनी सुन्दर थी, उतनी ही मृदुभाषी, शिष्ट और सुसंस्कृत आचरण की प्रतीत होती थी। विशिष्ट अतिथि-कक्ष की सेविका के रूप में गुरु महाराज के पास रहते हुए वह लोकचन्द को प्रसन्न और सन्तुष्ट जान पड़ती थी। फिर वैसी साध्वी ने भी ऐसा आरोप क्यों लगा दिया?

चन्दा को भी लोकचन्द ने शिव-मन्दिर पर पद्मा के साथ अपनी बातचीत के दौरान देखा था। एक और साध्वी रूपा के साथ वह पद्मा से किसी कार्य कें बारे में पूछने आयी थी। लोकचन्द की जिज्ञासा पर पद्मा ने उन दोनों युवा साध्वियों का परिचय लोकचन्द को दे दिया था। उस परिचय के अनुसार चन्दा के चाचाओं ने सम्पत्ति के लिए उसके माँ-बाप की हत्या कर दी थी। फिर उसे बेचने की तैयारी कर रहे थे। इसी दौरान भागकर वह आश्रम पहुँच आयी क्योंकि उसके माँ-बाप गुरु महाराज के शिष्य थे और अक्सर आश्रम आते रहते थे। फिर आश्रम आते ही चन्दा को गुरु महाराज के रूप में मजबूत सम्बल तथा आश्रम के रूप में अपने लिये सुरक्षित घर मिल गया। ऐसी चन्दा ने गुरु महाराज पर आरोप कैसे लगा दिया?

अपने मित्र सुकेश को लेकर उस पहले और फिर इस दूसरे हैरतअंगेज आरोपों की गुत्थियाँ लोकचन्द अभी सुलझा भी नहीं पाये थे कि अगले दिन पुनः मीडिया में उनको लेकर एक तीसरा आरोप भी आ गया। इस तीसरे आरोप के अनुसार अचानक पद्मा के ड्राइवर आलोकचन्द का अपहरण कर लिया गया। आलोकचन्द, पद्मा के साथ हुए यौन-शोषण मामले में चश्मदीद गवाह था। वह त्रिशूलपुरम् आश्रम से पद्मा के यहाँ जा रहा था कि बीच रास्ते में ही कुछ नकाबपोश हमलावरों ने गाड़ी के साथ उसका अपहरण कर लिया। इस घटना को भी स्वामी मुक्तानन्द जी मुक्त से जोड़कर देखा जा रहा है। अपने गुरु महाराज को आरोपमुक्त करने के लिए उनके अनुयायियों ने ही घटना के मुख्य चश्मदीद गवाह आलोकचन्द का अपहरण कर लिया। हालाँकि पद्मा के वकीलों के अनुसार कहा यह जा रहा है कि स्वामी मुक्तानन्द जी मुक्त के संकेत पर ही उनके अनुयायियों ने ऐसा किया है।

इस तीसरी घटना ने लोकचन्द की बेचैनी और बढ़ा दी। आश्रम में रहने के दौरान अधिकांश लोगों से उनका परिचय हो गया था। लेकिन उन परिचितों में यह आलोकचन्द नहीं था। सुकेश ने उन्हें जो कार्ड दिया था उसमें भी इसका नाम नहीं। अब आश्रम की अप्रिय घटनाओं के तहत अचानक यह नया नाम कहाँ से सामने आ गया?

इस तीसरी घटना के बाद लोकचन्द ने तय कर लिया, अब और प्रतीक्षा न कर उन्हें आश्रम पहुँच यथार्थ से अवगत हो जाना चाहिए। अब और प्रतीक्षा से उनका मानसिक उद्वेलन बढ़ता ही जायेगा, जिससे वे पूर्ववत् शान्त-सहज नहीं रह सकते. ..। लेकिन जाने से पूर्व आलोकचन्द के बारे में भी जान लेना उन्हें आवश्यक प्रतीत हुआ। इस सम्बन्ध में उदय को फोन करना उन्हें उपयुक्त स्रोत जान पड़ा। जवाब में उदय ने उन्हें सम्बन्धित जानकारी तत्क्षण दे दी – ''हाँ श्रीमान् जी! आलोकचन्द देवी पद्मा का ही ड्राइवर था। वह देवी पद्मा के शहर का ही रहनेवाला था। गुरु

महाराज से कहकर देवी पद्मा ने ही उसे त्रिशूलपुरम् आश्रम में स्थायी रूप से नियुक्त कराया था। मुक्त लोक आश्रम से त्रिशूलपुरम् आश्रम में देवी पद्मा को वही ले जाता और ले आता था। स्वयं वह त्रिशूलपुरम् आश्रम में ही रहता था। यहाँ आने पर आपको सब जानकारी विस्तार से मिल जायेगी। अब आ जाइये श्रीमान् जी। अब और प्रतीक्षा मत कीजिये। यहाँ आश्रम में हम सबको फिलहाल आपकी बहुत जरूरत है...।''

लोकचन्द के लिए इतनी सूचना पर्याप्त थी। अब वे पत्नी लता को समझा-बुझाकर दो-तीन दिन के लिए 'मुक्त लोक आश्रम' चल पड़े। जाते हुए पत्नी ने उन्हें जोर देकर कहा – ''अब हमारी अवस्था और स्थिति कहीं उलझने-फँसने और किसी से लड़ने-भिड़ने की नहीं रही। अपने मन के सन्तोष के लिए जाइये और जानकारी लेकर शीघ्र आ जाइयेगा...।''

जवाब में उन्होंने लता को भी आश्वस्तकर दिया – ''हाँ लता। सिर्फ यथार्थ की जानकारी लेकर ही आ जाऊँगा। यथार्थ जानने के लिए मेरा मन व्यग्र-बेचैन है। अपने मित्र सुकेश को जो कुछ कहना-समझना था, वह सब मैं उसे कह-समझा चुका हूँ। उसे अब और कुछ भी कहना-समझना शेष नहीं...।''

लोकचन्द के लिए नौ वर्ष पूर्व का वह रास्ता जाना-पहचाना था। हरिद्वार से उस रास्ते पर यातायात का माध्यम नहीं बदला था। पूर्ववत् उसी तरह बसें आती-जाती थीं। इस दौरान अब बसों की संख्या वे बढ़ गयी पा रहे थे। साथ ही सामान्य बसों के बीच लग्जरी एसी बसें भी आ गयी थीं। इस सुविधा के तहत समय से उन्हें बस मिल गयी। इस बार उस पहाड़ी रास्ते से गुजरते हुए लोकचन्द को एक और परिवर्तन यह दिख रहा था कि उस बियाबान पहाड़ी क्षेत्र में भी पर्याप्त आवासीय भवन निर्मित हो गये थे। जगह-जगह उन्हें आवासीय कालोनियाँ नजर आ रही थीं।

'मुक्त लोक आश्रम' के पास पहुँच क्षण-भर के लिए लोकचन्द का मन आहत-पीड़ित हो गया। श्रद्धालुओं की उपस्थिति से गुलजार रहनेवाले उस स्थल पर अब एक खौफनाक सन्नाटा पसरा था। प्रवेश-द्वार के पास हथियारबन्द पुलिस की दो टुकड़ियाँ कायम थीं। वहाँ अन्दर जाने के लिए अब कोई श्रद्धालु उन्हें उपस्थित नहीं मिला। शायद सम्बन्धित सूचना ने श्रद्धालुओं को रोक दिया था। इस स्थिति में अकेले लोकचन्द जब वहाँ पहुँचे तो पुलिस कर्मियों ने सन्देह की दृष्टि से उन्हें घेर लिया। फिर उनकी तहकीकात शुरू हो गयी। उनके बारे में पूरी जानकारी प्राप्त कर अब वहाँ उपस्थित पुलिस प्रधान ने पूछा जब यहाँ गुरु महाराज नहीं हैं। तब फिर आश्रम में आपके जाने का औचित्य क्या है?''

"इस प्रश्न पर क्षण-भर के लिए लोकचन्द ने अपने को निरुत्तर महसूस किया। फिर तत्क्षण अपने प्रत्युत्पन्नमतित्व से उन्हें जवाब भी सूझ गया – "स्वामी जगेश्वरानन्द से मिलना है?"

"क्यों मिलना है?"

"उनसे मेरा पुराना परिचय रहा है।"

"तो क्या स्वामी जगेश्वरानन्द ने आपको बुलाया है?"

"हाँ।"

"ठीक है, अपना आधार कार्ड दिखाइये।"

इस पर लोकचन्द ने अपनी जेब से अपना आधार कार्ड निकाल कर दिखा दिया। अब लोकचन्द का आधार नम्बर एक रजिस्टर पर दर्ज कर वहाँ उनका हस्ताक्षर लिया गया। साथ ही उनके आगमन का समय भी दर्ज किया गया। अब उस रजिस्टर के साथ पुलिस के दो जवान उन्हें लेकर अन्दर चल पड़े। अन्दर का दृश्य भी अब बदल गया था। आश्रम की खुशहाली और हरियाली की जगह सर्वत्र मायूसी पसरी थी। जहाँ टेबुल-कुर्सी पर जमे आश्रम के सेवादार नये आगन्तुकों के नाम-पते दर्ज करते थे, वहाँ अब दो सेवादारों के साथ स्वामी जगेश्वरानन्द उपस्थित थे। अपने घर से चलते हुए लोकचन्द के मन में इस बात का एहसास था कि सुकेश की गिरफ़्तारी के बाद आश्रम का प्रभार स्वामी जगेश्वरानन्द के पास ही होगा। यहाँ जगेश्वरानन्द को उपस्थित देख अपने मन के उस एहसास की उन्हें पुष्टि भी हो गयी।

पुलिस के जवान जब उन्हें स्वामी जगेश्वरानन्द के पास लेकर पहुँचे तो उन्हें देखते ही वे हाथ जोड़कर खड़े हो गये – "जै गुरुदेव श्रीमान् जी। हम प्रतीक्षा ही कर रहे थे। अच्छा हुआ, आप आ गये।"

फिर उन्होंने पुलिस के जवानों से कहा – "श्रीमान् जी हमारे आश्रम के सम्मानित सदस्य हैं। गुरु महाराज के पुराने शिष्य। इन्हें आश्रम में आने दिया जाय।"

अब उन जवानों ने उस रजिस्टर पर लोकचन्द के हस्ताक्षर के आगे स्वामी जगेश्वरानन्द का हस्ताक्षर भी लिया। अब वे लोकचन्द को जगेश्वरानन्द के हवाले छोड़ पुनः बाहर चले गये। अब लोकचन्द को अकेले पा कर व्यग्र-बेचैन जगेश्वरानन्द ने उन्हें बाँहों में भर लिया – "अच्छा हुआ श्रीमान् जी आप आ गये। फिलहाल आप जैसे बड़े बुजुर्ग और विद्वान् व्यक्ति का सुझाव-परामर्श हमारे लिये अत्यन्त आवश्यक है। मीडिया से जो सूचना आपको मिलती होगी, वह वास्तविक सूचना नहीं है। हम विस्तार से बात करेंगे। फिलहाल आश्रम में आनेवाले आगन्तुकों के लिए पुलिस के

निर्देश पर यहाँ कुछ समय तक मुझे बैठना है। आप अन्दर चलकर विशिष्ट अतिथि-आवास में आराम कीजिये। मैं यहाँ से छूटते ही आ जाऊँगा...।''

''लोकचन्द ने अनुभव किया, नौ वर्ष के अन्तराल के बावजूद जगेश्वरानन्द में बहुत परिवर्तन नहीं आया था। हाँ उनके बालों में अब सफेदी भी झाँकने लगी थी। उनके चेहरे पर भी बढ़ती उम्र का असर दिख रहा था। इस दौरान जगेश्वरानन्द के संकेत पर आश्रम का एक सेवादार उन्हें लेकर अन्दर चल पड़ा। उस सेवादार के साथ आश्रम के प्रांगण में उस भव्य और विस्तृत अतिथिशाला के पास पहुँच लोकचन्द के कदम ठिठक से गये। निरन्तर गुलजार रहनेवाले इस अतिथिशाला को वे वीरान और सूना पा रहे थे, जैसे किसी बड़े मजमे या मेले के उजड़ जाने के बाद उस स्थल का दृश्य हो जाता है, उन्हें वैसा ही जान पड़ रहा था, सर्वत्र फैली हुई उदासी और खामोशी। आश्रम के एक-दो सेवादार कहीं-कहीं नजर आ रहे थे। शायद अपने व्यक्तिगत कार्य से आ-जा रहे थे...।

उस सेवादार के साथ लोकचन्द आश्रम में आगन्तुक श्रद्धालुओं के आवास से होकर आगे बढ़ रहे थे। वही रास्ता विशिष्ट अतिथि-आवास तक जाता था। लेकिन बराबर भरे रहनेवाले श्रद्धालुओं के आवास खाली देख वे स्तब्ध रह गये। वे साथ के सेवादार से पूछ उठे – ''निरन्तर आबाद रहनेवाले श्रद्धालुओं के आवास इस तरह खाली क्यों दिख रहे हैं?''

''अब इस पर हम क्या कहें श्रीमान् जी? इसमें वैसे ही श्रद्धालु आते और ठहरते थे जो गुरु महाराज को भगवान् मानते थे। गुरु महाराज के लिए मरने-जीने का समर्पण व्यक्त करते रहते थे। लेकिन गुरु महाराज के गिरफ़्तार होते ही इस डर से सब भाग चले कि पुलिस पूछ-ताछ करेगी, गवाह बनायेगी, फिर कोर्ट-कचहरी के चक्कर में उन्हें फँस जाना होगा। बस, तत्काल वे यहाँ से कूच कर गये...। लेकिन हम ऐसे श्रद्धालुओं के भरोसे नहीं हैं श्रीमान् जी। यहाँ के हम जीवनदानी और स्थायी सदस्य अपने गुरु महाराज के लिए पर्याप्त हैं। उनके लिये हम अपनी जान लगा देंगे। अन्त तक अपने गुरु महाराज के लिए लड़ेंगे और कभी पीछे नहीं हटेंगे। उनके खिलाफ सारे षड्यन्त्र हम ध्वस्त करके मानेंगे...।''

लेकिन चाहते हुए भी लोकचन्द इस सेवादार की बात पर अपनी राय जाहिर नहीं कर सके। इस तरह सर्वत्र अपनी राय जाहिर करना उन्हें उचित प्रतीत नहीं हुआ। अब उस सेवादार के साथ वे विशिष्ट अतिथि-आवास तक पहुँच आये। यहाँ भी उन्हें वैसा ही सूनापन और वैसी ही वीरानगी नजर आयी। एक कतार में बने विशिष्ट अतिथि-आवास, लेकिन सभी बन्द। लोकचन्द ने देखा, विशिष्ट अतिथि-आवास का सेवादार प्रणव वहाँ पास ही एक वृक्ष के नीचे मायूस और गमगीन बैठा था। इससे

पहले कि लोकचन्द के साथ का सेवादार उसे आवाज दे, विशिष्ट अतिथियों की बाट जोहती प्रणव की नजर उन पर पड़ गयी। बस दौड़ते हुए वह आ पहुँचा – ''जै गुरुदेव श्रीमान् जी।''

यह कहते हुए उनके पाँव छूने को झुका। लेकिन लोकचन्द ने बाँह पकड़ कर उसे थाम लिया – ''ऐसे ही ठीक है प्रणव।''

''नहीं श्रीमान् जी। मैं सब-कुछ जान गया हूँ। आपके जाने के बाद पता चला कि गुरु महाराज के लिए सबसे निकटतम, विश्वसनीय और प्रिय शिष्य आप हैं। आपसे अधिक विश्वासपात्र गुरु महाराज के लिए कोई और नहीं।''

इसके बाद प्रणव ने उस सेवादार को आश्वस्त कर दिया – ''आप जाइये स्वामी रमेशानन्द। श्रीमान् जी हमारे पूर्व परिचित हैं। हम भाग्यशाली हैं कि श्रीमान् जी की सेवा का पुनः अवसर हमें प्राप्त हुआ हैं...।''

प्रणव की इस बात पर वह सेवादार वापस हो गया। लोकचन्द देख रहे थे, नौ वर्ष बाद भी प्रणव में उन्हें अधिक परिर्वतन नहीं दिखायी पड़ रहा था। सिर्फ बढ़ती उम्र का असर था। शायद आश्रम जीवन की नियमितता, कर्त्तव्यपरायणता और संयम-नियम की वजह से ऐसा था। आश्रम के दूसरे पक्ष चाहे जितने विवादित रहे हों, वहाँ की जीवन-शैली स्वस्थ रहते हुए दीर्घ जीवन के लिए उपयोगी रही है। शायद इसी वजह से आश्रमों के साधु-संत लम्बी उम्र को प्राप्त करते रहे हैं।

''पिछली बार आप जिस आवास में ठहरे थे श्रीमान् जी, आइये उसी में विराजिये...। और प्रणव ने उनके लिए वही आवास खोलते हुए कहा – ''हमारे गुरु महाराज बहुत बड़े षड्यन्त्र के शिकार हो गये हैं, श्रीमान् जी। इन अतिथि-आवासों में नेता, मन्त्री और बड़े-बड़े अधिकारी भरे रहते थे। लेकिन गुरु महाराज की गिरफ़्तारी के बाद कोई विशिष्ट अतिथि नहीं आये। यह उनकी कैसी भक्ति श्रीमान् जी कि जब गुरु महाराज का साथ देने का समय आया तो कतरा गये। गुरु महाराज के सच्चे भक्त तो आप ही हैं कि खोज-खबर लेने आ गये।''

उस अतिथि-आवास के सोफे पर लोकचन्द के विराजते ही प्रणव यह कहते हुए चल पड़ा – ''अभी किसी सेवादार को भेजता हूँ श्रीमान् जी। जल्द ही आपके लिए सारी व्यवस्था हो जायेगी...।''

''मैं ठीक हूँ प्रणव। फिलहाल मुझे किसी चीज की जरूरत नहीं..। बस, फ्रेश हो लेता हूँ। यात्रा की थकान मिट जायेगी...।''

लेकिन प्रणव नहीं रुका। तेजी से आगे बढ़ गया। प्रणव के जाने के बाद लोकचन्द महसूस कर रहे थे कि यह आश्रम वही था, यहाँ के सारे निर्माण यथावत्

कायम थे। यहाँ की व्यवस्था भी पूर्ववत् बरकरार थी। लेकिन भक्तों और श्रद्धालुओं के अभाव में सब-कुछ फीका-फीका और उदास जान पड़ रहा था। लोकचन्द जानते थे, अच्छे-से-अच्छे भवन का महत्त्व उसमें रहनेवालों के चलते ही बना रहता है, रहवैयों के अभाव में ही विशालकाय अट्टालिकाएँ खँडहर प्रतीत होने लगती हैं।

अब इस आवास में फ्रेश होकर कपड़े बदलते हुए लोकचन्द देख रहे थे, उनका यह अतिथि-आवास पूर्ववत् साफ-सुथरा था। फिर उन्हें स्मरण आ गया, पिछली बार जब वे यहाँ आये थे तो प्रतिदिन विशिष्ट अतिथि-आवासों को साफ किया जाता था। सम्भव है, वह परम्परा अभी भी कायम हो।

अब उस आवास में फ्रेश होकर इत्मीनान से अभी वे बैठे ही थे कि तेजी से किरण आ पहुँची जैसे दौड़ते हुए आ रही हो – "जै गुरुदेव श्रीमान् जी।"– और यह कहती हुई किरण ने झुक कर लोकचन्द के दोनों पाँव छू लिये। लोकचन्द रोकते रह गये। "ऐसे ही ठीक है देवी किरण...।"

लेकिन वह नहीं रुकी – "नहीं श्रीमान् जी। आप मेरे लिये भगवान् से कम नहीं। मेरे माँ-बाप से भी बढ़कर हैं। अब तो बिना पाँव छुए आपका आशीर्वाद ले ही नहीं सकती...।"

किरण की इस बात पर जब लोकचन्द ने उसे देखा तो उसकी माँग में सिन्दूर की रेखा देख सब समझ गये। इस बात को लेकर उनका मन भी बाग-बाग हो गया कि उनका प्रयास सार्थक रहा।

"आपकी शादी कब हुई देवी किरण?"

"यहाँ से आपके जाने के कुछ ही समय बाद श्रीमान् जी। आप ही का तो सब-कुछ तय किया हुआ था। सचमुच आप महान् आदमी हैं श्रीमान् जी। यहाँ एक-से-एक धन्ना सेठ और नेता मन्त्री आये। लगातार वैसे लोगों की ही सेवा का मुझे अवसर मिला। लेकिन कभी किसी ने मेरे बारे में ऐसा नहीं सोचा था।"

"अपनी इस शादी से आप सन्तुष्ट हैं, देवी किरण?"

"हाँ श्रीमान् जी। बहुत सन्तुष्ट हैं। आपने मुझे नया जीवन प्रदान किया है। एकदम देवता जैसे पति मिले हैं।"

"अभी कहाँ हैं स्वामी रत्न सागर?"

"गुरु महाराज के बँगले पर फूलों की सिंचाई कर रहे हैं। आपका आगमन सुनकर भागते हुए आयेंगे श्रीमान् जी। अभी उन्हें बुला कर लाती हूँ। लेकिन उससे पहले आपका खाना तैयार कर देती हूँ। आप थके होंगे। दूर से आ रहे हैं। बस, तैयार हो जाइये, श्रीमान् जी। मुझे खाना बनाने में देर नहीं लगेगी।"

"मैं हरिद्वार में ही खाना खा चुका हूँ देवी किरण। ट्रेन विलम्ब से पहुँची, इसलिए खा लिया। यहाँ आकर फ्रेश भी हो चुका। अभी सिर्फ जलपान करूँगा...।"

"ठीक है श्रीमान् जी। मैं अभी जलपान लेकर आती हूँ...।" – और किरण तेजी से भण्डार की ओर चल पड़ी। फिर एक प्लेट में कुछ नमकीन और मिठाइयाँ लेकर आ गयीं...।

"इसकी क्या जरूरत थी देवी किरण? मेरे बैग में बिस्कुट था, बिस्कुट पानी ले लेता...।"

"अरे नहीं श्रीमान् जी। यह तो कुछ भी नहीं है। हमारे आश्रम के आप विशिष्ट अतिथि हैं, अब जलपान कीजिये...। आपको तो पता चला ही होगा हमारे गुरु महाराज के साथ षड्यन्त्र हुआ है। वे छल के शिकार हुए हैं...। अपने ही लोगों से धोखा खा गये हैं। लेकिन गुरु महाराज भगवान् के अवतार हैं श्रीमान् जी। उनके साथ जिसने भी जो किया है, उन सबको दण्ड भोगना ही पड़ेगा।"

"यहाँ यह सब कैसे हुआ देवी किरण? क्यों हुआ? मैं कुछ भी नहीं जानता। समाचारों से जो जानकारी मुझे मिली है, वह वास्तविक नहीं जान पड़ रही...। सच्चाई जानने के लिए मेरा मन व्यग्र है देवी किरण? उसी उद्देश्य से यहाँ आया हूँ। आपको कुछ पता हो तो बताइये?"

"मैं आपको सब बताऊँगी श्रीमान् जी। आश्रम में सबको पता है। लेकिन पुलिस के डर से कोई कुछ कह नहीं पाता। गुरु महाराज की गिरफ़्तारी के बाद सब डरे हुए हैं, न जाने कब किस पर गाज गिर जाय? लेकिन मेरे लिये आपसे बढ़कर कोई नहीं। मैं जितना जानती हूँ, वह सब आपको बताऊँगी श्रीमान् जी। आप पहले जलपान कर लीजिये!"

"मैं जलपान कर रहा हूँ देवी किरण। थोड़ी देर के लिए आप यहाँ बैठ जाइये और जो कुछ जानती हैं, मुझे बता दीजिये। वास्तविकता जानने के लिए मेरा मन व्यग्र है...। मुझे अब और प्रतीक्षा मत करवाइये...।"

लोकचन्द जानते थे, आश्रम की इस स्थायी महिला सेवादार से कुछ भी छिपा नहीं होगा। लोकचन्द के अनुरोध पर अब किरण बैठ गयी। लोकचन्द जलपान करते हुए ही पूरी एकाग्रता से उसकी बात सुनने लगे – "हम आपको क्या बतायें श्रीमान् जी। आश्रम में किसी को इसकी भनक तक नहीं थी कि दीदी माँ देवी पद्मा गुरु महाराज के साथ ऐसा करेंगी। गुरु महाराज की वे सबसे प्रिय, निकटस्थ और विश्वसनीय शिष्या थीं। गुरु महाराज ने ही उन्हें यह अधिकार दिया था कि आश्रम में सबको

उनकी बात माननी है। लेकिन लालच में वे ऐसी अन्धी हो गयीं कि भगवान् सरीखे गुरु महाराज पर ही घिनौना अछरंग लगा बैठीं?"

"ऐसा क्यों किया पद्मा ने? गुरु महाराज की सबसे प्रिय शिष्या होकर अचानक उनकी सबसे बड़ी शत्रु क्यों बन गयीं?"

यह सब धन-दौलत और पद-प्रतिष्ठा का चक्कर है श्रीमान् जी। ऐसी चाह सब-कुछ करा देती है। उसी ने देवी पद्मा को अन्धा बना दिया। यहाँ भी उन्हें कोई कमी नहीं थी। गुरु महाराज के बाद यहाँ सबसे अधिक मान-सम्मान उन्हीं का था। लेकिन अब वे त्रिशूलपुरम आश्रम हथिया कर स्वयं गुरु महाराज बनना चाहती थीं।"

"यह त्रिशूलपुरम् आश्रम का क्या मामला है देवी किरण?"

"इस आश्रम की सबसे बड़ी शाखा त्रिशलपुरम् बनकर तैयार हो गयी है श्रीमान् जी। उस क्षेत्र के भक्त और शिष्य उस आश्रम में खूब पहुँचते हैं। वहाँ भी काफी चढ़ावा आता है। देवी पद्मा वहाँ प्रारम्भ से ही आती-जाती रही हैं। उस आश्रम के निर्माण से उसके पूर्ण होने तक वह वहाँ से जुड़ी रहीं । वैसे गुरु महाराज और जगेश्वरानन्द के संकेत पर आश्रम के अनेक सेवादार और प्रबन्धक भी वहाँ जाते रहे थे। लेकिन देवी पद्मा का घर उसी क्षेत्र में है। उनके अधिकांश रिश्तेदार भी उधर ही रहते हैं। वहाँ देवी पद्मा को देवी मैय्या की तरह लोग पूजते हैं। वैसे तो 'मुक्त लोक' की छोटी-बड़ी जितनी संस्थाएँ हैं, सबके मालिक गुरु महाराज ही हैं। उन सबकी निगरानी का जिम्मा स्वामी जगेश्वरानन्द को उन्होंने सौंप रखा है। लेकिन उन सब में बड़े त्रिशूलपुरम् आश्रम में अब वहाँ के आसन पर एक योग्य आदमी को स्थायी रूप में बैठाना था। गुरु महाराज तो शाखाओं में बड़े उत्सवों और अवसरों पर ही जाते हैं। यहाँ से उन्हें फुर्सत ही कहाँ मिलती है...?

"अब देवी पद्मा चाहती थीं कि गुरु महाराज उन्हें त्रिशूलपुरम् आश्रम में बैठा दें। उस क्षेत्र के लोग उन्हें पूजते ही थे। उस आसन पर विराजमान होकर अब वे स्वयं गुरु महाराज की तरह गुरु माँ बन जातीं। धन-दौलत और मान-ऐश्वर्य राब कुछ रवतः पाती रहतीं। गुरु महाराज उन्हें बैठा भी देते। लेकिन वे जान गये, देवी पद्मा अपने कुटुम्बियों से उस आश्रम को भरती जा रही थीं। साध्वी बनने और आश्रम में रहने के बावजूद देवी पद्मा का लगाव अपने घर-परिवार से घटने की अपेक्षा और बढ़ता ही गया था। त्रिशूलपुरम् आश्रम के कई बड़े पदों पर अपने रिश्तेदारों को उन्होंने नियुक्त करा रखा था। उसके पिता जी भी त्रिशूलपुरम् आश्रम में बराबर जाते रहते थे...।

"श्रीमान् जी, हमारे गुरु महाराज अक्सर कहते हैं कि संन्यास और वैराग्य के लिए अपने घर-परिवार को त्यागना आवश्यक होता है। गुरु महाराज को लग गया

कि देवी पद्‌मा के अन्दर वैराग्य और संन्यास की सच्ची भावना नहीं, इसलिए वहाँ देवी शेषाद्रि को बैठा दिया और देवी पद्‌मा को पहले की ही भाँति यहाँ 'मुक्त लोक आश्रम' रहने दिया। इसी के चलते गुरु महाराज पर उन्होंने ऐसा आरोप लगाया और नाटक रचा... ।''

देवी किरण की इस बात से अब लोकचन्द को मामला समझ में आ गया। मठों और आश्रमों में महन्तों द्वारा स्वामित्व हथियाने के लिए जानलेवा संघर्ष की बात से वे अवगत थे। अपने मित्र सुकेश के जेल जाने की पृष्ठभूमि से अब वे अवगत हो गये। इस दौरान लोकचन्द इतने वर्ष बाद किरण की भाषा और समझ पर आश्रम का स्पष्ट प्रभाव महसूस कर रहे थे। वैसे वे जानते थे कि माहौल और परिवेश के असर से वहाँ रहनेवाला व्यक्ति वंचित नहीं रह पाता है।

अब किरण के स्वतः कुछ कहने से पहले ही लोकचन्द बोल उठे – ''देवी शेषाद्रि भी तो एक बड़े परिवार से आती हैं? वे भी तो त्रिशूलपुरम् आश्रम में रहते हुए अपने परिवार को लाभान्वित कर सकती हैं।''

''नहीं श्रीमान् जी। वे सच्ची संन्यासन हैं। गुरु महाराज की असली शिष्या। अपने घर-परिवार से उन्हें कोई मतलब नहीं है। उनके घर के लोग भी अब यहाँ नहीं आते और देवी शेषाद्रि भी अपने घर कभी नहीं जातीं। आश्रम में उनके रहने से उनकी एक बहन की तय हुई अच्छी शादी इस बात को लेकर कट गयी कि लड़की की एक बहन संन्यासन है और आश्रम में रहती है। इस बात को लेकर देवी शेषाद्रि के घरवालों ने उनसे स्वतः दूरी कायम कर ली है। देवी शेषाद्रि अब आश्रम को ही अपना घर-परिवार और गुरु महाराज को ही अपना सर्वस्व मानती हैं... ।''

''ठीक है देवी किरण, यह बात तो समझ में आती है। लेकिन गुरु महाराज पर जिस यौन-शोषण का आरोप पद्‌मा ने लगाया, मेडिकल जाँच से उसकी पुष्टि भी हो गयी... ।''

''इस मामले में अब मैं क्या कहूँ श्रीमान् जी। अगर यही बात होती तो देवी पद्‌मा ने यह आरोप पहले क्यों नहीं लगाया? गुरु महाराज के साथ तो वे वर्षों से रह रही थीं। हमारे गुरु महाराज देवता हैं श्रीमान् जी। देवी पद्‌मा के कहने से वे गलत नहीं हो जायेंगे? इस आश्रम में कितने लोगों को उन्होंने पनाह दिया है। हमारे जैसे लोगों को तो यहीं जीवन मिला श्रीमान् जी। इस आश्रम में रह रहे एक बड़े समाज को हमारे गुरु महाराज का संरक्षण प्राप्त है। ऐसे उपकारी गुरु महाराज के प्रति सारे आरोप षड्‌यन्त्र, छल और धोखा है... ।''

''लेकिन देवी अमृता और चन्दा ने भी तो ऐसा ही आरोप लगाया। फिर मेडिकल जाँच से उन दोनों के साथ हुए यौन-उत्पीड़न की पुष्टि भी हो गयी... ।''

"उन दोनों की देवी पद्मा से मिलीभगत है श्रीमान् जी। वे दोनों देवी पद्मा के बहकावे में आ गयी हैं। वे दोनों देवी पद्मा के साथ ही रहती थीं। इस आश्रम में गुरु महाराज से कहकर देवी पद्मा ने ही उन दोनों को रखवाया था। वे दोनों ऐसी साध्वियाँ हैं, जिनका अपना घर-परिवार अब कहीं नहीं। गुरु महाराज की गिरफ़्तारी के बाद जिन साध्वियों का जहाँ कहीं अपना घर-परिवार था वे वापस हो गयीं। ऐसे में पद्मा के लोगों के उकसाने पर अमृता और चन्दा ने भी केस दायर कर दिया कि यौन-उत्पीड़न साबित होने पर उनके जीवन निर्वाह के लिए आश्रम की सम्पत्ति में से उन्हें पर्याप्त मुआवजा मिल जायेगा। लेकिन स्वामी जगेश्वरानन्द जी इनमें से किसी को नहीं छोड़ेंगे श्रीमान् जी। पूरा आश्रम उनके साथ खड़ा है। स्वामी जगेश्वरानन्द ने कहा है कि जो आरोप किसी लोभ-लालच में, छल, प्रपंच और साजिश के तहत रचे जाते हैं, वे तथ्य सामने आते ही ध्वस्त हो जाते हैं...।"

"अब इस मामले में कानूनी प्रक्रिया कौन-सा मोड़ लेगी देवी किरण, कुछ कहा नहीं जा सकता। फिर इसमें एक नया आरोप आलोकचन्द के अपहरण का भी आ जुड़ा है। यह आलोकचन्द कौन है देवी किरण? मैं उससे परिचित नहीं...।"

"वह त्रिशूलपुरम् आश्रम में ही स्थायी रूप से रहता था श्रीमान् जी। देवी पद्मा का ड्राइवर था। वही उन्हें मुक्त लोक से त्रिशूलपुरम् ले जाता और ले आता था। लेकिन हम सब लोग जानते थे, देवी पद्मा का वह सब-कुछ था। देवी पद्मा से उसका घनिष्ठ सम्बन्ध था। वह पहला व्यक्ति था जिसे छोड़ने के लिए देवी पद्मा मुक्त लोक के प्रवेश-द्वार तक जाती थीं। उन दोनों को आश्रम में जाननेवाले तो यहाँ तक कहते हैं कि सामाजिक रूप में वे एक-दूसरे से ब्याह-शादी के बन्धन में नहीं बँधे थे, लेकिन उनके बीच का सम्बन्ध पति-पत्नी की ही तरह था। ऐसा नहीं कि हमारे गुरु महाराज न जानते हों। वे सब-कुछ जानते थे। लेकिन किसी की इच्छा पर अंकुश नहीं लगाते थे। आश्रम में स्वामी और साध्वी अगर एक-दूसरे की सहमति से शादी करना चाहते तो उन्हें भी गुरु महाराज का आशीर्वाद प्राप्त हो जाता था। इस सम्बन्ध में हमारे आश्रम का मानना है श्रीमान् जी कि उस आलोकचन्द को पद्मा के घरवालों ने ही छिपा दिया है, ताकि आश्रम के खिलाफ अपना केस और मजबूत बना सकें...। इस घटना को लेकर भी पुलिस लगातार आश्रम से पूछ-ताछ कर रही है।

"आश्रम सेवक इस घटना के बाद पुलिस की गिरफ़्तारी से बचने के लिए आश्रम छोड़कर भाग जाना चाहते थे। लेकिन स्वामी जगेश्वरानन्द ने सबको समझा कर रोक लिया कि भाग जाने पर तो हम स्वतः आरोपी बन जायेंगे। हमें तो अपनी जगह डटे रहकर अपने गुरु महाराज का पक्ष मजबूत रखना है...।"

किरण की इस बात से लोकचन्द को अपेक्षित जानकारी मिल गयी। अपनी शब्दावली में किरण को जो कहना था, कह चुकी। ग्रहण करने की अपनी क्षमता के अनुसार लोकचन्द उसके विस्तार से भी अवगत हो गये।

"अब मैं सब समझ गया देवी किरण। यहाँ नहीं आता तो समाचारों से यह आन्तरिक सच कभी जान ही नहीं पाता। तो अभी अमृता और चन्दा कहाँ हैं?"

"कहाँ होंगी, श्रीमान् जी? पद्मा के यहाँ हैं। जब उसके बहकावे में आ गयीं तो उसको छोड़कर और कहाँ रह सकती हैं?"

इस सम्बन्ध में लोकचन्द की जिज्ञासा का शमन होते ही किरण यह कहते हुए चल पड़ी – "अभी उनको भेजती हूँ श्रीमान् जी। अक्सर पूछते थे कि श्रीमान् जी फिर क्यों नहीं आ रहे? आपका आना सुनकर वे दौड़ते हुए पहुँचेंगे...।"

इससे पहले कि लोकचन्द कुछ कहते, किरण तेजी से आगे बढ़ गयी। लोकचन्द ने महसूस किया कि उनके आगमन की सूचना अपने पति को देने के लिए किरण कितनी बेचैन है? किरण की इस स्थिति से सहज ही लोकचन्द इस तथ्य से अवगत हो गये कि दाम्पत्य सुख से वंचित स्त्री के लिए उसका महत्त्व क्या होता है?

किरण के जाने के बाद लोकचन्द को अब इस आश्रम में सुकेश के साथ तीन दौर की अपनी वह लम्बी बातचीत याद आ गयी। हर बार उन्होंने उसे समझाने की कोशिश की कि युवा साध्वियों का संग-साथ उसके लिए अच्छा नहीं। लेकिन वह तो इस विश्वास पर आश्वस्त और निश्चिन्त था कि जब वह जोर-जबर्दस्ती करेगा ही नहीं, सबको सुविधा और सहयोग से तृप्त रखेगा, तो फिर उसके खिलाफ कोई आवाज उठा ही कैसे सकता है? सबका ख्याल रखने और सबकी अपेक्षाओं को पूरा करनेवाला व्यक्ति तो अपने लोगों के बीच सदैव प्रिय और पूजनीय बना रहता है। लेकिन गुमनाम और गलत यौन-सम्बन्ध की परिणति अन्ततः गलत ही साबित होती है। आश्रमवासियों के अनुसार गुरु महाराज के साथ षड्यन्त्र हुआ है। उन्हें छल और धोखे का शिकार बनाया गया है। लेकिन साध्वियों से अनैतिक यौन-सम्बन्ध की पुष्टि तो उन्हें दोषी साबित करती ही है। जब साध्वियाँ उनकी पत्नी नहीं, शिष्या थीं। वे उनके गुरु महाराज थे। फिर उनके साथ उनका यौन-सम्बन्ध कानून की दृष्टि से उन्हें कसूरवार साबित करता ही है।

"किरण के कहे अनुसार कुछ ही समय के अन्दर लोकचन्द को सामने से भागते आ रहे स्वामी रत्न सागर दिख गये। शायद किरण के अनुसार उनसे मिलने के लिए वे उत्साहित थे। उनके साथ एक साध्वी भी दिख रही थी। किरण ने तो कहा था कि गुरु महाराज की गिरफ्तारी के बाद आश्रम की सभी साध्वियाँ अपने घरों को जा चुकी

हैं। फिर यह साध्वी कौन? लेकिन करीब आते ही लोकचन्द ने उसे पहचान लिया। वह स्वामी रत्न सागर की भतीजी कान्ति थी। अपने माँ-बाप की मृत्यु के बाद अब तो रत्न सागर ही उसके संरक्षक थे। इस स्थिति में रत्न सागर को छोड़कर वह कहाँ जा सकती थी?

लोकचन्द के पास पहुँचते ही रत्न सागर ने उनके रोकने के बावजूद किरण की ही तरह उनके पाँव छू लिये। कान्ति ने भी अपने चाचा का ही अनुसरण किया। हालाँकि लोकचन्द कहते रह गये – ''ऐसे ही ठीक है रत्न सागर जी।''

जवाब में रत्न सागर के उद्‌गार भी फूट पड़े – ''नहीं, श्रीमान् जी। आप साधारण इन्सान नहीं, महान् व्यक्ति हैं। उस पहले दिन आपसे मिला था तो आपको नहीं पहचान सका था। बाद में जान पाया कि आपका हृदय कितना विशाल है? दूसरों के लिए आप कितना कुछ करते हैं? तब से मैं आपकी प्रतीक्षा कर रहा था। लेकिन आप इतने वर्षों बाद आये?''

''अपनी व्यस्तताओं में खोया रहा रतन सागर जी। निरन्तर अपने कार्य में लगे होने के चलते मुझे पता ही नहीं चला कि इतना समय व्यतीत हो गया। अच्छा यह बताइये, अपनी शादी से आप सन्तुष्ट हैं?''

''खूब सन्तुष्ट हैं श्रीमान् जी। आपने तो मेरा जीवन ही बदल दिया। देवी किरण जैसी पत्नी को पाना मेरे किसी पूर्वजन्म के पुण्य का ही फल है।''

''बहुत अच्छा रत्न सागर। यह जानकर मुझे खुशी हुई कि मेरा प्रयास सफल रहा..। आप दोनों एक-दूसरे के लिए ही बने थे। संयोग ने मुझे माध्यम बना दिया...।''

इसके बाद लोकचन्द अपने विषय पर आ गये – ''यहाँ बैठिये रत्न सागर। आपसे मुझे कुछ बात करनी है।''

''हाँ, हाँ, श्रीमान् जी। अभी मैं आपको छोड़कर कहीं नहीं जा सकता...। आपसे मिलने और आपके सहयोग के लिए ही आया हूँ...।''

और रत्न सागर ने बैठने से पहले साथ खड़ी कान्ति से कहा, ''श्रीमान् जी का दर्शन कर लिया। आशीर्वाद प्राप्त कर लिया। अब अपने आवास में चलो कान्ति। माँ वहाँ होंगी। अभी मैं श्रीमान् जी की सेवा में रहूँगा...।''

यह सुनकर लोकचन्द को अच्छा लगा कि रत्न सागर ने कान्ति के लिए किरण को 'माँ' कह कर सम्बोधित किया। यह सुन कान्ति अब चल पड़ी। बस, रत्न सागर बैठते ही फूट पड़े – ''आश्रम पर देवी पद्‌मा ने ऐसा कहर बरपाया श्रीमान् जी कि हम सब सकते में रह गये। हमारे होश उड़ गये। देवी पद्‌मा ऐसा करेंगी, हमें स्वप्न में भी इसका आभास नहीं था...।''

"इस संसार में कुछ भी असम्भव नहीं रत्न सागर। जन्म-जन्मान्तर तक एक-दूसरे का साथ निभाने की कसमें खानेवाले पति-पत्नी अपने स्वार्थों की टकराहट पर जब एक-दूसरे के खिलाफ खड़े हो सकते हैं तब फिर कोई शिष्या अपने गुरु के खिलाफ क्यों नहीं हो सकती? जिसे हम अपना सबसे अधिक हितैषी और आत्मीय समझते हैं, वह कब हमारा सबसे बड़ा विरोधी और शत्रु बन जाय, जान पाना मुश्किल है।"

"लेकिन उनके षड्यन्त्र के खिलाफ पूरा आश्रम खौल रहा है श्रीमान् जी। स्वामी जगेश्वरानन्द ने सबको रोक रखा है नहीं तो अब तक कोई बड़ा उत्पात होकर रहता...।"

"स्वामी जगेश्वरानन्द ने ठीक किया है। आश्रम की ओर से ऐसा कुछ भी होना गुरु महाराज के खिलाफ ही जायेगा। किसी भी तरह का गैर कानूनी प्रयास उन्हें मुक्त नहीं करा सकता...।"

"आप ठीक कह रहे हैं श्रीमान् जी, इसीलिए स्वामी जगेश्वरानन्द अदालती कार्रवाई में ही लगे हैं। सुप्रीम कोर्ट तक जाने की उनकी योजना है।"

"इस सूचना से मैं अवगत हूँ रत्न सागर। लेकिन पद्मा, अमृता और चन्दा के साथ मेडिकल जाँच में यौन-सम्बन्ध की पुष्टि का जवाब भी तो ढूँढ़ना होगा।"

"उसका जवाब है श्रीमान् जी। इसमें हमारे गुरु महाराज कहीं से दोषी नहीं। उन साध्वियों ने ही ऐसा करने के लिए उन्हें प्रेरित किया। अगर ऐसा नहीं था तो गुरु महाराज से संग-साथ के प्रारम्भिक दिनों में ही ऐसा आरोप उन्होंने क्यों नहीं लगाया?"

"अवैध यौन-सम्बन्ध का आरोप यौन-शोषण और यौन-उत्पीड़न के तहत जटिल कानूनी मामला है रत्न सागर। इस पर मैं कुछ नहीं कह सकता।"

लोकचन्द की इस बात पर क्षण-भर के लिए निरुत्तर हो गये रत्न सागर। अब उनके कुछ बोलने से पहले ही लोकचन्द पूछ उठे – "गुरु महाराज अगर वापस हो गये तब तो कोई बात ही नहीं है रत्न सागर, लेकिन अगर उनकी वापसी नहीं हुई तो देवी किरण के साथ आप क्या करेंगे?"

"हम यहाँ आश्रम में पूर्ववत् सेवा और सहयोग भावना के साथ बने रहेंगे...।"

"तब यहाँ सेवा और सहयोग की वैसी जरूरत ही नहीं पड़ेगी रत्न सागर। आश्रम का चढ़ावा बन्द हो जायेगा। आश्रम की आय का स्रोत सूख जायेगा। श्रद्धालु और विशिष्ट जनों का यहाँ आना नहीं होगा। यहाँ रहनेवाले को अपने जीने-खाने का इन्तजाम करना होगा।"

"हम करेंगे श्रीमान् जी। एक किसान परिवार से आये हैं। आश्रम में बहुत जमीन है। देवी किरण भी कर्मठ महिला हैं। हम यहाँ खेती करेंगे श्रीमान् जी। आश्रम की जमीन बहुत उपजाऊ है। यहाँ की खेती से आश्रम को भी हम लाभान्वित करेंगे...।"

"यह अच्छा निर्णय है रत्न सागर। ऐसी स्थितियों में ऐसा ही मनोबल होना चाहिए। लेकिन कान्ति को लेकर आप दोनों पति-पत्नी ने क्या निर्णय किया है?"

"कान्ति की हम शादी कर देंगे श्रीमान् जी। कमाते-खाते किसी कर्मठ लड़के से कान्ति का जीवन जोड़ देंगे...।"

"बहुत अच्छा। आपके जवाब से मैं सन्तुष्ट हो गया रत्न सागर। अब जाकर उदय नन्दन को मेरे आगमन की सूचना दे दीजिये। फिर आवश्यकतानुसार मैं आपको बुला लूँगा। अभी कहाँ होगा उदय नन्दन?"

"गुरु महाराज के बँगले पर। गुरु महाराज के बँगले की निगरानी उन्हीं के जिम्मे है। मैं अभी खबर कर देता हूँ...।"

और रत्न सागर चल पड़े। वैसे उदय नन्दन को लोकचन्द फोन भी कर सकते थे। लेकिन आश्रम में पहुँच किसी आश्रमवासी से अचानक खबर देकर ही बुलाना उन्होंने उचित समझा...।

यथार्थ से अवगत होने के बाद लोकचन्द समझ नहीं पा रहे थे कि अपने मित्र सुकेश के लिए अब वे क्या कर सकते हैं? इस आश्रम में रहते हुए उसे जितना कहना-समझाना था, वे कह-समझा चुके थे। अगर सुकेश ने उनकी बात पर अमल किया होता तो यह नौबत ही नहीं आती। लेकिन फिर उन्हें लगा, स्वतः प्राप्त असीम सुख-सुविधाओं और ऐश्वर्य-भोग से अपने को मुक्त रखना भी आसान कार्य नहीं होता।

लोकचन्द अभी और कुछ विचार कर पाते कि तेजी से आ पहुँचा उदय नन्दन और उनके रोकने के बावजूद उनके चरणों में झुक गया। अब लोकचन्द ने उसे पकड़ कर पास के स्टूल पर बैठाया। वे देख रहे थे, उदय नन्दन कुछ हाँफ रहा था, जैसे उनके आगमन की सूचना पर दौड़ते हुए पहुँचा हो। अब आते ही व्यग्रता में बोलना शुरू कर दिया – "जै गुरु देव श्रीमान् जी। बहुत अच्छा हुआ आप आ गये। मैं बेचैनी से आपकी राह देख रहा था। मैं जान चुका हूँ, आपसे प्रिय गुरु-महाराज के लिए कोई और नहीं। किसी भी तरह गुरु महाराज को जेल से मुक्त कराना है श्रीमान् जी। गुरु महाराज के बिना मैं नहीं रह सकता...।"

"शान्त हो जाओ उदय। ऐसी बेचैनी और व्यग्रता में कोई निर्णय नहीं हो सकता। धैर्यपूर्वक सोच-विचारकर ही निर्णय लेना उचित होता है...।"

क्या करूँ श्रीमान् जी। गुरु महाराज के सिवा इस संसार में मेरा कोई अपना नहीं। एक पिता से भी बढ़कर उनका स्नेह-प्यार मुझे मिला है। उनकी जगह कोई मुझको आजीवन कारावास दे दे और उन्हें छोड़ दे तो मैं सहर्ष तैयार हो जाऊँगा। मेरे जीते जी गुरु महाराज को पुलिस गिरफ्तारकर ले गयी। मैं कुछ नहीं कर सका श्रीमान् जी। चुपचाप देखता रह गया। स्वयं गुरु महाराज ने ही आँखों के संकेत से मुझे मना कर दिया था।

"उन्होंने ठीक किया था उदय। प्रशासनिक कार्रवाई के विरुद्ध गैर कानूनी हरकत से गुरु महाराज की समस्या और बढ़ती ही। जिन अभियोगों के तहत वे गिरफ़्तार हुए उसका निदान कानून के दायरे में ही ढूँढ़ना होगा।"

"हाँ श्रीमान् जी। आश्रम की ओर से स्वामी जगेश्वरानन्द यही कर रहे हैं। लेकिन मुझसे जुड़े कुछ लोगों का कहना है कि रेप, यौन-शोषण और यौन-उत्पीड़न के मामले में बन्द लोग जल्द मुक्त नहीं हो पाते। अपने गुरु महाराज को हमें किसी भी तरह मुक्त कराना है श्रीमान् जी...।"

"यह ऐसा मामला है उदय, जो न तो तुम्हारे वश का है न मेरे वश का। कानून के दायरे में जो सम्भव होगा, अब उसी पर हमें निर्भर रहना है।"

लोकचन्द की इस बात पर निरुत्तर होते हुए उदय अब क्षण-भर के लिए मौन हो गया। फिर अपने को सम्हालते हुए बोल उठा – "माफ कीजियेगा श्रीमान् जी। अभी तक मैंने आपका कुशल समाचार भी नहीं पूछा। आप कब आये? कैसे हैं? अभी तक कुछ खाये-पिये या नहीं? गुरु महाराज के लिए बेचैन मेरे मन को होश नहीं रहा।"

"मैं ठीक हूँ उदय। फिलहाल मुझे किसी चीज की जरूरत नहीं। स्वामी प्रणव और देवी किरण ने सारा इन्तजाम कर रखा है।"

"अब किसी की जरूरत नहीं श्रीमान् जी। मैं आ गया। मेरे लिये आप गुरु महाराज से कम नहीं। आपको उन्होंने अपना अभिन्न ऐसे ही नहीं बताया था। इस आड़े वक्त में आपने यहाँ पहुँचकर साबित भी कर दिया। यहाँ एक से बढ़कर एक बड़े लोग पहुँचते थे। उनका ताँता टूटने नहीं पाता था। गुरु महाराज के पैरों में साष्टांग गिर जाते थे। लेकिन उनकी गिरफ़्तारी के बाद आपको छोड़कर कोई और नहीं आया। आप पहले विशिष्ट अतिथि हैं, जो गुरु महाराज के नहीं रहने पर भी उनके लिए आ गये हैं।"

"मेरे अपने जीवन की व्यस्तता भी है उदय। लेकिन यथार्थ जानने के लिए मेरा मन व्यग्र था। यहाँ आकर अब मैं सब-कुछ जान गया।"

"गुरु महाराज पर झूठा आरोप और अछरंग एक गम्भीर षड्यन्त्र के तहत लगाया गया है श्रीमान् जी। हमारे गुरु महाराज कहीं से दोषी नहीं हैं। उनके जैसा निश्छल और सहृदय संत कोई और नहीं हो सकता...।"

"लेकिन मेडिकल जाँच में साध्वियों के साथ यौन-सम्बन्ध की पुष्टि तो उन्हें दोषी साबित करती ही है।"

"नहीं श्रीमान् जी। मैं गुरु महाराज के साथ साये की तरह रहनेवाला व्यक्ति हूँ। मुझसे कुछ भी छिपा नहीं श्रीमान् जी। साध्वियों में स्वयं गुरु महाराज के निकट पहुँचने की होड़ लगी रहती थी। सब चाहती रहती थीं कि गुरु महाराज की वे सबसे प्रिय बन जायँ। इस मामले में सच्चाई यह है श्रीमान् जी कि उन साध्वियों ने ही गुरु महाराज का ब्रह्मचर्य भंग किया है। वे अक्सर उनके निकट पहुँचने का अवसर ढूँढ़ती रहती थीं...।"

"लेकिन आरोप गुरु महाराज की ओर से न लग कर साध्वियों की ओर से ही लगा। अगर ऐसा था तो गुरु महाराज को ही पहले आरोप लगाना चाहिए था।"

"हमारे गुरु महाराज उनकी तरह इतना नीचे नहीं गिर सकते थे श्रीमान् जी। वे ऐसा कर ही नहीं सकते थे। वे हर किसी को सुख, सुविधा और सहयोग ही पहुँचाना चाहते थे। कभी किसी को दुःख, तकलीफ और कष्ट नहीं दे सकते थे। ऐसे गुरु महाराज के प्रति पद्मा और उसकी अनुचर साध्वियों ने जो छल किया उसका दण्ड उन्हें भोगना होगा श्रीमान् जी। ईश्वर के यहाँ देर है, अन्धेर नहीं...। फिर हमारे गुरु महाराज तो ईश्वर के अवतार ही हैं...।"

उदय नन्दन के इस भाव विह्वल कथन पर लोकचन्द अब मौन हो गये। ऐसे कथन का अब वे क्या जवाब दें? इस दौरान खिड़की के बाहर शाम होने के एहसास ने अपनी दिनचर्या की ओर उनका ध्यान केन्द्रित कर दिया – "चलो उदय। शाम में थोड़ा घूम लें। यहाँ के परिचितों से मिलना-जुलना भी हो जायेगा।"

"हाँ, हाँ, श्रीगान् जी। चलिये, चला जाय...। आपसे मिलकर सबको बहुत खुशी होगी। सब जान चुके हैं कि गुरु महाराज के आप सबसे प्रिय और निकटतम शिष्य हैं...।"

इसके बाद लोकचन्द, उदय नन्दन के साथ चल पड़े। आश्रम के सारे स्थल उनके लिए चिर-परिचित थे। इस दृष्टि से घूमते और पूर्व परिचितों से मिलते हुए उन्हें अच्छा लग रहा था। अस्पताल प्रबन्धक स्वामी केशवानन्द, विद्यालय प्रबन्धक स्वामी प्रद्युम्न सागर, गोशाला प्रमुख स्वामी बलराज आनन्द, आश्रम सेवक प्रमुख स्वामी नवरंग नारायण तथा औषधि निर्माण के संचालक वैद्य स्वामी सुकण्ठ शरण से उनकी मुलाकात हुई। इनमें से अधिकांश से उनकी मुलाकात रास्ते में ही हुई। शेष

से शिव-मन्दिर पर। वे सभी शिव-मन्दिर की ओर ही जा रहे थे। उदय नन्दन से लोकचन्द को यह सूचना मिल चुकी थी कि गुरु महाराज की गिरफ़्तारी के बाद सभी आश्रम प्रबन्धक इसी शिव-मन्दिर पर एकत्रित हो कर रात गहराने तक गुरु महाराज की मुक्ति के लिए विचार-विमर्श करते हैं। लोकचन्द को उदय नन्दन से ही यह भी सूचना मिली कि देवी शेषाद्रि त्रिशूलपुरम् आश्रम में हैं तथा देवी ऋचा विदेश में। गुरु महाराज की गिरफ़्तारी से पहले ही ऋचा अमेरिका जा चुकी थी। अमेरिका में रह रहे गुरु महाराज के शिष्यों और भक्तों की इच्छा पर वहाँ 'मुक्त लोक' की नयी शाखा का प्रारम्भ करने पहुँची थी।

लोकचन्द ने अनुभव किया, उनसे मिल कर सभी प्रबन्धकों को बहुत खुशी हुई। उनके आगमन से उनके प्रति उन्होंने अपनी श्रद्धा व्यक्त करते हुए कहा – "सचमुच आप गुरु महाराज के सच्चे शिष्य और अभिन्न भक्त हैं श्रीमान् जी, तभी उनकी गिरफ़्तारी के बाद उनके लिए कुछ करने आ गये हैं। सामान्य भक्त और शिष्य इस घटना पर दुःखी होकर आते हैं। लेकिन वे गुरु महाराज के लिए कुछ करने की स्थिति में नहीं होते। जो पहुँचे हुए नेता, मन्त्री और बड़े अधिकारी आते थे, उनमें से आपको छोड़कर इस घटना के बाद कोई नहीं आया...।"

इस सम्बन्ध में लोकचन्द ने भी अपनी स्थिति स्पष्ट कर दी – "मैं भी कुछ करने की स्थिति में नहीं बन्धुओं। लेकिन यथार्थ जाने बगैर मैं रह ही नहीं सकता था। यहाँ आने के बाद वास्तविकता से अवगत हो गया...।"

इस सन्ध्या भ्रमण के तहत लोकचन्द को आश्रम के अलग-अलग प्रबन्धकों से उनसे सम्बन्धित विभागों की जानकारी भी हासिल हुई। उस जानकारी के अनुसार अस्पताल और स्कूल आश्रम में कायम होने के बावजूद सरकार से सम्बन्धन प्राप्त थे, इसलिए वे पूर्ववत् चल रहे थे। अस्पताल में जो पहले से मरीज भर्ती थे, वही इलाजरत थे। गुरु महाराज की गिरफ़्तारी के बाद खाली होते आश्रम से कोई नया मरीज नहीं पहुँचा था, क्योंकि श्रद्धालुओं का आना बन्द हो गया था और जीवनदानी तथा स्थायी सदस्यों को छोड़कर आश्रम में ठहरे अन्य श्रद्धालु जा चुके थे।

इसी भाँति स्कूल पर भी एक अनाम-सा सन्नाटा छा गया था। छात्र-छात्राओं से गुलजार रहनेवाला स्कूल ऐसे चलता था जैसे सब डरे हों। छात्र चुपके-चुपके अपनी कक्षा में आते और क्लास समाप्त होते ही सीधे छात्रावास में जा छिपते। शिक्षकों की भी यही स्थिति थी। ऐसे में कई अभिभावक अपने लड़के-लड़कियों को अवकाश दिलवा उन्हें घर ले जा चुके थे।

आश्रम सेवक प्रमुख नवरंग नारायण तो एकदम उबलते हुए मिले – "गुरु महाराज की गिरफ़्तारी से सभी आश्रम सेवक खौल रहे हैं श्रीमान् जी। उन्हें हम आदेश

दे दें तो गुरु महाराज की गिरफ़्तारी के खिलाफ पूरे शहर में ऐसा ताण्डव मचा दें कि लोग आतंकित हो उठें। लेकिन जाते हुए गुरु महाराज ने संकेत देकर हमें मना कर दिया था और फिर उनके जाने के बाद स्वामी जगेश्वरानन्द ने सबको रोक रखा है। अब हम मन मसोसकर जी रहे हैं श्रीमान् जी। आश्रम सेवक भी अपने स्थल पर किंकर्त्तव्यविमूढ पड़े हैं। उनका अभ्यास, प्रशिक्षण सब बन्द है।"

चिकित्सा प्रमुख स्वामी सुकण्ठ शरण की बात सुनकर तो लोकचन्द चकित रह गये। आश्रम में उनकी बातों के प्रमुख विरोधी सुकण्ठ शरण ने अब मिलते ही उनका स्वागत किया तथा अपनी पिछली धारणा के लिए खेद जाहिर की – "वाकई आप महान् हैं श्रीमान् जी। गुरु महाराज के सच्चे भक्त और शिष्य। तभी इस आड़े वक्त हमारे बीच आ गये...। उस वक्त मैं आपको नहीं समझ सका था। लेकिन अब आपकी वे सारी बातें मुझे सही जान पड़ रही हैं। उस वक्त गुरु-महाराज के प्रति अन्ध भक्ति की वजह से आपकी बातें नहीं जँची थीं। लेकिन अब ज्ञात हो गया श्रीमान् जी, हमारी तरह आप गुरु महाराज के अन्ध भक्त नहीं, बल्कि ज्ञानी और विद्वान् शिष्य हैं। उस वक्त के आपके परामर्श अब बिल्कुल सच साबित हो गये...। आपके जाने के बाद गुरु महाराज ने भी मुझे बता दिया था कि आप उनके बिल्कुल अभिन्न और सच्चे शुभ चिन्तक हैं...।"

यात्रा में थके होने की वजह से लोकचन्द अधिक समय तक आश्रम का भ्रमण नहीं कर सके। कुछ ही समय बाद अपने आवास की ओर चल पड़े। उदय नन्दन को वे विदा कर देना चाहते थे। लेकिन वह साथ लगा रहा। उनके साथ ही उनके आवास तक भी पहुँचा। लेकिन अपने आवास पहुँच क्षण-भर के लिए चौंक उठे लोकचन्द। वहाँ स्वामी जगेश्वरानन्द, स्वामी इन्द्र सागर, स्वामी कर्मलेन्दु और एक अपरिचित व्यक्ति को उपस्थित देखा। उनमें से तीन स्वामियों से तो लोकचन्द परिचित थे। आश्रम के एक ही प्रशासनिक भवन में तीनों कार्यरत थे। लेकिन चौथा व्यक्ति उनके लिए नया था। लोकचन्द के पहुँचते ही उनके सम्मान में वे खड़े हो गये। फिर उनकी ओर से स्वामी जगेश्वरानन्द बोल उठे – "जै गुरुदेव श्रीमान् जी। हम आपकी ही प्रतीक्षा कर रहे थे। स्वामी इन्द्र सागर और स्वामी कर्मलेन्दु से तो आप परिचित हैं ही। हमारे साथ यह श्री जगदीश नारायण जी हैं, आश्रम के कानूनी सलाहकार। आश्रम के दायित्व से मुक्त होते ही इन मित्रों को लेकर आपके पास आ गया। आप आराम से बैठ जाइये श्रीमान् जी। गुरु महाराज के लिए हमें अब और क्या-क्या करना चाहिए, इस पर हमें आपका परामर्श चाहिए...। आप विद्वान् प्रोफेसर और पारखी साहित्यकार हैं। इस संकट की घड़ी में आपके परामर्श बहुत कारगर होंगे।

आपसे बातचीतकर हमें शिव-मन्दिर पर भी जाना है। वहाँ सभी प्रबन्धक मित्रों के राय-मशविरे से ही हम कोई निर्णय लेते हैं...।"

लोकचन्द अब अपनी जगह पर बैठ गये। उदय नन्दन भी कोने के स्टूल पर जम गया। लोकचन्द को लगा, ऐसे अवसर पर अपनी बात उन्हें स्पष्ट रूप में रखनी है। अपनी बात से ही अपना पक्ष भी उन्हें स्पष्ट कर देना है। अपनी भूमिका को लेकर किसी को मुगालते में नहीं रखना। बस, तत्क्षण बोल उठे – "बन्धुओ, यहाँ आने के बाद मैं यथार्थ से अवगत हो गया। समाचारों से प्राप्त जानकारी अधूरी थी, अपूर्ण, इसलिए वास्तविक जानकारी के लिए मुझे यहाँ आना पड़ा। यहाँ जब मैं पिछली बार आया था तो गुरु महाराज से तीन दौर में मेरी लम्बी बातचीत हुई थी। उनसे मेरा इतना पुराना सम्बन्ध रहा है कि हम मित्रवत् बात करते थे। मैंने जो महसूस किया था और मुझे जो कुछ कहना था, मैंने उनसे कह दिया था। इस सम्बन्ध में अन्तिम रूप से अपना जवाब भी उन्होंने मुझे दे दिया था। मैं अपनी वह बात आप लोगों को भी बताना चाहता हूँ...।"

इतना कहकर लोकचन्द के क्षणिक विराम लेते ही उनकी बात के समर्थन में स्वामी जगेश्वरानन्द बोल उठे – "हाँ, हाँ, श्रीमान् जी। मुझे ज्ञात है, कुछ-कुछ दिनों के अन्तराल पर गुरु महाराज से तीन बार आपकी लम्बी बातचीत हुई थी। गुरु महाराज के निर्देश पर ही आश्रम की गतिविधियों की सारी सूचनाएँ मुझे रखनी होती हैं। हाँ, तो कहिये श्रीमान् जी। आपकी राय हम जानना चाहते हैं।"

इस पर लोकचन्द ने कहा – "मैंने गुरु महाराज से जोर देकर यह बात कही थी कि संत के मार्ग पर आने के बाद आपको साध्वियों की क्या जरूरत? आश्रम में आपको साध्वियों को रखना ही नहीं चाहिए था। इस सम्बन्ध में उन्होंने महात्मा बुद्ध का उल्लेख करते हुए कहा था कि बौद्ध धर्म में भी स्त्रियों का प्रवेश वर्जित था। लेकिन आम्रपाली के प्रश्नों के समक्ष महात्मा बुद्ध को झुकना पड़ा था। फिर मैं तो सामान्य संत ठहरा...।"

यह सुन स्वामी जगेश्वरानन्द बोल उठे – "गुरु महाराज का कहना सही है श्रीमान् जी। जब श्रद्धालु स्वयं अपनी पुत्रियों को शिक्षा, ज्ञान और संस्कार के नाम पर आश्रम में सौंप जायँ तो गुरु महाराज क्या कर सकते हैं? वे दया और करुणा के अवतार हैं। अपनी छत्रच्छाया में आये किसी भी व्यक्ति को दुत्कार नहीं सकते। ऐसे में स्वेच्छा से आयी और रह रही साध्वियों को वे कैसे हटा देते...?"

जगेश्वरानन्द की इस बात पर लोकचन्द को तत्क्षण भीखम की याद आ गयी। पिछली बार जब वे यहाँ आये थे तो अपनी दो बेटियों को वह आश्रम में सौंपने पहुँचा था। जगेश्वरानन्द का यह कहना सही था कि आश्रम में साध्वियों को जबरन या

किसी दबाव के तहत नहीं रखा गया था। इस पर अब उन्होंने कहा – "आश्रम में साध्वियों की उपस्थिति को देखते हुए मैंने गुरु महाराज से यह भी कहा था कि चाहे जिस किसी कारण से साध्वियाँ आश्रम में रह रही हैं, उनसे आपकी ऐसी निकटता ठीक नहीं। आग और घी को पास-पास रखना उचित नहीं होता।"

इस पर अब स्वामी इन्द्र सागर छूटते ही बोल उठे – "इसमें भी हमारे गुरु महाराज कहीं से दोषी नहीं श्रीमान् जी। हमारे गुरु महाराज जैसे संत और संन्यासी का ब्रह्मचर्य उन साध्वियों ने ही भंग किया है। वे मधुमक्खियों की तरह हमारे गुरु महाराज पर मँडराती रहती थीं। गुरु महाराज के निकट पहुँचने का कोई भी अवसर छोड़ना नहीं चाहतीं। गुरु महाराज की निकटतम बनने के लिए एक-दूसरे से बढ़ कर प्रयासरत रहती थीं। हम सब जानते थे श्रीमान् जी। यह देखते भी थे। लेकिन इसमें क्या कर सकते थे? स्त्री जब पुरुष का ब्रह्मचर्य भंग करना चाहे तो अपने रूप और यौवन के सम्मोहन में वह सहज ही कर सकती है। ब्रह्मज्ञानी महर्षि वाल्मीकि और देवर्षि नारद जब उनसे बच नहीं सके तो फिर हमारे गुरु महाराज कैसे बच पाते?"

यह सुन अब स्वामी कर्मलेन्दु भी बीच में कूद उठे – "यह मामला ऐसा होता है कि इसमें स्त्री-पुरुष के बीच दोष निर्धारण आसान कार्य नहीं हो सकता। स्त्रियों के प्रति सहानुभूति के चलते पुरुषों को दोषी मान लिया जाता है, जबकि रेप को छोड़ कर स्त्री-पुरुष के यौन सम्बन्ध बगैर एक-दूसरे की सहमति और एक-दूसरे की सहभागिता के सम्भव हो ही नहीं पाते। धर्म और अध्यात्म के ही क्षेत्र में ऐसे भी लोग हैं जो सम्भोग से समाधि की बात करते हैं। ऐसे लोग यौन सम्बन्ध की स्वतन्त्रता को अनिवार्य मानते हैं। यौन सम्बन्ध पर कोई पाबन्दी लगाना ही नहीं चाहते।"

इस पर अब जोगेश्वरानन्द पुनः बोल उठे – "साध्वियाँ आकाश से टपकी नहीं होती हैं श्रीमान् जी। उन्हें आश्रमों में सौंपनेवाले उनके अभिभावक सब-कुछ जानते होते हैं। जो बातें हर जगह प्रचारित रहती हैं, उनसे वे अनभिज्ञ कैसे हो सकते हैं? फिर भी अपनी पुत्रियों को आश्रम, मठ या मन्दिरों में ईश्वर भक्ति और ईश्वर की सेवा के नाम पर सौंप जाते हैं।"

यह सुन लोकचन्द अब अपने को रोक नहीं सके – "ऐसा वे गरीबी, अभाव, अशिक्षा, अज्ञान, अन्धविश्वास, अन्ध श्रद्धा तथा लड़के-लड़कियों में भेद मानने के चलते करते हैं। लड़कियों को बोझ माननेवाले लोग उन्हें किसी ठिकाने लगा मुक्त हो जाना चाहते हैं।"

"हाँ श्रीमान् जी। आपका कहना सही है। लेकिन हमें मुख्य विषय पर आना चाहिए। गुरु महाराज जिस संकट में घिरे हैं उससे उन्हें उबारने के लिए ही हमें विचार-विमर्श करना है।"

"मैं भी यही कहना चाहता हूँ स्वामी जगेश्वरानन्द। स्त्री-पुरुष के यौन सम्बन्ध जहाँ कही भी स्वतन्त्र और वर्जनाहीन हैं, वहाँ तभी तक ऐसा है जब तक वे एक-दूसरे पर आरोप नहीं लगाते हैं। इधर ऐसे ही सम्बन्ध महानगरों में 'सह-जीवन' को लेकर भी विकसित हो रहे हैं। नौकरियों में साथ-साथ काम करनेवाले युवक-युवती बगैर शादी किये साथ-साथ रहते हैं। निश्चय ही वे एक-दूसरे के साथ यौन सम्बन्ध बना कर ही रहते और जीते हैं। लेकिन उनका वह सह-जीवन इसीलिए चलता रहता है कि वे एक-दूसरे पर आरोप लगा कर अदालत तक नहीं पहुँचते। यहाँ मामला न सिर्फ अदालत तक पहुँचा है, बल्कि गुरु महाराज गिरफ़्तार भी हो गये। इसके मूल में साध्वियों के आरोप पर मेडिकल जाँच में उनके साथ हुए यौन सम्बन्ध की पुष्टि भी हुई है।"

अब यह सुनते ही आश्रम के कानूनी सलाहकार जगदीश नारायण जो अब तक चुप थे, तत्क्षण बोल उठे – "इसी का काट हम तैयार कर रहे हैं श्रीमान् जी। पहली बात तो यह कि शादी का झाँसा देकर कोई कुछ ही समय तक किसी स्त्री का यौन-शोषण कर सकता है। लम्बे समय तक ऐसा करते हुए नहीं रह सकता, जबकि पद्मा, गुरु महाराज के साथ लम्बे समय से रहती आ रही थी। अगर ऐसा था तो उसे प्रारम्भ में ही आरोप लगाना चाहिए था। आरोप में इतना विलम्ब उसे सन्देह के दायरे में खड़ा करता है।

दूसरी बात यह कि त्रिशूलपुरम् आश्रम में प्रभार के अवसर पर ही यह घटना घटी, जिससे वह सन्देह और गहराता है, क्योंकि वहाँ के प्रभार की प्रबल इच्छुक होने के बावजूद गुरु महाराज ने उसे प्रभार नहीं दिया। जिसको लेकर गुरु महाराज के प्रति वह कुपित थी। उसी की प्रतिक्रिया में उसने ऐसा किया। इससे यह बात स्पष्ट हो जाती है कि यौन-शोषण का उसका आरोप प्रभार न मिलने के चलते ही लगाया गया है।

"तीसरी बात यह कि आरोप लगाते ही आश्रम की जिन दो नयी उम्र की साध्वियों को गवाह के रूप में पद्मा अपने साथ लेते गयी और अपने साथ ही उन्हें छिपा कर रख रही है, वह दोनों किशोर साध्वियाँ एक मजदूर भीखम की बेटियाँ हैं, जिन्हें पद्मा के पिता ने ही भीखम को प्रेरित कर आश्रम में रखवाया था। पद्मा के पिता से उपकृत वे दोनों लड़कियाँ पद्मा के लिए कुछ भी बयान दे सकती हैं। लेकिन हमने उसी वक्त भीखम के पास पहुँच उसका भी बयान टेप कर लिया है। पद्मा के पिता के कहने पर ही उसने अपनी बेटियों को आश्रम में पद्मा के हवाले किया था। अब भीखम अपनी इस बात से चाह कर भी पलट नहीं सकता...।"

"चौथी बात यह कि गुरु महाराज की गिरफ़्तारी के बाद अमृता और चन्दा द्वारा उन पर यौन-उत्पीड़न का आरोप पद्मा से उनकी मिलीभगत है। वे पद्मा की अनुचर

साध्वियाँ थीं। पद्मा के साथ ही आश्रम में रहती थीं। वे ऐसी साध्वियाँ थीं, जिनका पैतृक आधार खिसक चुका था। इस स्थिति में गुरु महाराज की गिरफ़्तारी के बाद पद्मा के इस परामर्श पर कि अब आश्रम में स्वामियों की सेविका और रखैल बन कर जीने से गुरु महाराज पर यौन-उत्पीड़न का आरोप लगाकर जीवन निर्वाह का मुआवजा पा लेना बेहतर होगा। पद्मा के इस बहकावे में ही आरोप लगाकर अब वे पद्मा की सुरक्षा में रह रही हैं। उनकी इस मन्शा को भी हमें बेनकाब करना है। गुरु महाराज पर यौन-उत्पीड़न का आरोप उनकी गिरफ़्तारी के बाद क्यों? गिरफ़्तारी से पहले क्यों नहीं? पद्मा के साथ यह उनकी मिलीभगत नहीं तो और क्या है?''

''पाँचवीं बात यह श्रीमान् जी कि गुरु महाराज पर आरोप लगाने के बाद आलोकचन्द, पद्मा का ड्राइवर नहीं रह गया था, क्योंकि वह आश्रम का ड्राइवर था। आलोकचन्द के अपहरण की सूचना पुलिस को आश्रम की ओर से या उसके घरवालों की ओर से दी जाती। लेकिन इससे अलग पद्मा की ओर से ही दी गयी। इस बात से भी यह सन्देह उत्पन्न होता है कि अपना केस मजबूत करने के लिए ही पद्मा ने आलोकचन्द को छिपाकर उसके अपहरण का मामला दर्ज कराया है...। ये सब बातें गुरु महाराज को निर्दोष साबित करने में सहायक हो सकती हैं श्रीमान् जी। अगर आप इनमें कुछ और सुझाना चाहें तो स्वागत है...।''

यह सुन लोकचन्द कह उठे – ''मेरा जीवन एक प्रोफेसर और लेखक का रहा है बन्धुओं। कानून की पेचिदगियों की मुझे जानकारी नहीं। लेकिन मुझे लगता है कि कहीं भी यौन-सम्बन्ध चाहे जितना स्वतन्त्र और उन्मुक्त हो, वहाँ किसी स्त्री द्वारा किसी पुरुष पर बिना वैवाहिक सम्बन्ध बनाये यौन-शोषण और यौन-उत्पीड़न का आरोप तथा मेडिकल जाँच में यौन-सम्बन्ध होने की पुष्टि उसे अभियुक्त बना देती है। इसका समाधान क्या हो सकता है, मैं समझ नहीं पा रहा हूँ...।''

इस पर जगेश्वरानन्द तत्क्षण बोल उठे – ''हम जो तथ्य एकत्रित कर रहे हैं श्रीमान् जी, वे इस बात को ही प्रमाणित करेंगे कि पद्मा, अमृता और चन्दा ने गुरु महाराज के साथ स्वतः, स्वेच्छा से और अपनी सहमति तथा सहभागिता से यौन-सम्बन्ध बनाया था। बाद में अपने स्वार्थों की टकराहट पर उन्होंने उसे यौन-शोषण और यौन-उत्पीड़न का नाम दे दिया, जबकि वास्तविक गुनहगार वे स्वयं हैं...। उनका षड्यन्त्र और साजिश स्पष्ट है। इस रूप में वे स्वयं दण्ड की भागी हैं।''

जगेश्वरानन्द के इस जवाब पर अब लोकचन्द कुछ नहीं बोल सके तो उन्हें निरुत्तर समझ वहाँ-से प्रस्थान करते हुए जगेश्वरानन्द ने कहा – ''आप आराम कीजिये श्रीमान् जी। हम शिव-मन्दिर जा रहे हैं। वहाँ सभी मित्र एकत्रित हो गये होंगे। सम्भव है, उनके बीच से कुछ और नये सुझाव प्राप्त हों...।''

इस पर अब लोकचन्द ने अपने कार्यक्रम से उन्हें अवगत कर देना उचित समझा – ''यहाँ आकर यथार्थ जानने के बाद अब गुरु महाराज से मिलने की मेरी हार्दिक इच्छा है। उनसे शीघ्र मुलाकात हो सके तो मेरे मन को बहुत राहत मिलेगी।''

''ठीक है श्रीमान् जी। फिलहाल हमारे वकील ने गुरु महाराज से दो मुलाकातियों के मिलने की व्यवस्था करा दी है। मैं दोपहर में गुरु महाराज के लिए आश्रम का बना खाना ले जाता हूँ और उनका परामर्श लेकर आता हूँ। इस बीच सुबह-शाम गुरु महाराज के शिष्यों में से कोई एक मुलाकाती चन्द समय के लिए मिल सकता है...।''

यह सुनते ही लोकचन्द बोल उठे – ''मैं कल सुबह मिलने जाऊँगा स्वामी जगेश्वरानन्द। मेरे लिये सुबह का समय ही अनुकूल रहेगा...।''

''ठीक है श्रीमान जी। आप तैयार रहियेगा। उदय नन्दन आपको ले जायेगा।''

बस, उदय नन्दन तत्क्षण बोल उठा – ''हाँ, हाँ, श्रीमान् जी। मैं आपको लेकर चलूँगा। स्वामी जी को प्रतिदिन गुरु महाराज से मिलाने मैं ही ले जाता हूँ।''

लोकचन्द समझ गये, उदय नन्दन के साथ अन्य आश्रमवासी जगेश्वरानन्द को सिर्फ 'स्वामी जी' कह कर ही सम्बोधित करते थे, क्योंकि गुरु महाराज के बाद अब आश्रम का स्वामित्व उन्हीं के जिम्मे था। इस दौरान स्वामी जगेश्वरानन्द अब अपने लोगों के साथ शिव-मन्दिर की ओर चल पड़े। उन लोगों के निकलते ही किरण आ पहुँची – ''मैं दोबारा आकर लौट चुकी हूँ श्रीमान् जी। स्वामी जी और उनके लोग बैठे हुए थे। लेकिन अब जल्द ही आपका खाना तैयार कर दूँगी।''

किरण किचेन में चली गयी। उदय नन्दन पूर्ववत् अपनी जगह बैठा रहा। इस पर लोकचन्द ने कहा – ''अब तुम भी चले जाओ उदय। सुबह मैं तैयार रहूँगा। तुम समय से आ जाना। गुरु महाराज से मिलकर मुझे वापस घर भी जाना है। फिलहाल घर पर मेरा जाना आवश्यक है...।''

''आप अभी आज ही आये श्रीमान् जी और कल ही जाने के लिए भी कह रहे। अब इस पर मैं क्या कहूँ श्रीमान् जी। इस चन्द समय में ही आपके साथ मुझे ऐसा लग रहा है कि मैं गुरु महाराज के साथ हूँ। उन्होंने मुझे आपको अपना प्रतिरूप बताया था...।''

''यथार्थ जानने के लिए ही मैं आया उदय। फिलहाल वापस जाना मेरे लिये आवश्यक है...।''

इस पर अब उदय ने कुछ नहीं कहा। धीरे से उठकर मन मसोसते हुए चल पड़ा, जैसे वह लोकचन्द को छोड़ कर जाना न चाह रहा हो। कुछ क्षण बाद किरण भी खाना

तैयार कर आ गयी। लोकचन्द ने उसे भी अपना कार्यक्रम बता दिया। इस पर किरण भी कह उठी – "यह क्या श्रीमान् जी कि अभी आप आये और सुबह जाने के लिए भी कहने लगे? गुरु महाराज के नहीं रहने पर भी हम यहाँ आपको कोई असुविधा नहीं होने देंगे श्रीमान् जी...। हमारे लिये तो आप गुरु महाराज की तरह ही हैं। हमारे माँ-बाप से भी बढ़कर।"

जवाब में उदय नन्दन की तरह किरण को भी लोकचन्द ने समझा कर विदा कर दिया। अब वे अपनी रात्रिचर्या में लग गये। समय से खाना खा कर उन्हें सो जाना है, तभी सुबह समय से वे तैयार हो सकेंगे। लेकिन चाहते हुए भी वे जल्द सो नहीं सके। आश्रम की बदली हुई परिस्थितियाँ उनके मानस में कौंधती रहीं। फिलहाल आश्रम के सभी स्थायी सदस्य अपने गुरु महाराज की वापसी के लिए कितने बेचैन और प्रयत्नशील हैं। लोकचन्द इसकी वजह समझ रहे थे। आश्रम में अपरिमित सुख-सुविधाओं के साथ मान-सम्मान का जीवन उन्हें गुरु महाराज की वजह से ही मुहैया था। लेकिन गुरु महाराज जिस तरह के आरोप में बन्द हो चुके हैं और फिर लगातार जिस तरह के और आरोप उन पर लगते जा रहे हैं, वैसे में उनकी मुक्ति सम्भव नहीं दिखती। तो फिर क्या आश्रमवासी इसी तरह उनके लिए प्रयत्नशील बने रहेंगे? इस पर लोकचन्द के अन्दर से ही जवाब आया – "नहीं।"

अदालत द्वारा जब गुरु महाराज को दोषी साबित करते हुए सज़ा मुकर्रर कर दी जायेगी तब उनकी मुक्ति के लिए प्रयासरत इन्हीं आश्रमवासियों के बीच वर्चस्व के लिए संघर्ष छिड़ जायेगा। लेकिन इस संघर्ष में स्वामी जगेश्वरानन्द को विजयी होना है, क्योंकि जेल जाते हुए आश्रम का प्रभार गुरु महाराज ने उन्हें ही सौंप रखा है। इसके पूर्व भी गुरु महाराज ने अपने सबसे विश्वासपात्र जगेश्वरानन्द के जिम्मे ही आश्रम की सभी महत्त्वपूर्ण शक्तियाँ केन्द्रित कर रखी थीं। फिर जगेश्वरानन्द स्वामी से संत और फिर गुरु परम्परा में गुरु महाराज के वास्तविक उत्तराधिकारी के रूप में गुरु के आसन पर विराजमान भी हो जायेंगे।

यहाँ फिर लोकचन्द के अन्दर से ही यह प्रश्न खड़ा हुआ – "तो क्या गुरु रूप में जगेश्वरानन्द को लोग स्वामी मुक्तानन्द जी मुक्त की तरह स्वीकार करेंगे? श्रद्धालुओं, भक्तों और अनुयायियों की फिर वैसी भीड़ यहाँ लगेगी? नेता, मन्त्री, अधिकारी और सेठ-साहूकार यहाँ अपनी मनौतियाँ लेकर पहुँचेंगे?"

इस पर अपने अन्दर से ही उन्हें जवाब भी मिल गया – "हाँ, ऐसा होगा। ऐसा होता भी रहा है। मन्दिरों, मठों और आश्रमों में उत्तराधिकार की परम्परा चलती रहती है। धार्मिक विश्वास के तहत किसी संत और गुरु के प्रति अन्ध श्रद्धा रखनेवाले लोगों की जुटान यहाँ फिर लगनी शुरू हो जायेगी। तब सम्भव है, लड़कियों को बोझ या

उन्हें घाटे का सौदा समझने वाले अभिभावक फिर उन्हें साध्वी बनाने के लिए इस आश्रम में सौंपना शुरू कर देंगे। इस सम्बन्ध में लोकचन्द को लगता है कि समाप्त हो चुकी देवदासी प्रथा ही अब आश्रम की साध्वियों के रूप में पुनः कायम हो गयी है।

लोकचन्द के साथ अक्सर ऐसा होता था कि अपने जीवन और समाज की तत्कालीन समस्याएँ सोने से पूर्व उनके मानस में अवश्य कौंधती थीं। फिर उन्हीं के बीच विचार-विमर्श करते हुए कब उनकी आँख लग जाती थी, उन्हें पता तक नहीं चलता था। इस बार भी उनके साथ ऐसा ही हुआ...।

सुबह लोकचन्द के तैयार होने से पूर्व ही गाड़ी लेकर उदय नन्दन आ पहुँचा। गाड़ी देखकर लोकचन्द पहचान गये, यह गुरु महाराज की वही गाड़ी थी, जिस गाड़ी से उदय उन्हें यज्ञ-स्थल घुमाने ले गया था तथा इसी गाड़ी से उन्हें हरिद्वार के उनके गेस्ट हाउस भी छोड़ने पहुँचा था। इससे पहले कि लोकचन्द कुछ कहते, उदय बोल उठा – "आप तैयार होइये श्रीमान जी। मैं स्वामी जगेश्वरानन्द से आपके नाम मुलाकाती का कार्ड बनवा कर लेते आ रहा हूँ। आश्रम की ओर से स्वामी जगेश्वरानन्द जिनका नाम अंकित कर अपने सिग्नेचर मुहर से उसे मुलाकाती घोषित करते हैं वही गुरु महाराज से मिल सकता है। उस कार्ड पर आपका हस्ताक्षर भी होगा। वही हस्ताक्षर आपसे वहाँ कराया जायेगा और गुरु महाराज से मिलने के बाद वह कार्ड वहीं जमा हो जायेगा। शायद सुरक्षा कारणों से ही वहाँ ऐसा किया जा रहा है।"

इतना कहकर उदय नन्दन कार्ड बनवाने चला गया। इस बार उदय नन्दन के आने से पूर्व ही लोकचन्द तैयार होकर उसकी प्रतीक्षा करने लगे। इस दौरान अब प्रणव भी उनके समक्ष सेवा भाव से मौजूद था। लोकचन्द से उसे सारी जानकारी प्राप्त हो चुकी थी। उन्हें कुछ दिन और रुकने का अनुरोध उसने भी किया था। लेकिन लोकचन्द ने उसे भी समझा दिया था।

अपने कार्य में तेज-मुस्तैद और सक्षम-समर्थ उदय नन्दन मुलाकाती का कार्ड बनवा कर शीघ्र ही आ गया। कार्ड में निर्धारित स्थल पर अपना हस्ताक्षर कर लोकचन्द ने उसे जेब में डाल लिया। अब उदय उन्हें लेकर चल पड़ा। उनके अभिवादन में सेवादार प्रणव हाथ जोड़कर खड़ा रहा।

आश्रम से निकलती गाड़ी का निरीक्षण गेट पर तैनात पुलिस कर्मियों ने किया। फिर गाड़ी को आगे जाने दी। वहाँ से निकल कर गाड़ी जब मुख्य सड़क पर आगे बढ़ी तब लोकचन्द के मानस में अपने मित्र सुकेश की आकृति सहसा कौंध उठी। करीने से सजे बाल-दाढ़ी के तहत संत के चमकते चेहरे और गुरु के बाने में यहाँ

आश्रम में उसे मौजूद देखा था। लेकिन अब जेल में तमाम सुविधाओं से वंचित, कैदी के वेश में, आम आदमी की तरह वह मिलने आयेगा। मुलाकाती के रूप में जेल में बन्द अपने कुछ परिचितों से मिलने के अनुभव के आधार पर ही लोकचन्द के मानस में ऐसे चित्र उभर रहे थे।

अब यह बात भी लोकचन्द के मन में उठने लगी कि जेल में बन्द अपने मित्र सुकेश से मिलने तो वे जा रहे हैं, लेकिन उससे मिलकर क्या कहेंगे? फिर उन्हें लगा, ऐसे अवसर पर ढाढ़स बँधाना ही ठीक रहता है। कहेंगे, अब जो परिस्थिति तुम्हारे सामने उत्पन्न हो गयी है सुकेश, उसका सामना तुम्हें धैर्य और साहस के साथ करना चाहिए। समस्याओं से जब हम भागते और कतराते हैं तो वे हमें और पेरशान करती हैं तथा पहाड़ बन जाती हैं, इसलिए उनके बीच ही हमें जीने का अभ्यास बनाना चाहिए...।

फिर उन्हें लगा, यह कहना तो उसके जले पर नमक छिड़कना होगा। अभियोग को सही साबित कर उसे स्वीकार करने की बात। नहीं, उन्हें ऐसा कुछ नहीं कहना है, जिससे सुकेश का मन और दुःखी हो...।

फिर उन्हें लगा, एक मित्र की हैसियत से अपनी वह बात ही उसे स्मरण दिलानी चाहिए कि – "साध्वियों से तुम्हें दूर ही रहना चाहिए था सुकेश। मैंने तुझे कई बार ऐसा कहा था। इस बात को लेकर तुम्हें आगाह भी किया था कि साध्वियों से तुम्हारी ऐसी निकटता उचित नहीं। लेकिन यह कहकर तुम मुझे समझा देते थे कि 'जो तुम देख्यो सो यह नाहीं।' लेकिन अब यह बात सपष्ट हो गयी कि 'जो मैं देख रहा था, वही सत्य था...।"

फिर उन्हें लगा, यह कहना भी तो उसे उलाहना देने जैसा ही होगा। अपने से नीचे दिखाना। उसके कथन को मिथ्या साबित करते हुए अपने कथन को सत्य प्रमाणित करना। इससे तो सुकेश की व्यथा और बढ़ेगी ही। इसलिए उन्हें ऐसी बात भी नहीं कहनी चाहिए...।

तब उससे मिलकर क्या कहेंगे वे? लोकचन्द कुछ समझ नहीं पा रहे थे। इन्हीं क्षणों में अपने प्रत्युत्पन्नमतित्व से उन्हें जवाब भी सूझ गया। उनसे मिलने पर निश्चय ही सुकेश कुछ कहेगा। बस, उसकी बातों के जवाब में ही उसके मन को सुकून प्रदानकर देनेवाली बातें कह देंगे।

उदय नन्दन के लिए जेल तक का वह रास्ता जाना-पहचाना था। जगेश्वरानन्द को वही प्रतिदिन लेकर वहाँ जाता था। इस दृष्टि से अपने निर्धारित समय के अनुसार वह लोकचन्द को लेकर जेल तक पहुँच गया। वहाँ जेल के फाटक पर उपस्थित

पुलिस और जेल के अधिकारियों ने मुलाकाती के रूप में लोकचन्द से सम्बन्धित कागजी प्रक्रिया पूरी की। फिर उन्हें फाटक के अन्दर एक छोटे-से कमरे में ले जा कर बैठा दिया।

इस दौरान उदय नन्दन पार्किंग में खड़ी अपनी गाड़ी में जा बैठा। मुलाकाती के रूप में फिलहाल एक ही आदमी से मिलने की इजाजत थी। अब पुलिस का एक जवान लोकचन्द से कह गया – "बाबा को खबर दी जा चुकी है। वह आ ही रहा होगा।"

यह बात सुन लोकचन्द को अजीब लगा। अपने आश्रम के सर्वमान्य संत और गुरु अब यहाँ के लोगों के लिए एक अभियुक्त 'बाबा' था, साध्वियों के यौन-शोषण का आरोपी...।

मुलाकाती के जिस छोटे कक्ष में लोकचन्द उपस्थित थे, उसकी दीवारें सलाखों से बनी थीं, ताकि मुलाकाती से कैदी की मुलाकात पर जेल पुलिस नजर रख सके। उस कक्ष के दरवाजे से जेल का खुला प्रांगण स्पष्ट नजर आ रहा था। इससे पहले कि लोकचन्द वहाँ कुछ और मुआयनाकर पाते, उस खुले प्रांगण से उस कक्ष की ओर आते सुकेश पर उनकी नजर चली गयी। कैदी के बाने में सुकेश का एकदम बदला रूप। लोकचन्द को वहाँ यह जानकारी मिल गयी थी कि मुलाकात का समय सीमित है, शायद इसीलिए सूचना पाते ही सुकेश चल पड़ा था। उस कमरे की सलाखों के पास जहाँ लोकचन्द उपस्थित थे। वहाँ से सुकेश को वे साफ-साफ देख रहे थे। लेकिन कमरे के आवरण के अन्दर उनके होने की वजह से सुकेश उन्हें नहीं देख पा रहा था।

जैसे-जैसे सुकेश नजदीक आता जा रहा था उसकी बदली हुई स्थिति लोकचन्द को अचम्भित करती जा रही थी। वे जानते थे, आश्रम के ऐश्वर्यपूर्ण जीवन के तहत कायम स्वरूप जेल के एक कैदी के रूप में बरकरार नहीं रह सकता। लेकिन चन्द दिनों में ही ऐसा परिवर्तन हो जायेगा, इसका अन्दाज भी उन्हें नहीं था। सुकेश के बाल-दाढ़ी पूर्ववत् कायम थे, लेकिन चेहरे की रौनक एकदम गायब थी। श्रीहीन, सूखा, मलिन और रुक्ष चेहरा। जैसे कोई महीनों का भूखा-प्यासा और दुःखी, पीड़ित हो। आँखें कुछ अन्दर धँसी हुईं, लाल-लाल और फटी-फटी जैसे नींद और चैन से वंचित हों। सम्भव है, जेल आने के बाद से त्रस्त-बेचैन सुकेश सो न सका हो। उसका भरा-भरा बदन भी दुबला, अस्वस्थ और निस्तेज जान पड़ रहा था। तेजी से आने के बावजूद उसके पैरों की चाल भी मन्द, भारी और थकावट का एहसास करा रही थी। अनुकूल परिस्थिति से प्रतिकूल परिस्थिति आदमी को कितना परिवर्तित कर देती है, इसके ज्वलन्त उदाहरण के रूप में सुकेश को वे देख रहे थे।

मुलाकाती कमरे के अन्दर प्रवेश करते हुए सुकेश की नजर जैसे ही लोकचन्द पर पड़ी विकल, बेचैन होकर दौड़ते हुए उसने उन्हें बाँहों में इस तरह जकड़ लिया जैसे अब कभी वह उनसे जुदा होना नहीं चाहता हो। इस दौरान उसने फफक-फफक कर रोना भी शुरू कर दिया था। उसके साथ बचपन की 'उस' घनिष्ठ मित्रता का दर्द लोकचन्द के मन में ताज ा हो उठा। उनकी आँखें भी रुआँसी हो उठीं। सुकेश के साथ बाँहों में बँधे अब वे समझ नहीं पा रहे थे कि क्या कह कर उसके अशान्त मन को शान्त करें। जो कुछ कहना था, कह चुके थे, जो समझाना था, समझा चुके थे। अब कुछ भी कहना-समझाना शेष नहीं रह गया था। शायद यही स्थिति सुकेश की भी थी। लोकचन्द को अब और क्या कहकर वह मुगालते में रख सकता था? यथार्थ के धरातल पर उसके सारे तर्क मिथ्या साबित हो गये थे। इस स्थिति में आर्त्त होकर रुदन और पश्चात्ताप के आँसुओं के सिवा उसके पास भी कहने को कुछ नहीं था।

जब इस स्थिति में कुछ क्षण तक वे एक-दूसरे से लिपटकर सिर्फ रोते रहे तब उनकी निगरानी में तैनात एक पुलिस ने आकर उन्हें आगाह किया – "मुलाकात का समय अब समाप्त हो गया। बाबा, तुम अन्दर चलो और भाई साहब आप बाहर जाइये...।"

इसके बाद न चाहते हुए भी सुकेश को लोकचन्द से अलग होना पड़ा। अब एक पुलिस उसे लेकर अन्दर चली गयी और लोकचन्द जेल के फाटक से बाहर आ गये। कुछ ही दूरी पर उदय गाड़ी लेकर बैठा था। लेकिन अब वहाँ पहुँचते हुए लोकचन्द को ऐसा लग रहा था कि उनके पाँव मन-मन भर के बोझिल हो गये हों। अच्छा था, गुजर चुके अपने मित्र की पीड़ा से वे मुक्त हो गये थे। लेकिन उसे पुनः जीवित पा और इस रूप में छोड़ कर वापस होते हुए उनका अन्तरमन दर्द और पीड़ा से भर उठा।

♦♦♦